Entwicklungstendenzen in der deutschen Gegenwartssprache

Entwicklungstendenzen
in der deutschen Gegenwartssprache

Herausgegeben
von
Karl-Ernst Sommerfeldt

VEB Bibliographisches Institut Leipzig

Autoren:
Prof. Dr. W. Fleischer (3.1.), Dr. H. Huth (3.4.), Prof. Dr. H. Langner (1., 2.1.),
Dr. H. Meier (4.2.5.), Prof. Dr. G. Michel (2.3.), Dr. P. Porsch (3.2.), Dr. M. Schrö-
der (3.5.), Prof. Dr. K.-E. Sommerfeldt (4.1.–4.2.4.), Prof. Dr. G. Starke (2.2.),
Dr. I. Wiese (3.3.)

Entwicklungstendenzen in der deutschen Gegenwartssprache /
hrsg. von Karl-Ernst Sommerfeldt. – 1. Aufl. – Leipzig : Bibliographisches Institut, 1988 – 267 S.
ISBN 3-323-00169-9
NE: Sommerfeldt, Karl-Ernst [Hrsg.]

ISBN 3-323-00169-9

1. Auflage
© VEB Bibliographisches Institut Leipzig, 1988
Verlagslizenz-Nr. 433-130/16/88
Printed in the German Democratic Republic
Gesamtherstellung: INTERDRUCK Graphischer Großbetrieb Leipzig,
Betrieb der ausgezeichneten Qualitätsarbeit, III/18/97
Lektor: Sabine Meyer
Technische Redaktion: Jochen Witzel
Einband und Schutzumschlag: Rolf Kunze, Großpösna
Redaktionsschluß: 31. 12. 1986
LSV 0814
Best.-Nr.: 578 103 1
01850

Inhaltsverzeichnis

Vorwort

Dieses Lehrbuch ist vor allem für die Aus- und Weiterbildung von Deutschlehrern und Germanisten gedacht. Es kann in den einzelnen Lehrdisziplinen und in der wahlobligatorischen Ausbildung eingesetzt werden und soll zur selbständigen Weiterbildung anregen.

Die Darstellung von Entwicklungstendenzen geht davon aus, daß Sprache und Gesellschaft, Sprachgeschichte und Gesellschaftsgeschichte unlösbar miteinander verbunden sind. Wesentliches Merkmal der Sprache ist einerseits die Bewegung, andererseits weist die Sprache auch die Eigenschaft der Stabilität auf. Daher ist die Geschichte einer Sprache nicht mit der Geschichte der Veränderungen gleichzusetzen. Auch die Untersuchung der stabilen Elemente gehört zur Sprachgeschichtsforschung.

Im Mittelpunkt der Untersuchung steht die Periode des gegenwärtigen Deutsch (Mitte des 20. Jahrhunderts bis zur Gegenwart). Erscheinungen früherer Perioden werden zum Vergleich herangezogen. Dargestellt wird die Entwicklung in den territorialen Existenzformen, den Fachwortschätzen, den Funktionalstilen, dem Wortschatz, der Wortbildung und der Grammatik. Weitere Tendenzen werden nur gestreift. Die Autoren haben sich in erster Linie auf die Gegenwartssprache in der Deutschen Demokratischen Republik konzentriert. Auf die deutsche Sprache in der Bundesrepublik Deutschland, in der Schweiz und Österreich wird vor allem dann verwiesen, wenn neben Gemeinsamkeiten auch die durch unterschiedliche gesellschaftliche Realitäten bedingten Differenzierungen im Sprachgebrauch sichtbar gemacht werden sollen. Nicht berücksichtigt ist das Deutsch in jenen Ländern, in denen es nicht Staatssprache ist.

Zum Autorenkreis gehören Mitarbeiter unterschiedlicher Einrichtungen. Dieser Umstand und auch die Forschungslage führen dazu, daß in Teilbeiträgen nicht immer einheitliche Auffassungen vertreten werden. Bei einem solchen, von sprachlichen Erscheinungen bestimmten Herangehen ist es durchaus natürlich, daß dieselbe sprachliche Erscheinung von mehreren Seiten betrachtet, also in verschiedenen Teilbeiträgen behandelt werden kann.

Ein Stichwortregister und ein Literaturverzeichnis am Ende des Buches runden die Darstellung ab.

In Anbetracht der Tatsache, daß bestimmte Tendenzen sprachlicher Entwicklung nur angedeutet werden konnten, wurde in das Literaturverzeichnis auch weiterführende Literatur aufgenommen, um so dem Leser die Möglichkeit zu geben, sich selbständig über das Dargebotene hinaus zu informieren.

Die Autoren möchten Herrn Prof. Dr. K.-H. Ihlenburg, Herrn Prof. Dr. H. Naumann und den Mitarbeitern des Verlages für wertvolle Hinweise recht herzlich danken.

Karl-Ernst Sommerfeldt

1 Allgemeine Fragen des Sprachwandels

1.1. Gesellschaft, sprachliche Kommunikation und Sprachwandel
1.1.1. Sprache und Gesellschaft

Sprache und Gesellschaft, Sprachgeschichte und Gesellschaftsgeschichte sind unlösbar miteinander verbunden. Sprache und Gesellschaft bilden eine Einheit spezifischer Art; diese wird schon in der Entstehung der Sprache im Zusammenhang mit der kooperativen Tätigkeit des werdenden Menschen erkennbar, und sie kommt nach der Herausbildung der Sprache zu jeder Zeit darin zum Ausdruck, daß die Sprache ständig Voraussetzung, Instrument und Ergebnis der Auseinandersetzung des Menschen mit der Wirklichkeit ist. Das bedeutet, „der Einfluß der Gesellschaft auf Sprache und Kommunikation (ist) in seinem Wesen nie ein Einfluß von etwas Äußerem auf davon Getrenntes, ein Einfluß von Außersprachlichem auf Sprachliches" (SPRACHLICHE KOMMUNIKATION UND GESELLSCHAFT 1976, 40; vgl. HARTUNG 1978; KOMMUNIKATION UND SPRACHVARIATION 1981, 26 ff.).

Bereits diese Bemerkungen weisen auf die Kompliziertheit des Zusammenhanges von Sprache und Gesellschaft hin. Der historische und soziale Charakter der Sprache und der sprachlichen Kommunikation darf nicht als unmittelbare Abhängigkeit der sprachlichen Entwicklung von der gesellschaftlichen Entwicklung interpretiert werden. (Vgl. 1.3.) Das schließt nicht aus, daß sich in Zeiten gesellschaftlichen Umbruchs, in Phasen großer Fortschritte in Wissenschaft, Technik und Kultur auch sprachliche – besonders lexische – Veränderungen häufen, da tiefgreifende gesellschaftliche Wandlungen zu neuen Kommunikationsbedürfnissen und Kommunikationsbedingungen der Sprachgemeinschaft oder einzelner Kommunikationsgemeinschaften[1] führen. (Vgl. GROSSE 1974; SCHIPPAN 1979, 203 ff.; SCHILDT 1982.) Die Vermittlungsglieder zwischen gesellschaftlichen und sprachlichen Veränderungen sowie die Art und Weise ihres

---

[1] Unter einer Sprachgemeinschaft versteht man alle Menschen, die sich eines Sprachsystems bedienen. In der Regel wird dieser Terminus nur auf die Verwendung der Muttersprache (Primärsprache), und zwar der Literatursprache (Standardsprache), bezogen. Zum Begriff Kommunikationsgemeinschaft vgl. die folgenden Ausführungen.

Wirkens bei der Entstehung und Durchsetzung von Neuerungen, beim Veralten und Untergehen sprachlicher Elemente oder gar bei Wandlungen in der Art sprachlichen Gestaltens sind noch nicht ausreichend erforscht (vgl. 1.3., 2.3.).

Ein genaues Erfassen des Zusammenhangs von Sprache und Gesellschaft macht es erforderlich, das dialektische Verhältnis von Sprache als System und Sprache als Tätigkeit zu erforschen. Die tätigkeitsorientierte Sprachbetrachtung ist besonders von der sowjetischen Psycholinguistik gefördert worden (vgl. FKS 1981, 44 ff.; REIHER 1980, 6 ff.).

Die menschlichen Tätigkeiten determinieren nicht in jedem Fall direkt Inhalt und Form des kommunikativen Handelns; jedoch prinzipiell ist jede kommunikative Tätigkeit mit anderen, meist übergeordneten Tätigkeiten des Menschen verbunden, die wiederum durch die Anforderungen der Praxis im Rahmen der gegebenen Gesellschaftsordnung bestimmt werden. Die sprachliche Tätigkeit stellt also kein verselbständigtes Handeln dar, sondern sie ist eine spezifische Form der geistig-theoretischen Tätigkeit, die alle Bereiche des gesellschaftlichen Seins durchdringt, zeitweise aber auch eine relative Selbständigkeit erreichen kann. Das Funktionieren der Sprache in der Gesellschaft zeigt sich besonders deutlich in der sprachlichen Tätigkeit sozialer Gruppen. Infolge der Differenzierung der gesellschaftlichen Tätigkeit kommt es schon auf einer frühen Stufe der menschlichen Entwicklung zur Ausbildung sozialer Strukturen und damit zur Differenzierung in verschiedenartige Kommunikationsgemeinschaften, „für deren Bestand die sprachliche Kommunikation eine wesentliche Rolle spielt" (THEORETISCHE PROBLEME 1976, 234). Diese Gruppen gehen auf Grund sozialer Faktoren spezielle kommunikative Beziehungen ein; entscheidende Bedingung für die Entstehung solcher Kommunikationsgemeinschaften ist also nicht die Sprache, sondern sind die den kommunikativen Beziehungen zugrunde liegenden sozialen Gegebenheiten. (Siehe auch 1.1.2.)

Eine Kommunikationsgemeinschaft kann sich weitgehend mit einer sozialen Gruppe decken; doch besonders in den entwickelten Gesellschaftsformationen gehören zu einer solchen Gemeinschaft in der Regel Vertreter verschiedener sozialer Gruppen, Klassen und Schichten; erinnert sei zum Beispiel an die Zusammensetzung mancher Kommunikationsgemeinschaften in großen Industriebetrieben. (Vgl. SCHÖNFELD/DONATH 1978; REIHER 1980.)

Mit der Entstehung einer Kommunikationsgemeinschaft sind auch Bedingungen für die Entwicklung bzw. Festigung spezifischer Kommunikationsbedürfnisse, Kommunikationsbedingungen und für die Art und Weise der Kommunikation gegeben; denn diese Gemeinschaften können ihre gemeinsame Aufgabe nur lösen, wenn sie auch miteinander kommunizieren. In dieser kommunikativen Funktion zeigt sich die eine Seite der gesellschaftlichen Funktion der Sprache. Die gemeinsame Tätigkeit schlägt sich auch in gleichen oder ähnlichen Widerspiegelungen der Wirklichkeit (der materiellen und ideellen Erscheinungen) nieder, die auch zu Übereinstimmungen im Sprachbesitz (in der Sprachbeherrschung) der Angehörigen einer Kommunikationsgemeinschaft führen. (Siehe auch 1.1.2.) Daher besitzt die Sprache eine wichtige Funktion der „Vermittlung" zwischen gesellschaftlichem und individuellem Bewußtsein. In dieser kognitiven Funktion der Sprache, die mit der kommunikativen Funktion unlösbar verbunden ist, äußert sich die andere Seite des gesellschaftlichen Charakters der Sprache. (Vgl. u. a. NEUBERT 1981.) Damit erweist sich die kooperative Tätigkeit des Menschen als das entscheidende Bindeglied zwischen Sprache und Gesellschaft. Die Beziehungen zwischen beiden sind sowohl unter sozialen wie auch unter psychischen Aspekten zu erfassen, denn sprachliches Tun ist eine Realisierung gesellschaftlicher Verhältnisse und eine spezifische Form von Bewußtseinsprozessen. Die sprachliche Tätigkeit bildet ein aktives Element im gesamten gesellschaftlichen Handeln des Menschen.

Aus der Erkenntnis, daß sich der gesellschaftliche Charakter der Sprache einmal „in ihrem Verflochtensein in die materielle Tätigkeit und zum anderen in ihrer Eigenschaft als Objektivation des Bewußtseins, als Kodifikation der gesellschaftlichen Erfahrungen, Normen und Werte" realisiert (GESCHICHTE DER DEUTSCHEN SPRACHE 1984, 20), erwächst heute der Linguistik die Aufgabe, die Sprache nicht als autonomes System zu erforschen, sondern als „Erscheinungsform der gesellschaftlichen Beziehungen zwischen den Menschen" (NEUBERT, 1978, 485), als spezifischen Bestandteil des gesamten gesellschaftlichen Lebens. Dabei ist zu beachten, daß die Sprache nicht nur in besonderer Weise mit der Gesellschaft verbunden ist, sondern infolge dieser Gegebenheit selbst gesellschaftlich geprägt ist (vgl. HARTUNG 1978; KOMMUNIKATION UND SPRACHVARIATION 1981, Kap. 2).

Diese Forderung ist auch für die Untersuchung des Sprachwandels sehr bedeutsam; denn jede sprachliche Veränderung kann sich nur in der Kommunikationstätigkeit vollziehen. Dies ist zwar schon um 1900 betont (vgl. PAUL 1937, 32; SAUSSURE 1967, 117) und in der Gegenwart wiederholt bekräftigt worden (vgl. ALLGEMEINE SPRACHWISSENSCHAFT I, 1975, 149, 173; COSERIU 1974, bes. 58 ff.), doch die Konsequenzen für die Erforschung und Beschreibung der sprachlichen Entwicklung müssen zum Teil erst noch gezogen werden. Das ist auch insofern wichtig, als mit der stärkeren Akzentuierung der tätigkeitsorientierten Sprachbetrachtung den Fragen der sprachlichen Veränderung wieder ein größeres Gewicht zugemessen wird. So hat A. A. LEONT'EV mit Nachdruck die Einführung eines qualitativ neuen historisch-genetischen Prinzips in die Linguistik gefordert. Das werde „zu einer Ausweitung ihrer Grenzen und ihrer Umwandlung von einer Wissenschaft nur von der Sprache in eine Wissenschaft von der Sprechtätigkeit führen" (LEONT'EV 1971, 61; vgl. dens. 1975, 35).

1.1.2. Sprachliche Kommunikation, Sprachvariation und Sprachwandel

Kommunikationspartner, die häufig über gleiche Themenkreise miteinander kommunizieren, beeinflussen sich oft auch wechselseitig in ihrem Bewußtsein und in ihrem Sprachbesitz. Unter den im Abschnitt 1.1.1. genannten Bedingungen der gemeinsamen Tätigkeit und der daraus resultierenden Übereinstimmung in den Kommunikationsbedürfnissen, Kommunikationsbedingungen und Kommunikationsbeziehungen kommt es zur Ausprägung soziologisch bedingter sprachlicher Besonderheiten, die bei einem längeren Existieren der kooperativen Tätigkeit in der Regel zur Ausbildung von Soziolekten führen. Unter einem Soziolekt bzw. einem sozialen Dialekt ist eine Sprachvarietät[2], das heißt ein Subsystem der Gesamtsprache zu verstehen, die Ausdruck relativ fester Beziehungen zwischen wichtigen sozialen Merkmalen und dem spezifischen Sprachgebrauch durch die Mitglieder dieser Kommunikationsgemeinschaft sind. Wichtige soziale Faktoren, die Sprachverwendung und Sprachbeherrschung beeinflussen, sind u. a. Alter, Bildung, Beruf, Qualifikation, gesellschaftliche Funktionen (vgl. SCHÖNFELD/DONATH 1978; HERRMANN-WINTER 1979, 35 ff.; LEXIKON TERM. 1985).

Die Kenntnis und der Gebrauch dieser sozial bedingten sprachlichen Varianten, die der Lösung spezieller Kommunikationsaufgaben dienen und die meist an bestimmte Kommunikationssituationen gebunden sind, ist daher ein Indiz für die Zugehörigkeit eines Sprechers zu einer sozialen Gruppe bzw. zu einer bestimmten Kommunikationsgemeinschaft. Diese spezielle Sprachverwendung ist also insofern linguistisch bedeutsam, als bestimmte sprachliche Erscheinungen „nur unter Bezugnahme auf gesellschaftliche Faktoren beschrieben und erklärt werden können" (NEUBERT 1974b, 27). Jedoch bestehen zwischen sozialen Gruppen, Kommunikationsgemeinschaften und Soziolekten keine unmittelbaren Beziehungen, da fast jeder Sprecher mehreren Kommunikationsgemeinschaften angehört und oft auch nicht nur einer sozialen Gruppe zuzuordnen ist. (Vgl. THEORETISCHE PROBLEME, 1976, 559 ff.; UESSELER 1982, 171; SCHÖNFELD 1983, 215 ff.)

Bei den Soziolekten werden vor allem zwei Gruppen unterschieden, die Fachsprachen und die Gruppensprachen (vgl. 2.2., 3.3.); ferner spielen bei ihnen mit-

---

[2] Der Terminus Varietät setzt sich in der jüngeren Linguistik mehr und mehr als Oberbegriff für relativ selbständige Subsysteme einer Sprache durch; meist werden ihm die Existenzformen und die Soziolekte subsumiert. Varietäten stimmen einerseits in einer Vielzahl sprachlicher Mittel mit anderen Varietäten und der Gesamtsprache (dem Diasystem) überein, andererseits heben sie sich von diesen durch zahlreiche spezielle Elemente (funktionale, soziale, territoriale Varianten) ab. (Vgl. zu den Termini Varietät und Variante KOMMUNIKATION UND SPRACHVARIATION 1981, 73 ff.; MATTHEIER 1984b, 770; SCHÖNFELD 1985, 206 ff.)

unter generationsspezifische und geschlechtsspezifische Besonderheiten eine Rolle. (Vgl. ausführlicher KL. ENZYKL. 1983, 444 ff.)

Gelegentlich wird der Terminus Soziolekt weiter gefaßt. So ist nach GLINZ (1971, 75) das als Soziolekt zu verstehen, „was man auch als Umgangssprache, Alltagssprache, Schülersprache, Fachsprache, Sondersprache usw. (!) bezeichnet". Dieser Standpunkt ist jedoch nicht als typisch für nichtmarxistische Linguisten zu interpretieren. So stellt z.B. STEGER folgendes fest: „Die geschichtlich sozialen Bedingungen zeigen typisierende Einwirkungen auf das Sprachverhalten/Sprachhandeln. Damit wird angenommen, daß die kommunikativen Handlungsabsichten, -zwecke und Themen, die in konventionellen und institutionellen sozialen Situationen verwirklicht werden, in ihrem Vorkommen, ihrer Struktur, ihrer Verteilung und ihrer sprachlichen Realisation von der Sozialstruktur typisierend beeinflußt werden" (STEGER 1980, 347; vgl. BAUSCH 1980, 358 ff.).

Die Existenz von Soziolekten (und anderen Varietäten) hat unmittelbare Bedeutung für den Sprachwandel, denn diese Subsysteme sind Ausdruck genereller Merkmale der Sprache und der sprachlichen Kommunikation: der Variabilität (bzw. der Variation als deren Realisierung) und der Heterogenität, die wichtige Aspekte der Dynamik einer Sprache ausmachen.

Da jede Kommunikationsgemeinschaft in vielfältiger Weise mit anderen Kommunikationsgemeinschaften verbunden ist und da kein Sprecher alle Elemente des Sprachsystems kennt, führt dies zu einer wechselseitigen Beeinflussung der Soziolekte (und der anderen Varietäten) und damit des öfteren auch der Allgemeinsprache. Die Tendenz der sozial bedingten sprachlichen Differenzierung bildet daher gleichzeitig eine Ursache für die generelle Tendenz der sprachlichen Integration. Sehr deutlich zeigt sich dieser Einfluß darin, daß Sprachkontakte zwischen Varietäten einer Sprache sowie zwischen verschiedenen Sprachen ein wichtiger Faktor für die Entstehung von sprachlichen Varianten und damit für den Sprachwandel sind. (Vgl. SPRACHVARIATION UND SPRACHWANDEL 1980.) Sprachliche Mittel der Umgangssprache oder eines Soziolekts werden oft dann in die Literatursprache übernommen, wenn für deren Gebrauch ein allgemeines Bedürfnis besteht. Das ist z.B. der Fall, wenn dem Sprecher für die Bezeichnung eines (neuen) Gegenstandes oder Sachverhalts kein adäquates literatursprachliches Mittel, wohl aber ein geeignetes Element einer anderen sprachlichen Varietät zur Verfügung steht (vgl. die ursprünglich nur fachsprachlichen Lexeme *bugsieren, Abbau, Start*) oder wenn aus unterschiedlichen Gründen Elemente einer Varietät bzw. einer anderen Sprache als Varianten neben allgemeinsprachliche Mittel treten (vgl. u.a. *Erdapfel* neben *Kartoffel*, *Samstag* neben *Sonnabend, Festival* neben *Fest*). Wie viele Beispiele zeigen, führt das Nebeneinander von Varianten oft zu semantischen und/oder stilistischen Differenzierungen oder zur Zurückdrängung (Archaisierung) einer Variante. Daher stellen Variationen bzw. Varianten nicht selten ein Indiz für einen gerade sich vollziehenden sprachlichen Wandel dar. Solche Einsichten in die Phasen der Entstehung und der Ausbreitung einer sprachlichen Veränderung lassen sich verständlicherweise bei Untersuchungen der Gegenwartssprache leichter gewinnen als bei Analysen vergangener Sprachzustände. (Vgl. BAUSCH 1977; zur Bedeutung der Varianten für den Sprachwandel vgl. MATTHEIER 1984 a.)

Diese Art der wechselseitigen Beeinflussung von Sprachvarietäten und die dadurch bedingte Weiterentwicklung der Sprache ist in der Vergangenheit vorwiegend am Beispiel der Existenzformen untersucht worden, indem verschiedene Stufen der Interferenzerscheinungen erfaßt wurden. (Siehe 2.1.) In jüngster Zeit hat sich die Linguistik stärker den sozial bedingten Prozessen der Differenzierung und Integration zugewandt und dadurch noch deutlicher erkennen lassen, daß die sprachliche Differenzierung als allgemeine, notwendige Erscheinung zu betrachten ist, daß man die „Differenziertheit der Sprache als Ausdruck ihrer Gesellschaftlichkeit" begreifen muß (KOMMUNIKATION UND SPRACHVARIATION 1981, 26).

Diese Erkenntnis ist für die Erforschung sprachlicher Veränderungen außerordentlich wichtig. Das gilt vor allem für Phasen der gesellschaftlichen Entwicklung, in denen die Sprecher verschiedener Varietäten auf Grund der historischen Bedingungen in vielfältige kommunikative Beziehungen treten und dadurch die Tendenzen der Integration und der Differenzierung eine besonders starke Ausprägung erfahren. Eine solche Sprachsituation hat sich z. B. nach 1945 in der DDR entwickelt, denn die Kommunikation zwischen Angehörigen verschiedener sozialer Klassen, Schichten und Gruppen hat deutlich an Intensität und Vielfalt zugenommen. Erinnert sei nur an die Kommunikationsbereiche der politischen und fachlichen Weiterbildung, der beruflichen Tätigkeit, der Wahrnehmung der staatsbürgerlichen Rechte und Pflichten sowie an die kulturelle und sportliche Tätigkeit; die entsprechenden Kommunikationsereignisse verbinden in der Regel Menschen unterschiedlicher sozialer Herkunft miteinander. (Vgl. die Beispiele in den Kapiteln 2 und 3.)

Die Heterogenität der Sprache ist auch deshalb mit dem Merkmal der Variation und damit mit dem Problem des Sprachwandels eng verknüpft, weil alle sprachlichen Veränderungen mehrdimensional verlaufen. Prinzipiell kann bei jeder sprachlichen Bewegung eine räumliche, eine zeitliche, eine soziale und eine funktionale Dimension unterschieden werden, die jedoch stets in ihrer Verflochtenheit zu sehen sind. Da jeder Sprachwandel Prozeßcharakter besitzt, da von jeder Neuerung bis zu ihrer festen Integration in das Sprachsystem ein gewisser Zeitraum vergeht und auch danach das neue Element mitunter nicht von allen Angehörigen einer Sprachgemeinschaft akzeptiert wird, tragen nicht wenige sprachliche Veränderungen selbst nach der Phase ihrer Entstehung und der Phase ihrer Ausbreitung zur Integration u n d zur Differenzierung im Sprachgebrauch und in den Sprachnormen bei. (Zu den Phasen des Sprachwandels vgl. ausführlich GROSSE/NEUBERT 1982.)

Das diachronische Nacheinander äußert sich also oft in einem synchronischen Nebeneinander, in synchronischen Oppositionen; das heißt, die Varianten sind dann Ausdruck der oben genannten Dimensionen sprachlicher Bewegungen. Handelt es sich um funktionale oder soziale Varianten, werden diese sprachlichen Mittel in der Regel von bestimmten Schreibern/Sprechern bei der Lösung bestimmter Kommunikationsaufgaben bevorzugt verwendet bzw. gemieden. Damit entwickeln sich diese sprachlichen Elemente zu Indizien des Sprachgebrauchs sozialer Gruppen, zu Merkmalen von Soziolekten. Zeitlich und räumlich begrenzt gültige Mittel dienen innerhalb literatursprachlicher Texte ebenfalls des öfteren speziellen Funktionen, z. B. der Kennzeichnung des lokalen und temporalen Kolorits und der Charakterisierung von Personen.

Die Mehrdimensionalität sprachlicher Veränderungen ist an Beispielen aus allen Perioden der Sprachgeschichte nachzuweisen. Besonders deutlich treten die verschiedenen Dimensionen in Phasen großer gesellschaftlicher Veränderungen zutage. Eine Fülle von Belegen liefert daher die sprachliche Entwicklung im 19. und im 20. Jahrhundert, insbesondere die nach 1945. Die differenzierte Ausbreitung sprachlicher Bewegungen läßt sich sowohl im Wortschatz – hier vor allem im Bereich der politisch-sozialen Lexik – als auch in den anderen Teilbereichen des Sprachsystems demonstrieren. (Vgl. die Kapitel 2. bis 4.) Da der Sprachwandel in den relativ geschlossenen Teilsystemen der Sprache langsamer vor sich geht als im offenen Teilsystem der Lexik, können die verschiedenen Dimensionen sprachlicher Bewegungen – besonders die zeitliche und räumliche, weniger die soziale – in der Grammatik und Phonematik mitunter genauer verfolgt werden als im Wortschatz. Das trifft z. B. auf Veränderungen im Tempussystem der deutschen Sprache zu; man vergleiche u. a. die Ausbildung des Futurs in ahd. und in mhd. Zeit – die Form mit *werden* setzt sich erst im Laufe einer längeren Zeit gegenüber denen mit anderen Verben durch – sowie die Umbildung der Zeitformen zum Ausdruck vergangener Geschehen seit dem Frnhd. Seit dieser Zeit dringen, ausgehend von Mundart und Umgangssprache, immer stärker zwei neue Vergangenheitsformen vom Typ *habe/hatte* plus Partizip II plus *gehabt* in die Literatursprache ein (vgl. 4.1.). Diese Bildungen sind heute im Sprachgebrauch vieler Menschen zu beobachten, unabhängig von ihrem sozialen Status und ihrer territorialen Herkunft; besonders häufig treten sie in der gesprochenen Sprache auf, doch kommen sie auch in geschriebenen Texten nicht selten vor; vgl.: *Ich habe … gebeten gehabt* (Prof. X, Mathematiker, mündlich). *Wir hätten uns ein Unentschieden verdient gehabt* (Zeitungsartikel). *Er hatte sie / die Augen – H. L. / in das Gesicht des Bruders gerichtet gehabt* (E. Wiechert, Autorensprache). *Daß es die Möglichkeit des Scheiterns gibt, hatte er aus seinem Bewußtsein verdrängt gehabt* (H. Bastian, Autorensprache). (Vgl. GESCHICHTE 1984, 310.)

Die Orthographie und die Orthoepie sind zwar strenger kodifiziert als die anderen sprachlichen Ebenen, doch kann auch in diesen Bereichen, z. B. bei der Eindeutschung von Fremdwörtern (vgl. 3.4.), die zeitliche, mitunter sogar die räumliche Dimension einer Veränderung beobachtet werden.

Schließlich ist darauf hinzuweisen, daß auch innerhalb sozialer Gruppen bzw. Kommunikationsgemeinschaften keine sprachliche Homogenität herrscht, daß die Heterogenität selbst bei Angehörigen einer Kommunikationsgemeinschaft, die sich eines Soziolekts bedienen, festzustellen ist. SCHÖNFELD/DONATH (1978) haben solche Differenzierungen innerhalb von Kommunikationsgemeinschaften eines sozialistischen Großbetriebes nachgewiesen. Zwischen zwei Kommunikationspartnern bestehen immer Unterschiede im Bewußtsein und in der Sprachbeherrschung, selbst dann, wenn beide auf Grund gemeinsamer Tätigkeiten, gemeinsamer Weltanschauung und anderer gemeinsamer Interessen eng miteinander verbunden sind. Das hängt letztlich mit der unterschiedlichen Widerspiegelung der Wirklichkeit durch das Subjekt zusammen. (Vgl. RUBINSTEIN 1969, 15.) Da hier das gesellschaftliche Subjekt gemeint ist, können die Unterschiede zwischen einzelnen Individuen einer Kommunikationsgemeinschaft noch größer sein. Das Bewußtsein eines Menschen umfaßt daher in der Regel 1. individuelle, 2. gruppenspezifische und 3. allgemein gesellschaftliche Abbilder bzw. Abbildelemente. Die dritte Gruppe von Abbildern bildet Grundlage und Voraussetzung für die Verständigung; die Bewußtseinselemente der ersten und der zweiten Gruppe geben oft den Anlaß für eine Kommunikation zwischen zwei Kommunikationspartnern; sie sind also von Bedeutung für die Kommunikationsvorgänge, die der Überwindung von Unterschieden in den Kenntnissen, Erkenntnissen, Wertungen und Überzeugungen zwischen den Sprechern dienen. Das Wesen des Gesprächs besteht gerade darin, „durch fortgesetzte Adaption (Anpassung) von Erfahrungselementen und von Größen des sprachlichen Kodes bei den beiden Partnern eine annähernd gleiche Auffassung der besprochenen Wirklichkeit, im weitesten Sinne des behandelten Themas, zu erreichen, ein Verstehen herbeizuführen" (AMMER 1961, 62).

Die Unterschiede im Bewußtsein und in der Sprachbeherrschung der Kommunikationspartner bilden also einerseits – wenn sie ein bestimmtes Maß überschreiten – ein Hemmnis für die Verständigung, andererseits stellen sie einen wichtigen Faktor für das Zustandekommen und für die Gestaltung von Kommunikationsprozessen dar. Betreffen diese Unterschiede ganze Kommunikationsgemeinschaften, können sie zu einer Triebkraft des sprachlichen Wandels werden. (Siehe auch 1.3.) Aus diesen Gegebenheiten resultiert die Forderung, die Sprache und ihre Veränderungen in der Vielschichtigkeit ihrer historischen und sozialen Gebundenheit zu erfassen, die sprachlich-kommunikative Tätigkeit stets im Zusammenhang mit den gesellschaftlichen Verhältnissen zu untersuchen.

1.2. Arten und Bezeichnungen des Sprachwandels
1.2.1. Der Sprachwandel als konstitutives Merkmal der Sprache

Die Erkenntnis, daß sich alle Erscheinungen der objektiven Realität ständig verändern, daß die Bewegung „Daseinsweise und Attribut der Materie ist" (PHILOSOPHISCHES WÖRTERBUCH 1976, 217), gilt auch für die Sprache, also für eine nicht zur Materie gehörende Erscheinung. Die Bewegung als ein wesentliches Merkmal der Sprache ist unlösbar mit der ebenfalls der Sprache inhärenten Eigenschaft der Stabilität verbunden. Stabilität und Variabilität bilden eine dialektische Einheit; Statik und Dynamik sind universelle, korrelative Eigenschaften aller natürlichen Sprachen. Das läßt sich sowohl bei der Untersuchung einzelner Erscheinungen und Prozesse wie auch bei der Erforschung von Sprachzuständen und Entwicklungsperioden nachweisen. Das Verhältnis von Sprachzustand und Sprachwandel zeigt sich zu jedem Zeitpunkt u. a. in dem Zusammenwirken von allgemeingültigen sprachlichen Mitteln, Neuerungen und Archaismen. Diese Auffassung unterscheidet sich deutlich von den Positionen SAUSSURES und der auf ihm aufbauenden Richtungen des Strukturalismus. Nach SAUSSURE ist der Sprachwandel eine Erscheinung, die nicht das Wesen der Sprache berühre; nach ihm stehen sich synchronische Geschlossenheit und diachronischer Zufall als Antinomie gegenüber, denn diachronische Veränderungen ersetzen im Prinzip nur ein Element durch ein anderes, ohne das Sprachsystem zu verändern. Diese Position führt zu einer Gegenüberstellung von „innerer" und „äußerer" Sprachwissenschaft und damit zu der Schlußfolgerung, daß die Sprache etwas Selbständiges sei, das man isoliert betrachten könne, ja müsse. Erinnert sei an den bekannten Schlußsatz der „Grundfragen": „Die Sprache an und für sich betrachtet ist der einzige wirkliche Gegenstand der Sprachwissenschaft." (SAUSSURE 1967, 279.) Bei der Beurteilung dieser Standpunkte ist allerdings zu beachten, daß SAUSSURE durchaus die Geschichtlichkeit der Sprache erkannt hat – er ist ja bekanntlich von der Soziologie ausgegangen – und daß die von allen äußeren Faktoren abstrahierende Betrachtung des Sprachsystems ein notwendiger Schritt in der Geschichte der Linguistik darstellt, denn in den vorangegangenen Phasen der Sprachwissenschaft war die Erforschung des Sprachzustandes als eines Systems vernachlässigt worden. PAUL (1937, 20 ff.), ein führender Vertreter der Junggrammatiker, war z. B. der Meinung, daß es keine andere wissenschaftliche Betrachtung der Sprache gebe als die geschichtliche.

SAUSSURES absolute Trennung von Synchronie und Diachronie wird dem Wesen der Sprache nicht gerecht. Da sprachliche Veränderungen eine notwendige Voraussetzung für die Existenz und das Funktionieren einer Sprache als Mittel der Kommunikation und als Medium des Denkens sind, bilden Kontinuität und Diskontinuität keinen generellen Gegensatz[3]; die sprachlichen Veränderungen können vielmehr als eine ständige Systematisierung charakterisiert werden. (Vgl. COSERIU 1974, 236 f.; NEUBERT 1973; LEONT'EV 1971, 59; ALLGEMEINE SPRACHWISSENSCHAFT I, 168.) Der Zusammenhang von Sprachzustand und Sprachwandel kommt auch darin zum Ausdruck, daß der Beginn einer Veränderung ein synchronisches Faktum darstellt.

---

[3] Auf die Erscheinungen des Bruchs der Kontinuität einer Sprache, die zur Sprachmischung, zur Sprachspaltung oder zum Sprachzusammenfall führt, braucht im Rahmen dieses Buches nicht eingegangen zu werden

Die Erkenntnis von der dynamischen Stabilität der Sprache schließt die Auffassung ein, daß die Geschichte einer Sprache nicht mit der Geschichte der Veränderungen gleichzusetzen ist. Auch die Untersuchung der stabilen Elemente gehört zum Gegenstand der Sprachgeschichtsforschung. Daher müssen z. B. alle sprachlichen Neuerungen und Archaisierungen im Zusammenhang mit ihren Folgen für die Veränderungen der syntagmatischen und paradigmatischen Beziehungen des Sprachsystems betrachtet werden.

1.2.2. Zur terminologischen Unterscheidung von Bewegung (Veränderung) und Entwicklung

Oft werden die Termini Bewegung, Veränderung, Wandel und Entwicklung synonym verwendet, und zwar sowohl zur Bezeichnung einzelner sprachlicher Prozesse als auch zur Bezeichnung der Entwicklung eines Teilsystems oder der Sprache als Ganzes; vgl. Sprachbewegungen im Untersuchungsgebiet; Veränderungen im Vokalismus des Ahd.; die Entwicklung von Fachwortschätzen im 19. Jahrhundert; Wandlungen im Gefüge der Existenzformen. Geht es um das Merkmal der Variabilität der Sprache schlechthin, wird vorzugsweise der Terminus (Sprach-)Wandel benutzt; vgl. die folgenden Untertitel bzw. Kapitelüberschriften neuerer Werke der Linguistik: Das Problem des Sprachwandels in der neueren Linguistik (ALLGEMEINE SPRACHWISSENSCHAFT I); Sprachsystem und Sprachwandel (THEORETISCHE PROBLEME); Das Problem des Sprachwandels (COSERIU). Selbst wenn man zwischen Bewegung und Wandel oder zwischen Bewegung und Entwicklung unterscheidet, so geschieht dies in der Regel ohne eine klare terminologische Abgrenzung.

KUBRJAKOWA unterscheidet zwei Arten von Bewegungsprozessen, Variationen und Veränderungen. Variationen seien Prozesse der Koexistenz und der Konkurrenz, Veränderungen Prozesse der Substitution im weiten Sinne. (Vgl. ALLGEMEINE SPRACHWISSENSCHAFT I, 1975, 174 f.) Prinzipiell kann einer solchen Zweiteilung zugestimmt werden; doch da der Begriff der Veränderung den der Variation einschließt – diese bildet oft die erste Phase eines Wandels –, ist nur bedingt von zwei verschiedenen Arten von Bewegungen zu sprechen, auch wenn die Verfasserin die enge Verbundenheit zwischen beiden betont.

Verwendet man den Begriff Sprachwandel im genannten Sinne und bedenkt man, daß der Terminus Variation in der neueren Linguistik in anderer Weise als bei KUBRJAKOWA gebraucht wird (vgl. 1.2.2.), dann empfiehlt es sich, zwischen Bewegung (Veränderung) und Entwicklung eine terminologische Differenzierung vorzunehmen, und zwar entsprechend der marxistischen Philosophie, wodurch sich die Linguistik als Einzelwissenschaft der Philosophie als der Wissenschaft von den allgemeinen Bewegungs- und Entwicklungsgesetzen einordnet. Danach ist der Terminus Bewegung in zweifacher Weise zu verwenden. Einmal bildet er den Oberbegriff für alle sprachlichen Wandlungen, denn jede Veränderung im interindividuellen Sprachgebrauch ist Ausdruck der Kategorie Bewegung. „Im allgemeinsten philosophischen Sinne bedeutet ‚Bewegung' Veränderung schlechthin." (PHILOSOPHISCHES WÖRTERBUCH 1976, 217.) „Der Begriff der Veränderung gibt die allgemeinste und abstrakteste Bestimmung der Bewegung an, er bedeutet in diesem Sinn das Anderswerden, das Übergehen in einen anderen Zustand schlechthin" (a. a. O., 1257). Die Bewegung steht mit dem Zustand im Verhältnis eines dialektischen Widerspruchs (vgl. 1.3.). Ein solches Verständnis des Begriffs Bewegung entspricht der oben formulierten These, daß die Bewegung eine notwendige Bedingung der Existenz und des Funktionierens einer Sprache darstellt, daß auch die Sprache „in jedem Augenblick dasselbe und doch ein andres ist" (ENGELS, in: MEW 20, 112). Zum anderen bezeichnet Bewegung im engeren Sinne einzelne sprachliche Veränderungen. Die dadurch entstandenen neuen sprachlichen Elemente können jedoch auf Grund spezifischer Gebrauchseigenschaften für die Kommunikation durchaus von Bedeutung sein; außerdem bilden sie meist ein Element einer Entwicklung. Zu diesen Bewegungen gehören u. a. der Wandel in der Aussprache eines Phonems, z. B. des /r/, der Übergang eines starken Verbs in die schwache Konjugation, der Wandel in der Rektion eines Verbs, der Ersatz eines reinen Kasus durch eine präpositionale Fügung, der Bedeutungswandel eines Lexems, die Entlehnung eines Lexems oder Semems aus einer fremden Sprache und die Sanktionierung eines umgangssprachlichen Mittels als einer literatursprachlichen Variante. Es wäre unzweckmäßig, diese einzelnen Bewegungen als Entwicklung zu bezeichnen.

Unter Entwicklung ist vielmehr die Zusammenfassung einer größeren Zahl meist gleichartiger Veränderungen zu verstehen, die in ihrer Gesamtheit von der Weiterentwicklung einer Sprache zeugen und die dadurch insgesamt einen höheren kommunikativen Wert besitzen. Im Gegensatz zur Veränderung dominiert daher bei der Entwicklung der qualitative Aspekt. (Vgl. die prinzipiell gleiche Bestimmung dieses Begriffs bei SCHIPPAN 1983, 292 f.) Diese Bemerkungen haben bereits deutlich gemacht, daß zwischen Bewegung und Entwicklung unmittelbare, aber keineswegs gradlinige Beziehungen bestehen. Daher kann für die Bestimmung einer neuen Entwicklungsstufe einer Sprache nicht nur der quantitative Aspekt – etwa die Summe einer bestimmten Zahl von Veränderungen – entscheidend sein; vielmehr muß stets auch die Funktion der neuen Elemente für die sprachliche Kommunikation berücksichtigt werden. (Vgl. 1.3.2.) Trotzdem ist es infolge des komplizierten Gegenstandes Sprache nicht immer möglich, im konkreten Fall zwischen Bewegung und Entwicklung zu unterscheiden, zumal es noch keine hinreichenden Kriterien für die Bestimmung einer neuen Qualität der Sprache gibt.

Wie schwierig es ist, den Entwicklungsstand einer Sprache im Verhältnis zu anderen Sprachen einzuschätzen, zeigen die Urteile, zu denen VAN DAM auf Grund eines Vergleichs des Deutschen mit dem Niederländischen gelangt ist: „Jedenfalls ist das Niederländische in seiner Entwicklung weiter fortgeschritten als das Deutsche, so daß es allmählich zu einer Sprache geworden ist, die auf jedem Gebiet ihre Formenwelt eingeschränkt hat. Es ist im großen und ganzen eine analytische Sprache geworden, in starkem Maße internationalisiert ... Das Deutsche bietet mit seinem Formenreichtum, seinen strengen Regeln, seinem Übermaß an Varianten dem Lernenden zu große Schwierigkeiten, ist dagegen außerordentlich geeignet, komplizierte Gedankensysteme zum Ausdruck zu bringen." (VAN DAM 1978, 73.) Zumindest dem letzten Urteil ist nicht zuzustimmen; zweifellos lassen sich auch mit Hilfe der ebenfalls hochentwickelten niederländischen Sprache komplizierte Gedanken formulieren. Offensichtlich bildet jedoch der relativ einfache Formenbau einer analytischen Sprache einen günstigen Faktor für ihre Eignung als Mittel der (internationalen) Kommunikation. Bereits J. GRIMM (1864, 293) hat in bezug auf das Englische auf den Zusammenhang zwischen Formenbau und Ausdrucksmöglichkeit hingewiesen.

Trotz der genannten Schwierigkeiten ist die Differenzierung der Termini Bewegung und Entwicklung durchaus handhabbar. So vollzieht sich z. B. die Auflösung einer Mundart meist ganz allmählich in Form zahlreicher Veränderungen. Der Übergang von einer Mundart zu einer Schicht der Umgangssprache als einer neuen sprachlichen Grundschicht ist jedoch eindeutig als Entwicklung zu charakterisieren. Auch die Zusammenfassung aller sprachlichen Bewegungen während einer Periode unter der Überschrift „Zur Sprachentwicklung" (vgl. SCHILDT 1984) wird der hier erläuterten Auffassung von Entwicklung gerecht; der Beginn einer neuen Periode soll ja gerade anzeigen, daß die zahlreichen Prozesse des Sprachwandels zu einer neuen Qualität der Sprache geführt haben. Dagegen kann die Abschwächung der Nebensilbenvokale in der Flexion der Substantive vom Germanischen bis zum Mittelhochdeutschen nur im Zusammenhang mit den Auswirkungen der lautlich-phonologischen Veränderungen auf den Umbau des Kasussystems als Entwicklung bezeichnet werden.

Diese Unterscheidung zwischen Bewegung und Entwicklung entspricht den Positionen der marxistischen Erkenntnistheorie, wonach die Entwicklung eine besondere Form qualitativer Veränderungen ist. „Die bloße Veränderung bringt unmittelbar noch keine höhere Entwicklung hervor. Ist sie jedoch Moment eines Entwicklungsprozesses, so entstehen im Resultat quantitativer Veränderungen höhere Qualitäten. Jede Entwicklung ist Veränderung, und jede Veränderung kann in längeren oder kürzeren Zeiträumen Moment eines Entwicklungsprozesses werden." (PHILOSOPHISCHES WÖRTERBUCH 1976, 1257 – Hervorhebung von H. L.)

Die Weiterentwicklung der Sprache kommt vor allem darin zum Ausdruck, daß sich mit Hilfe des veränderten Sprachsystems und der veränderten Sprachnormen im Vergleich zu einem früheren Sprachzustand mehr Erkenntnisse erfassen, fixieren und weitergeben lassen. Ferner gehört zu einer neuen Entwicklungsstufe die Art und Weise, wie kommuniziert wird. Daher besitzen unter dem Aspekt des kommunikativen und kognitiven Wertes einer Sprache die Bewegungen eine besondere Bedeutung, die durch die sprachliche Fixierung neuer Erkenntnisse – neu in bezug auf die Mitglieder einer Kommunikations- bzw. Sprachgemeinschaft – zu einer Bereicherung der Semantik führen, sowie die

Veränderungen in der Wortbildung und in der Grammatik, die eine effektivere Verständigung zwischen den Angehörigen dieser Gemeinschaft ermöglichen. Die Entwicklung einer Sprache schlägt sich also auch in der Art und Weise der Textgestaltung nieder. Nach Ansicht mancher Linguisten sind die Veränderungen einer Sprache sogar vorzugsweise auf der Textebene zu suchen. (Zu den Zusammenhängen zwischen Systemwandel, Stilwandel und Text vgl. EGGERS 1973, 15 ff.; DROSDOWSKI/HENNE 1980, 621; vgl. 2.3.)

1.2.3. Zum Begriff und zum Wesen der Entwicklungstendenzen

Aus den Erläuterungen der Termini Bewegung und Entwicklung lassen sich bereits einige wichtige Merkmale von Entwicklungstendenzen ableiten. Verstehen wir unter Entwicklung gesellschaftlich determinierte Veränderungen qualitativer Natur, dann sind Entwicklungstendenzen grundsätzlich positiv zu beurteilen. Allerdings verläuft auch die sprachliche Entwicklung nicht immer geradlinig; daher gibt es innerhalb einer Entwicklungstendenz nicht selten Erscheinungen, die die Kommunikation nicht fördern, sondern mitunter sogar beeinträchtigen. Erinnert sei hier nur an den überaus häufigen, oft unangemessenen Gebrauch von Kurzwörtern in manchen allgemeinsprachlichen Texten – besonders bei fremdsprachigen Bildungen ist des öfteren die Semantik aus dem Kontext nicht zu erschließen – sowie an die Probleme, die mit der Entlehnung fremder Lexeme bzw. Sememe und ihrer kommunikativ adäquaten Verwendung zusammenhängen. (Vgl. die entsprechenden Ausführungen in den Kapiteln 3 und 4.)

Ob man auch in der sprachlichen Entwicklung von „Perioden des Rückschritts" (EINFÜHRUNG IN DIE SPRACHWISSENSCHAFT 1974, 407) sprechen kann oder ob die Sprache auch in dieser Hinsicht eigenen Gesetzmäßigkeiten folgt, muß noch genauer untersucht werden. Die in diesem Werk angeführten Formen des Rückschritts (u. a. „Verarmung des Wortschatzes ..., massenweise Entlehnung fremder Elemente bis in die grammatische Struktur") sind differenzierter zu beurteilen; keinesfalls reichen sie für eine Klärung dieser Problematik aus. Überwunden sind dagegen Auffassungen vom Niedergang der Sprache – gelegentlich als Dekadenztheorie bezeichnet –, wie sie im 19. Jahrhundert von verschiedenen Sprachwissenschaftlern vertreten worden sind. Diese Position, vor allem durch den Entwicklungsgedanken in der Naturwissenschaft bedingt, führte dazu, auch die Sprache als einen Organismus zu interpretieren. (Vgl. BERÉSIN 1980, 112 ff.; SPRACHWISSENSCHAFTLICHE GERMANISTIK 1985, 45 ff.) Die Formulierung „negative Entwicklungstendenz" ist im Grunde ein Widerspruch in sich selbst.

Aus den vorangegangenen Erläuterungen ist bereits deutlich geworden, daß Entwicklungstendenzen in der Regel eine größere Zahl einzelner Veränderungen umfassen, die in gleicher Richtung wirken, die eine Tendenz erkennen lassen. Der Aspekt der Richtung, der Gerichtetheit, in der Anglistik auch „drift" genannt, wird in vielen Bestimmungen des Begriffs Entwicklungstendenz hervorgehoben. (Vgl. u. a. MARTINET 1963, 37; P.BRAUN 1979, 24 f. – BRAUN benutzt diesen Terminus auch für Veränderung und Entwicklung –; KOMMUNIKATIONSTHEORETISCHE GRUNDLAGEN DES SPRACHWANDELS 1980, V; DROSDOWSKI/HENNE 1980, 621.) Mitunter wird „eine gerichtete Entwicklung" als allgemeines Merkmal des Sprachwandels verstanden (MATTHEIER 1984 b, 776).

Die einzelnen Tendenzen können sich nach Umfang, Intensität und Zeitdauer erheblich voneinander unterscheiden; man vergleiche unter diesen Aspekten z. B. die Tendenzen zur Nominalisierung und zu Veränderungen im Modusgebrauch mit denen zur Integration und zur Internationalisierung. Daher wird der Terminus Entwicklungstendenz auch recht unterschiedlich gehandhabt. Unter dem Gesichtspunkt qualitativer Veränderungen sollten hier nicht alle Wandlungen eingeordnet werden, auch wenn sie gehäuft auftreten. So handelt es sich z. B. bei der Tendenz der Ausrahmung in der Gegenwartssprache nur um Frequenzunterschiede im Gebrauch einer syntaktischen Variante gegenüber einer anderen, die zudem keine Veränderung des Systems bewirken, sofern die quantitativen Unterschiede nicht neue Funktionen dieser syntaktischen Varianten bewirken. Allerdings lassen sich solche Wandlungen im Sprachgebrauch und in den Sprachnormen meist Entwicklungstendenzen im engeren Sinne unterordnen. Von besonderer Bedeutung sind die Entwicklungstendenzen, die einen übergreifenden Charakter besitzen. Diese Tendenzen sind in mehreren oder allen Teilsystemen nachweisbar, mitunter sogar in mehreren Sprachen, oder sie wirken über einen langen Zeitraum hinweg, umfassen also mehrere Perioden der Sprachgeschichte. Nicht selten verbinden sich beide Arten des übergreifenden Charakters, wenn auch dann fast immer Unterschiede in der Ausprägung zu beobachten sind. So ist z. B. die Tendenz zur Internationalisierung, die ein wichtiges Merkmal vieler Sprachen der Gegenwart darstellt, auch schon in der deutschen Sprache des 19. Jahrhunderts nachzuweisen, vor allem bedingt durch die Auswirkungen der industriellen Revolution und durch den internationalen Charakter der Arbeiterbewegung. (Vgl. ZUM EINFLUSS VON MARX UND ENGELS 1978; AUSWIRKUNGEN DER INDUSTRIELLEN REVOLUTION 1981.) Eine besondere Qualität des übergreifenden Charakters besitzen die Tendenzen der Integration, der Differenzierung und der Sprachökonomie, denn bei ihnen handelt es sich um universelle Formen des Sprachwandels.

Schließlich impliziert der Begriff der Tendenz, daß die Wandlungen noch nicht abgeschlossen sind. Mitunter prägen sie sogar erst kurze Zeit die Entwicklung einer Sprache. Diese kurzen Zeiträume, sofern sie bedeutende Veränderungen aufweisen, werden in der bürgerlichen Linguistik oft Sprachstadien genannt. (Vgl. OBJARTEL 1980, 557 ff.; DROSDOWSKI/HENNE 1980, 621.) Da auch der Begriff Sprachzustand in diesem Sinne zu verstehen ist – also nicht als Zeitpunkt, sondern als kleinerer Zeitraum –, sind Entwicklungstendenzen ein eindrucksvolles Zeugnis für den dialektischen Zusammenhang von Sprachzustand und Sprachentwicklung, von Stabilität und Variabilität einer Sprache.

Dieser Standpunkt schließt methodologische Konsequenzen ein. Ein Sprachzustand kann nur unter Einbeziehung historischer Aspekte adäquat erfaßt und beschrieben werden; im Zeitlich-Gegenwärtigen eines Zustandes muß auch das Dynamische sichtbar gemacht werden. (Vgl. u. a. ERBEN 1961; LANGNER 1979, 62 ff.)

Zusammenfassend läßt sich der Terminus Entwicklungstendenz als Arbeitsbegriff folgendermaßen erläutern: Eine Entwicklungstendenz umfaßt in der Regel eine größere Anzahl gleichartiger sprachlicher Bewegungen in einem oder in mehreren Teilsystemen, die Sprachnorm und Sprachsystem (die Elemente sowie ihre syntagmatischen und paradigmatischen Beziehungen) in der Weise verändern, daß dadurch die Sprecher und Schreiber den Anforderungen der Praxis an die sprachliche Kommunikation in bestimmten Bereichen in einer effektiveren Weise gerecht werden können. Entwicklungstendenzen sind letztlich Ausdruck von Widersprüchen in der Sprache und in der sprachlichen Kommunikation während eines bestimmten Zeitraumes; daher spiegeln sie spezielle Kommunikationsbedürfnisse einer Sprach- bzw. Kommunikationsgemeinschaft wider. (Vgl. 1.3.3.) – Dieser Arbeitsbegriff schließt nicht die These ein, daß Entwicklungstendenzen eine ständige Optimierung der Sprache bewirken. Nach LÜDTKE (1980, 5) ist die Optimierung sogar als ein allgemeines Charakteristikum eines jeden Sprachwandels zu betrachten.

1.3. Ursachen, Faktoren, Bedingungen[4] und Gesetzmäßigkeiten des Sprachwandels

1.3.1. Zur allgemeinen Problematik der Ursachen des Sprachwandels

Die Fragen des Sprachwandels und der Erforschung seiner Ursachen und Bedingungen haben die Linguistik zu allen Zeiten mehr oder weniger stark beschäftigt.[5] Das ist nicht verwunderlich, wenn man bedenkt, daß mit dieser Problematik das Wesen der Sprache und der sprachlichen Kommunikation berührt wird.

---

[4] In der Linguistik werden zu den Faktoren eines Kommunikationsprozesses durchweg Sprecher/Schreiber und Hörer/Leser, mitunter auch Kommunikationsabsicht, Thema und Text gezählt, andere Erscheinungen, die für die Gestaltung und Wirkung einer Äußerung ebenfalls von Bedeutung sind, als Bedingungen bezeichnet. (Vgl. FKS 1981, 18 ff.) Da eine solche Scheidung nicht unproblematisch ist, werden im folgenden die beiden Termini Faktoren und Bedingungen in der Regel synonym verwendet. Dagegen ist eine Unterscheidung zwischen Ursache und Bedingung notwendig: Die Ursache ist eine bestimmte Form der Bedingung, aber nicht jede Bedingung ist eine Ursache. Der Umfang des Begriffs Bedingung ist also weiter als der des Begriffs Ursache. (Vgl. PHILOSOPHISCHES WÖRTERBUCH 1976, 202 ff.)

[5] Zu älteren Einsichten in die Geschichtlichkeit der Sprache und in den Sprachwandel als ein universelles Merkmal vgl. SPRACHWISSENSCHAFTLICHE GERMANISTIK 1985, 51 ff.

Daher stehen die Diskussionen zum Sprachwandel meist in engem Zusammenhang mit den jeweils herrschenden sprachtheoretischen Auffassungen. (Vgl. dazu außer den Abschnitten 1.1. und 1.2. u. a. GROSSE/NEUBERT 1982, 5; MATTHEIER 1984 a, 722 ff.)

Nach OKSAAR (1977, 98) müßten „seit Hermann Paul, Jespersen, Havers und Hugo Moser die Bedingungen und Triebkräfte, die den sprachlichen Wandel bedingen, allgemein bekannt" sein; doch die Frage nach den einzelnen Ursachen, ihrem Zusammenwirken und ihrer Bewertung wird noch recht unterschiedlich beantwortet, was nicht zuletzt von den gesellschafts- und sprachtheoretischen Positionen abhängt, von denen der Linguist ausgeht. Eine geschlossene, allgemein anerkannte Theorie des Sprachwandels als Teil der Sprachtheorie gibt es noch nicht. (Vgl. dazu u. a. CHERUBIM 1977; WURZEL 1975; ALLGEMEINE SPRACHWISSENSCHAFT I, 1975, Kap. 3; LANGNER 1979, Kap. 2; 1982, 208 ff.; MATTHEIER 1984 a.)

Geht man vom dialektischen Determinismus aus, der eine „dialektische Auffassung des Verhältnisses zwischen Ursache und Bedingung, Gesetz und Bedingung, Möglichkeit und Wirklichkeit" fordert (PHILOSOPHISCHES WÖRTERBUCH 1976, 266), sind auch sprachliche Veränderungen in spezifischer Weise kausal determiniert und daher prinzipiell erklärbar. Auf Grund der Kompliziertheit der sprachlichen Entwicklung lassen sich allerdings die Ursachen und Bedingungen mancher Veränderung, insbesondere die der geschlossenen Teilsysteme älterer Sprachzustände, nicht mehr exakt erfassen. Hingewiesen sei auf die unterschiedlichen Erklärungen der 1. und 2. Lautverschiebung. Bei diesen und anderen Erscheinungen sind die Wechselwirkungen der zahlreichen Zufälligkeiten und ihr innerer Zusammenhang nicht mehr eindeutig zu erkennen. Hier trifft auf die Sprachwissenschaft das zu, was ENGELS einmal in bezug auf die Medizin festgestellt hat: „... wieviel Mittelglieder fehlen uns heute noch, um z. B. die Erscheinungen einer Krankheit mit ihren Ursachen in rationellen Zusammenhang zu bringen!" (MEW 20, 82.) Und ENGELS fügt mit Recht hinzu, daß bei der Untersuchung der gesellschaftlichen Prozesse noch größere Schwierigkeiten vorhanden sind.

Trotz der Kompliziertheit sprachlicher Veränderungen sind Ansichten abzulehnen, nach denen die Erforschung der Ursachen nicht möglich oder keine Aufgabe für die Sprachwissenschaft sei. Solche Meinungen sind vor allem bei Vertretern des Strukturalismus zu finden. Extreme Meinungen gehen kennzeichnenderweise von der Situation in der Phonologie aus. SCHAUMJAN erkennt zwar, daß die Sprache dem Einfluß äußerer Faktoren unterliegt, doch meint er, daß man diese Faktoren „angesichts ihrer Zufälligkeit gegenüber der Sprachstruktur nicht berücksichtigen kann ... Die Frage nach den Ursachen sprachlicher Veränderungen ist für die Sprachwissenschaft belanglos" (SCHAUMJAN 1958, zitiert nach SERÉBRENNIKOW 1973, 37). In bezug auf die Erforschbarkeit sprachlicher Bewegungen steht auch COSERIU den Strukturalisten nahe. Auch er anerkennt das Wirken äußerer Faktoren, doch gehe es bei der Sprache als einem Kulturphänomen nicht um das Aufdecken äußerer Ursachen, sondern um die

Erforschung der inneren Notwendigkeit oder Finalität, denn der Sprachwandel sei das Werden der Sprache durch das Sprechen als eine zweckgerichtete, freie Tätigkeit. Die Begründungen für sprachliche Veränderungen lägen nicht auf der Ebene der „objektiven" Kausalität, sondern auf der Ebene der „subjektiven" Finalität. Gesetze im Bereich der Sprache könnten allenfalls das Wie, aber nicht das Warum klären. (Vgl. COSERIU 1974, 152 ff.) Sosehr die Hinweise COSERIUS auf die Bedeutung der kommunikativen Tätigkeit für den Sprachwandel zu unterstreichen sind, so kann die Ausklammerung der Kausalität aus der Problematik des Sprachwandels nicht akzeptiert werden. (Vgl. die folgenden Abschnitte; ferner IERCHNER 1973; LANGNER 1979, 21 ff.)

Andere Linguisten wollen nur einen Teil der Veränderungen kausal erklären. Nach MATTHEIER (1984a, 722) stehen sich heute zwei Erklärungsmodelle für den Sprachwandel gegenüber: „Für den innersprachlichen Wandel bzw. den Wandel aufgrund artikulatorisch-perzeptiver Variabilität wird ein kausales Erklärungsmodell, für den Wandel aufgrund der wechselnden kommunikativen Bedürfnisse in Sprachgemeinschaften ein finales Erklärungsmodell angenommen."

Wieder andere Sprachwissenschaftler gehen von den Besonderheiten der Teilsysteme aus; sie vertreten – in Weiterführung eines Gedankens von SAUSSURE – die These, daß man zwischen einer äußeren und einer inneren Sprachgeschichte zu unterscheiden habe und daß es nur bei den vorwiegend außersprachlich bedingten Veränderungen der Lexik, also bei der äußeren Sprachgeschichte, angemessen sei, nach Ursachen sprachlicher Bewegungen zu forschen.

Diese Auffassungen betonen zwar mit Recht das Spezifische in der Entwicklung der Teilsysteme, doch da die Sprachgeschichte im Rahmen der Geschichte der Sprachträger verläuft (vgl. 1.1.1.), ist eine „Scheidung in ‚äußere' und ‚innere' Sprachgeschichte methodologisch suspekt" (NEUBERT 1974a, 81). Auch bei den vor allem sprachlich bedingten Veränderungen muß die Kategorie der Kausalität prinzipiell anwendbar sein, allein schon deshalb, weil sich auch diese Veränderungen nur im Zusammenhang von sprachlichen und außersprachlichen Faktoren durchsetzen können.

1.3.2. Faktoren und Ursachen des Sprachwandels

Auf Grund der Zusammenhänge zwischen gesellschaftlicher und sprachlicher Entwicklung (vgl. 1.1.) müssen für die Erklärung der Ursachen sprachlicher Bewegungen sowohl die Kommunikationsbedürfnisse und Kommunikationsbedingungen einer Kommunikationsgemeinschaft als auch die Faktoren (Bedingungen) der Kommunikationsereignisse herangezogen werden. Sofern die Komponenten der sprachlichen Kommunikation bzw. die Beziehungen zwischen ihnen nicht selbst sprachliche Veränderungen auslösen, können die Ursachen nur über diese Faktoren in der sprachlichen Tätigkeit wirksam werden.

Meist unterscheidet man zwei Gruppen von Faktoren, innere und äußere. Die Charakterisierung der beiden Gruppen und die Zuordnung einzelner Faktoren zu ihnen erfolgt in unterschiedlicher Weise. Nach Ansicht einiger Linguisten unterscheiden sich die beiden Gruppen dadurch, daß die inneren Faktoren zu allen Zeiten wirken, während die äußeren Faktoren nur für eine bestimmte historische Epoche charakteristisch seien. GIRKE/JACHNOW (1974, 106) setzen die Faktoren im Grunde mit den Ursachen gleich, wenn sie die beiden Gruppen folgendermaßen zusammenfassen: „Als sprachwandelrelevante Faktoren bleiben somit einmal Gegensätze, besser Irregularitäten der Sprache, zum anderen Kommunikationsbedürfnisse des Menschen, die nur teilweise mit den jeweils gegebenen Mitteln der Sprache befriedigt werden können."

Von dieser Position aus werden als innere Faktoren u. a. folgende angeführt: (1) die Anpassung des sprachlichen Mechanismus an die physiologischen Besonderheiten des menschlichen Organismus (daraus resultieren z. B. Veränderungen zur Erleichterung der Aussprache), (2) die Durchsetzung des ökonomischen Sprachgebrauchs (vgl. in der Gegenwart die Bildung der Mehrfachkomposita und der Kurzwörter), (3) die Tendenz zur Rationalisierung des Sprachsystems, also sprachliche Bewegungen, die das System durchsichtiger und dadurch leichter handhabbar machen (vgl. das Vordringen der schwachen Konjugation gegenüber der starken).

Zu den äußeren Faktoren zählen alle Erscheinungen, die mit der jeweiligen gesellschaftlichen Entwicklung zusammenhängen. Dieser Gruppe sind daher recht vielfältige Faktoren zuzuordnen, neben politischen, sozialen, ökonomischen Veränderungen auch der Einfluß fremder Sprachen, Migrationen, das Bildungswesen, Sprachpflege und Sprachplanung u. a. m.

Diese Zweiteilung ist u. a. deshalb umstritten, weil sich einige Faktoren nicht eindeutig der einen oder der anderen Gruppe zuweisen lassen. Das trifft z. B. auf die sogenannten Sprachantinomien zu, die oft zu den inneren Faktoren bzw. Widersprüchen gerechnet werden. Für die Erklärung der Ursachen des Sprachwandels ist diese Problematik von untergeordneter Bedeutung, da – wie schon betont – bei jedem Sprachwandel innere und äußere Faktoren zusammenwirken. Gerade unter diesem Aspekt ist es notwendig, „über den engen Dualismus innersprachlich-außersprachlich hinauszugehen, damit die zahlreichen Zwischenbereiche adäquat erfaßt werden können" (GIRKE/JACHNOW 1974, 103).

Für die Erforschung der Ursachen sprachlicher Bewegungen empfiehlt es sich daher auch, die Faktoren in einem engeren Sinne zu verstehen, nämlich als die Komponenten, die an jedem Kommunikationsprozeß beteiligt sind. Dazu gehören in erster Linie die Kommunikationspartner (Faktoren 1 und 2), Gegenstand und Thema der Kommunikation, die bei einem Sprachwandel besonders deutlich die Anforderungen der Praxis an die Kommunikation reflektieren (Faktor 3), Sprachsystem und Sprachnormen (Faktoren 4 und 5) sowie der Text als das Ergebnis des Kommunikationsprozesses (Faktor 6). Diese Faktoren sind wiederum in größere Zusammenhänge einzuordnen, die ganz oder teilweise die genannten Komponenten einschließen. Dazu zählen vor allem die Kommunikationssituation – für den Sprachwandel sind die Tätigkeits- und die soziale Situation von besonderer Bedeutung –, die Kommunikationsaufgabe und das Kommunikationsziel. Alle Faktoren und Zusammenhänge sind letztlich Ausdruck der Kommunikationsbedürfnisse, die des öfteren als Motor sprachlicher Bewegungen bezeichnet werden. Innerhalb der angeführten Komponenten nimmt der Text insofern eine besondere Stellung ein, als er das Bedingte gegenüber den Bedingungen darstellt. Er darf jedoch unter dem Aspekt des Sprachwandels nicht ausgeklammert werden, weil er als Vermittlungsinstanz bei der Entstehung und Ausbreitung sprachlicher Bewegungen fungiert und daher in weiteren Kommunikationsprozessen als Faktor des Sprachwandels wirken kann.

Zwischen den Faktoren bestehen mannigfache Beziehungen, die Widersprüche darstellen oder die sich unter bestimmten Bedingungen der sprachlichen Kommunikation zu Widersprüchen ausprägen und dadurch eine sprachliche Veränderung auslösen. Jede sprachliche Veränderung ist also prinzipiell als Lösung eines Widerspruchs zu begreifen. Obwohl die drei grundlegenden Entwicklungsgesetze eine Einheit bilden, ist die Erkenntnis vom Widerspruch als der Triebkraft aller Entwicklung als „Kern der Dialektik" zu betrachten (LENIN, Werke 38, 214; vgl. MEW 23, 623, Anm. 41). Diesem Grundgesetz zufolge sind die Struktur, Bewegung und Entwicklung aller materiellen und ideellen Dinge und Prozesse durch die ihnen innewohnenden Widersprüche bedingt. Das Gesetz des Kampfes und der Einheit der Gegensätze bildet daher auch die entscheidende Triebkraft der sprachlichen Entwicklung.

Wie die Komponenten werden auch die Widersprüche unterschiedlich gegliedert, besonders dann, wenn man eine Einteilung nach Haupt- und Nebenwidersprüchen vornimmt. Als den „das Sprachsystem konstituierende(n) Widerspruch", also als wichtigsten inneren Widerspruch, bezeichnet WURZEL (1984a, 203) den „Widerspruch zwischen der inhaltlichen und der formalen Seite der natürlichen Sprache, der sich in der sogenannten Laut-Bedeutungs-Zuordnung ausdrückt". In dieser Formulierung kommt allerdings der Zusammenhang zwischen sprachlichen und außersprachlichen Faktoren nicht genügend zum Ausdruck, auch wenn an anderer Stelle (vgl. a. a. O., 206, 210) diese Tatsache hervorgehoben wird. Deutlicher formuliert WURZEL (1984b, 313) diese Gegebenheit in der Auseinandersetzung mit PORSCH (1984a): „Das Sprachsystem seinerseits ordnet sich in umfassendere Zusammenhänge und damit in die äußeren Widersprüche ein."

Doch die Dialektik im Sprachsystem ist noch komplizierter, der Zusammenhang dieses inneren Widerspruchs mit äußeren Faktoren noch enger. Das ergibt sich einmal daraus, daß die Lösung eines inneren Widerspruchs nur in der sprachlichen Kommunikation durchgesetzt werden kann, und zum anderen aus dem Widerspruch zwischen Abbild und Semantik des sprachlichen Zeichens. „Abbild (Kognitives) und Bedeutung (Sprachliches) sind nicht identisch und gehen doch immer wieder ineinander über. Indem sie ineinander übergehen, bekämpfen sie sich." (PORSCH, 1983, 45.) Diesen Widerspruch zwischen Abbild und Semantik bezeichnet PORSCH als einen der Hauptwidersprüche.

Äußere Widersprüche sind nach WURZEL die beiden folgenden:

„– der Widerspruch zwischen den gesellschaftlich bedingten kommunikativ-kognitiven Anforderungen an die Sprache und der jeweiligen Ausprägung der lexikalischen Semantik (der jeweiligen ‚semantischen Leistungsfähigkeit‘ der Sprache) und

– der Widerspruch zwischen dem durch die Funktionsweise der Sprachorgane bedingten Streben nach artikulatorischer und/oder perzeptiver Einfachheit und der jeweils gegebenen phonologischen Struktur der Sprache" (WURZEL 1984b, 313).

Zu den inneren Widersprüchen, die sich aus spezifischen Eigenschaften und Eigengesetzlichkeiten des Sprachsystems ergeben, werden mitunter die sogenannten Sprachantinomien gezählt, „deren Lösung die Selbstentwicklung der Sprache bewirkt" (ALLGEMEINE SPRACHWISSENSCHAFT I, 1975, 177). KUBRJAKOWA nennt an dieser Stelle die Widersprüche zwischen „Sprecher und Hörer, Kode und Text, Sprachgebrauch und Möglichkeiten des Sprachsystems, die Antinomie auf Grund der Asymmetrie des sprachlichen Zeichens und schließlich die Antinomie der beiden Funktionen der Sprache, der rein informatorischen und der expressiven" (a. a. O.; vgl. GROSSE/NEUBERT 1982, 8f.; GIRKE/JACHNOW 1974, 99ff.). Der Terminus Antinomie ist insofern berechtigt, als die auf ihnen beruhenden Widersprüche immer existent sind; andererseits ist er unangemessen, weil diese Widersprüche nicht nur durch sprachliche, sondern auch durch außersprachliche Faktoren bedingt sind. Besonders augenfällig ist dies bei der Antinomie von Sprecher und Hörer. Diese Widersprüche, die sich auf das System und seine Verwendung beziehen und die daher meist von dem Zusammenwirken innerer und äußerer Faktoren zeugen, sollte man besser als Antinomien der Kommunikation bezeichnen. Da die einzelnen Widersprüche eng miteinander verknüpft sind, ist es für Untersuchungen zum Sprachwandel zweckmäßig, von einem Widerspruch auszugehen, dem alle anderen untergeordnet werden können: Dieser Hauptwiderspruch besteht in dem dialektischen Verhältnis zwischen der gesellschaftlich determinierten Kommunikation (dem Zusammenwirken von Kommunikationsbedürfnissen, Kommunikationsbedingungen und Kommunikationsaufgaben), und dem dem Sprecher/Schreiber zur Verfügung stehenden Sprachsystem einschließlich der Normen seiner Verwendung; das heißt mit anderen Worten: „Ein Widerspruch entsteht, wenn ein gegebener Zustand eines Sprachsystems nicht den Kommunikationsnotwendigkeiten entspricht ..." (GROSSE/NEUBERT 1982, 8; vgl. NEUBERT 1973, 617ff.).

Dieser Widerspruch, der alle wesentlichen Faktoren eines Kommunikationsereignisses einschließt, macht deutlich, daß die auf Grund einer oder mehrerer Ursachen eintretende sprachliche Veränderung (Wirkung) immer als Wechselwirkung zu verstehen ist, bei der die äußeren Ursachen über die inneren Bedingungen bzw. die inneren Bedingungen im Zusammenhang mit den äußeren Faktoren wirken. Sprachliche Bewegungen gehen also nie in der Weise vor sich, daß die „äußeren Ursachen unmittelbar den Effekt ihrer Wirkung determinieren" (RUBINSTEIN 1969, 13). Doch bildet meist einer dieser Faktoren das auslösende Moment für das Entstehen einer Neuerung. Daher kann durchaus zwischen sprachextern und sprachintern bedingten Wandlungen unterschieden werden, wenn dabei beachtet wird, daß an der Entstehung und an der Durchsetzung des Wandels stets Faktoren beider Gruppen zusammenwirken. Diese Erkenntnis ist auch deshalb wichtig, weil nach neueren Auffassungen zum Sprachwandel die These von der Pluralität der Ursachen „am ehesten dem wahren Sachverhalt und den Ergebnissen zahlreicher Untersuchungen gerecht" wird (ALLGEMEINE SPRACHWISSENSCHAFT I, 1975, 183). Die Lösung eines Widerspruchs führt nicht selten zu sprachlichen Neuerungen, die sich zunächst in Verstößen gegen die Norm sowie im Aufkommen von fakultativen Varianten äußern. Entsprechen diese Veränderungen einem interindividuellen Bedürfnis – also zumindest dem einer Kommunikationsgemeinschaft – und den Strukturgesetzmäßigkeiten des Sprachsystems, werden sie von den anderen Sprachteilhabern übernommen; das heißt, aus der Neuerung als einer Erscheinung der Rede entwickelt sich ein Element der Sprache, das wir als Normveränderung, mitunter auch als Veränderung des Sprachsystems erfassen.

Unter Berücksichtigung der Dominanz eines oder mehrerer der Faktoren, die zu einem Widerspruch führen, lassen sich verschiedene Typen von Widersprüchen unterscheiden. Da bei der Lösung dieses Widerspruchs und bei der Durchsetzung der Neuerung die konkreten historischen Bedingungen, die Ausdruck der Kategorie Zufall sind, eine wichtige Rolle spielen, kann man die Typen von Widersprüchen in eine Reihe Varianten (Arten) untergliedern. In den Typen des Widerspruchs fassen wir die allgemeinen, objektiven, wesentlichen und notwendigen Zusammenhänge, in den Varianten der Lösung kommt das Besondere bzw. das Einzelne sprachlicher Bewegungen zum Ausdruck. So kann z. B. der Widerspruch zwischen der Notwendigkeit, einen neuen Gegenstand oder Sachverhalt zu bezeichnen oder ein bekanntes Denotat neu zu benennen, und dem Fehlen eines geeigneten Mittels dafür u. a. gelöst werden durch die Bildung eines neuen Wortes aus heimischen oder fremden Morphemen (*Abwärme, Dressman*), durch Bedeutungsübertragung (*Ring* ,begrenzte Fläche für Boxwettkämpfe', *Mutter* ,Werkstück', *Sputnik* ,Personenzug Berlin–Potsdam'), durch die direkte Entlehnung eines fremden Wortes (*Anorak, Container*), durch eine Lehnbildung (*Gegenplan, kalter Krieg*) und durch eine Bedeutungsentlehnung (*Kader, Werkstatt* ,Erfahrungsaustausch, Seminar'). (Vgl. weitere Beispiele in den Kapiteln 2 bis 4.)

In den Lösungen der Widersprüche und damit in den sprachlichen Veränderungen äußert sich also das Wirken der Kategorien Zufall und Notwendigkeit. Das sei an einem Beispiel aus der älteren Sprachgeschichte verdeutlicht. In frahd. Zeit wurde es notwendig, die Nomina agentis durch ein neues sprachliches Mittel zu kennzeichnen, weil es durch die Abschwächung der Endsilben nicht mehr möglich war, diese Semantik in der herkömmlichen Weise auszurichten. Die Lösung dieses Widerspruchs geschah mit Hilfe des lat. Suffixes *-ārius*, ahd. *-āri*. Zwar entspricht dem ahd. *-āri* das got. Suffix *-areis* (vgl. got. *bōkareis* ,Schriftgelehrter'), doch die Durchsetzung von ahd. *-āri*, mhd. *-aere* ist vor allem den lat. Bildungen auf *-ārius* zuzuschreiben, also letztlich dem starken Einfluß des Lateinischen auf das werdende Deutsch. Daß dieser Wandel vor sich ging, ist Ausdruck der Kategorie Notwendigkeit, daß sich gerade diese Lösung durchsetzte, ist Ausdruck des Wirkens der Kategorie Zufall. Seit jener Zeit repräsentiert die Regel, Nomina agentis mit Hilfe des Suffixes *-er* zu bilden, innerhalb der deutschen Sprache das Notwendige, im Vergleich zu anderen Sprachen das Zufällige. (Vgl. auch die entsprechenden Beispiele in den Kapiteln 2 bis 4.)

Dieses und andere Beispiele lassen auch erkennen, daß bei der Durchsetzung einer sprachlichen Veränderung die Akzeptierung durch bestimmte soziale Gruppen, Schichten oder Klassen eine wichtige Rolle spielt. (Vgl. GROSSE/NEUBERT 1982, 9f.) Daher ist das Erfassen der sozialen Dimension einer sprachlichen Veränderung besonders bedeutsam, zumal diese sich des öfteren auch auf die räumliche und zeitliche Ausbreitung einer Neuerung auswirkt.

Sprachwandel geht auch in der Weise vor sich, daß – besonders in den weniger offenen Teilsystemen – neue Kommunikationsbedürfnisse zunächst nur in der Auswahl und damit in der Frequenz sprachlicher Mittel sichtbar werden. Im Laufe einer längeren Phase können jedoch solche Änderungen Auswirkungen auf die Sprachnorm und auf das Sprachsystem haben; vgl. u. a. Wandlungen im Gebrauch transitiver und intransitiver Verben, Verschiebungen in der Verwendung der Mittel zum Ausdruck der Modalität und Temporalität. (Vgl. Kap. 4.) Das heißt, auch die zunächst nur quantitativen Bewegungen führen manchmal zu Neuerungen oder zu Archaismen und damit zu Veränderungen des Sprachsystems. (Vgl. GROSSE 1974, bes. 109f.)

Die Widersprüche und ihre Lösungen weisen auch auf Entwicklungstendenzen der Sprache hin; denn diese Tendenzen sind gemäß dem im Abschnitt 1.2. formulierten Arbeitsbegriff Ausdruck für das ständige oder über einen bestimmten Zeitraum während Wirken komplexer Widersprüche. Gerade dadurch kommt es zu einer größeren Anzahl gleichartiger Veränderungen, die zur Weiterentwicklung der Sprache in dem Sinne beitragen, daß diese stets den Anforderungen an die Kommunikation gerecht wird.

Mit Hilfe der zentralen Kategorie des Widerspruchs läßt sich zumindest die Mehrzahl der sprachlichen Bewegungen erklären und klassifizieren. Allerdings können manche Widersprüche verschiedenen Arten zugeordnet werden, je nachdem, welcher Faktor bei der Lösung das entscheidende Glied bildet. Noch genauer zu prüfen ist, ob bzw. wieweit alle Ursachen sprachlicher Wandlungen dieser Haupttriebkraft zu subsumieren sind. Besonders bei den sprachlich bedingten Veränderungen der geschlosseneren Teilsysteme ist mit Schwierigkeiten der Einordnung zu rechnen. Aufs Ganze gesehen, dürfte jedoch eine Gliederung, die von der Kategorie des Widerspruchs ausgeht, dem Gegenstand Sprachwandel angemessener sein als alle anderen Einteilungen. Damit ist nicht gesagt, daß speziellere Klassifizierungen, die von anderen Gesichtspunkten ausgehen, überflüssig werden. (Vgl. u. a. GIRKE/JACHNOW 1974, 97ff.; ALLGEMEINE SPRACHWISSENSCHAFT I, 1975, 183ff.; WURZEL, 1975, 331; W. SCHMIDT, 1985.)

1.3.3. Gesetze und Gesetzmäßigkeiten des Sprachwandels

Zu der Frage der Gesetze und Gesetzmäßigkeiten (vgl. zu den Begriffen PHILO-
SOPHISCHES WÖRTERBUCH 1976, 490) sprachlicher Veränderungen gibt es unterschiedliche Auffassungen. Das hängt vor allem damit zusammen, daß diese Begriffe in der Linguistik nicht einheitlich gebraucht werden, auch dann nicht,
wenn sie nur auf die Entwicklungsgesetze bezogen werden.

Das Ausgehen von den Positionen der marxistischen Sprachtheorie schließt
generell die Anerkennung von Gesetzen und Gesetzmäßigkeiten sprachlicher
Veränderungen ein. Allerdings ist diese Problematik noch nicht ausreichend erforscht. Abgesehen von den drei grundlegenden philosophischen Entwicklungsgesetzen, die für alle Bereiche der Natur, Gesellschaft und für das Denken gelten, also auch für die Sprache, sind bisher noch keine Gesetze erfaßt worden,
die für die Entwicklung aller Sprachen Gültigkeit besitzen. Das ist verständlich,
wenn man bedenkt, daß von den etwa 4 000 Sprachen der Erde nur etwa 500 gut
erforscht sind. Daraus sollte die Konsequenz gezogen werden, den Begriff Gesetz bzw. Gesetzmäßigkeit in der Linguistik vorsichtiger zu handhaben. Manche
Erscheinung, die in der Fachliteratur ohne Einschränkung als Gesetz bezeichnet wird, besitzt nur eine begrenzte Wirkungssphäre. So handelt es sich z. B. bei
NOTKERS Anlautgesetz um eine Eigenart, die nicht einmal auf eine Sprache
bzw. auf eine Mundart voll zutrifft.

Weitere Forschungen zu dieser Problematik haben u. a. zu prüfen, ob man unter dem Aspekt der Geltung ähnlich wie in der Philosophie in der sprachlichen
Entwicklung folgende drei Arten von Gesetzen unterscheiden kann:

(1) Gesetze und Gesetzmäßigkeiten mit allgemeiner Geltung: Hier sind eventu-
    ell die generellen Entwicklungstendenzen der Differenzierung, der Integra-
    tion und der Sprachökonomie einzuordnen. Nach KUBRJAKOWA zählt z. B.
    die „Tendenz zur Einsparung sprachlicher Mittel ... zu den stärksten in-
    neren Tendenzen der verschiedenen Sprachen" (ALLGEMEINE SPRACHWISSEN-
    SCHAFT I, 1975, 204; vgl. jedoch GIRKE/JACHNOW 1974, 101).
(2) Gesetze und Gesetzmäßigkeiten, die für eine Gruppe von (meist genetisch
    verwandten) Sprachen gelten: Ausdruck dieser Gesetzmäßigkeit sind z. B.
    die Veränderungen, die die Entwicklung der germanischen Sprachen vom
    synthetischen zum analytischen Sprachbau bewirkt haben bzw. noch bewir-
    ken und die zum großen Teil durch die Festlegung des Akzents im Germa-
    nischen ausgelöst worden sind.
(3) Gesetze und Gesetzmäßigkeiten, die für einzelne Sprachen gelten: Für das
    Deutsche kann hier wohl das sehr produktive Wortbildungsmodell der Kom-
    position angeführt werden. Diese Gesetzmäßigkeit äußert sich z. B. darin,
    daß die Übernahme von Wortgruppen aus fremden Sprachen in der deut-
    schen Sprache oft zur Prägung von Komposita führt; vgl. russ. дом культу-
    ры – dt. *Kulturhaus*. Seit dem 19. Jahrhundert wird diese Eigenart des Deut-

schen besonders in der Bildung von Mehrfachkomposita deutlich (vgl. Kap. 3).

Der Geltungsbereich vieler Gesetze und Gesetzmäßigkeiten wird schon dadurch beschränkt, daß sprachliche Veränderungen meist durch das Zusammenwirken verschiedener Ursachen und Bedingungen zustande kommen. Der Entstehung und Durchsetzung von Neuerungen sind in dreifacher Weise Grenzen gesetzt: durch die Wesensmerkmale der Sprache schlechthin, durch die Struktur der bestimmten Sprache und der ihr innewohnenden Entwicklungsmöglichkeiten sowie durch das gesellschaftliche Bedingungsgefüge zum Zeitpunkt des Sprachwandels. Dieses Bedingungsgefüge, zu dem letztlich auch die ersten beiden Einschränkungen gehören, entscheidet darüber, ob sich eine Neuerung durchsetzt oder nicht. Dabei ist jedoch zu beachten, daß bestimmte Strukturmerkmale einer Sprache nicht nur einschränkende Bedingungen, sondern auch das Ergebnis sprachlicher Veränderungen sein können. Die Umwandlung bestimmter ide. Sprachen vom synthetischen zum analytischen Sprachbau ist dafür ein eindrucksvolles Beispiel, auch wenn die Entwicklung der einzelnen Sprachen deutliche Unterschiede zeigt. Doch bleiben bei allen Wandlungen immer allgemeine, notwendige und wesentliche Merkmale bzw. Zusammenhänge gewahrt; dazu gehören die Existenz sprachlicher Zeichen, die aus Formativ und Semantik bestehen, das Zusammenwirken der Teilsysteme (z. B. des lexikalischen mit dem grammatisch-syntaktischen sowie des phonematischen/graphematischen mit dem semantischen) und der Zusammenhang zwischen syntagmatischen und paradigmatischen Beziehungen. (Vgl. WURZEL 1975, 329.)

Diese Eigenschaften der Sprache stehen mit Strukturgesetzmäßigkeiten der Sprache in Beziehung, stellen also Entwicklungsbedingungen und nicht Entwicklungsgesetze der Sprache dar. Die Untersuchungen zu Gesetzen und Gesetzmäßigkeiten sprachlicher Veränderungen müssen daher die Beziehungen zwischen Struktur- und Entwicklungsgesetzen, ferner das Verhältnis von Ursachen und Bedingungen, von Zufall und Notwendigkeit, von Entstehung und Ausbreitung sprachlicher Veränderungen erfassen sowie bei der Darstellung von Bewegungen exakt zwischen Beschreibung und Erklärung eines Wandels unterscheiden (vgl. solche Erscheinungen wie Umlaut, Vokalharmonie und Ablaut).

Abschließend sind noch einige Bemerkungen zur Eigengesetzlichkeit sprachlicher Veränderungen erforderlich. Diese Eigengesetzlichkeiten sind auch durch die besondere Stellung der Sprache in der Gesellschaft bedingt. Die Sprache ist zwar unlösbar mit der Gesellschaft verbunden, ist Teil von ihr (vgl. 1.1.), doch da die Sprache weder zur Basis noch zum Überbau gehört, wirken sich die Veränderungen in diesen Bereichen oft nicht unmittelbar auf die Sprachnorm und das Sprachsystem aus. Damit wird erneut offenbar, wie wichtig es ist, die Vermittlungsglieder zwischen gesellschaftlichen und sprachlichen Veränderungen zu erforschen. Die ökonomischen Verhältnisse z. B. bestimmen nur in letzter Instanz die sprachliche Entwicklung. (Vgl. ENGELS, in: MEW 37, 463 f.) Auch für die Sprache gilt wie für alle anderen gesellschaftlichen Erscheinungen, daß sie

„im einzelnen und innerhalb dieser allgemeinen Abhängigkeit, doch wieder eignen Gesetzen folgt" (a. a. O., 489).

Schließlich gehört zur Eigengesetzlichkeit der Sprache die Tatsache, daß auch die Teilsysteme spezifische Entwicklungsgesetzmäßigkeiten besitzen. Dies zeigt sich vor allem in dem unterschiedlichen Entwicklungstempo der Teilsysteme, was wiederum auch damit zusammenhängt, daß die Veränderungen im Wortschatz unmittelbarer mit der gesellschaftlichen Entwicklung verbunden sind als die der relativ geschlossenen Teilsysteme.

2 Entwicklungstendenzen im Gefüge der Existenzformen, in den Fach- und Gruppensprachen und in den Funktionalstilen

2.1. *Entwicklungstendenzen im Gefüge der Existenzformen*
2.1.1. Zum Wesen und zum Begriff der Existenzformen

Der enge Zusammenhang zwischen Gesellschaftsgeschichte und Sprachgeschichte (siehe dazu Kap. 1) läßt sich vor allem am Wandel des Wortschatzes und der Existenzformen erkennen. Nach GUCHMANN (1973, 1) tritt der Einfluß von sozialen Faktoren auf die Entwicklung und auf das Funktionieren der Sprache in der Entwicklung der Existenzformen „am unmittelbarsten und deutlichsten ... zum Vorschein ... Dies betrifft sowohl Änderungen im Bestand der Existenzformen einer Sprache als auch die Rolle der einzelnen Existenzformen in Kommunikationsprozessen." (Vgl. SCHILDT 1979.)

Die Lehre von den (territorial und sozial bedingten) Existenzformen ist vor allem in der sowjetischen Linguistik entwickelt worden; Form und Inhalt des Begriffes entsprechen der russ. Bezeichnung формы существования. Der Begriff hat sich in der Sprachwissenschaft der DDR schnell durchgesetzt, wird jedoch zunehmend auch in der Linguistik der BRD gebraucht, weil er sich als „sehr hilfreiche Sammelbezeichnung ... für funktionale Subsysteme ein und derselben Sprache" eignet (BESCH 1983 a, 962). Eine strenge, allgemein anerkannte Definition des Begriffes gibt es allerdings noch nicht. Das zeigt sich auch daran, daß manche terminologischen Wörterbücher dieses Stichwort (noch) nicht aufgenommen haben. (Vgl. ACHMANOVA 1966; ROZENTAL'/TELENKOVA 1972; BUSSMANN 1983.)

Die mit diesem Terminus verbundene theoretische Position geht von der Erkenntnis aus, daß die Heterogenität ein Merkmal des Sprachsystems und der sprachlichen Kommunikation ist und daß uns daher das Sprachsystem als eine hohe Abstraktion in verschiedenen Formen entgegentritt, daß es in unterschiedlichen Daseinsweisen existiert. Jedoch stellen auch die Existenzformen eine Abstraktion von einer Fülle von Kommunikationsprozessen dar, die in vielen, aber nicht allen Merkmalen übereinstimmen und daher einer Existenzform subsumiert werden können. So ist z. B. eine Mundart „kein vollkommen einheitliches Gebilde, sondern vielmehr eine Gesamtheit von Sprechweisen, die mehr oder weniger voneinander differieren. Um sie in ihrer Systemhaftigkeit beschreiben zu können, muß ... ein ideales Gebilde ... als Kompetenz dargestellt werden" (GOOSSENS 1977, 30f.).

Als Existenzformen – auch Erscheinungsformen genannt – bezeichnen wir also Subsysteme (Varietäten) des Diasystems der deutschen Sprache[6], deren Entstehung und Entwicklung wie die Sprache als Ganzes in engem Zusammenhang mit der Geschichte der Sprachträger stehen. Ihre Genese und ihr Gebrauch sind Ausdruck der Kommunikationsbedürfnisse einzelner Kommunikationsgemeinschaften bzw. der gesamten Sprachgemeinschaft während einer bestimmten Epoche der gesellschaftlichen Entwicklung. Das heißt, unter bestimmten ökonomischen, sozialen und historischen Bedingungen bilden sich „relativ stabile Kommunikationsgemeinschaften heraus, die als Ausdruck ihrer Bedürfnisse in der sprachlichen Kommunikation spezifische Existenzformen hervorbringen können. Damit existieren Beziehungen zwischen dem Charakter von Gesellschaftsformationen, den für sie typischen Kommunikationsbedürfnissen und den jeweiligen Existenzformen der Sprache." (SCHILDT 1983b, 522; vgl. THEORETISCHE PROBLEME 1976, 635ff.; KOMMUNIKATION UND SPRACHVARIATION 1981, 86ff., 130ff.) Daher sieht man im Wandel der Existenzformen mitunter sogar ein Kriterium für die Periodisierung der Sprache. (Vgl. MOSKALSKAJA 1985, 28.) Bei gleichem Bestand an Existenzformen äußern sich die Beziehungen zwischen Sprache und Gesellschaft in ihrem unterschiedlichen Verhältnis zueinander. „Der Typ der Literatursprache und somit der Aufbau der Existenzformen der Sprache spiegelt die soziale und politische Struktur der Gesellschaft wider." (GUCHMANN 1973, 8.) Stark vereinfacht ist festzustellen, daß es in den vornationalen Perioden der Sprachgeschichte eine geringe Differenzierung in Existenzformen gibt – die Gentes und Stämme kannten ursprünglich nur eine Existenzform – und daß erst die Herausbildung der Nation und damit der Nationalsprache zu einer stärkeren Differenzierung in Subsysteme führt. (Vgl. die Übersicht bei SCHILDT 1983b, 523; einen historischen Überblick über die Herausbildung der wichtigsten Subsysteme vom Dialekt bis zur Standardsprache gibt BESCH 1983a.) Diese Differenzierungen schließen jedoch enge Beziehungen zwischen den Existenzformen ein; im Grunde bildet das Gefüge der Existenzformen eher ein sprachliches Kontinuum als eine Menge diskreter Systeme. Daher ist jede Existenzform als eine historische Kategorie nur unter Berücksichtigung ihrer Stellung zu den anderen Existenzformen und deren Entwicklung genau zu erfassen und zu beschreiben.[7] (Vgl. ALLGEMEINE SPRACHWISSENSCHAFT I, 1975, 417ff.) Für die einzelnen Sprachgeschichtsperioden sind

---

[6] Unter einem Diasystem verstehen wir die Zusammenfassung einer „Menge von untereinander ähnlichen Systemen ..., die jeweils ihre eigenen Varianten haben ... Die Annahme eines Diasystems setzt erstens eine grundsätzliche Übereinstimmung der zu ihm gehörenden Systeme mit allen anderen Systemen der Menge voraus, zweitens auch eine Anzahl Unterschiede" (GOOSSENS 1977, 37).

[7] Wenn im folgenden trotzdem eine Gliederung nach den Existenzformen vorgenommen wird, dann geschieht das deshalb, weil dadurch die spezifischen Entwicklungstendenzen der einzelnen Subsysteme deutlicher herausgearbeitet werden können.

noch zahlreiche Untersuchungen notwendig, um die komplizierten Beziehungen zwischen den Subsystemen und den sozial-historischen Faktoren adäquat darstellen zu können, zumal neben der vorwiegend sozial-bedingten Schichtung der Sprache auch die damit verbundenen funktionalen, territorialen und zeitlichen Dimensionen der sprachlichen Entwicklung erforscht werden müssen.

Die verschiedenen Existenzformen und Sprachschichten[8] sind zu jeder Zeit in zweifacher Weise eng miteinander verknüpft. Einmal stimmen die Existenzformen in einer Vielzahl von sprachlichen Mitteln und den zwischen ihnen bestehenden Beziehungen überein. In der Lexik und Grammatik beträgt der Grad der Übereinstimmung weit mehr als 50 %. Zum anderen bestehen zwischen den Existenzformen vielfältige Wechselbeziehungen, die zu gegenseitigen Beeinflussungen (Interferenzerscheinungen) führen. Das ist dadurch bedingt, daß sich viele Sprecher/Schreiber bei der Lösung einer Kommunikationsaufgabe nicht nur der Mittel einer Existenzform bedienen, sondern aus unterschiedlichen Gründen auch Elemente anderer Subsysteme benutzen. Diese Erscheinung ist vor allem in der mündlichen Kommunikation zu beachten, sie trifft aber auch auf geschriebene Texte zu.

Wechselseitige Beeinflussung der Existenzformen gibt es seit der Zeit, da mehrere Subsysteme nebeneinander existieren. Allerdings sind diese Prozesse der Integration in den einzelnen Perioden der deutschen Sprachgeschichte in sehr unterschiedlicher Weise wirksam. Sie erfahren immer dann eine Intensivierung, wenn sich infolge bedeutender gesellschaftlicher Veränderungen die Kommunikationsbedürfnisse ganzer sozialer Klassen und Schichten wandeln. Als Beispiel für vergangene Perioden sei hier auf die Zeit der frühbürgerlichen Revolution hingewiesen, in der Mittel der Volkssprache – also nichtliteratursprachliche Elemente – in verstärktem Maße in die Literatursprache eingedrungen sind.

Zusammenfassend läßt sich der Terminus Existenzformen folgendermaßen erläutern: Existenzformen sind Subsysteme (Varietäten) der deutschen Sprache, deren Entstehung und Entwicklung eng mit der gesellschaftlichen Entwicklung verbunden sind. Sie reflektieren die Anforderungen, die die gesellschaftliche Praxis an die sprachliche Kommunikation der Angehörigen aller sozialen Klassen und Schichten stellt, dienen diesen in bestimmten Situationen vorzugsweise zur Lösung bestimmter Kommunikationsaufgaben und unterscheiden sich daher auch in ihrer funktionalen Geltung. Sie stimmen in einer Vielzahl der Mittel überein, bilden also ein Gefüge von Subsystemen, beeinflussen sich wechselseitig und besitzen folglich keine scharfen Grenzen.

Trotzdem sind die Existenzformen als Ganzes mit Hilfe der folgenden Kriterien voneinander abgrenzbar und beschreibbar: (1) der spezifische Systemcharakter, (2) die Verbindlichkeit der Normen, (3) die Ausprägung der Polyfunktio-

---

[8] Der Begriff Sprachschicht wird hier in Anlehnung an GERNENTZ (1975 b, 387) als Hyponym zum Begriff Existenzform gebraucht. Mitunter verwendet man die beiden Termini auch synonym. (Vgl. z. B. WIESINGER 1983 a)

nalität, (4) die stilistische Differenziertheit, (5) die soziale Geltung, (6) die Verwendungsweise (mündlich, schriftlich), (7) die territoriale Geltung, (8) die Hauptträger. Diese Kriterien dürfen jedoch infolge ihrer engen Verbundenheit nicht isoliert angewendet werden. Außerdem sind sie auf das Gefüge der Existenzformen in den einzelnen Perioden der Sprachgeschichte nicht in gleicher Weise anwendbar. Das gilt z. B. für das letzte Kriterium. Bis ins 20. Jahrhundert gibt es direkte Beziehungen zwischen bestimmten sozialen Klassen und Schichten und der Verwendung bestimmter Existenzformen. In der Gegenwart ist das – zumindest in der DDR – nicht mehr der Fall; der Gebrauch einer Existenzform hängt vor allem von der Kommunikationsaufgabe und der Kommunikationssituation ab. Hingewiesen sei noch auf das erste Kriterium; es grenzt die Existenzformen von den Sondersprachen ab, die im wesentlichen nur durch die Ausbildung eines spezifischen Wortschatzes gekennzeichnet sind. (Vgl. 2.2.)

2.1.2. Entwicklungstendenzen der einzelnen Existenzformen
2.1.2.1. Zu allgemeinen Problemen der Entwicklung und der Gliederung

Infolge der bedeutenden ökonomischen und sozialen Veränderungen seit der Mitte des 19. Jahrhunderts kommt es zu mannigfachen Wandlungen im Gefüge der Existenzformen der deutschen Sprache. (Vgl. zum 19. Jahrhundert KETTMANN 1980; 1981; SCHILDT 1983 a.) Dieser Prozeß setzt sich im 20. Jahrhundert fort und erfährt in der Zeit nach 1945 eine besonders starke Ausprägung, wobei Unterschiede zwischen den deutschsprachigen Staaten zu beachten sind.

Sehen wir von allen Einzelheiten ab, dann werden die Wandlungen im Gefüge der Existenzformen vor allem in dreierlei Hinsicht deutlich erkennbar. Erstens zeigen sie sich in einer Intensivierung der wechselseitigen Beeinflussung. In der Gegenwart bilden diese sprachlichen Bewegungen neben dem Einfluß der Fachsprachen auf die Allgemeinsprache die wichtigste Erscheinung der generellen Tendenz zur Integration. Zweitens äußert sich der Wandel in einer stärkeren horizontalen und vertikalen Gliederung der Subsysteme, das heißt in der Ausbildung verschiedener Schichten innerhalb der Existenzformen. Drittens hat sich die Haltung vieler Sprecher zu einzelnen oder zu allen Existenzformen gewandelt, was sich auf die Bewertung der Subsysteme und auf ihren Gebrauch auswirkt.

Diese Veränderungen sowie die Kompliziertheit des Gegenstandes haben zu verschiedenen Modellen der Gliederung des Diasystems der deutschen Sprache geführt. Meist werden für die Gegenwart und für die jüngere Vergangenheit drei Existenzformen angesetzt: Mundart, Umgangssprache und Literatursprache. (Diese Auffassung liegt auch den folgenden Ausführungen zugrunde.) Mitunter gliedert man aber das Gesamtsystem auch in vier, fünf oder sechs Subsysteme.

(Vgl. WIESINGER 1983 a, 184 f.; SCHÖNFELD 1985, 211 ff.) Da die Umgangssprache am wenigsten erforscht und am schwersten als spezifisches Subsystem faßbar ist (vgl. 2.1.2.4.), unterscheiden einige Linguisten nur zwischen den Existenzformen Mundart und Literatursprache. (Vgl. die Erläuterung des Verhältnisses von Mundart und Standardsprache als binnensprachliche Diglossie im Deutschen durch BESCH 1983 b, 1399 ff.) In diesem Diglossie-Konzept wird die Umgangssprache zum Teil ausgeklammert, zum Teil mit den Mundarten zusammengefaßt oder als eine Menge von Gruppensprachen begriffen, die einen Übergangsbereich zwischen den beiden Polen Mundart und Literatursprache darstellen. Im letzteren Falle kommt die Auffassung dem Drei-Varietäten-Modell nahe.

Diese unterschiedlichen Positionen zur Differenzierung in Existenzformen sind nicht nur durch den komplizierten Sachverhalt bedingt, sondern auch durch unterschiedliche Bewertungen gleicher Erscheinungen, was den Vergleich verschiedener Konzepte sowie der auf ihnen fußenden Untersuchungen erschwert. Diese Schwierigkeiten werden durch die uneinheitliche Terminologie vermehrt. Daher verlangt der Gebrauch vieler Termini entsprechende Erläuterungen. In der Fachliteratur werden u. a. folgende Bezeichnungen für die drei Existenzformen und die wichtigsten ihrer Schichten verwendet:

Hochsprache	Umgangssprache	Mundart
Schriftsprache	Alltagssprache	Dialekt
Gemeinsprache	Alltagsrede	Volkssprache
Nationalsprache	Landschaftssprache	Halbdialekt
Einheitssprache	Konversationssprache	Stadtmundart
Kultursprache	Stadtsprache	Verkehrsdialekt
Literatursprache	städtische Koine	Schreib-/Schriftdialekt
Standardsprache		

Die Zuordnung einzelner Bezeichnungen zu dem von uns vertretenen Dreistufenmodell ist nur bedingt möglich. So verstehen einige Linguisten unter Halbdialekt und Stadtdialekt dasselbe, was andere als eine Schicht der Umgangssprache begreifen. Nach HANNAPPEL/MELENK (1979) ist die Alltagssprache, für die sie allerdings keine Definition geben, das natürliche Kommunikationsmittel, die Sprache im breiten Spektrum von Alltagskommunikation, Politik, Journalismus und Belletristik. Mit diesem Begriff werden lediglich der streng terminologische Sprachgebrauch der Wissenschaft und ein Teil der poetischen Sprachverwendung ausgeklammert; das heißt, Alltagssprache umfaßt hier die Literatursprache und einen Teil der Umgangssprache. Schließlich sei noch darauf hingewiesen, daß selbst der Terminus Umgangssprache mitunter praktisch dem Begriff Literatursprache gleichgesetzt wird; vgl. den Titel des folgenden Lehrbuches: „Deutsch 2000. Eine Einführung in die moderne Umgangssprache", München 1981.

Diese wenigen Bemerkungen zu terminologischen Problemen deuten bereits auf die starken Veränderungen im Gefüge der Existenzformen in der Gegenwart und in der jüngsten Vergangenheit hin, machen aber auch nachdrücklich darauf aufmerksam, daß eine Vereinheitlichung der Terminologie anzustreben ist, was allerdings weitere umfangreiche Forschungen zu dieser Thematik voraussetzt. Im folgenden werden in der Regel die Begriffe Literatursprache (als Synonyme auch Schriftsprache und Standardsprache), Umgangssprache und Mundart (als Synonym auch Dialekt) verwendet. (Zur terminologischen Unterscheidung von Mundart und Dialekt vgl. W. SCHMIDT 1985, 30.)

2.1.2.2. Entwicklungstendenzen der Mundarten

Unter Mundart verstehen wir eine Existenzform, deren System sich deutlich von dem der Literatursprache abhebt und die nur in einem kleinen Raum – im Extremfall in einem einzelnen Ort – gilt. Sie besitzt relativ feste, aber nicht kodifizierte Normen und wird von den Sprechern fast ausschließlich für die mündliche Verständigung in der Familie, unter Bekannten und bei der beruflichen Tätigkeit innerhalb kleinerer Betriebe benutzt. Bis ins 20. Jahrhundert waren ihre Hauptträger die Bauern, die Landarbeiter und die Handwerker. Da sehr viele Mundartsprecher in der Vergangenheit gar nicht die Möglichkeit besaßen, sich die Literatursprache anzueignen, wurde der Gebrauch der Mundart zu einem Indiz für die Zugehörigkeit der Sprecher zu den sogenannten niederen sozialen Schichten. Infolge der wenig ausgeprägten Polyfunktionalität und der beschränkten territorialen Geltung ist sie auch in sozialer Hinsicht nur in begrenztem Maße gültig. Da es sich um die älteste Existenzform handelt und da dieses Subsystem keine anderen Systeme überdacht, spricht man auch von der sprachlichen Grundschicht.

Die auffälligste Entwicklungstendenz der Mundarten äußert sich seit der Mitte des 19. Jahrhunderts in einem allmählichen Zurückdrängen als Mittel der Kommunikation, die in verschiedenen Gebieten bereits zum Untergang von Mundarten geführt hat. Zu dieser Entwicklung tragen viele außersprachliche Faktoren bei. Für das 19. Jahrhundert sind an erster Stelle zu nennen die zunehmende Industrialisierung und Vergesellschaftung der Produktion sowie die damit zusammenhängende soziale Umstrukturierung der Bevölkerung und ihre Konzentration in Städten bzw. industriellen Ballungsgebieten. Um 1800 wohnten noch etwa 75 % der Bevölkerung in Dörfern und ein weiterer Teil in Kleinstädten; heute lebt die überwiegende Mehrheit in Städten mit 50 000 und mehr Einwohnern. (Vgl. die instruktiven Beispiele bei MACKENSEN 1971, 80 ff.)

Im 20. Jahrhundert, speziell nach 1945, haben diesen Prozeß gefördert und fördern ihn noch die durch den zweiten Weltkrieg bedingten Umsiedlungen großer Bevölkerungsteile, ferner die Massenmedien, die Erweiterung der Allgemein- und Spezialbildung, die Auswirkung von Wissenschaft und Technik auf viele Lebensbereiche sowie in der DDR die sozialistische Großproduktion in der Landwirtschaft und die Einbeziehung vieler Bürger in die Gestaltung des gesellschaftlichen Lebens. Den durch die gesellschaftliche Entwicklung bedingten neuen, durchweg höheren Anforderungen an die Kommunikation sind die Mundarten nicht mehr gewachsen; daher werden sie in den meisten Kommunikationsbereichen mehr und mehr durch die Umgangssprache oder durch die Literatursprache verdrängt. Allerdings verläuft diese sprachliche Entwicklung nicht in dem gleichen Tempo wie die gesellschaftliche Entwicklung; außerdem bestehen zum Teil erhebliche Unterschiede zwischen den einzelnen Sprachlandschaften. In vereinfachter Weise kann für die DDR festgestellt werden, daß der Prozeß der Zurückdrängung der Mundarten in den mittleren Teilen weiter vorangeschritten ist als im Norden (speziell in Mecklenburg) und im Süden (in Teilen des Erzgebirges, des Vogtlandes und im Thüringer Wald). Im folgenden kann diese Entwicklungstendenz nur exemplarisch erläutert werden. Für die genaue Erfassung der Sprachsituation in den einzelnen Mundartlandschaften ist auf die speziellen Untersuchungen hinzuweisen. (Siehe den Überblick über den Forschungsstand in KOMMUNIKATION UND SPRACHVARIATION 1981, 132 ff.)

Der Übergang von der Mundart zur Umgangssprache erfolgt meistens in zwei Stufen. Zuerst werden in der Regel die primären Merkmale der Mundart aufgegeben; das sind oft die auffälligsten Eigenarten, immer aber solche, die nur in einem kleinen Raum gelten und dadurch besonders stark von der Literatursprache abweichen. Dadurch entsteht eine Schicht innerhalb der Mundart, die in vielen Merkmalen mit den benachbarten Mundarten übereinstimmt und als Ausgleichsmundart bezeichnet werden kann. Sie ist durch eine größere territoriale und soziale Geltung sowie durch eine Erweiterung der Polyfunktionalität gekennzeichnet. Diese Phase ist auch in den Gebieten zu beobachten, in denen die Mundart noch als ein verbreitetes Mittel der Kommunikation fungiert. So stellt z. B. GERNENTZ (1980, 136 f.) für das Nd. fest: „Die neuen kommunikativen Bedingungen haben ... dazu geführt, daß die lokalen Unterschiede innerhalb der Mundart weitgehend geschwunden sind." Diese Schicht gehört zwar noch zur Existenzform Mundart, steht aber der mundartnahen (kleinlandschaftlichen) Umgangssprache sehr nahe, was manchmal zu unterschiedlichen Beurteilungen ein und desselben Textes führt.

Eine solche Situation fördert die zweite Phase des Aufgebens der Mundart, den generellen Übergang zur Umgangssprache. Dieser Prozeß geht dort schnell vor sich, wo die Mundart insgesamt bereits stark zurückgedrängt worden ist. Die rezeptive Beherrschung der Mundart bleibt jedoch bei der älteren und oft auch bei der mittleren Generation in der Regel noch lange erhalten. Sprecher, die sich nur der Mundart bedienen können, gibt es heute nicht mehr.

Der Prozeß der Auflösung der Mundarten äußert sich ferner in der Haltung der Menschen zu dieser Existenzform. Selbst diejenigen, die die Mundart noch beherrschen, betrachten sie oft als ein schlechtes, ja verdorbenes Deutsch, das sie mitunter sogar in Gesprächen mit den Kindern und Enkelkindern bewußt vermeiden, damit diese nicht in ihrer sprachlich-geistigen Entwicklung behindert werden.

Die bisher erläuterte Entwicklung gilt in der DDR u. a. für weite Räume des Obersächsischen, des Thüringischen und des Südmärkischen. Etwas anders sieht die Situation in den Gebieten aus, in denen die Mundart bis in die Gegenwart noch stärker als Mittel der Kommunikation benutzt wird; doch handelt es sich hier um graduelle, nicht um prinzipielle Unterschiede. Das sei an Hand weniger Beispiele etwas näher charakterisiert. Im Norden des Märkischen um Wittstock (in der Priegnitz) wird die Mundart zwar noch relativ oft in der Familie und unter Bekannten verwendet, doch die erheblichen Unterschiede zwischen den älteren und den jüngeren Menschen spiegeln den Ablösungsprozeß der Mundart wider. „Für den größten Teil der Einwohner ist die Umgangssprache die wichtigste Sprachform für die tägliche Kommunikation." (DOST 1975, 182, vgl. GERNENTZ 1975 a, 1975 b.)

In den 60er Jahren hat SPANGENBERG festgestellt, daß im Eichsfeld die Mehrheit der älteren und mittleren Generation noch die Mundart innerhalb der Familie und des Dorfes gebrauchte. In manchen Orten gehörten zu dieser Gruppe mehr als 80 %. In verschiedenen Dörfern um Suhl und Sonneberg, die zum Obd. (Ostfränkischen) gehören, war der Anteil der Mundartsprecher noch höher; selbst Kinder und Jugendliche machten im allgemeinen keine Ausnahme, doch ein Wandel im Gebrauch der Mundart deutete sich auch hier an. Ein ganz anderes Bild zeigte sich dagegen im Zentralthüringischen, wo die Mundartsprecher in allen Orten und in allen Generationen die Minderheit bildeten. Aufs Ganze gesehen, führt die Entwicklung auf Grund der ökonomischen und sozialen Veränderungen auf dem Lande und des dadurch bedingten Wandels in den Kommunikationsbedürfnissen in allen Sprachräumen zum Rückgang bzw. zur Auflösung der Mundarten. Überall zeigt sich, „daß als Resultat einer stetigen quantitativen Zunahme des Gebrauchs der Umgangssprache schließlich der qualitative dialektische Umschlag zum ausschließlichen Gebrauch dieses Kommunikationsmittels erfolgt oder in der Generationsfolge sich unverkennbar abzeichnet." (SPANGENBERG 1969, 583.)

In der BRD verläuft die Entwicklung prinzipiell in gleicher Weise. Allerdings geht der Rückgang im Mundartgebrauch – zumindest in einigen Landschaften – langsamer vor sich. Das hat verschiedene Ursachen, hängt aber auch mit der der kapitalistischen Gesellschaftsordnung entsprechenden Bildungspolitik zusammen. Davon zeugen die Diskussionen zu den sogenannten Sprachbarrieren. Hier ist sogar die Meinung vertreten worden, daß für die Kinder der niederen sozialen Schichten nicht die Beherrschung der Schriftsprache angestrebt werden solle, weil das ihre Persönlichkeitsentwicklung beeinträchtigen könne. (Vgl. LANGNER 1974.) Führen solche Standpunkte zu entsprechenden Maßnahmen in der Allgemeinbildung, dann verzögert das die generelle Tendenz des Rückgangs der Mundarten, kann diese aber nicht aufhalten. Das wird auch durch neuere Untersuchungen zur Entwicklung der Mundarten in der BRD bestätigt.

Nach einer Erhebung aus dem Jahre 1980, die allerdings nur 2 000 Menschen ab 16 Jahren erfaßt, beherrschen noch 53 % der Bürger der BRD und Westberlins die Mundart ihrer Gegend. Die weiteren Befragungen dieser Personengruppe lieferten ähnliche Ergebnisse wie die Untersuchungen in der DDR. Danach wird die Mundart vor allem in der Familie und unter Freunden, seltener bei der Arbeit und nur ausnahmsweise bei anderen Gelegenheiten benutzt. Nicht wenige Menschen beherrschen zwar noch die Mundart, wenden sie aber kaum an. Unterschiede gegenüber der DDR gibt es in zweierlei Hinsicht. Einmal ist ein deutliches Süd-Nord-Gefälle festzustellen; das heißt, im Süden wird die Mundart häufiger benutzt als im Norden. Zum anderen ist ihre Kenntnis und ihr Gebrauch in Klein- und Mittelstädten (bis zu 100 000 Einwohnern) relativ weit verbreitet. (Vgl. BESCH 1983 b, 1405 ff.) Andere Untersuchungen, vor allem im nd. Raum (vgl. BESCH 1983 b; GOOSSENS 1977, 33 ff.; STELLMACHER 1980; SANDERS 1982, 178 ff.), haben zwar zum Teil recht unterschiedliche Ergebnisse erbracht, doch im großen und ganzen verläuft die Entwicklung in der gleichen Richtung, was durch Vergleiche mit älteren Erhebungen unterstrichen wird.

Die Erläuterungen zum Gebrauch der Mundart in beiden deutschen Staaten lassen erkennen, daß sich heute (fast) alle Sprecher mindestens zweier Existenzformen bzw. Sprachschichten bedienen können und daß die Mundart durchweg spezifische Funktionen in bestimmten Kommunikationssituationen erfüllt. Ihre Verwendung ist in der Regel nicht mehr vom sozialen Status des Sprechers abhängig, sondern vor allem von den Bedingungen der Kommunikation; das heißt, die Mundart ist nicht mehr Kennzeichen der Zugehörigkeit eines Sprechers zu einer bestimmten sozialen Klasse oder Schicht. (Vgl. u. a. GERNENTZ 1980, 170; LANGNER 1974.)

Diese Entwicklung hat in jüngster Zeit zu einer Aufwertung der Mundarten in Ost und West beigetragen; mitunter wird sogar von einer Renaissance der Mundarten gesprochen, doch dies trifft nicht das Wesen der Erscheinung. Vielmehr führt die Erkenntnis vom Wert der Mundarten für die Erschließung und Bewahrung sprachlich-geistiger Kulturgüter sowie für die Weiterführung regionaler Traditionen zu einer intensiveren Beschäftigung mit dieser Existenzform. Dies macht sich bei vielen Menschen in einer positiven Einstellung zur Mundart, hier und da auch in einem häufigeren Gebrauch bemerkbar. In der DDR ist diese Erscheinung vor allem in Mecklenburg – aber auch in einigen Bezirken des Südens und Südwestens – zu beobachten, doch gibt es z. B. bereits wieder Anzeichen für ein Nachlassen des Interesses am Erlernen der nd. Mundart. (Vgl. HERRMANN-WINTER 1985.)

Im einzelnen ist dieses Phänomen heute noch nicht genau einzuschätzen, zumal es in den einzelnen Sprachlandschaften bzw. in den beiden deutschen Staaten auf weitere, zum Teil unterschiedliche Ursachen zurückzuführen ist. Bleiben wird sicherlich die positive Haltung zu den Mundarten; dies kann sich auf die weitere Entwicklung des Gefüges der Existenzformen auswirken, aber nicht in der Weise, daß der allgemeine Rückgang der Mundarten als Mittel der Kommunikation aufgehalten oder gar rückgängig gemacht wird.

Abschließend ist noch kurz auf die Entwicklung der Mundarten in Österreich und in der Schweiz hinzuweisen. Die Situation in Österreich ähnelt der in der DDR und in der BRD, insbesondere der im Süden der BRD. Die Übereinstimmungen betreffen auch die Veränderungen in den letzten Jahrzehnten. (Vgl.

WIESINGER 1983a.) Jedoch gibt es auch einige Besonderheiten. Die erste zeigt sich in einer stärkeren Gliederung der Mundarten in mehrere Schichten, die einen unterschiedlichen sprachsoziologischen Wert besitzen. Sieht man von den archaischen Reliktmundarten in verschiedenen Alpentälern ab, lassen sich mit WIESINGER (1985b) drei Schichten unterscheiden: der Basisdialekt (unter synchronischem Aspekt auch Landdialekt genannt), der Verkehrsdialekt und der Stadtdialekt, der mitunter schon zur Umgangssprache gerechnet wird. (Vgl. MENTRUP/Kühn 1980; WIESINGER 1983b.)

Die zweite Besonderheit besteht darin, daß noch relativ deutliche Beziehungen zwischen sozialen Klassen und Schichten und dem Gebrauch der Mundart existieren. Nach der Matrix von WIESINGER (1983b, 72) wird z. B. der Basisdialekt vornehmlich von Bauern und Handwerkern der älteren, aus dem Ort stammenden Generationen in der Kommunikation mit Verwandten und Bekannten in privaten, mitunter auch in halboffiziellen Situationen gebraucht. Daraus wird deutlich, „daß in Österreich der Dialekt heute eine sozial markierte Sprachschicht mit eingeschränkter gesellschaftlicher Gültigkeit verkörpert" (WIESINGER 1983a, 189). Insgesamt hat jedoch auf Grund der gesellschaftlichen Entwicklung, nicht zuletzt infolge des starken Tourismus, auch in diesem Lande die sprachliche Mobilität aller Bürger zugenommen, wodurch der Trend zum Rückgang der Mundarten und damit die Tendenz der Integration der Existenzformen ebenfalls an Bedeutung gewinnt.

Größere Unterschiede gegenüber den anderen deutschsprachigen Staaten[9] zeigen sich in der Schweiz. Hier spielen die Dialekte, oft unter dem Terminus „Schweizer Deutsch/Schwyzer Dütsch" zusammengefaßt, nach wie vor in der mündlichen Kommunikation eine dominierende Rolle; nach RUPP (1983, 218) werden 99 % aller mündlichen Äußerungen mit Hilfe der Mundarten realisiert. Die meisten deutschsprachigen Schweizer betrachten die Mundarten als Symbol der Demokratie und der (nationalen) Identität (vgl. MENTRUPP/KÜHN 1980, 533ff.); daher bildet diese Existenzform die allgemeine Verkehrssprache aller sozialen Schichten im privaten und im öffentlichen Bereich; die Mundarten besitzen also prinzipiell keine soziale Markierung. Da es in der Schweiz keine überregionale gesprochene Verkehrssprache gibt, erfüllen die Mundarten im Vergleich zu den drei anderen deutschsprachigen Staaten auch die Funktionen der Umgangssprache, zum Teil sogar die der gesprochenen Literatursprache. (Vgl. PANIZZOLO 1982; BAUR 1983; RUPP 1983.) Das setzt zweierlei voraus: Erstens muß jeder Bürger neben der eigenen Mundart zumindest rezeptiv auch die anderen Mundarten beherrschen, denn in der Regel verwendet jeder Schweizer in der mündlichen Kommunikation seine Mundart. Das ist insofern möglich,

---

[9] In linguistischen Arbeiten wird der Begriff „deutschsprachige Staaten" im allgemeinen auf die DDR, die BRD, auf Österreich und auch auf die Schweiz bezogen (obwohl es hier neben Deutsch drei weitere Landessprachen gibt). In Luxemburg und in Liechtenstein ist zwar das Deutsche ebenfalls eine Landessprache (neben anderen), doch klammert man aus unterschiedlichen Gründen diese beiden Staaten in der Regel aus.

als die Mundarten eng miteinander verwandt sind, also zwischen ihnen keine gravierenden Unterschiede bestehen. Die Stadtmundarten, z. B. das Baseldeutsch, dürften im Prinzip einer Schicht der Umgangssprache entsprechen. Zweitens müssen die Mundarten eine Polyfunktionalität entwickelt haben, die der der Literatursprache gleichzusetzen ist oder ihr sehr nahekommt. Nur so ist es möglich, daß z. B. ein Professor mit seinem Kollegen fachliche Probleme in der Mundart diskutiert.

In der Gegenwart dringen die Mundarten sogar in Bereiche ein, die bisher der Standardsprache vorbehalten waren. Das gilt u. a. für die Massenmedien sowie für die Allgemein- und Spezialbildung. Besonders Sprachpfleger treten für eine weitere Aufwertung der Mundarten gegenüber der Standardsprache ein. Mitunter wird sogar angestrebt, die Schweizer Mundart als fünfte Landessprache der Schweiz offiziell anzuerkennen, wodurch die deutsche Standardsprache den Charakter einer Fremdsprache erhalten würde. (Vgl. BAUR 1983.) Doch diese Forderung wird sich nicht durchsetzen, weil sie die Gefahr der Lösung von der deutschen Standardsprache in sich birgt. „Solange die deutsche Schweiz zum deutschen Sprachraum und damit trotz aller Eigenheiten auch zum deutschen Kulturraum gehört, ist es unabdingbar, daß der mundartsprechende Schweizer auch die Kompetenz hat, im Standarddeutsch zu kommunizieren." (RUPP 1983, 225.) Da aber in der mündlichen Kommunikation offensichtlich die Mundarten auch weiterhin als überregionale Verkehrssprachen fungieren werden, sieht das Gefüge der Existenzformen in der Schweiz und seine Entwicklung wesentlich anders aus als in den anderen deutschsprachigen Staaten. Die Tendenz der Integration gilt hier vornehmlich für die Mundarten, die sich infolge ihres vielfältigen Einsatzes zu unterschiedlichen Zwecken weiter angleichen und dadurch auch in formaler Hinsicht zu einer überlandschaftlichen Verkehrssprache entwickeln werden.

2.1.2.3. Entwicklungstendenzen in der Umgangssprache

Die Darlegungen im vorangehenden Abschnitt haben bereits mehrfach auf Veränderungen der Umgangssprache aufmerksam gemacht, so daß die folgenden Ausführungen zum Teil knapper gehalten werden können. Da jedoch die Meinungen über Wesen und Begriff der Umgangssprache zum Teil weit auseinandergehen, ist es notwendig, zunächst einige theoretische Positionen zu charakterisieren, bevor einzelne Entwicklungstendenzen erläutert werden. (Vgl. LANGNER 1982 b.)

Der Umgangssprache kommt innerhalb des Wandels der Existenzformen insofern eine besondere Rolle zu, als sie selbst das Ergebnis komplizierter Integrationsprozesse darstellt und daher mit der Entwicklung der beiden anderen Existenzformen besonders eng verknüpft ist. Im allgemeinen wird die Entstehung der Umgangssprache als Folge der Herausbildung der deutschen Nationalsprache betrachtet. Danach hat sie sich etwa seit dem 16. Jahrhundert entwickelt[10], ihre volle Ausprägung als Subsystem aber erst im 19. Jahrhundert erfahren, also in der Zeit, in der auf Grund der gesellschaftlichen Entwicklung der Rückgang der Mundarten in verstärktem Maße einsetzt. Diese Wandlungen haben zur Folge, daß der bis zur Mitte des 19. Jahrhunderts „durch die Umgangssprache nicht wesentlich gestörte Dualismus Dialekt – Literatursprache in zunehmendem Maße durch eben diese zu einem dreipoligen Spannungsverhältnis Dialekt – Umgangssprache – Literatursprache erweitert wurde." (KETTMANN 1981, 68.)

Obwohl in den letzten Jahrzehnten viele Arbeiten zur Umgangssprache erschienen sind (vgl. u. a. BICHEL 1973; 1980; LANGNER 1982; SCHÖNFELD 1977; 1983), ist der Forschungsstand insgesamt als unbefriedigend einzuschätzen. Daher gibt es eine Fülle von Erläuterungen zum Begriff Umgangssprache, aber noch keine allgemein anerkannte Definition dieses Terminus. Von den 40 Definitionen, die SHUMANIJASOW (1979, 29 ff.) zusammengetragen hat, halten viele den Anforderungen an eine exakte Bestimmung des Begriffs nicht stand. So meint z. B. BACH (1970, 460), die Umgangssprache sei „nur auf die alltäglichen Durchschnittsgegebenheiten abgestimmt und Ausdruck ‚der sehr ichbezogenen und materiell eingestellten Haltung und Lebensschau ihrer Sprecher‘". Übereinstimmung herrscht eigentlich nur in der Hinsicht, daß es neben Mundart und Literatursprache ein Drittes gibt, das sich gegenüber diesen beiden Existenzformen durch eine große Heterogenität und Variabilität sowie durch eine vielfältige Verwendung deutlich abhebt. Dieser geringe Konsens in der germanistischen Linguistik hat immerhin dazu geführt, daß der Begriff Umgangssprache von der Romanistik zur Erforschung vergleichbarer Sprachschichten übernommen worden ist. (Vgl. UMGANGSSPRACHE IN DER IBEROROMANIA 1984.)

Wir verstehen unter der Umgangssprache eine horizontal und vertikal in sich gegliederte Existenzform der deutschen Sprache, die nach ihrer territorialen und sozialen Geltung und damit nach ihrem kommunikativen Wert zwischen der Literatursprache und der Mundart einzuordnen ist. Sie wird heute von Angehörigen aller Klassen und Schichten zur Lösung vieler Kommunikationsaufgaben verwendet, und zwar vorwiegend in der mündlichen Kommunikation, doch hat im 20. Jahrhundert ihr schriftlicher Gebrauch zugenommen. Infolge ihrer wachsenden Polyfunktionalität und ihrer starken Situationsgebundenheit besitzt die Umgangssprache eine Vielzahl von Varianten, insbesondere in der Lexik. Aus diesen und anderen Eigenschaften ergeben sich auch die Spezifik ihres Systems sowie die gegenüber den anderen beiden Existenzformen geringere Verbindlichkeit ihrer Normen. Der seit der Mitte des 19. Jahrhunderts immer enger werdende Kontakt zwischen den Menschen und damit zwischen ver-

---

[10] Eine Anwendung des Begriffs Umgangssprache auf Sprachschichten älterer Perioden ist nicht zu empfehlen (vgl. ALLGEMEINE SPRACHWISSENSCHAFT I, 1975, 436), weil dann mit dem gleichen Terminus unterschiedliche Sachverhalte bezeichnet werden, was die terminologischen Unklarheiten noch vergrößern würde.

schiedenen Sprachschichten ist für MUNSKE (1983, 1002 ff.) ein wichtiger Gesichtspunkt dafür, die Umgangssprachen als Sprachkontakterscheinungen zu interpretieren. (Vgl. KETTMANN 1980, 3 ff. u. ö.)

Von einigen Linguisten wird die Umgangssprache nicht als eigene Existenzform betrachtet und damit auch ihr Systemcharakter bezweifelt. So meint BICHEL (1973; 1980), daß sich die Umgangssprache nicht als drittes Subsystem zwischen Mundart und Schriftsprache einordnen lasse; trotzdem räumt er ein, daß neben diesen beiden Existenzformen weitere Varietäten existieren, deren Gesamtbereich als Umgangssprache bezeichnet werden könne. Nach VEITH (1968) zeichnet sich die Umgangssprache durch Unsystematik aus, und HENZEN (1954, 21) hebt hervor, daß selbst die höhere Umgangssprache der Gebildeten „ein wahres Chamäleon" sei. Diese und andere Argumente widerlegen nicht die These von einer spezifischen Varietät, weisen jedoch auf Lücken in der Erkenntnis des Gegenstandes hin. Daß die Umgangssprache Systemcharakter haben muß, ist schon daran zu erkennen, daß sich viele Menschen mit Hilfe dieses Subsystems verständigen. Allerdings ist diese Existenzform nur adäquat zu erfassen, wenn sie als Varietät des Diasystems der deutschen Sprache untersucht wird. Der Variantenfülle und der Variabilität muß die Forschung in der Weise gerecht werden, daß man mehrere Umgangssprachen bzw. verschiedene Schichten ansetzt. (Vgl. SPANGENBERG 1978.)

Unterschiedliche Positionen ergeben sich auch daraus, daß die Umgangssprache manchmal nur unter dem Systemaspekt oder nur unter dem Verwendungsaspekt betrachtet wird. Im letzteren Fall spricht man oft von der Alltagssprache bzw. dem Stil der Alltagsrede. (Vgl. u. a. TRIER 1966; PORZIG 1971, 250 ff.) Zwar ist eine solche Unterscheidung notwendig (vgl. THEORETISCHE PROBLEME 1976, 600 f.), doch müssen beide Aspekte als zwei Seiten eines Sachverhalts gesehen werden. Wie für die anderen Subsysteme gilt auch für die Umgangssprache, daß sie stilistische Differenzierungen besitzt, das heißt fakultative Varianten zur Darstellung des gleichen Denotats. Allerdings gibt es bisher kaum Untersuchungen zur stilistischen Gliederung der Umgangssprache (vgl. MICHEL 1980); meist werden Stilschichten der Umgangssprache nur aus der Sicht der Literatursprache betrachtet und entsprechend bezeichnet. (Vgl. LANGNER 1984, 193 f.)

Die bisherigen Ausführungen haben bereits auf einige Entwicklungstendenzen der Umgangssprache aufmerksam gemacht. Die im folgenden zu erläuternden Veränderungen weisen zwar zwischen den einzelnen Landschaften und vor allem zwischen den deutschsprachigen Staaten zum Teil erhebliche Unterschiede auf, können aber trotzdem in ihren Grundzügen der generellen Tendenz zur Integration untergeordnet werden.

Der auffallendste Wandel besteht darin, daß seit der Mitte des 19. Jahrhunderts die Umgangssprache zu dem am häufigsten verwendeten Mittel der mündlichen Kommunikation geworden ist, „daß ... von hundert und mehr Millionen Deutschen kaum ein Drittel die Mundart, sozusagen niemand die Schriftsprache und alle übrigen diese Zwischenstufe sprechen. Wir nennen sie heute ... die Umgangssprache" (HENZEN 1954, 19 f.). Auch nach MOTSCH verwenden die meisten Menschen Umgangssprache, „und möglicherweise nur die Umgangssprache. Andere bedienen sich nur in bestimmten Situationen der Literatursprache, im allgemeinen aber einer Umgangssprache" (MOTSCH 1972, 132; vgl. BESCH 1983a, 985). Diese Feststellungen sind durch neuere Untersuchungen bestätigt worden. (Siehe Abschnitt 2.1.2.2.; vgl. ferner SCHÖNFELD 1977; 1983; SCHÖNFELD/DONATH 1978.)

Hand in Hand mit dieser quantitativen Zunahme geht eine Erweiterung der Funktionen der Umgangssprache. Es gibt heute in der mündlichen Kommunikation nur wenige Themen und wenige Situationen, die den Gebrauch einer umgangssprachlichen Schicht verbieten.

Mit der Ausweitung des Anwendungsbereichs der Umgangssprache hängt eine weitere Tendenz unmittelbar zusammen, nämlich die der stärkeren Binnengliederung dieser Existenzform. Unter horizontalem Aspekt werden heute meist drei Schichten unterschieden: die mundartnahe (kleinlandschaftliche) Umgangssprache, die (groß-)landschaftliche Umgangssprache und die literatursprachenahe (literarische, hochdeutsche) Umgangssprache. Die landschaftlichen Umgangssprachen, zu denen in der DDR vor allem die mecklenburgische, die brandenburgisch-berlinische und die obersächsisch-thüringische gehören, beeinflussen sich wechselseitig und sind trotz zahlreicher territorialer Merkmale für die Verständigung in vielen Situationen innerhalb der gesamten DDR geeignet. Die territoriale Gebundenheit dieser umgangssprachlichen Schicht ist im Norden geringer als im Süden. (Vgl. insbesondere die Situation in der BRD.) Das liegt in erster Linie daran, daß in den nd. Gebieten meist eine hd. Umgangssprache gesprochen wird, die allerdings zahlreiche nd. Elemente enthält, während im md. und besonders im obd. Raum die erste und die zweite Schicht der Umgangssprache aus den Mundarten ihres Raumes erwachsen sind. (Vgl. GERNENTZ 1975b, 389; EICHHOFF 1977/78, 10; SANDERS 1982, 196.) Die hochdeutsche Umgangssprache stimmt heute in vielen Merkmalen mit der gesprochenen Literatursprache überein, besitzt jedoch in allen Teilsystemen mehr landschaftgebundene Eigenarten, die aber die Verständigung kaum beeinträchtigen.

Unter historischem Aspekt bildet diese Schicht im wesentlichen eine Weiterentwicklung der Umgangssprache der Gebildeten im 19. Jahrhundert und zu Beginn des 20. Jahrhunderts. Noch KRETSCHMER (1918,10) charakterisiert die hochdeutsche Umgangssprache in dieser Weise. Sie ist für ihn neben der Schriftsprache „das einigende Band, das alle deutsch Redenden ... umschließt" (a.a.O., V). Die Genese dieser Schicht unterscheidet sich also deutlich von der Entwicklung der beiden anderen Schichten.

Die Tendenz zur Allgemeingültigkeit der hochdeutschen Umgangssprache wird durch die Massenmedien sowie durch die vielfältigen Kontakte zwischen Bürgern eines Staates, aber auch durch die politischen, ökonomischen, kulturellen und sportlichen Beziehungen zwischen den deutschsprachigen Staaten gefördert. Doch steht dieser Tendenz der Integration die politisch bedingte Tendenz zur Differenzierung gegenüber, die zu neuen Unterschieden zwischen der

DDR und den kapitalistischen deutschsprachigen Staaten führt. Diese Entwicklung hat schon zu der Auffassung geführt, daß es in Ansätzen eine Umgangssprache der DDR gebe, die sich von der in der BRD, in Österreich und in der deutschsprachigen Schweiz unterscheide (vgl. GERNENTZ 1975b, 387), doch diese These bedarf noch der Verifizierung durch fundierte empirische Untersuchungen.

Die Bemerkungen zur horizontalen Gliederung haben bereits mehrfach auf die vertikale (soziale) Schichtung der Umgangssprache hingewiesen. Allgemein gilt für diese Existenzform die gleiche Tendenz wie für die Mundart und die Literatursprache. Es gibt heute keine eindeutigen Beziehungen mehr zwischen dem Gebrauch der Umgangssprache und bestimmten sozialen Klassen oder Schichten. Für die 2. Hälfte des 19. Jahrhunderts konnte KETTMANN (1980, 75 u. ö.) allein bei der städtischen Umgangssprache zwei Varianten unterscheiden, die bürgerliche Umgangssprache und die Umgangssprache der Arbeiter, zwischen denen zum Teil erhebliche Differenzen bestanden.

Daß jedoch auch in der DDR soziale Faktoren den Sprachgebrauch und das Sprachvermögen generell beeinflussen, haben die Untersuchungen von SCHÖNFELD/DONATH (1978) deutlich nachgewiesen. Dieser Einfluß zeigt sich auch bei der Verwendung der mundartnahen und der landschaftlichen Umgangssprache. Die mundartnahe Umgangssprache wird auf dem Lande häufiger benutzt als in der Stadt, besonders dort, wo die Mundarten noch ein Mittel der mündlichen Kommunikation sind. Die Verwendung dieser Schicht ist in Stadt und Land durchweg an bestimmte Situationen gebunden; sie wird – ähnlich wie die Mundart – vor allem in der Familie, unter Freunden sowie in kleineren Arbeitskollektiven gebraucht. In öffentlichen und offiziellen Situationen bedient man sich einer anderen Sprachschicht. Die Bedingungen der Kommunikation spielen also eine größere Rolle als die Zugehörigkeit der Sprecher zu einer bestimmten sozialen Klasse oder Schicht. Von den sozialen Faktoren, die für den Sprachgebrauch von Bedeutung sind, kommt dem sprachlichen Verhalten der Gruppe, der man angehört, ein besonderes Gewicht zu. Untersuchungen zum Gebrauch der Existenzformen bei Berliner Werktätigen ergaben u. a. folgendes: 25 % der Befragten nannten als Grund für die Verwendung der mundartnahen Umgangssprache: „weil es die anderen auch tun". Zählt man zwei weitere ähnliche Motive hinzu („es ist vertraulicher" und „es klingt nicht so geziert"), so bewirken soziale und psychologische Motive bei 56 % aller Befragten den Einsatz dieser umgangssprachlichen Schicht. (Vgl. SCHÖNFELD 1977, 196.)

Die Bedeutsamkeit gruppensprachlicher Normen ist besonders beim Sprachgebrauch von Kindern und Jugendlichen zu beobachten. Selbst diejenigen von ihnen, die in der Familie die hochdeutsche Umgangssprache sprechen und die die Literatursprache relativ gut beherrschen, wechseln im Gespräch mit anderen Jugendlichen sofort zu der Sprachschicht über, die in der betreffenden Gruppe als normgemäß gilt, und das ist oft die mundartnahe Umgangssprache. Ihre Normen führen in einzelnen Fällen sogar zur Erhaltung von primären Merkmalen der Mundart. So betonte eine junge Frau in einem Dorf bei Wittenberg Mitte der 60er Jahre: „Wer ‚mir' und ‚mich' unterscheidet, gilt auch im Kreise der jungen Menschen als eingebildet." (Vgl. LANGNER 1977, 221.) Der Einheitskasus ist besonders beim Pronomen im brandenburgisch-berlinischen Raum auch zu einem Merkmal der landschaftlichen Umgangssprache geworden.

Die mundartnahe Umgangssprache der Kinder und Jugendlichen enthält in der Regel zahlreiche gruppenspezifische Merkmale. Entsprechende Äußerungen können sowohl der Umgangssprache als auch dem Soziolekt der Jugendlichen zugeordnet werden. Vgl. das folgende Beispiel:

(1) *Rauchen ist blöde und macht schlapp. Den Glimmstengel kannste vergessen. Man stinkt und verliert die Beine. Raucherbein, willste sowas? Auch Lungenkrebs, gelbe Zähne und überhaupt, du machst schon viel eher die Mücke.* (MV 1984; Text eines Plakats, das sich gegen das Rauchen von Jugendlichen richtet.)

Diese besondere Ausprägung der Umgangssprache hat H. Deichfuß konsequent für die Gestaltung seines Romans „Windmacher" (1983) genutzt, der durchweg in erlebter Rede geschrieben ist und in dessen Mittelpunkt ein junger Arbeiter steht; vgl. einige Sätze aus dem Anfang des Romans:

(2) *Mein lieber Mann. Da hast du die Martina. Bist regelrecht verheiratet. Standesamt und so. Trauzeugen. Besäufnis. 'n halbes Jahr her … Bis morgen dann. In der Kantine. Na, wenn nichts dazwischenkommt. Auswärtsreparaturen oder so. Klar versuch ich mich zu drücken. Weißte doch, Kleines … Tschüs denn. – Und ab. – Ist irre. – Unheimlich irre. – Da sollste nicht zur Flasche greifen. Dir einen antrinken. Auf Bude nachher. Na da.*

Beide Texte enthalten nur wenige landschaftliche Eigenarten, was für die Sprache der Jugendlichen nicht typisch ist; vgl. *rauchen* statt *roochen, weißte* statt *weesde.* Daher sind sie nur bedingt einer der Schichten der Umgangssprache zuzuordnen; aber gerade dadurch zeugen sie von der Vielfalt der Ausprägungen dieser Existenzform. Ferner weisen die beiden Texte auf den zunehmenden Gebrauch umgangssprachlicher Mittel in der schriftlichen Kommunikation hin. (Vgl. SEIBICKE 1983, 26.) Insgesamt gilt, daß die Massenmedien und die Belletristik den Gebrauch der Umgangssprache fördern. (Vgl. MACKENSEN 1971, Kap. 1 und 5; siehe auch den folgenden Abschnitt.)

Für die wachsende Bedeutung der Umgangssprache spricht auch die Tatsache, daß viele Partner erwarten, daß man ihnen gegenüber in bestimmten Situationen, z. B. bei der Arbeit, eine Schicht der Umgangssprache benutzt. (Vgl. SCHÖNFELD/DONATH 1978.) Dabei ist jedoch zu beachten, daß in der Kommunikation häufig die drei Schichten miteinander verbunden sind, daß nicht jeder Text einer Schicht zugeordnet werden kann. Das geht auch aus den Untersuchungen von HERRMANN-WINTER (1979) hervor. Ihrer Schlußfolgerung, daß es keine norddeutsche Umgangssprache „mit eigenen Subsystemen auf allen sprachlichen Ebenen und eigenen Normen" gebe (a. a. O., 256), ist jedoch nicht zuzustimmen. Schließlich wird die Bedeutung der Umgangssprache für die Kommunikation in der Gegenwart auch daran deutlich, daß Texte, die zahlreiche typische umgangssprachliche Mittel enthalten, von der Mehrzahl der Sprecher in sehr vielen Situationen als kommunikativ adäquat beurteilt werden. Problematisch wird diese positive Haltung zur Umgangssprache dann, wenn sie zur Vernachlässigung der Literatursprache führt. Diese Gefahr ist bei einem Teil der Jugendlichen zu beobachten; das zeigt sich bei ihnen mitunter in einem unangemessenen Einsatz umgangssprachlicher Mittel. Selbst bei Studenten kommen in offiziellen Gesprächen und in den Lehrveranstaltungen nicht selten Merkmale der landschaftlichen Umgangssprache vor, z. B. *det/dat, ike, loofen, dranne*. Die Situation in der BRD und in Österreich gleicht in bezug auf die grundsätzliche Entwicklung der in der DDR. (Zur Sonderstellung der Schweiz vgl. 2.1.2.2.) Im einzelnen existieren jedoch erhebliche Unterschiede. Gebrauch und Ausprägung der mundartnahen und der landschaftlichen Umgangssprache hängen u. a. davon ab, ob die Mundarten noch relativ häufig als Mittel der Kommunikation gebraucht werden. Aufs Ganze gesehen, weitet sich aber in beiden Staaten ebenfalls die Umgangssprache auf Kosten der Mundarten aus; dies gilt offensichtlich für Österreich weniger als für die BRD und die DDR. Auch zwischen der Umgangssprache in der Stadt und der auf dem Lande bestehen speziell in Österreich noch größere Unterschiede. (Vgl. WIESINGER 1985a, 1646; 1985b, 1940; REIFFENSTEIN in: TENDENZEN 1983, 23.) Zu verallgemeinern ist WIESINGERS Feststellung (1985b, 1941), daß für die Entwicklung der Umgangssprachen vor allem die größeren Städte als Ausstrahlungszentren gewirkt haben und auch heute noch wirken.

2.1.2.4. Entwicklungstendenzen in der Literatursprache

Die Literatursprache, die am höchsten entwickelte Existenzform der deutschen Nationalsprache, ermöglicht die Verständigung zwischen allen Angehörigen der Sprachgemeinschaft; infolge ihrer Multivalenz kann sie prinzipiell zur Lösung aller Kommunikationsaufgaben eingesetzt werden. (Vgl. ALLGEMEINE SPRACHWISSENSCHAFT I, 1975, 542f.) Jedoch ist es weder notwendig noch zweckmäßig, sie in jeder Situation zu verwenden. Ihre mehr oder weniger streng kodifizierten Normen gelten für die schriftliche und die mündliche Kommunikation, lassen aber landschaftliche Varianten in allen Teilsystemen zu, insbesondere in der Lexik. Diese territorialen Merkmale sind einmal durch die unterschiedliche Entwicklung der einzelnen Sprachräume bedingt. Dazu gehören vor allem Besonderheiten der Schweiz (Helvetismen) und Österreichs (Austriazismen), aber auch Besonderheiten der Sprachlandschaften der beiden deutschen Staaten. Solche Differenzierungen gibt es in allen Ebenen: in der Aussprache (vgl. österr. /ofi:zi:r/, obd., österr. /penzio:n/); in der Orthographie (vgl. *Akkordion/Akkordeon, Tageblatt/Tagblatt*); in der Grammatik (vgl. obd. *ist gestanden, war gesessen*); in der Lexik (vgl. *auf Wiedersehen/auf Wiederschauen/tschüs; Fleischer/Schlachter/Metzger; Brötchen/Semmel/Wecken; Junge/Bub; Rahm/Sahne; Kartoffel/Erdapfel/Knolle*;

österr. *Kundmachung* ‚Bekanntmachung‘, schweiz. *Pfulmen* ‚Kopfkissen‘). (Vgl. zu weiteren Unterschieden zwischen Norden und Süden die Karte bei MUNSKE 1983, 1014.) Bei den lexischen Varianten sind allerdings zum Teil semantische Unterschiede vorhanden. Zum anderen gehen die Unterschiede zwischen den deutschsprachigen Staaten, speziell zwischen der DDR und der BRD, auf die unterschiedliche politische Entwicklung zurück.

Um das allmähliche Werden der nationalen Literatursprache zu kennzeichnen, wird mitunter zwischen der Phase der Schriftsprache (16.–18. Jh.) und der Phase der Standardsprache (19.–20. Jh.) terminologisch unterschieden. Der Begriff Schriftsprache bezieht sich auf die Zeit, in der es im Grunde nur eine geschriebene Existenzweise mit allgemeiner Geltung gab. In der Phase der Standardsprache setzt sich einmal die Kodifizierung der Aussprache durch, zum anderen weitet die Literatursprache ihren Anwendungsbereich erheblich aus. (Vgl. BESCH 1983a, 977ff.; 1983b, 1400ff.)

Die entscheidende Voraussetzung für Wandlungen in der Literatursprache besteht in der Erweiterung der sozialen Basis. Bis Anfang des 19. Jahrhunderts besitzt die Literatursprache noch eindeutig elitären Charakter, sind nur Teile des Bürgertums und des Adels Träger dieser Existenzform. Im Laufe des 19. Jahrhunderts tritt dadurch ein Wandel ein, daß sich weitere Teile des Bürgertums, aber auch Angehörige anderer Klassen und Schichten – nicht zuletzt der Arbeiterklasse – diese Existenzform aneignen, um objektiv bedingte Kommunikationsaufgaben lösen zu können. Trotzdem bleiben bis in die Mitte des 20. Jahrhunderts große Teile dieser Bevölkerungsgruppen infolge der Bildungsbeschränkungen von der Beherrschung der Literatursprache ausgeschlossen. Für die kapitalistischen deutschsprachigen Staaten trifft das zum Teil noch heute zu. Nach einer vereinfachten schematischen Übersicht von JÄGER (1980, 376) sind nur die Ober- und Mittelschicht[11] Träger der Standardsprache. Die Angehörigen der Unterschicht bedienen sich in der schriftlichen Kommunikation allenfalls einer Standardsprache „mit Abweichungen“, in der mündlichen Kommunikation durchweg der Umgangssprache oder der Mundart. Auf Grund der unzureichenden Erforschung dieser Zusammenhänge, auf die JÄGER selbst hinweist, werden auch andere Meinungen vertreten. So hebt BESCH (1983b, 1405) allgemein die Tendenz zur Standardsprache hervor; nach ihm gibt es „heute einen Anteil zwischen 20–40 %, der allein die Standardsprache, bzw. Annäherungsformen an diese, in allen Domänen benutzt“. Solche Angaben sind problematisch, weil es an den entsprechenden Untersuchungen fehlt, unterschätzen wohl auch die Rolle der Umgangssprache für die Kommunikation. Die Sonderstellung der Schweiz (vgl. 2.1.2.2.) wird darin deutlich, daß zumindest in

---

[11] Dieser Begriff Schicht deckt sich nicht mit dem gleichlautenden Terminus des Marxismus. In der nichtmarxistischen Soziolinguistik versteht man unter einer (sozialen) Schicht Personengruppen, die gemeinsame soziale Merkmale haben; zu diesen rechnet man vor allem Beruf, Bildung und Einkommen, mitunter auch andere Kriterien, z. B. Wohlstandsindex (Besitz bestimmter Sachgüter), Theater- und Konzertbesuch sowie die Relation Raum/pro Person.

der mündlichen Kommunikation die Literatursprache nur bei wenigen offiziellen Gelegenheiten verwendet wird; die Diglossie-Situation korrespondiert also nicht mit bestimmten Kommunikationsbereichen und Kommunikationsinhalten. (Vgl. BESCH 1983b, 1408; RUPP 1983, 217f.; WIESINGER 1985a, 1646.)

In der DDR haben die revolutionären Ereignisse nach 1945 eine grundsätzliche Änderung bewirkt. Die Herrschaft der Arbeiterklasse führt in Verbindung mit der Aufhebung aller prinzipiellen Bildungsbeschränkungen sowie der Einbeziehung möglichst vieler Menschen in die Planung und Leitung aller gesellschaftlichen Prozesse nicht nur zu einer breiten sozialen Basis der Literatursprache, sondern bestimmt auch mehr und mehr die Kommunikationsbedürfnisse aller Bürger sowie die Art der sprachlichen Gestaltung. (Vgl.2.3.) In zunehmendem Maße wird von allen Bürgern die Fähigkeit verlangt, sich in bestimmten Situationen der Literatursprache zu bedienen. Doch ist dies ein langer, komplizierter Prozeß; daher zeigen sich im einzelnen heute noch erhebliche Unterschiede in der Sprachbeherrschung. Infolge der unterschiedlichen Anforderungen an die Kommunikation werden diese Differenzen bis zu einem gewissen Grade auch bestehenbleiben; entscheidend ist jedoch, daß diese Unterschiede nicht von vornherein durch die Zugehörigkeit zu einer bestimmten Klasse oder Schicht determiniert sind. Daher reicht es heute nicht mehr aus, als „bildungstragende Schicht" nur „die in Wissenschaft und Kunst, in Technik, Wirtschaft und Verwaltung, in den gesellschaftlichen Organen und Parteien verantwortlich tätigen Menschen" zu verstehen (WDG, Bd.1, 1964, 04).

Die in qualitativer und quantitativer Hinsicht wichtigste Entwicklungstendenz äußert sich in dem starken Einfluß der Umgangssprache auf die Literatursprache. Dieser Prozeß setzt ebenfalls schon im 19. Jahrhundert ein (zur Entwicklung in der schönen Literatur vgl. MACKENSEN 1971, Kap. 1) und ist im 20. Jahrhundert weiter ausgeprägt worden. In der Gegenwart wirkt sich diese Tendenz vor allem in Texten der Massenmedien und der Belletristik aus. Der Anteil der spezifischen umgangssprachlichen Mittel in literatursprachlichen Texten der genannten Quellen ist zwar in der Regel relativ klein, doch da die Mehrzahl aller Elemente beiden Existenzformen angehört, können wenige spezielle Mittel der Umgangssprache ausschlaggebend dafür sein, daß der Text als Ganzes einen umgangssprachlichen Charakter erhält; vgl. die beiden folgenden Beispiele, die jeweils den Anfang eines Textes bilden:

(3) *Hallo, Zweiradfans! Die Motorbiene düst wieder los zur Mokick-Rallye '84. Ein großer Knüller! So die einhellige Meinung aller, die während der 1.DDR-Mokick-Rallye 1983 mitgebrummt sind oder zugeschaut haben. Eine gute Grundlage, um weiterzumachen, meinten damals Teilnehmer und Veranstalter.* (JW 1984)

(4) *Alle waren perplex. Tatsächlich alle. Und solche Übereinstimmungen sind in der Welt des Hochleistungssports selten geworden. Selten deshalb, weil selbst beim tollsten Knalleffekt noch jeder seine eigene Sicht auf die Vorgänge behält. Der Betroffene wird, wenn es gut ging, gefeiert. Lief die Sache schief, wenden sich zumeist die Enttäuschten schnell vondannen ...* (MV 1986)

In anderen Texten der Presse wurden u. a. folgende Lexeme und Phraseologismen verwendet: *Bolle, Brägen, Damm, Gaudi, heuer, kieken, Kiepe, Kuhle, pinnen, Rahm, Stiege, Steppke, Strietzel, Wrasen; bei jemandem fällt der Groschen; sich (k)einen Kopf (Kopp) machen, die Nase voll haben, nach Strich und Faden, aufs Kreuz legen, auf die Straße fliegen.* Auffallend ist, daß in Zeitungen, die in Berlin und Potsdam erscheinen, relativ viele Lexeme vorkommen, die als obd. gelten; vgl.: *Erdapfel, Fleischhauer, gestandener Mann, heuer, Jänner, rösch, Steige, Wecken.* Nur ganz selten haben diese Mittel die Aufgabe, das lokale Kolorit zu kennzeichnen. Im allgemeinen zeugt vielmehr die Verwendung dieser umgangssprachlichen Wörter dafür, daß sie das Merkmal der territorial begrenzten Geltung verlieren. Allerdings gilt dies in unterschiedlichem Maße. Bei einigen Lexemen ist dieser Prozeß der Integration so weit fortgeschritten, daß die Markierung „landschaftlich“ nicht mehr angebracht ist; in diesen Fällen handelt es sich um eine obligatorische Interferenz (vgl. *Samstag* und *schauen*). Andere Wörter sind der Gruppe der okkasionellen (z.B. *Jänner, Brägen*) oder der fakultativen Interferenz (z.B. *Stulle, kieken, Damm*) zuzuordnen. (Vgl. GERNENTZ 1975, 387.) Im allgemeinen werden die umgangssprachlichen Lexeme und Phraseologismen dann in literatursprachlichen Texten eingesetzt, wenn sie eine spezifische Funktion erfüllen, das heißt, wenn sie auf Grund ihrer Semantik und ihrer konnotativen Merkmale geeignet sind, zur Realisierung der Intentionen des Sprechers/ Schreibers beizutragen. (Vgl. LANGNER 1984; 1986.)

Untersuchungen zu dieser Entwicklungstendenz bestätigen im allgemeinen die Feststellung von EGGERS (1961, 49), daß die „Umgangssprache ... heute einen sehr starken Einfluß auf die Gestaltung unserer Schriftsprache ausübt, nicht nur in der Wortwahl, sondern auch in der syntaktischen Ausformung der Satz- und Sinnzusammenhänge“. Jedoch ist EGGERS nicht zuzustimmen, wenn er die Schriftsprache unserer Zeit als traditionslos bezeichnet, auch wenn man heute beim Schreiben nicht Kant, Goethe und Schiller als sprachliche Vorbilder wählt, sondern die unmittelbare Gegenwart.

In der Mehrzahl der Fälle werden die umgangssprachlichen Mittel – bewußt oder unbewußt – kommunikativ adäquat verwendet. Das hat zur Folge, daß ein häufiger Gebrauch dieser Elemente des öfteren zu einem Wandel der Bedeutung, speziell der Wertungskomponente, führt; vgl. u. a. *(Sommer)fez, Fete, Kneipe, (Lieder)rummel, Spektakel, Trödelmarkt.* Der Einfluß der Umgangssprache auf die Literatursprache wirkt sich zwar am deutlichsten in der Lexik und in der Syntax aus (vgl. die Texte (1) bis (4); vgl. ferner die Kapitel 3 und 4), ist aber auch in der Morphologie und in der Orthoepie nachzuweisen (vgl. LANGNER 1975; DROSDOWSKI/HENNE 1980). Von der Intensität des Integrationsprozesses im Bereich der Lexik zeugen alle neueren Wörterbücher, und zwar in zweifacher Weise. Einmal enthalten sie zahlreiche Lexeme und Sememe, die die Markierung ‚landschaftlich‘ und/oder ‚umgangssprachlich‘ besitzen. Allein die umgangssprachlichen Stichwörter in der 17. Auflage des Leipziger und des Mannheimer Dudens betragen jeweils mehr als 2 %. (Vgl. P. BRAUN 1979, 122.) In anderen Wörterbüchern ist der Anteil noch höher, besonders wenn man die territorial markierten Wörter hinzunimmt. Dabei handelt es sich in vielen Fällen um lexische Elemente, die keinesfalls nur in der Alltagskommunikation verwendet werden. Zum anderen zeigen Vergleiche zwischen Wörterbüchern, z. B. zwischen dem WDG und dem HANDWÖRTERBUCH, daß in den jüngeren Werken nicht wenige Lexeme und Sememe, die 10 oder 15 Jahre zuvor als ,umgangssprachlich' und/oder ,landschaftlich' markiert worden sind, nun (auch) der Literatursprache zugeordnet werden; vgl. u. a. *abhetzen, angeben* ,prahlen', *Leckerei, lutschen, trampen*. Dies gilt auch für einen Teil der oben angeführten Lexeme und Phraseologismen, obwohl sie in den Wörterbüchern zum Teil noch unterschiedlich markiert werden. Umfang und Intensität dieses Einflusses der Umgangssprache auf die Literatursprache haben ISING (1983, 422 ff.) veranlaßt, innerhalb der Literatursprache eine spezifische Schicht anzusetzen, die gewissermaßen das Produkt dieses Integrationsprozesses ist und die sie Alltagsliteratursprache nennt. Allerdings bedarf diese Schicht noch der genaueren Untersuchung. So dürfte es kaum ausreichen, die speziellen Erscheinungen der Alltagsliteratursprache vor allem als „Normentoleranz" und als „unvollständige Ausdrucksmittel" zu charakterisieren (a. a. O.).

Fest steht jedoch, daß der Einfluß der Umgangssprache zu größeren Veränderungen der Normen der Literatursprache führt. Das bedeutet aber nicht eine allgemeine Lockerung der Normen in dem Sinne, daß diese heute „großzügiger gefaßt und gehandhabt" werden (SCHILDT 1983 b, 688). Vielmehr werden auf Grund zahlreicher neuer Varianten die Ausdrucksmöglichkeiten der Literatursprache erweitert. Der Wandel dieses Subsystems und der Normen seiner Verwendung sind vor allem durch außersprachliche Faktoren bedingt; insgesamt zeugt er von dem Zusammenwirken diastratischer, diatopischer und situativer Differenzierungen in der sprachlichen Kommunikation. Da diese Entwicklungstendenz generell positiv zu beurteilen ist, wird sie mitunter als Tendenz der Demokratisierung (vgl. LANGNER 1975; JEDLIČKA 1978, 156; SCHILDT 1983 b, 688) oder – bezogen auf den Wortschatz – als „lexikalische Popularisierung" (DROSDOWSKI/HENNE 1980, 630) charakterisiert.

Diese Entwicklung vollzieht sich zwar in ähnlicher Weise auch in den kapitalistischen deutschsprachigen Staaten, doch ist noch einmal auf die gesellschaftsbedingten Differenzierungen hinzuweisen, die sich u. a. in der begrenzten Beherrschung der Literatursprache durch bestimmte soziale Schichten äußert. Nicht zuletzt aus diesem Grunde vertritt REIFFENSTEIN die Meinung, daß es besser wäre, wenn die Muttersprachdidaktik nicht nach einer idealen Norm strebte, die weit über dem Gebrauch liegt, sondern nach einer mittleren Norm, nach einem Standard, „von dem aus man gleichermaßen zu formellen wie zu informellen Varianten gelangen kann" (TENDENZEN 1983, 23). Da es überdies nicht nur in der Schweiz, sondern auch in Österreich Bemühungen gibt, die für eine Bevorzugung der landestypischen Merkmale eintreten, was sich z. B. bei der Neubearbeitung des Österreichischen Wörterbuches (1979) deutlich bemerkbar gemacht hat (vgl. a. a. O., 18; WIESINGER 1985 b, 1942 ff.), wird möglicherweise die Zahl der landschaftlichen Varianten wieder zunehmen.

Obwohl also politische und soziale Faktoren Unterschiede in der Entwicklung der Literatursprache zwischen den deutschen Staaten bewirken, ist mit SONDEREGGER (1979, 173) das 20. Jahrhundert als die Zeit der Sprechsprache zu kennzeichnen, die einen großen regionalen und grammatischen Lizenzbereich besitzt, als die Phase der nhd. Schriftsprache, die durch „Öffnung in sozialer, sprechsprachlicher und regionaler Hinsicht" charakterisiert ist (a. a. O., 174).

Die Bedeutung der hier erläuterten Entwicklungstendenzen wird dadurch unterstrichen, daß in anderen Sprachen, z. B. im Englischen und im Französischen (vgl. P. BRAUN 1979, 126 f.), vergleichbare Veränderungen zu beobachten sind. „Aus der Stellung der Schriftsprache der Gegenwart in der heutigen Sprachsituation, d. h. aus ihrer Koexistenz mit anderen Erscheinungsformen der Nationalsprache, besonders mit der Umgangssprache, und aus dem Wirken spezifischer sozialer und kommunikativer Faktoren ergibt sich in den hochentwickelten europäischen Schriftsprachen der Gegenwart als eine sehr aktuelle Erscheinung die Beeinflussung der geschriebenen Sprache ... durch die Umgangssprache. In den einzelnen Schriftsprachen nimmt dieser Prozeß, der universellen Charakter trägt, jeweils seinen eigenen Verlauf." (JEDLIČKA 1978, 155 f.) Diese Situation hat auch Auswirkungen auf den Fremdsprachenunterricht. So wird gegenwärtig mitunter der Standpunkt vertreten, daß „unter kommunikativem Aspekt die sog. authentische Sprache der Alltagskommunikation – nicht die literarische Schriftsprache – Vorrang (habe)" (APELT 1982, 114).

2.1.3. Zusammenfassung

1. Die Darlegungen in diesem Teilkapitel weisen nicht nur die Determination der Entwicklung der Existenzformen durch historische und soziale Faktoren nach, sondern machen auch auf die im Kapitel 1 erörterten komplizierten Beziehungen zwischen Gesellschaft, Sprachgebrauch und Sprachentwicklung aufmerksam. Das äußert sich allein schon darin, daß Veränderungen in einem Subsystem stets Wandlungen in den anderen Varietäten nach sich ziehen.
2. Die Entwicklung der Existenzformen seit der Mitte des 19. Jahrhunderts ist durch zahlreiche Prozesse der Um- und Neustrukturierung gekennzeichnet, von denen die wechselseitige Durchdringung von Schriftsprache und Substandardismen besonders evident ist (vgl. GROSSE 1974, 113); doch lassen sich die meisten dieser Bewegungen der übergreifenden Entwicklungstendenz zur Integration unterordnen. Da jedoch diese Wandlungen in der DDR und in den kapitalistischen deutschsprachigen Staaten neben vielen Gemeinsamkeiten erhebliche Unterschiede aufweisen, ist die Tendenz der Integration auf das engste mit der zur Differenzierung verbunden. Diese Gegeben-

heit sollte bei den Diskussionen um die nationalen Varianten der deutschen Sprache stärker beachtet werden. (Vgl. LANGNER .1985; vgl. ferner Kap. 3.)

3. Trotz der erläuterten Unterschiede gilt prinzipiell, daß sich die sprachliche Mobilität der Angehörigen der Sprachgemeinschaft erweitert hat, daß jeder Sprecher heute ein größeres Register an sprachlichen Variationsmöglichkeiten besitzt als vor 50 oder gar vor 100 Jahren. Der Gebrauch einer Varietät wird in der Regel weniger von der Zugehörigkeit zu einer sozialen Klasse oder Schicht bestimmt, sondern von den Bedingungen des jeweiligen Kommunikationsprozesses.

Der Überblick über die Gesamtentwicklung der Existenzformen hat einige Linguisten zu der Frage veranlaßt, ob die Entwicklung, die vor Jahrtausenden mit der „Einsprachigkeit" begonnen und im Laufe einer sehr langen Zeit zur „Mehrsprachigkeit" (zur Diglossie bzw. zur Polyglossie) geführt hat, künftig wieder eine „Einsprachigkeit" bewirken werde (vgl. BESCH 1983b, 1409) oder ob zumindest im Bereich der Umgangssprache eine Tendenz zur Homogenität vorhanden sei (vgl. SPANGENBERG 1970, 207). Alle Prozesse der Gegenwart und der jüngsten Vergangenheit sprechen gegen eine solche Richtung der Entwicklung. Im Gegenteil, die unterschiedlichen Anforderungen der Praxis an die sprachliche Kommunikation erfordern von jedem einzelnen immer mehr die Fähigkeit, sich verschiedener Sprachschichten bedienen zu können.

4. Aus dieser Erkenntnis leitet sich die Forderung an die Bildung ab, die Schüler zum kommunikativ adäquaten Einsatz verschiedener Varietäten zu erziehen. Das bedeutet keinerlei Abstriche an dem Ziel, möglichst alle Bürger der DDR zu befähigen, die Literatursprache rezeptiv und produktiv zu beherrschen. Doch muß genauso betont werden, daß der situationsgerechte Einsatz der Mundart oder der Umgangssprache durchaus den Anforderungen an die Sprachkultur genügen kann. (Vgl. THESEN ZUR SPRACHKULTUR 1984, 397.)

5. Schließlich ist noch einmal auf die Notwendigkeit weiterer Untersuchungen zur Entwicklung des Gefüges der Existenzformen seit dem 19. Jahrhundert hinzuweisen. Forschungen zu dieser Thematik tragen einmal zur Klärung wichtiger theoretischer Probleme bei, zum anderen schaffen sie Voraussetzungen für eine bewußte und effektive Gestaltung der sprachlichen Kommunikation.

2.2. Entwicklungstendenzen in den Fach- und Gruppensprachen
2.2.1. Zum Begriff und zur Abgrenzung von Fach- und Gruppensprachen

„Die soziale Differenzierung der Menschen nach Klassen und Schichten, Berufs-, Freizeit-, Alters- und Geschlechtsgruppen wirkt sich auch sprachlich aus. Die sprachlichen Eigenheiten der sozialen Gruppen bestehen vor allem in einem Sonderwortschatz, zu dem meist noch grammatische und stilistische Besonderheiten unterschiedlichen Umfangs hinzukommen" (KL. ENZYKL. 1983, 444). Diese Differenziertheit der Sprache ist Ausdruck ihrer Gesellschaftlichkeit, sie wird wesentlich durch die vielfältigen Faktoren und Bedingungen der kommunikativen Tätigkeit der Menschen in kleinen und größeren Kommunikationsgemeinschaften bestimmt. Für diese Varietäten der Sprache gibt es einerseits eine große Vielfalt von Benennungen, z. B. Soziolekt, Subsprache, Sondersprache, Gruppensprache, Fachsprache, Sprache eines Kommunikationsbereichs; Fach-, Gruppen-, Sonderwortschatz; Wissenschaftssprache, Berufssprache, Jargon, Slang. Andererseits werden diese Bezeichnungen bei verschiedenen Autoren mit unterschiedlichem Begriffsinhalt und Begriffsumfang verwendet (vgl. dazu KOMMUNIKATION UND SPRACHVARIATION 1981, 73 ff.). Bekannt und verbreitet ist die Zusammenfassung solcher Besonderheiten unter dem Oberbegriff Sondersprachen (vgl. W. SCHMIDT 1985). Jedoch werden gegen dieses Fachwort auch verschiedene Einwände erhoben:

1. „Die Bezeichnung S. ist insofern nicht exakt, als es sich vorwiegend um den besonderen Wortschatz und Wortgebrauch handelt, durch den sich ihre Träger auszeichnen, und in geringerem Maße oder kaum um grammatische Besonderheiten." (LEXIKON TERM. 1985, 215)
2. Verschiedene Linguisten beschränken Sondersprachen ausdrücklich auf sozial gebundene Gruppensprachen mit verhüllender, abschirmender Funktion, z. B. PORZIG (1971, 243 ff.) und trennen „sachorientierte" Fachsprachen davon ab.
3. Zwischen Fach- und Gruppensprachen einerseits und der Allgemeinsprache andererseits bestehen fließende Grenzen, und es muß mit wachsender wechselseitiger Beeinflussung gerechnet werden. Damit wird es immer schwieriger, exakte, u. U. quantifizierbare Kriterien geltend zu machen, nach denen „Sonderungen" von allgemeinem Sprachbesitz abgegrenzt werden können. Trotz dieser Bedenken wird unter Beachtung der Dialektik von Allgemeinem und Besonderem, von Differenzierung und Integration sprachlicher Erscheinungen die Bezeichnung Sondersprachen beibehalten, dafür spricht, daß auch zwischen Fach- und Gruppensprachen keine strenge Scheidung möglich ist. So kann z. B. Sportlexik sowohl als Fachwortschatz wie auch als Gruppenwortschatz („Sportjargon") betrachtet werden (vgl. KOCH 1984, 505 ff.; LUDWIG 1977, 49 ff.).

2.2.2. Zu den Entwicklungstendenzen der Fachsprachen
2.2.2.1. Zu Merkmalen der Fachsprachen

„In den letzten Jahrzehnten ist ein wachsendes Interesse der Linguistik an den Problemen der fachsprachlichen Kommunikation zu verzeichnen. Die Aktualität fachsprachlicher Forschungen erklärt sich aus dem Platz, den Wissenschaft und Technik im gesellschaftlichen Leben einnehmen. Mit der wachsenden Rolle von Wissenschaft und Technik und der zunehmenden Spezialisierung innerhalb des wissenschaftlich-technischen Bereiches verstärken sich die fachsprachlich-kommunikativen Differenzierungen." (WIESE 1984; 8; vgl. HOFFMANN 1984, 16 f.) Mit HOFFMANN (1984, 53) fassen wir dabei Fachsprache als „die Gesamtheit aller sprachlichen Mittel, die in einem fachlich begrenzbaren Kommunikationsbereich verwendet werden, um die Verständigung zwischen den in diesem Bereich tätigen Menschen zu gewährleisten". Fachsprachen sind charakterisiert durch einen thematisch relevanten, spezifischen Wortschatz, der sich aus Termini und nichtterminologisierten Lexemen zusammensetzt, und durch eine funktionsbedingte Auswahl, Häufigkeit und Verwendung allgemeinsprachlicher lexikalischer und grammatischer Mittel. Die Fachwörter „sind Hauptinformationsträger der fachlichen Kommunikation. Sie sind Träger gesellschaftlicher Verallgemeinerungen und erfüllen das Nominationsbedürfnis der sich zunehmend spezialisierenden und differenzierenden wissenschaftlich-technischen Bereiche" (WIESE 1984, 24).

Außer sprachlichen Elementen enthalten Fachtexte auch außersprachliche Komponenten, z. B. Tabellen, Formeln, Symbole, Diagramme, Zeichnungen und Fotos. Wechselbeziehungen und Zusammenwirken sprachlicher und nichtsprachlicher Komponenten fachgebundener Kommunikation sind gegenwärtig ungenügend erforscht. Allgemein anerkannt sind heute die horizontale Gliederung und vertikale Schichtung der Fachsprachen. So rechnet MALIGE-KLAPPENBACH (1980, 298) mit etwa 300 verschiedenen Fachgebieten, z.B. Astronomie, Bauwesen, Chemie, Elektrotechnik, Fotografie, Medizin, Philosophie, Wirtschaft. Auffallend schwanken die Auffassungen über die vertikale Schichtung von Fachsprachen. So unterscheidet DROZD (1966, 25) eine praktisch-fachliche und eine theoretisch-fachliche (wissenschaftliche) Schicht, ROSENKRANZ (1974, 119) gliedert in wissenschaftliche und technische Fachsprachen, die technisch-organisatorische Betriebssprache und den Betriebs- und Gruppenjargon. HOFFMANN (1984, 70) gelangt, von den Kriterien der Abstraktionsstufe, der äußeren Sprachform, des Milieus und der Teilnehmer an der Kommunikation ausgehend, sogar zu fünf Schichten, nämlich (1) Sprache der theoretischen Grundlagenwissenschaften, (2) Sprache der experimentellen Wissenschaften, (3) Sprache der angewandten Wissenschaft und Technik, (4) Sprache der materiellen Produktion und (5) Sprache der Konsumtion. Allerdings tritt keine dieser Schichten rein auf, und nicht jede Fachsprache verfügt über alle diese Schichten. „Der Umfang und die Eigenart der fachsprachlichen Mittel in den einzelnen Fachbereichen ist unterschiedlich und hängt auch von Eigenart und geschichtlicher Entwicklung des jeweiligen Fachgebietes ab." (KL. ENZYKL. 1983, 446)

Bei der Gliederung der fachsprachlichen Erscheinungen nach vorherrschenden Entwicklungstendenzen behandeln wir:

1. die Tendenz der Spezialisierung als eine besondere Ausprägung der Tendenz der Differenzierung in den Fachwortschätzen
2. die Tendenz der Internationalisierung
3. die Tendenz der Sprachökonomie und der Rationalisierung
4. Tendenzen der Systematisierung und Intellektualisierung als spezifische Ausprägung der Tendenz der Integration
5. die Ideologiegebundenheit gesellschaftswissenschaftlicher Fachlexik, ebenfalls Ausdruck der Tendenz der Differenzierung (vgl. 1.2.3.)

Um Mißverständnissen vorzubeugen, sei ausdrücklich darauf hingewiesen, daß zwischen diesen Tendenzen vielfältige Wechselwirkungen bestehen, daß sich keine völlig eigenständig ausprägt und sie daher schwer voneinander abgrenzbar sind. Dennoch sollte das folgende Ordnungsprinzip und seine Handhabung einsichtig sein.

In zwei kurzen Teiltexten aus der Sprachwissenschaft und der Dermatologie (Lehre von den Hautkrankheiten) achte man auf sprachliche Repräsentationsformen dieser Entwicklungstendenzen, wie sie sich in der Auswahl, Verknüpfung und Explikation von Fachwörtern, vor allem Termini fremdsprachiger Herkunft (Tendenzen der Spezialisierung und Internationalisierung), in der entwickelnden und erklärenden Gedankenführung (Tendenzen der Systematisierung und Intellektualisierung), im komprimierten Satzbau, deutlich ausgeprägt in einfachen Sätzen und einfachen Satzgefügen und substantivischen Wortgruppen mit mehreren Attributen sowie Komposita (Tendenz der Rationalisierung). Dabei sei darauf aufmerksam gemacht, daß der zweite Text für Nichtfachleute bestimmt ist, der Wissenschaftspopularisierung dienen soll:

Im Jargon der Computertechnik, aus dem dieser Ausdruck als Metapher in die kognitive Psychologie und Linguistik übernommen wurde, bezeichnet Modul *ein Bauteil, in dem Hardware und Software in charakteristischen Auswahlen fest verdrahtet sind. Ein System (Hardware-Aspekt) oder ein Programm (Software-Aspekt) sind dann* modular *in dem Maße, wie sie bezüglich Struktur und Funktionsweise durch miteinander verschaltete Module bestimmt sind.*

(E. LANG: Symmetrische Prädikate – Lexikoneintrag und Interpretationsspielraum. In: LS/ZISW/A 127. Berlin 1985, 109)

Unverträglichkeitserscheinungen der Hautgefäße (Kutanvaskuläre Intoleranzreaktionen)

Der Antransport der möglichen Noxen geschieht über die Blutgefäße der Haut und führt zu sehr unterschiedlichen Krankheitsbildern. Die Erschei-

nungen werden durch entzündliche Reaktionen in und um die Gefäße geprägt und sind je nach der befallenen Gefäßetage (höher oder tiefer liegende Schichten der Haut), der Durchblutung und der Lokalisation unterschiedlich. Auslösend sind Antigen-Antikörper-Reaktion, Toxine und die Kombination beider Mechanismen. Die mögliche Vielfalt der Erscheinungen läßt keinen Rückschluß auf die auslösenden Noxen zu; es gibt aber wesentlich mehr mögliche auslösende Ursachen als Erscheinungsbilder. Die Ursachen können sein: Arzneimittel und andere Chemikalien, tierische und pflanzliche Gifte, Pollen, Stäube, Gase, Endoparasiten, Bakterien, Viren, Pilze, Gewebszerfallprodukte, physikalische Reize.
(Kleine Enzyklopädie Gesundheit. Leipzig 1980, 372)

2.2.2.2. Zur Tendenz der Spezialisierung in den Fachwortschätzen

Wichtigste Triebkraft für die Entwicklung der Fachsprachen – vor allem im 19. und 20. Jahrhundert – ist zweifellos der wissenschaftlich-technische Fortschritt mit seinen vielfältigen Einflüssen auf die Entwicklung der Produktivkräfte – insonderheit der Produktionsinstrumente –, der Produktionsverhältnisse, auf die Sozialstruktur der Gesellschaft, die Lebensweise der Menschen, auf ihre Bildungs- und Kommunikationsbedürfnisse. Kulminationsphasen bilden dabei die industrielle Revolution seit etwa 1830 und die wissenschaftlich-technische Revolution in der zweiten Hälfte des 20. Jahrhunderts. „Die Entwicklung der menschlichen Gesellschaft ist gekennzeichnet durch eine sich vertiefende Arbeitsteilung und zunehmende Spezialisierung" (KL. ENZYKL. 1983, 444 f.). Wachsende materielle und kulturelle Bedürfnisse der Menschen und Anforderungen der Produktion erforderten und erfordern weitere Erkenntnisse über Gesetzmäßigkeiten der objektiven Realität als notwendige Voraussetzung dafür, die Welt zu verändern. Damit gehen Entdeckungen und Erfindungen einher, die genaue und immer differenziertere Bezeichnungen (Nominationen) verlangen. So sind gesellschaftliche Arbeitsteilungen zugleich auch wesentliche Triebkräfte, die zum Wachstum der Fachwortschätze sowohl an Zahl wie an Umfang führen. Schätzungen über den Gesamtumfang der gegenwärtigen Fachlexik schwanken zwischen einer Million und sieben Millionen Einheiten (vgl. HELLER/LIEBSCHER 1980, 22). Daran haben Anteil die Fachsprache der Medizin mit etwa 500 000 (vgl. WIESE 1984, 15), die des Rechtswesens mit etwa 120 000, die der Elektrotechnik mit etwa 60 000 Fachwörtern. Der jährliche Zugang an neuen Fachwörtern ist mit ca. 250 000 Lexemen sicher nicht zu hoch geschätzt. Als Beispiele für die Herausbildung neuer oder den stürmischen Aufschwung vorhandener Fachbereiche in den letzten fünfzig Jahren seien die Hochenergiephysik, die Kerntechnik, die Mikroelektronik, die Kybernetik, die Raumfahrt, die

Genetik, die Neuro-Pharmakologie, die Psycho- und Soziolinguistik genannt. Zur Benennung neugeschaffener Gegenstände (Erfindungen) und neu erkannter Sachverhalte wurden vor allem genutzt

– die Terminologisierung allgemeinsprachlichen Wortguts,
– die Möglichkeiten der Wortbildung (Komposition, Derivation ...),
– Entlehnungen aus fremden Sprachen,
– die Bildung terminologischer Wortgruppen.

Durch einige Beispiele sollen diese fachsprachlichen Nominationsprozesse belegt und bewußtgemacht werden. So bedeutet *brüten* im Allgemeinwortschatz „durch Einfluß von Wärme aus Eiern Tierjunge zum Ausschlüpfen bringen", während die Kerntechnik darunter versteht, daß „je Absorption eines Neutrons im Spaltstoff so viel Neutronen frei werden, daß die Kettenreaktion aufrechterhalten wird, die Verluste durch parasitäre Absorption und Entweichen aus dem Reaktor gedeckt werden und noch mindestens ein Neutron für die Bildung eines neuen Spaltstoffatoms übrigbleibt" (LEXIKON DER TECHNIK 1982, 93; vgl. *Brutreaktor, schnelle Brüter, SBR*). Termini in fünf verschiedenen Bereichen der Technik lauten *Kupplung*: (1) in der Eisenbahntechnik „Vorrichtung zum Verbinden der Eisenbahnwagen miteinander u. mit dem Triebfahrzeug", (2) in der Elektrotechnik „eine Verbindung elektrischer Energieversorgungsnetze" sowie ein „elektromagnetisch schaltbares Verbindungselement zweier Wellen", (3) in der Kraftfahrzeugtechnik „Vorrichtung zum Herstellen oder Trennen des Kraftflusses zwischen Verbrennungsmotor und Triebrädern", (4) im Maschinenbau ein „Maschinenelement zur Leitung von Bewegungsenergie (Drehmomenten) u. eventuellen Kräften von einer Welle zu einer zweiten" und (5) im Rohrleitungsbau „Element zur Verbindung bei transportablen Rohrleitungsanlagen od. zur Verbindung von Schläuchen" (a.a.O., 333f.). *Gang* bedeutet (1) in der Kfz-Technik die „Übersetzungsstufe der Zahnräder im Wechsel- (Schalt-) Getriebe eines Kfz", (2) im Schiffbau „eine Reihe miteinander verbundener Stahlplatten (z.B. der Außenhaut)", (3) in der Uhrentechnik (a) den „Größenbetrag des Vor- oder Nachgehens der Uhr gegenüber der Normalzeit innerhalb eines bestimmten Zeitraums" und (b) den „Bewegungslauf des Uhrwerks zur fortlaufenden Angabe der Zeit" (a.a.O., 218), (4) in der Geologie „mit Gestein oder Mineralen ausgefüllte Spalte der Erdrinde". Durch Terminologisierungsprozesse wird also die bereits im Allgemeinwortschatz vorhandene Polysemie erheblich vergrößert, teilweise vervielfacht.

Folge der fachsprachlichen Differenzierung und Spezialisierung ist es auch, daß heute Fachleute (Wissenschaftler, Techniker, Terminologen u.ä.) die wichtigsten Auftraggeber der Wortbildung geworden sind, daß sich Komposition, Derivation, Präfix- und Kurzwortbildung in den Fachsprachen besonders produktiv erweisen. Seit Mitte des vorigen Jahrhunderts nehmen dabei umfangreiche Mehrfachkomposita überhand, mit denen versucht wird, die Nomination als Kurzbeschreibung des Denotats einzusetzen und Selbstdeutigkeit der Termini zu erreichen. In

Holzwolleleichtbauplattenbekleidung (Terminus des Bauwesens)
(1) (2) (3) (4) (5)   (6)

finden wir bei den Konstituenten folgende Benennungsmotive: (1) Stoff, (2) Zustand, (3) Gewicht, (4) Zweck, (5) Form, (6) Resultat der Tätigkeit. Vergleichbare Komposita finden sich auch in anderen Fachwortschätzen: *Schmalrollenglühbandlängsbrennschneidmaschine, Braunkohlenhochdrucktemperaturkoks, Einscheibensicherheitsglas.*

Differenzierung ist in der Fachlexik oft mit Systematisierung, Begriffsgliederung und Klassifizierung verbunden (vgl. 2.2.2.5.). Das läßt sich einsichtig verdeutlichen an Komposita mit gleichem Grundwort:

> *Rührwerkmisch-, Kreiselpumpenmisch-, Strahlapparatmisch-, Sprudelzellenmisch-, Ultraschallmisch-, Siebplattenmisch-, Venturimischextrakteur.*
> (Vgl. REINHARDT 1978.)

Das Prinzip der fachlichen Differenzierung veranschaulichen auch Begriffsleitern aus Komposita mit zunehmender Komplexität:

> *Stahl, Stahlbeton, Stahlbetonteil, Stahlbetonbauteil, Stahlbetonfertigbauteil, Stahlbetonfertigträger.*

Fachsprachen der Technik entwickeln und nutzen zur Befriedigung wachsender Nominationsbedürfnisse teilweise Wortbildungsmuster, denen man in der Allgemeinsprache selten begegnet, z. B. Komposita in der Form substantivierter Infinitive mit zwei Verbstämmen und adverbialen Konstituenten, auch „Scheinsubstantivierung" genannt, da es das dem Substantivkompositum entsprechende Verb nicht gibt, vor allem in der Fertigungstechnik (vgl. SCHÜTZE 1969, 421 ff.):

> *Sprengnieten, Spritzgießen, Schwing-Gleitschleifen, Schrupphobeln, Schälfräsen, Einstechschleifen, Außenrund-Schnelleinstechschleifen.*

Um bei so komplizierten Komposita Lesbarkeit und Verständlichkeit zu erreichen, finden sich auch oft Bindestrichkopplungen:

> *Diesel-Zweitakt-Vierzylindermotor, Rückkehr-zu-Null-Methode, Ohne-Rückkehr-zu-Null-Methode, DNS-Molekül, In-vitro-Kultur.*

Serienmäßige Bildung von Komposita muß auch die Kombination von fremden, insbesondere lateinischen und griechischen Wortelementen berücksichtigen, wobei hier die Tendenz der Spezialisierung mit der Tendenz der Internationalisierung (vgl. 2.2.2.3.) einhergeht. So entwickelte die moderne Medizintechnik für die ärztliche Diagnostik verschiedene Arten *Endoskope*, das sind optische Geräte zur Betrachtung menschlicher Körperhöhlen und Organe (vgl. LEXIKON DER TECHNIK 1982, 160):

> *Amnioskop* (Fruchtwasser werdender Mutter), *Bronchoskop* (Atemwege), *Choledochoskop* (Gallenblase), *Gastroskop* (Magen), *Laryngoskop* (Kehlkopf), *Laparoskop* (Bauchhöhle und Leber), *Ophthalmoskop*

(Hornhaut des Auges), *Otoskop* (Ohrinneres), *Rektoskop* (Mastdarm), *Thorakoskop* (Brustkorbinneres), *Zystoskop* (Harnblase).

Etwa 60% aller Neuprägungen in Fachsprachen sind Mehrfachkomposita mit drei und mehr Basismorphemen; etwa zwei Drittel der Komposita sind hybride Bildungen mit Bestandteilen aus verschiedenen Sprachen, z. B. in der Kartenkunde *Abtastintervall, Analog-Digital-Wandler, Naturraumpotential,* in der Chemieindustrie *Niederdruckpolyäthylenanlage.* In vielen Fällen führt fachsprachliche Differenzierung auch zu terminologischen Wortgruppen. Diese sind wie Termini überhaupt „einem Begriff eindeutig zugeordnet, daher kontextunabhängig und fachbezogen. Die komplexe terminologische Benennung vermag entsprechend immer weitere determinierende Elemente aufzunehmen" (FLEISCHER 1982, 76 f.), also Kategorien weiter zu subklassifizieren. So unterscheidet die Kybernetik *kontinuierliche* und *diskontinuierliche, analoge* und *diskrete, stetige* und *unstetige Signale,* die Ökonomie *lebendige* und *vergegenständlichte Arbeit, einfache* und *erweiterte Reproduktion, konstantes* und *variables Kapital,* die Linguistik *explizite, implizite, retrograde Ableitung.* Im terminologischen System der Historiographie haben Wortgruppen wie

> *erste gesellschaftliche Arbeitsteilung, militärische Demokratie, ursprüngliche Akkumulation, amerikanischer/preußischer Weg der Entwicklung des Kapitalismus in der Landwirtschaft, antifaschistisch-demokratische Umwälzung, asiatische Produktionsweise, entwickelte sozialistische Gesellschaft*

einen festen Stellenwert und widerspiegeln spezifische Begriffsstrukturen der Geschichtswissenschaft (vgl. WÖRTERBUCH DER GESCHICHTE 1983).

Über die Lexik hinaus tangiert fachbedingte Spezialisierung auch die Morphologie der deutschen Gegenwartssprache, indem sich in vielen Fällen Fachplurale von solchen Substantiven herausbildeten, die in der Allgemeinsprache als Singulariatantum gelten:

> *Aschen, Blute, Milche, Ökonomiken* („Strukturen von Wirtschaftsorganismen"), *Sände, Schlämme, Stäube, Stresse* („einseitig gerichtete Drücke während einer Gebirgsbildung"), *Zerfälle.*

Zuweilen sind auch neben allgemeinsprachliche Plurale fachsprachliche mit terminologischer Bedeutung getreten, z. B. *Dorne* „zugespitzte Metallstäbe" neben *Dornen* „spitze Pflanzenteile", *Örter* in der Mathematik („geometrische Bestimmungslinie"), der Astronomie („durch Koordinaten angegebene Lage eines Gestirns am Sternglobus") und im Bergbau („Ende einer im Vortrieb befindlichen Strecke") neben *Orte* „Siedlungseinheiten".

2.2.2.3. Zur Tendenz der Internationalisierung

In besonderem Maße wirkt in der Fachlexik die Tendenz der Internationalisierung. Sie erklärt sich schon aus der Genesis oder entscheidenden Ausprägung vieler Wissenschaftszweige in der griechischen und römischen Antike. Als sog. „heilige Sprachen" beherrschten Griechisch, Latein und teilweise Hebräisch Kloster- und Schulwesen des Mittelalters und später auch die ersten Universitäten und Lateinschulen Europas. Bis weit ins 18. Jahrhundert überwogen im deutschsprachigen Gebiet Druckschriften in lateinischer gegenüber solchen in deutscher Sprache, wurde in lateinischer Sprache an Universitäten gelehrt. Die Besinnung und Orientierung auf den Wert der Nationalsprachen führte in mehreren fachgebundenen Kommunikationsbereichen dazu, daß etwa seit dem 17. Jahrhundert einige Fachwortschätze auf der Grundlage romanischer Sprachen begründet oder ausgebaut wurden. So hielt sich bis heute in der Terminologie der Politik und Diplomatie starker französischer Einfluß (vgl. *Aide-mémoire, Attaché, Kommuniqué*), und im Fachwortschatz der Musik dominieren Entlehnungen aus dem Italienischen: *Allegro, Andante, con sordino; Bratsche, Cembalo, Cello, Fagott, Spinett, Tuba, Violine; Arie, Ballett, Fuge, Kantate, Oper.* Die Fachlexik des Militärwesens gründet sich auf umfangreiche Anleihen aus mehreren romanischen Sprachen, z. B. aus dem Französischen: *Armee, Bataille, Bataillon, Dragoner, Fort, General, Karabiner, Kürassier, Leutnant, Marschall, Munition, Train, attackieren, avancieren, equipieren, requirieren*; aus dem Italienischen: *Artillerie, Granate, Infanterie, Kanone*; aus einer romanischen Sprache, ohne daß die Herkunftssprache eindeutig fixiert werden kann: *Adjutant, Bombe, Brigade, Grenadier, Kaliber, Major, Spion* (vgl. KL. ENZYKL. 1983, 667 f.).

Seit dem 19. Jahrhundert dominiert der Einfluß des Englischen, sowohl seiner britischen Variante, die anfangs vorherrscht, als auch der amerikanischen, die im 20. Jahrhundert die Oberhand gewinnt, auf die Fachlexik verschiedener Bereiche, z. B. der modernen Großindustrie, des Verkehrswesens, der Wirtschaft, aber auch anderer Zweige der Wissenschaft und Technik. Von der zunehmenden Ausbreitung des Englischen in der Fachsprache der Medizin zeugt z. B. die Tatsache, daß 1976 in der Schweiz 65 % und in der BRD 35 % aller medizinischen Fachzeitschriften in englischer Sprache erschienen (vgl. LIPPERT 1979, 89 f.). Deshalb wurde öffentlich die Frage erörtert: „Rückzug der deutschen Sprache aus der Medizin?" Der Titel „Die deutsche Terminologie der Rechentechnik – eine englische Terminologie?" (HOFMANN 1983, 81 f.) erweist sich als rhetorische Frage, denn die Fachlexik der Rechentechnik wird weitgehend vom Englischen beherrscht: *Codecombination, Debugging* („Entwanzung", d. h. Fehlerbeseitigung bei EDV), *Assembler* (maschinenorientierte Sprache), *Hardware* (Automatisierungseinrichtung), *Software* (EDVA-Betriebssysteme), *Computer, Plotter* (Kurvenschreiber), *Programmadreßlabel.*

Dabei darf nicht übersehen werden, wie viele Initialwörter der Technik aus englischsprachigen Wortgruppen hervorgegangen sind:

LASER (light amplification by stimulated emission of radiation = Lichtver-
stärker durch angeregte Strahlungsemission), *CPU (central processing
unit* = EDVA-Zentraleinheit), *PERT* (Verfahren in der Netzwerkpla-
nung), *VHF (very high frequency), UHF (ultra high frequency), TV (television), LP (long playing record), Hi-Fi (high fidelity), Radar, Ro-Ro-Schiff
(roll on, roll off).*

Im 20. Jahrhundert wird die Tendenz der Internationalisierung der Fachsprachen durch die internationale Terminologienormung und Sprachstandardisie-
rung wesentlich gefördert, zu deren bedeutendsten Pionieren der Österreicher
EUGEN WÜSTER (1979) gehört. Auch die Anwendung der elektronischen Datenverarbeitung (EDV) in Wissenschaft, Technik, Wirtschaft und Verkehr fördert,
ja fordert die Internationalisierung der Terminologie.

Rechnergestütze Informations- und Dokumentationssysteme sowie wissenschaftliche EDV-gerechte Datenbanken verlangen die Reduzierung von Synonymie und Polysemie in allen Terminologien, wobei man offen aussprechen muß,
daß Eineindeutigkeit, völlige Ausschaltung von Synonymie, Polysemie und Metaphorik so lange ideale Fernziele der Terminologienormung bleiben werden,
wie sich fachgebundene Erkenntnis und Kommunikation in der Entwicklung
befinden.

Ebenso sind eingedeutschte Termini, volkstümliche Bezeichnungen, verste-
henssichernde Umschreibungen (Paraphrasen) und eine bewußte lexikalische
Variation kommunikativ sinnvoll, wenn Nichtfachleute mit fachspezifischen Erkenntnissen vertraut gemacht werden sollen und dabei Kommunikationskonflikten vorgebeugt werden muß, z. B. in populärwissenschaftlichen Texten (vgl.
POETHE 1984, 500ff.).

Der Aspekt der Internationalisierung ist auch nicht auszuschließen, wenn
sich in vielen Sphären der Wissenschaft und Technik heimische Benennungen
erhalten oder Verdeutschungen durchgesetzt und behauptet haben, handelt es
sich doch im letzteren Falle um Übersetzungen fremdsprachiger Primärnomina-
tionen, also um Lehnbildungen (Lehnübersetzungen, -übertragungen oder
Lehnschöpfungen, vgl. SCHIPPAN 1984b, 259, 281f.). Solche Lehnprägungen sind
z. B. in der 2. Hälfte des 19. Jh. in Fachsprachen der Technik, vor allem im Ver-
kehrs- und Nachrichtenwesen (Eisenbahn und Post) geschaffen worden, vgl.

Bahnsteig (frz. *perron), Abteil* (frz. *coupé), Schienenstoß* (engl. *joint),
Spurweite* (engl. *gauge), Fahrkarte* (frz. *billet), Schaffner* (frz. *conduc-
teur), Anschrift* (frz. *adresse), Briefumschlag* (frz. *couvert), postlagernd*
(frz. *poste restante*) usw.

Fremder Einfluß ist in bezug auf die begrifflichen Inhalte bei Lehnprägungen
nicht zu übersehen, was ebenfalls einer internationalen Terminologienormung
entgegenkommt. Hier sei auch daran erinnert, daß sich Verdeutschungen dieser
Art in vielen Fällen auf die Dauer nicht bewährt haben und man in jüngster
Zeit zur fremdsprachigen Fachterminologie zurückgekehrt ist, z. B. in verschie-

denen Unterrichtsfächern der allgemeinbildenden polytechnischen Oberschule, etwa im Mathematik- (vgl. *Addition, Subtraktion, Multiplikation, Division, Potenzieren, Radizieren, plus, minus*) und Sprachunterricht (z. B. *Subjekt* statt *Satzgegenstand, Prädikat* statt *Satzaussage, Partizip* statt *Mittelwort, Verb, Substantiv*). Die Verdeutschungen, überwiegend von J. G. SCHOTTEL (1612–1676) geprägt, sind durch ihre Motiviertheit, die ihrem Begriffsgehalt nicht entspricht (nicht jedes *Substantiv* ist ein *Dingwort*, nicht jedes *Verb* ein *Tätigkeitswort*), für Sprachteilhaber ohne Lateinkenntnisse oft mit irreführenden Assoziationen belastet und dadurch den Termini lateinischer Herkunft unterlegen. Auch im interdisziplinären Zusammenwirken zwischen Muttersprach- und Fremdsprachenunterricht hat die fremdsprachige Terminologie gegenüber den Verdeutschungen oftwesentliche Vorteile.

Die Tendenz der Internationalisierung schließt nicht aus, daß es auch – insbesondere technische – Fachwortschätze gibt, in denen bis heute – und sicher auch künftig – fremdsprachige Elemente eine geringe Rolle spielen, die betreffende Fachlexik also von heimischen Benennungen beherrscht wird, z. B. in der Bautechnik (Grund- und Erdbau, Holz- und Steinbau, Straßen- und Wasserbau), Wasserwirtschaft, Leder- und Bekleidungstechnik, Holzwerkstofftechnik und im Bergbau. Auch kommt es in modernen Fachsprachen nicht selten vor, daß die fremdsprachige Bezeichnung neben der ebenfalls gültigen muttersprachlichen gilt: *Linguistik/Sprachwissenschaft, Nephrolithiasis/Harnsteinleiden, Kropf/Struma*. Hingewiesen sei schließlich auch auf hybride Bildungen aus heimischen und fremden Bestandteilen, z. B. *Kernfusion, Primärkreislauf.*

2.2.2.4. Zur Tendenz der Sprachökonomie und Rationalisierung

Zu den „stärksten inneren Tendenzen der verschiedenen Sprachen" (ALLGEMEINE SPRACHWISSENSCHAFT I 1975, 204) gehört die Tendenz der Rationalisierung des Sprachgebrauchs. „Unter rationeller/ökonomischer Sprachverwendung ist zweierlei zu verstehen: einmal das Bestreben, mit wenigen sprachlichen Mitteln viele Informationen zu vermitteln, zum anderen Veränderungen, die der Systematisierung und der Vereinfachung des Sprachbaus dienen" (LANGER 1980a, 682). Der Widerspruch zwischen (beabsichtigter) Wirkung (Funktion) kommunikativen Handelns und Aufwand an sprachlichen Mitteln wird auch in fachbezogener Sprachkommunikation nach dem „Prinzip rationellster und sparsamster Wahl" (ALLGEMEINE SPRACHWISSENSCHAFT I 1975, 205) zu überwinden versucht. In der Fachlexik führt das Wirken dieses Prinzips zur Nutzung vielfältiger Möglichkeiten der Vermeidung oder Kürzung umfangreicher Komposita und terminologischer Wortverbindungen. Oft erfüllen Initialwörter die Benennungsfunktion, ohne daß jede Langform, aus der solche Abbreviaturen hervorgegangen sind, bewußtseinspflichtig ist:

EDVA (elektronische Datenverarbeitungsanlagen), *ESER* (Einheitssystem der elektronischen Rechentechnik/in RGW-Ländern/), *ursamat* (Universelles System von Geräten und Einrichtungen zur Gewinnung, Verarbeitung und Nutzung von Informationen für die Automatisierung technologischer Prozesse), *avUM* (audiovisuelle Unterrichtsmittel).

„Im gegenwärtigen medizinischen Sprachgebrauch nimmt der Gebrauch abgekürzter Formen, insbesondere der Gebrauch von Initialwörtern und Silbenwörtern zu. Das Wörterbuch ‚Abkürzungen in der Medizin und ihren Randgebieten' von U. Spranger (Berlin 1980) verzeichnet 13 500 Abkürzungen. ... Die Verwendung von Abkürzungen trägt wesentlich zu einer Rationalisierung der fachsprachlichen Kommunikation bei. ... Die entstehenden Kurzformen erleichtern die Bildung komplexer syntagmatischer Einheiten und erhöhen für den Spezialisten, dem die Kurzformen vertraut sind, die Lesbarkeit des Textes" (Wiese 1984, 40). Probleme ergeben sich bezüglich der Verständlichkeit, wenn neben usuellen auch situationsbedingte und individuelle Abkürzungen in Fachtexten verwendet werden, wenn terminologische Äquivalente abgekürzt werden (z. B. *ARD = acute respiratory disease / ARE = akute respiratorische Erkrankung*), wenn Abkürzungen graphisch variiert werden *(KFZ/Kfz)* oder wenn unterschiedliche Termini auf die gleiche Weise abgekürzt werden (vgl. a. a. O., 41f.): *„LG: 1. Lebendgewicht, 2. Leuzylglyzin, 3. Lipidgranulom, 4. Lymphogranulomatose"* (a. a. O., 43).

Oft werden auch Mehrfachkomposita, Ausdruck des Strebens nach Genauigkeit und Selbstdeutigkeit der Benennung, in bestimmten Kontexten aus Gründen der Sprachökonomie bis auf das Grundwort gekürzt: *Bahn, Zug, Weiche* (im Eisenbahnverkehr), *Platte* (im Bauwesen). Dadurch bedingte Polysemien werden meist im Kontext überwunden, sind aber nicht in jedem Falle auszuschließen. Sprachökonomie begünstigt auch die Übernahme, Ausbreitung und Normierung fachsprachlicher Internationalismen, besonders aus dem Angloamerikanischen, aber auch aus anderen Sprachen: der *Klon* („durch ungeschlechtliche Vermehrung gezüchtete Nachkommenschaft einer Pflanze"), das *Gen* („Erbanlage innerhalb des Chromosoms"), das *Quark* („hypothet. Teilchen, aus dem alle stark wechselwirkenden Elementarteilchen aufgebaut sein sollen"), der *Spin* („Drehimpuls von Elementarteilchen"). Auch die Reduzierung fachsprachlicher Synonyme ist auf Sprachökonomie (und Sprachnormung) zurückzuführen.

Vor allem in der fachsprachlichen Grammatik wird rationeller Sprachgebrauch im sprachhistorischen Vergleich nachweisbar:

1. Starker Rückgang von Satzgefügen zugunsten einfacher Sätze, Vereinfachung der Satzgefüge: Auf 100 zusammengesetzte Sätze kamen 1800 27, 1850 26,3, 1960 155,6 Einfachsätze. Von 100 Ganzsätzen waren 1800 75,9,

1850 76,6, 1920 54,6, 1960 36,6 Satzgefüge. Auf einen Hauptsatz kamen 1850 1,61 Nebensätze, 1960 1,1 Nebensätze (vgl. MÖSLEIN 1974, 186ff.).

2. Hohe Frequenz des Substantivs in fachsprachlichen Texten, große Häufigkeit besonders von Verbalsubstantiven im Dienste der Begrifflichkeit, starke Nutzung von Attribuierungsmöglichkeiten: Die Substantive bilden „beinahe zwei Drittel aller Stichwörter, sie sind 4mal stärker im Wortschatz vertreten als das Verb, das nur 16,2 % aller Stichwörter stellt" (BENEŠ 1981, 193). „Verbalabstrakta bilden in 89,8 % den Kern nominaler Gruppen, Adjektivabstrakta in 10,2 % (Möslein 1974, S.172)" (zitiert a.a.O., 194). „Der Hang zur nominalen Ausdrucksweise entspricht vollkommen der wissenschaftlichen Denkweise, ihren Erfordernissen der begrifflichen Abstraktion. In Verbindung damit ist auch der häufige Gebrauch von Symbolzeichen (Ziffern und Buchstaben) zu sehen, die in der WS (Wissenschaftssprache, G. S.) größtenteils anstelle der substantivischen Größen verwendet werden (vgl. Köhler 1975)" (a. a. O.).

3. Tendenz zur Stereotypie bei bestimmten Ausdrucksmitteln: „Die höchstfrequenten Verben sind neben den Hilfs- und Modalverben folgende Verben: *geben, bestimmen, lassen, zeigen, liegen, machen, heißen, finden, stehen, entsprechen, folgen, bestehen, nennen ..."* (BENEŠ 1981, 193); *abhängen, bedingen, nach sich ziehen, hervorrufen, zurückführen auf; wachsen, zunehmen, steigen; zurückgehen, fallen, sich verringern* (vgl. LITTMANN 1981, 70 u. 199), die Präpositionen *bei, durch, zu.* Damit werden vor allem quantitative Verhältnisse und Quantitätsveränderungen, Bedingungs- und Kausalzusammenhänge dargestellt.

4. Hohe Frequenz von Passivkonstruktionen und Passivsynonymen im Dienste agensabgewandter Darstellung und der Verallgemeinerung:
„a) Das *werden*-Passiv eignet sich vorrangig zur unpersönlichen, sachlichen Darstellung solcher Vorgänge, die durch objektive Ursachen hervorgerufen, vom menschlichen Zutun unabhängig verlaufen.
b) Auch wenn das Agens eine Person (oder eine gesellschaftliche Institution) ist, wird das Passiv bevorzugt, falls das Agens in den Hintergrund verdrängt werden soll. Wenn das Agens aus dem Kontext entnommen werden kann oder allgemein bekannt ist, wird es nicht genannt" (BENEŠ 1981, 196).

5. Verkürzung der Satzlänge. „In 71 wissenschaftlichen Werken aus dem Zeitraum 1856–1914 betrug ... die durchschnittliche Satzlänge in den naturwissenschaftlichen Fächern 28,5 Wörter, in den gesellschaftswissenschaftlichen Fächern 34,5 Wörter. In meinem Korpus (1960–1976, G. S.) beträgt dagegen die Satzlänge in den naturwissenschaftlichen Fächern 16,86 Wörter, in den gesellschaftswissenschaftlichen Fächern 21,58, durchschnittlich 19,22 Wörter" (a. a. O., 189). Zusammenfassend sei festgehalten, daß inhaltliche Komprimierung, Kondensierung, Straffung der Aussage, Bevorzugung substantivischer gegenüber verbaler Fügungsweise, Informationsverdichtung sich im vergangenen Jahrhundert in der Syntax der Fachsprache immer stärker und prägnanter ausgeprägt haben. (Vgl. Kap.4.)

2.2.2.5. Zu Tendenzen der Systematisierung und Intellektualisierung der Fachwortschätze

„Fachsprachliche Lexeme sind Träger der Resultate der wissenschaftlichen Abstraktionstätigkeit des Menschen. Die Resultate der wissenschaftlichen Erkenntnis werden in den Bedeutungen der fachsprachlichen Lexeme gesellschaftlich fixiert. ... Nominationen sind Produkte menschlicher Tätigkeit und werden nicht zum Selbstzweck, sondern als Mittel für den Vollzug weiterer menschlicher Tätigkeiten geschaffen" (WIESE 1984, 48). Folgende Entwicklungsprozesse widerspiegeln die Fortschritte gesellschaftlicher Erkenntnis und Bewußtheit in der Fachlexik:

1. die Bildung von Hyperonymen, die Begriffe mit hohem Verallgemeinerungsgrad benennen, z. B. *Absperrorgan* („Vorrichtung in Leitungen od. an Behältern, um die Strömung des Mediums (Flüssigkeit, Dickstoff, Gas) abzusperren od. einzustellen; ... u. a. Ventile, Schieber, Hähne, Klappen", LEX. D. TECHNIK 1982, 15); *Bauelement* („kleinste für die Montage von Baugruppen od. Erzeugnissen benötigte Einheit, die in sich abgeschlossen u. transportierbar ist", a.a.O., 55), *Bedienelement* („Element von Anlagen, Maschinen, Geräten, Apparaten, Werkzeugen usw. zur Steuerung od. Handbetätigung ...", a.a.O., 60). Hier sind auch Bezeichnungen für bedeutsame Merkmale einzuordnen, z. B. *Aktivität* („Quotient aus der Anzahl radioaktiver Umwandlungen u. der Zeit; SI-Einheit: *Becquerel*", a.a.O., 21), *Abwärme* („bei Wärmeprozessen der chemischen, keramischen, metallurgischen Industrie, bei Wärmekraftmaschinen, in Abgasen, Abdämpfen u. Kühlwasser abgehende Restwärme, die für verschiedene technische Zwecke ausgenutzt werden kann ...", a.a.O., 18), sowie für Vorgänge, z. B. *Umformen* („Hauptgruppe der Fertigungsverfahren, bei denen die Werkstoffbearbeitung zur Formung durch plastisches Formändern unter Beibehaltung der Masse u. des Zusammenhalts erfolgt", a.a.O., 588); *monoklines, triklines, kubisches, hexagonales* System bei Kristallen. Solche Allgemeinbegriffe bedingen wiederum Begriffsgliederung, die mit Differenzierung und Spezialisierung verbunden ist (vgl. 2.2.2.2.);

2. die Mathematisierung von Terminologien. Ein repräsentatives Beispiel sei aus der Chemie angeführt: a) Gegen Ende des 19. Jh. wurden Namen für chemische Elemente noch von geographischen Namen abgeleitet, z. B. *Francium, Gallium, Germanium.* b) Zu Beginn des 20. Jh. werden solche Benennungen von den Namen mythologischer Gestalten abgeleitet, z. B. *Plutonium, Thorium, Uran(ium).* c) Um die Mitte unseres Jh. werden solche Nominationen zur Ehrung hervorragender Gelehrter genutzt: *Kurtschatowium/Rutherfordium, Hahnium/Nielsbohrium* (zur Verwendung sog. Eponyme in verschiedenen Fachwortschätzen vgl. GLÄSER 1976, 48ff.; NEUBERT 1980, 331ff.; DIETRICH 1978; WIESE 1984, 43ff. Eponyme sind fachsprachliche Lexeme, die sich auf

Eigennamen zurückführen lassen.) d) 1981 beschließt die IUPAC (Internat. Union für Reine und Angewandte Chemie), die Transuran-Elemente nach ihrer Ordnungszahl im chemischen Periodensystem in lat. Sprache zu bezeichnen: *Unilquadium* (104), *Unilquintium* (105) usw. Numerische Notationen belegt auch WIESE (1984, 61 f.) zur Differenzierung von Krankheiten: *Diabetes Typ I, Diabetes Typ II, Typ-1-Muskelfasern, Bronchialkrebs im Stadium I, Faktor-VIII-Gerinnungsaktivität.*

3. In bemerkenswerter Weise läßt sich der Erkenntniszuwachs im Fachwissen von den Benennungsmotiven ablesen. „Ein Wandel in der Wahl der Benennungsmotive bei fachsprachlichen Lexemen ist ein Indikator für veränderte wissenschaftliche Betrachtungsweisen bzw. veränderte gesellschaftliche Wertungen, da die den fachlichen Benennungen zugrunde liegende Motivation wesentlich von dem gesellschaftlichen Erkenntnisstand bedingt ist" (WIESE 1984, 48). So spiegelt sich „die erkenntnistheoretische Entwicklung ... von der ‚beobachtenden Medizin‘ bis hin zur ‚modernen, funktionell orientierten Medizin‘" (a. a. O., 49) in den Benennungsmotiven der Krankheitsbezeichnungen. Traditionelle Krankheitsbezeichnungen sind durch äußere Merkmale motiviert, z. B. Hauptsymptome *(Gelbsucht, Scharlach)*, metaphorische Vergleiche *(Brillenhämatom, Himbeerzunge)*, den Namen des Erstbeschreibers *(Schottmüllersche Krankheit, Morbus Bang)*, den Patiennamen *(Rademachersches Syndrom)*, Vorkommensgebiet einer Krankheit *(Marseille-Fieber)*, die anatomische Symptomlokalisation *(Lungenentzündung)*. Dagegen setzt sich in neuerer Zeit immer mehr das ätiologisch orientierte Benennungsprinzip durch, d. h., Krankheiten werden nach ihren Ursachen benannt: *Coxsackie-Virus-Infektion, Dyspepsie* statt *Gastritis, Enzymopathie* („Stoffwechselerkrankung, die durch das Fehlen eines Enzyms bzw. Enzymsystems zustande kommt", a. a. O., 63).

Eine analoge Entwicklung registriert CZICHOCKI (1981) in der Fachlexik der Chemie. Vor 1850 wurden Farbstoffe nach Pflanzen, Tieren, Persönlichkeiten und Herkunftsgebieten benannt, vgl. *Indigoblau, Krapprot, Fuchsin, Canarin, Bismarckbraun, Hessisch Purpur.* Die Erforschung der Struktur chemischer Substanzen mit verbesserten Analyseverfahren hatte zur Folge, daß seit 1900 systematische Bezeichnungen entstanden, die durch innere Strukturmerkmale motiviert sind: *Ethan, Ethen, Ethin, Aminobenzen* (C_6H_7N), *Benzen-1,2-bicarbonsäure.* Neben sprachliche Nominationen treten dabei in zunehmendem Maße nichtverbale Nomenklaturelemente, z.B. Struktur- und Bruttoformeln.

2.2.2.6. Zur Ideologiegebundenheit gesellschaftswissenschaftlicher Fachlexik als Erscheinungsform der Differenzierung

Die Ideologiegebundenheit politischer und gesellschaftswissenschaftlicher Fachwörter ist wiederholt erörtert und nachgewiesen worden (vgl. z. B. W. SCHMIDT 1969, 1972; FLEISCHER 1973, 1981; PFEIFER 1978; ADELBERG 1978; KURKA 1978). Ideologierelevanz kann sich dabei auf unterschiedliche Weise ausprägen: durch die Terminologisierung allgemeinsprachlicher Lexeme (z. B. *Ausbeutung*), durch Neuprägung (Wortbildung, z. B. *Klassenkampf*), durch Entlehnung aus fremden Sprachen und Bedeutungsspezialisierung (z. B. *Revolution, Streik*). Hervorzuheben ist hierbei die „Tendenz der *Polarisierung von Benennungen* entsprechend den gegensätzlichen Ideologien, zunehmend in dem Maße, in dem sich die unterdrückten Klassen ihrer Lage bewußt werden und die Fähigkeit entwickeln, ihre ‚Vorstellungen, Anschauungen und Begriffe' ¸in eigenen Prägungen sprachlich zu fixieren. Die Tendenz wird besonders stark dort, wo ein und dieselbe Sprache als Kommunikationsmittel in verschiedenen Staaten dient, die sich in der Gesellschaftsformation und in ihrer herrschenden Klasse unterscheiden. Das ist heute z. B. in bezug auf das Deutsche und das Spanische der Fall. Es darf jedoch nicht übersehen werden, daß diese Polarisierung partiell bleibt (weite Bereiche des Wortschatzes werden davon nicht berührt) und sich bei Staaten mit antagonistischen Klassenwidersprüchen auch *innerhalb* dieser Staaten auswirkt" (FLEISCHER 1981, 1335).

Am Beispiel von *Ausbeutung* exemplifiziert KURKA (1978, 19 ff.) den Prozeß der Terminologisierung, der Schaffung eines Terminus der marxistisch-leninistischen Ökonomie. Ausgangsbasis dafür ist die allgemeinsprachliche Bedeutung, die *Ausbeutung* um 1840 hat und die KURKA mit folgenden semantischen Merkmalen zu kennzeichnen versucht:

– ertragreiche Ausschöpfung (materieller und ideeller Werte)
– vorteilhafte Nutzung
– interessengebundene Handlungsweise (vgl. KURKA 1978, 20).

Dabei ist zu berücksichtigen, daß etymologisch verwandte *Ausbeute* im 16. Jahrhundert bei Bergleuten die Semantik „Reinertrag einer Grube" hatte. Durch utopische Sozialisten, vor allem Saint-Simon, veranlaßt, bildet sich die Wortverbindung „Ausbeutung des Menschen durch den Menschen" heraus (1844). Marx verwendet zunächst *Exploitation* und *Ausbeutung* synonymisch nebeneinander, entwickelt aber schließlich *Ausbeutung* zum Terminus, indem er den Begriffsgehalt des Wortes durch eine Festsetzungsdefinition bestimmt (vgl. FLEISCHER 1981). Zugleich erlangt *Ausbeutung* einen festen Stellenwert in K. Marx' Mehrwerttheorie, indem ein Systemzusammenhang mit folgenden Termini besteht: *Arbeit, Lohnarbeit, Arbeitskraft, Arbeiterklasse/Proletariat, Produktionsweise,*

Produktionsmittel, Produktionsverhältnisse, Mehrwert, Profit. Den Terminus prägen also folgende begriffliche Merkmale:

– Aneignung fremder Arbeit durch Eigentümer der Produktionsmittel
– Ausnutzung des unmittelbaren Produzenten
– Unterdrückung der Mehrheit durch die herrschende Minderheit, die alleinige Verfügungsgewalt über die Produktionsmittel besitzt.

Entscheidend für den Terminuscharakter ist das Merkmal ‚Aneignung fremder Arbeit durch Eigentümer der Produktionsmittel‘, das *Ausbeutung* als Element der Marxschen Mehrwerttheorie prägt. Sowohl in den denotativen Merkmalen als auch in der damit verbundenen negativen Wertungspotenz (vom Standpunkt der Ausgebeuteten, speziell der Arbeiterklasse) äußert sich die Ideologiegebundenheit.

„Ein grundsätzlicher Unterschied zwischen einem naturwissenschaftlichen und einem gesellschaftswissenschaftlichen Terminus liegt darin, daß die gegensätzlichen Positionen im Klassenkampf notwendigerweise zu unterschiedlichen Termini für die gleiche Erscheinung führen. Sie wird unterschiedlich widergespiegelt und bewertet; dies findet in der Benennung seinen Ausdruck" (FLEISCHER 1973, 200), vgl. etwa

> *Proletariat, Arbeiterklasse, Bourgeoisie – Arbeitnehmerschaft, Arbeitgeberschaft; Ausbeuter – Unternehmer; Umsturz – Revolution.*

In anderen Fällen bedingt Ideologiegebundenheit, daß mit der gleichen Nomination (dem gleichen Formativ) von antagonistischen Klassen gegensätzliche Begriffsinhalte verstanden werden:

> *Demokratie, Freiheit, Ideologie, Diktatur des Proletariats, Nation.*

Festzuhalten bleibt, daß erst Festsetzungsdefinition und Bindung an ein terminologisches System zu einem gesellschaftswissenschaftlichen Terminus führen, während auch Elemente des Allgemeinwortschatzes ideologiegebunden sein können (vgl. FLEISCHER 1981, 1333 sowie Abschnitt 3.3.).

2.2.3. Zu den Entwicklungstendenzen von Gruppensprachen

Nach Auffassung der marxistisch-leninistischen Soziologie stellen soziale Gruppen „das Medium dar, in dem sich die Verhaltensdetermination realisiert" (FRIEDRICH 1976, 80). Auf dem Gebiet sprachlich-kommunikativer Tätigkeit kommt dabei Grundgruppen besondere Bedeutung zu. „Grundgruppen stellen Einheiten dar, in denen Ausschnitte des sprachlich-kommunikativen Potentials einer Gesellschaft schwerpunktartig (nach sprachlichem Inhalt, sprachlicher Form und kommunikativer Gestaltung) in konkreter mündlicher Kommunikation realisiert, aber auch weiterentwickelt werden. Hauptfaktoren, die diesen Vorgang formieren und damit dem Sprachlich-Kommunikativen seine konkrete ... Gestalt geben, sind einmal die umfassenderen zeitlich-räumlich-sozialen Gegebenheiten und zum anderen die engeren, mit der jeweiligen kooperativen Tätigkeit des Individuums zusammenhängenden Gegebenheiten" (KOMMUNIKATION UND SPRACHVARIATION 1981, 109). W. SCHMIDT (1985, 32) bemerkt, daß in solchen Gruppen u. U. das Bestreben besteht, „sich durch eine eigentümliche Ausdrucksweise von anderen Gruppen abzusondern. ... Der Gebrauch eines ... Sonderwortschatzes weist den Sprecher als Angehörigen der betreffenden sozialen Gruppe aus. Kennzeichnend für diese Sondersprachen ist es, daß ihre eigentümlichen Ausdrücke als Dubletten neben den gemeinsprachlichen stehen. Soziale Gruppen der hier gekennzeichneten Art bilden oder bildeten u. a. Soldaten, Seeleute, Studenten, Schüler, Diebe und Gauner. Als geeignete Bezeichnung bietet sich das Fachwort *Gruppensprachen* an."

In solchen Gruppensprachen/Gruppenwortschätzen lassen sich folgende Entwicklungsprozesse beobachten:

1. Gruppenwortschätze im Dienste der sozialen Abschirmung und Isolierung (Geheimsprache, Argot im ursprünglichen Sinne) verschwinden oder verlieren ihre kommunikative Relevanz, wenn ihren Trägern durch gesellschaftliche Umwälzungen der Boden ihrer Existenz entzogen wurde und entsprechende soziale Gruppen als gesellschaftliche Kategorie zum Untergang verurteilt sind. Daher sind viele Argotismen des Rotwelsch, des seit etwa 1350 bezeugten Geheimkodes der Bettler, Landstreicher und Deklassierten, heute weitgehend unbekannt oder Archaismen:

   > *Bonem* ‚Gesicht‘, *Dalles* ‚Armut‘, *Kalle* ‚Frau‘, *Kawrusse* ‚Diebsgesellschaft‘, *acheln* ‚essen‘, *kapores gan* ‚verlorengehen‘.

2. Wenn Kommunikationsbedürfnisse es erfordern oder zumindest erlauben, können Elemente ursprünglicher Gruppenwortschätze in die Umgangssprache übernommen werden, teilweise mit Bedeutungswandel, z.B.

   > *(aus-)baldowern* ‚ausforschen‘, *Moos, Zaster* ‚Geld‘, *schofel* ‚schlecht‘, *Schmu* ‚Betrug beim Spiel‘ (urspr. ‚unerlaubter Gewinn‘), *Schmus* ‚(schmeichelndes) Gerede‘, *moschen* ‚vergeuden‘, *Flachmann* ‚Taschenflasche‘, *Ballermann* ‚Pistole‘, *meschugge* ‚verrückt‘, *Reibach/Rebbach* ‚großer Gewinn‘.

Auch diese Ausdrücke stammen aus dem Rotwelsch. Allgemein bekannt ist der Einfluß älterer Gruppensprachen auf die (expressive) Phraseologie der Gemeinsprache der Gegenwart, z.T. mit Umdeutungen:

> *jmdn. in Harnisch bringen, in allen Sätteln gerecht sein, aus dem Stegreif* (Rittertum); *Wasser auf seine Mühle geben, Oberwasser haben, über die Schnur hauen, Schaum schlagen, außer Rand und Band sein* (Handwerker); *etw. auf dem Kerbholz haben, in der Kreide stehen* (Handel).

Offensichtlich treten vor allem ständische und berufsbedingte Gruppensprachen als eigenständige, abgrenzbare Gebilde in der sprachlichen Kommunikation der modernen Gesellschaft zurück. So wird u. a. festgestellt, „daß eine gruppenspezifische ‚soziale Bedeutung' (bei uns) im Schwinden begriffen ist zugunsten einer situationsspezifischen Bedeutung" (KOMMUNIKATION UND SPRACHVARIATION 1981, 95) und daß in der Gegenwart „die Gruppenlexik mehr und mehr ihre Bedeutung für die Sprachwirklichkeit" verliere (PETERMANN 1982, 206). Allerdings können solche Aussagen keine Allgemeingültigkeit beanspruchen.

3. Gegenwärtige Existenz und Perspektive haben zweifellos sprachliche Besonderheiten solcher sozialer Gruppen wie der Jäger (seit dem 7./8.Jh. nachweisbar), der Sportler, der Kartenspieler, der Soldaten, der Jugendlichen. (Auch die Schüler- und „Pennälersprache" läßt sich bis zu den mittelalterlichen Klosterschulen zurückverfolgen.) Dabei darf aber – bei aller Anerkennung bestimmter Überlieferungen und Traditionen des Sprachgebrauchs in solchen Gruppen – nicht übersehen werden, daß und wie die gesellschaftlichen Verhältnisse, die Produktions- und Lebensweise, die jeweils herrschende Ideologie und Kultur das sprachlich-kommunikative Verhalten dieser Gruppen beeinflussen und verändern. So sind z. B. heute im sozialistischen deutschen Staat alle Klassenschranken und Privilegien abgeschafft, die in der antagonistischen Gesellschaft werktätigen Klassen und Schichten den ungehinderten Zugang zu Jagd, Sport und Spiel verwehren oder behindern. Ebenso bedeutsam ist die Beseitigung des Bildungsprivilegs für die sprachlichen Besonderheiten Jugendlicher in der sozialistischen Gesellschaft. Die Entwicklung der Gruppensprachen wird weiter davon beeinflußt, daß gesellschaftliche und berufliche Disponibilität und vielfältige Aktivitäten dazu führen, daß die Masse der Sprachteilhaber an mehreren Kommunikationsgemeinschaften (z. B. Arbeitskollektiv, Familie und Nachbarschaft, politische Gruppierungen, Sportgemeinschaft, interessengesteuerte Gruppen bei der Freizeitgestaltung) partizipiert. Schließlich wirken auch die modernen Massenkommunikationsmittel und die wissenschaftlich-technische und kulturell-künstlerische Entwicklung auf die Gruppensprachen ein. Wie sich durch die gesamtgesellschaftliche Entwicklung bedingte Tendenzen der Differenzierung, der Integration, der Internationalisierung, der Sprachökonomie gruppensprachlich ausprägen, soll am Beispiel jugendtypischer Sprachverwendung exemplarisch gezeigt und erörtert werden.

In der Fachliteratur werden derartige Spezifika unterschiedlich bezeichnet: Jugenddeutsch, Jugendjargon, Jugendslang (RIESEL 1970, 136), Jugendsprache, Sprechweise Jugendlicher (M. HEINEMANN 1983), jugendtypische Sprechweise (BENEKE 1982), Halbstarkendeutsch, Halbwüchsigendeutsch), Sprache der Teenager und Twens. Übereinstimmend wird dieser Sprachverwendung eine „gruppenspezifische Signalfunktion" (M. HEINEMANN 1983, 136) zuerkannt: Jugendliche wollen anders sein und anders kommunizieren als Erwachsene, sie zeigen eine gewisse „Vorliebe für Extremhaltungen auf der Suche nach normgerechtem Verhalten in der Gesellschaft" (a. a. O., 129). „Dabei wird ein Stadium der Gruppenorientiertheit durchlaufen, durch die individuelle Spracheigentümlichkeit durch Gruppenidentifizierung und Gruppensolidarität in einen jugendspezifischen Soziolekt ... integriert wird" (BENEKE 1982, 91 f.). Als Besonderheiten jugendspezifischen Sprachgebrauchs werden registriert: Nichtliteratursprache, nichtoffizielle, vorherrschend mündliche Kommunikation, starker Partnerbezug (Gespräche mit anderen Jugendlichen, kaum oder zurückhaltender mit Erwachsenen, symmetrische kommunikative Beziehungen, vertraulich, ungezwungen), Situationsabhängigkeit der Rede, „Aufnahme von interessen-, berufs- und institutionsspezifischer Lexik" (M. HEINEMANN 1983, 123), Neigung zu Expressivität (Ausdrucksverstärkung) und zu relativ kurzen Sätzen, zu salopper Aussprache und Syntax (s. BENEKE 1982, 124–140). Folgender kurzer Dialog möge diese Charakteristika illustrieren:

A: *Hello Fens – Mensch – wat hängt'an hier rum – im Club is doch Disco.*

B: *Dreh ne so uff – Mann – ham keene Lust – siehste dit ne oder was?*

A: *Mann – spielsta ja heute wieda doll uff – ick wollta ja bloß'n janz heißen Tip jeben. Na denn ebend nich –. Sach maa – wo's eigentle deine Alte ej?*

B: *Ach die – schmeißt sich jetzt'n andern a'n Hals.*

A: *Ach Mensch – Junge – mir komm direkt de Trän'n.*

B: *Mensch – mach'n Kopp zu, sonst ...*

A: *Schulje man – war doch ni so jemeint; tut mer echt leid.* (BENEKE 1982)

Bemerkenswert ist ein rascher Wechsel der Jugendlexik infolge zeitlich begrenzter Gruppenzugehörigkeit der Individuen, geringer Überlieferungstreue und einer gewissen Originalitätssucht Jugendlicher (vgl. M. HEINEMANN 1983, 127). Der rasche Wechsel lexischer Elemente, das rasche Entwicklungstempo trifft in ähnlicher Weise auch auf die Soldatenlexik zu. Dabei gibt es zwischen Jugendlexik und Wortschatz der (jungen) Soldaten wechselseitige Einflüsse und Zusammenhänge. Es sei aber ausdrücklich angemerkt, daß dies nicht in gleicher Weise auf alle Gruppenwortschätze zutrifft; Sonderwortschätze der Jäger (auch Weidmannssprache genannt), der Seeleute, Fischer und Schützen zeichnen sich demgegenüber durch Beständigkeit und Traditionsbewußtheit aus.

Grundsätzlich gilt für die Speziallexik sozialer Gruppen, daß sie stets interessengesteuert und deshalb auf bestimmte Ausschnitte der gesellschaftlichen Wirklichkeit, auf ausgewählte Lebens-, Tätigkeits- und damit auch Kommunikationsbereiche der Gesellschaft bezogen ist. Darin ist – bei Anerkennung eines ständigen wechselseitigen Austausches – der wichtigste Unterschied zur umfassenden Gültigkeit und Allgemeingebräuchlichkeit des Wortschatzes der Gemeinsprache zu sehen. In diesem Sinne sind Elemente der Gruppenlexik sekundäre Nominationen (d. h. zusätzliche, oft erst nachträgliche Benennungen) für

Erscheinungen begrenzter, interessenbezogener Wirklichkeitsausschnitte. Jugendlexik wird z. B. durch Benennungen für zwischenmenschliche Beziehungen (Partner des gleichen und des andern Geschlechts; Altersgefährten, Eltern, Lehrer, Leiter von Gruppen), Freizeitinteressen (z. B. Unterhaltungselektronik, Musik, Tanz, Sport), Kleidung, Genußmittel und Getränke in wesentlichem Umfang geprägt. Eine entsprechende Tendenz der Differenzierung erweist sich im Synonymen- und Variantenreichtum: *dit fetzt (ein), bockt, poppt* ,das gefällt mir'; *ich bocke* ,fühle mich wohl'; *Lulle, Zulle, Rauche, Lungenbrötchen, Stäbchen, Nikotinroulade* ,Zigarette'; *meine Alte, Frau, Käte, Tussi, Brumme, Mieze, Kirsche, Flamme* ,Freundin'; *schau, irre, einwandfrei, einwandlos, stark, schick, poppig, klasse* ,gut'; *heißer Tip* ,Empfehlung'.

Die Differenzierung der Jugendlexik vom Allgemeinwortschatz zeigt sich in metaphorischen und metonymischen Bezeichnungsübertragungen, der Bildung neuer Phraseologismen *(ich denk', mich tritt ein Pferd/knutscht ein Elch/streift ein Bus; [nicht] aus der Hüfte/Knete/Asche/Marmelade kommen)*, Bedeutungsänderungen *(Keule* ,Bruder', *Frau, Hirsch)*, emotional stark wertender Kraftausdrücke *(urster Hammer)*.

Die Tendenz der Integration läßt sich vor allem an Reihen mit der gleichen zweiten unmittelbaren Konstituente in der Wortbildung verdeutlichen, und zwar sowohl bei Komposita mit so allgemeinen Grundwörtern („Schwammwörter") wie *-mann (Blöd-, Stempel-, Etikettenmann)* und *-mensch (Presse-, Boots-, Frühschicht-, Betriebswachmensch)* wie auch bei Derivaten auf *-i (Assi* ,Asozialer', *Schlampi, Männi, Schatzi, Ziegi* ,Zigarette', *Smoki* ,Polizist') und *-e (Heule, Rauche, Mäcke)*. Von Integration kann man aber auch sprechen, wenn sich jugendtypische Begrüßungsformeln, Lieblings- und Modewörter, teilweise mit verschwommener Semantik, zu kommunikativen Stereotypen entwickeln.

Bei der Wahrnehmung ausgeprägter Freizeitinteressen entlehnen Jugendliche auch viele Benennungen aus anderen Sprachen, insbesondere aus dem Angloamerikanischen, vgl. *Boy, Girl, make love, Diskjockey, in, high, down (sein), Sheriff* ,Polizist', *eine Show abziehen, okay*. Diese Tendenz der Internationalisierung ist gepaart mit der Tendenz der Sprachökonomie, wenn insbesondere einsilbige Entlehnungen *(Drink, King, Shop, Fan, Boß, Joint)*, darunter Kopfwörter *(Doc* ,Doctor', ,Arzt'; *Dad* ,Vater') bevorzugt werden. Auch verkürzte Sätze, lautliche Verschleifungen von Silben und Wörtern, der Wegfall unbetonter Nebensilben, Proklisen und Enklisen belegen diese Entwicklungstendenz

2.3.   *Entwicklungstendenzen im Bereich der Funktionalstile*
2.3.1.   Methodologische Ansätze

Diachronische Veränderungen in solchen Varietäten, die üblicherweise als stilistische, funktionale oder situationsbestimmte Differenzierungen bezeichnet werden (vgl. SCHÖNFELD 1985, 209), gehören zu den traditionellen Gegenständen sowohl spezieller stillinguistischer Untersuchungen als auch sprachhistorischer Beschreibungen komplexer Entwicklungserscheinungen. In bezug auf das Deutsche zeugen davon – willkürlich herausgegriffen – etwa Arbeiten zu einzelnen sprachlichen Erscheinungen wie Nominalisierung, Wortbildung, Modewort, Metapher, Satzverflechtung, Parataxe/Hypotaxe, zum Stil einzelner Textsorten, wie Briefstil, Annoncenstil, Stil in Gesetzestexten, in populärwissenschaftlicher Literatur, und schließlich auch zum Stil großer Funktionalbereiche, wie Stil der Wissenschaft, Stil des Journalismus, Stil der künstlerischen Literatur. Die Mehrzahl der Arbeiten bleibt jedoch bei jeweils relativ isolierten synchronischen „Querschnitten" historischer Zeitebenen stehen, es werden „Zeitstile" („Epochenstile") untersucht, wie sie sich in mehr oder weniger repräsentativen – individualistisch modifizierten – Werken einzelner Vertreter oder einzelner Genres innerhalb einer definierten Zeitspanne darstellen. (Vgl. EGGERS 1973, 9f.) Doch was dabei in einem engeren Sinn als „zeit"stilistisch zu bewerten ist, bleibt vage, da in vielen Fällen ein systematischer diachronischer Vergleich ausbleibt und innerhalb der Heterogenität eines pauschal gefaßten Epochenstils das wirklich Epochen- oder Zeitspezifische nicht herausgefiltert wird.

PÖCKL weist mit Recht darauf hin, daß nicht selten die Neigung besteht, die stilistischen Ausdruckssymptome eines historisch bestimmten Zeitabschnitts auf wenige zentrale Merkmale zu reduzieren: „Das Ringen um innere Stimmigkeit ist den meisten Epochenstudien gemeinsam. Oft wird sogar versucht, die jeweils analysierte Epoche ‚auf einen Begriff zu bringen'. Darunter leidet klarerweise der meist unerläßliche Hinweis auf die ‚Gleichzeitigkeit des Ungleichzeitigen', also auf das synchrone Nebeneinander divergierender Stiltendenzen. Ist das untersuchte Corpus umfangreich, wird es kaum ein einheitliches Bild vermitteln; ist es klein, umfaßt es also vor allem Werke der bedeutenden Autoren des untersuchten Zeitabschnitts, so muß erwartet werden, daß sich gerade die unter literarischem Blickwinkel wichtigsten Vertreter der vorbehaltlosen Einbürgerung in eine Epoche widersetzen" (PÖCKL 1980, 201).

Um das „Dilemma des Epochenstils" zu überwinden, schlägt PÖCKL vor, anstelle „eines diachronen Epochenvergleichs … eine weniger ambitionierte Vorgangsweise (zu wählen – G.M.), nämlich die Darstellung von thematisch eingegrenzten stilgeschichtlichen Längsschnitten oder Reihen" (a. a. O., 201) im Sinne von Untersuchungen zu ausgewählten Einzelerscheinungen (Neologismen, Regionalismen, Parallelismen, Zitierweisen, Klischees usw.) unter strukturellen, funktionellen, statistischen und anderen Aspekten.

Doch bei einer solchen Reduzierung diachronischer Erhebungen auf Stilelemente stellt sich die Frage, ob damit dem Wesen des Stilistischen im Sinne zumindest derjenigen Stildefinitionen hinreichend Rechnung getragen wird, die das Wesen der Kategorie Stil als einer primär textlinguistischen Kategorie bestimmen, Stil und Stilistisches also nicht direkt auf lexische, grammatische und prosodische Elemente, sondern auf diesen Elementen übergeordnete Textqualitäten beziehen. Damit erhebt sich die Frage nach epochenstilistisch repräsentativen Textsorten und ihrem sozialhistorisch, soziokulturell bedingten Textsortenstil, nach der Unterscheidbarkeit zwischen chronologisch übergreifenden, mehrere Zeitabschnitte hindurch geltenden invarianten Merkmalen und chronologisch gebundenen Veränderungen in der sprachstilistischen Ausgestaltung einer bestimmten Textsorte.

In funktionalstilistischer Sicht ist bei einer gegebenen Textsorte die Beziehung zum komplexen Tätigkeitsbereich ‚Wissenschaft', ‚Journalismus', ‚Alltagsverkehr' usw. innerhalb der tätigkeitsspezifisch vielfältig gegliederten gesellschaftlichen Praxis herzustellen, das heißt, es sind die Merkmale einer solchen Zuordnungsbeziehung der jeweiligen Textsorte zu einer bestimmten Kommunikationssphäre herauszuarbeiten. Diese Merkmale müssen sich nicht in spezifischen sprachlichen Elementen niederschlagen, in „sprachlichen Mitteln der Wissenschaft, des Journalismus, des Alltagsverkehrs" usw. Die „sprachlichen Mittel" eines Nachrichtentextes, eines Gesetzestextes und eines Versammlungsprotokolls z. B. unterscheiden sich viel weniger signifikant als deren Inhalte (Kommunikationsgegenstände und Themen), deren Kennzeichen hinsichtlich des Kontextes ihres Auftretens (das Erscheinen eines Textes in der Presse, in Gesetzeswerken, in Akten usw.; Präsignale, daß es sich um ‚Nachrichten', ‚Gesetzestexte', ‚Protokolle' usw. handelt, in Form von Schlagzeilen, Genrebezeichnungen, Betreff-Zeilen usw.) sowie deren Makrostrukturen (dominierende Kommunikationsverfahren, kompositorische und architektonische Gliederungsweisen, Topikalisierungsmuster u. ä.). Auf diesem Hintergrund ist zu fragen, was sich über das Textsortenspezifische hinaus überhaupt als „Stil der Wissenschaft/des Journalismus/des Alltagsverkehrs" erweist und was davon zum Beispiel im relativ raschen Fortschritt der Wissenschaften der letzten hundert Jahre – abgesehen vom Nominationsproblem (Termini, Realienbezeichnungen, Neologismen usw.) – sprachstilistische Veränderungen, Erscheinungen des Stilwandels im Gesamtbereich der Wissenschaft(en) sind.

Mit dieser Problematik hängt eng das Signifikanzproblem zusammen. Wenn wir von Entwicklungstendenzen im Bereich der Funktionalstile sprechen, kann es sich nicht um ein Sammeln punktueller Erscheinungen handeln, vielmehr geht es um solche Untersuchungsaspekte wie

– das Erfassen von Reflexen im Gebrauch der Sprache hinsichtlich grundlegender Typen menschlicher Tätigkeiten und deren sozialhistorischer Geprägtheit und Veränderung (Kontrastanalysen zur Verwendung der Systemmöglichkeiten der deutschen Sprache, z. B. im Journalismus heute, vor 60 Jahren, vor 100 Jahren o. ä.),

– das Erfassen typischer Kontexte (Mikro- und Makrostrukturen), in denen stilistisch relevante Einzelerscheinungen der Lexik, Grammatik, Prosodik vorkommen (Distributionsanalysen, in denen letztlich nicht Stilelemente, sondern stilistische Textqualitäten/Stilzüge/„gemeinsame Einordnungsinstanzen" für verschiedenartige sprachliche Elemente mit gleicher oder ähnlicher semantisch-konnotativer Qualität erfaßt werden; vgl. LANG 1977, LERCHNER 1976, MICHEL 1985),

- das Erfassen von Häufigkeitstendenzen und Tendenzen der bevorzugten Verwendung stilistisch charakteristischer Sprachstrukturen innerhalb einer bestimmten Textsorte (Präferenzanalysen z. B. zu Varianten der Eröffnung einer Textsorte, ihrer kompositorischen Modifikation, ihrem synonymischen Wortschatz, ihrem Terminologisierungsgrad usw.),
- das Erfassen veränderter gesellschaftlicher Bewertungen weitgehend gleicher oder ähnlicher Sprachmittel und Sprachstrukturen in Texten eines gegebenen Funktional-/Tätigkeitsbereichs (Wirkungsanalysen im Hinblick auf „stilistische Bewertungen" von Ausdrucksweisen im historischen Wandel einer Textsorte),
- das Erfassen widerstreitender, widersprüchlicher Stiltendenzen und Stilregeln innerhalb einer Entwicklungsstufe (z. B. der Gegenwartssprache in den 70-/80er Jahren unseres Jahrhunderts) und ein entsprechender Vergleich mit Stil„regeln", z. B. zur Zeit des Erscheinens des Werkes von G. WUSTMANN „Allerhand Sprachdummheiten" (1891) (Divergenzanalysen des Sprachgebrauchs auf unterschiedlichen Zeitebenen).

Die Hervorhebung solcher Aspekte soll untersuchungsmethodisch nicht zu ihrer Vereinzelung führen, sie berühren und überschneiden einander, dennoch handelt es sich um verschiedene Akzentsetzungen innerhalb des komplexen und komplizierten Vorhabens, funktionalistische Veränderungen und möglicherweise auch Veränderungen im Gefüge der Funktionalstile – also das Verhältnis und die gegenseitige Durchdringung etwa von ‚Wissenschaft', ‚Journalismus', ‚Alltagsverkehr' betreffend – aufzudecken. Aus dem Gesagten wird schließlich auch deutlich, daß – zumindest stilistische – Entwicklungstendenzen nicht einfach in statistischen Erhebungen hinreichend erfaßt werden können; statistische Häufigkeits- und Korrelationsanalysen sind nützlich, sofern sie adäquat angewandt und mit Signifikanzproben verbunden werden. Doch die Diachronie einer Textsorte hinsichtlich ihrer makrostrukturellen Parameter (Komposition, thematische Möglichkeiten und Restriktionen, Hierarchie und Sequenz der Kommunikationsverfahren/Handlungstypen, textsortenspezifische Stilzüge usw.) einseitig statistisch-quantitativ erfassen zu wollen wäre ein unzureichendes und letztlich auch aussichtsloses Unterfangen.

Günstig erscheint – im Rahmen von Näherungslösungen –, von typischen exemplarischen Ausprägungen ausgewählter Textsorten eines bestimmten funktionalstilistischen Bereichs auszugehen und diese quantitativ und qualitativ zu charakterisierenden Ausprägungsweisen diachronisch zu vergleichen. Damit wird der Begriff des Typischen, des Prototypischen zur entscheidenden Ausgangsbasis gemacht. Die Frage der „Typikalität" (GEDÄCHTNIS – WISSEN – WISSENSNUTZUNG 1984, 13 und passim) eines Exemplars innerhalb einer Klasse von Exemplaren ist methodologisch besonders in der kognitiven Psychologie und in der linguistischen Semantik verfolgt worden (vgl. u. a. PSYCHOLOGISCHE BEI-

TRÄGE ZUR ANALYSE KOGNITIVER PROZESSE 1976, MEINHARD 1984), sie verdient jedoch auch im Hinblick auf die Text- und Stilforschung, und gerade auch mit dem Blick auf Entwicklungstendenzen, stärkere Beachtung. Ein wesentlicher Grundsatz der Prototypentheorie besteht darin, daß die Vertreter einer Klasse von Erscheinungen unterschiedliche Typikalitätsgrade aufweisen. „Die *Ausprägungsgrade* der Merkmale bestimmen im Gesamteffekt den *Grad* der Zugehörigkeit eines Objekts zur gebildeten Klasse. Die Wirkung der Merkmale kann rein additiv sein. Sie können aber auch – und dies ist die Regel – unterschiedliche Gewichte haben. In diesem Falle könnte der Grad der Zugehörigkeit eines Objekts zur Klasse bestimmt sein z. B. über der Summe der Produkte aus den Ausprägungsgraden und den Merkmalsgewichten ...“ (PSYCHOLOGISCHE BEITRÄGE ZUR ANALYSE KOGNITIVER PROZESSE 1976, 169). ·

Auf unseren Untersuchungsbereich angewandt, wäre also zu fragen: Was für ein Privatbrief, was für eine Regierungserklärung, was für ein Nachrichtentext usw. wären innerhalb der Vielfalt von Einzelfällen prototypisch für etwa 1900 einerseits und für unsere Gegenwart andererseits? Welche Merkmale und Merkmalsausprägungen lassen sich bei solchen prototypischen Exemplaren nachweisen? Wie lassen sich – da es ja um situativ-funktionale Aspekte geht – die beobachtbaren Veränderungen in der Typik erklären?

Ein schwerwiegendes Problem ist in diesem Vorgehensrahmen die Entscheidung darüber, was als prototypischer Text gelten kann. Sicher ist, daß es hier einen Spielraum gibt bzw. daß genauere Bestimmungen erforderlich sind, für wen und in welchem Bezugsfeld ein Textexemplar als prototypisch unterstellt wird (individuell-ontogenetisch, soziolinguistisch-gruppenspezifisch, diachronisch-zeitbedingt, weltanschaulich-ideologisch). Die Bestimmung des Typischen bzw. des Typikalitätsgrades bei nicht streng klassifizierbaren, unscharfen Phänomenen ist ein spezielles Problem; empirisch-näherungsweise soll in den folgenden Beispieltexten darauf eingegangen werden, ohne daß dabei in diesem Rahmen alle Aspekte berücksichtigt werden können.

2.3.2. Demonstrationsbeispiel (Gesellschaftswissenschaften)

Ausgegangen wird zunächst von drei Textproben (A), (B) und (C), die alle um die Jahrhundertwende (um 1900) entstanden sind, alle dem Bereich der Geschichtsschreibung/Literaturgeschichtsschreibung entstammen und alle den Bezug auf die historische Persönlichkeit ‚Luther‘ haben, also referentiell in einem engen Zusammenhang stehen. (A) ist ein Textauszug aus der „Deutschen Geschichte“ von Franz Mehring, (B) ein Textauszug aus der „Literaturgeschichte“ von Wilhelm Scherer und (C) ein Textauszug aus einem Band der „Sammlung Göschen“ über Martin Luther. Bei der funktionalstilistischen Analyse können die thematisch-gegenständlich in den drei Texten behandelten speziellen Sachverhalte methodisch vernachlässigt werden, denn es geht um verallgemeinerte

Aussagen hinsichtlich der sprachlichen Ausdrucksweise innerhalb dominierend erörternder Texte eines im wesentlichen gleichen Kommunikationsbereichs und Genres. Abstrahiert werden kann bis zu einem gewissen Grade auch von erkenntnis- und einstellungsbedingten Wertungen, wenn es um die Typik des „Zeit"stils geht, natürlich nicht, wenn es den Individualstil und den soziolinguistisch zu charakterisierenden Gruppenstil zu erfassen gilt, z. B. denkbare Unterschiede im sprachlichen Ausdruck zwischen marxistischen und nichtmarxistischen Literaturgeschichtsschreibern, zwischen Universitätsprofessoren und Gymnasiallehrern als den Autoren der ausgewählten Textproben. Um das Problem des diachronisch Typischen im Sprachstil vergleichbarer Texte zu verdeutlichen, fügen wir den drei Textproben aus der Zeit um 1900 eine Textprobe (D) aus der Gegenwart hinzu, ein Textstück aus einer 1983 erschienenen „Kurzen Geschichte der deutschen Literatur". Funktionalstilistisch erweist sich in allen diesen Texten vieles als gleich bzw. als nicht signifikant divergierend. Dennoch gibt es offensichtlich Zeittypisches, zeitbedingte Stiltendenzen, text- und stilprägende Ausdrucksvarianten, die um 1900 in den Bereich der „Akzeptabilität" (vgl. DE BEAUGRANDE/DRESSLER 1981, 9) entsprechender Texte fielen, in unserer Zeit, der Gegenwart, jedoch nicht in gleicher Graduierung zum Typischen gehören.

(A) *Luther selbst war denn auch von der Wirkung seiner Thesen aufs höchste überrascht. Er war noch ganz im geistigen Bannkreise der römischen Kirche befangen, aber die täppischen Versuche des Papsttums, ihn zum Schweigen zu bringen – Versuche, wie sie von ausbeuterischen Klassen, die am Ende ihres Lateins sind, ja immer unternommen zu werden pflegen, und immer mit dem gleichen Mißerfolge – reizten seinen bäuerlichen Trotz, und die Bewegung, die er wider seinen Willen und wider sein Wissen entfacht hatte, trieb ihn weiter und weiter. Er war weit mehr der Getriebene als der Treibende, aber er gewann einen bestimmenden Einfluß auf die Masse dadurch, daß er den Bauer nie über den Professor vergaß, daß er eine hinreißende und packende Sprache besaß, worin er alle seine Zeitgenossen übertraf, wie denn auch seine Verdienste um die deutsche Sprache seine bleibenden Verdienste geworden sind ...*
(Aus: Franz Mehring: Deutsche Geschichte vom Ausgange des Mittelalters)

(B) *Die Reformation war für Deutschland zunächst Luther. Sein Wille, seine geistige Richtung entschied. Die vielen bedeutenden Männer, welche der Humanismus gebildet hatte und die sich dann in den Dienst der Reformation stellten, mußten sich entweder ihm anschließen oder verschwanden neben ihm. Selbst Zwingli gelangte nur zu lokaler Wirkung: in ihm waren Humanismus und Reformation keine Gegensätze; er hoffte im Himmel den Sokrates, den Aristides, die Scipionen und andere fromme Heiden zu finden; er war schweizerisch nüchtern und praktisch, zuerst ein Sittenreiniger und dann erst Reformator; seine heitere Klarheit wußte nichts von inneren Kämpfen.*

Aus solchen Kämpfen hat dagegen Luther die Kraft gezogen, sich dem Papst und der alten Kirche entgegenzuwerfen und die Nation mit sich fortzureißen. Auch er hatte humanistische Bildungselemente in sich aufgenommen; aber er war kein Humanist ...

(Aus: Wilhelm Scherer: Geschichte der Deutschen Literatur)

(C) *Noch heute sehen viele in Luther nicht bloß den großen Lehrer unseres Volkes, sondern auch den Schöpfer der neuhochdeutschen Schriftsprache und Begründer unserer neuen Literatur. Dieser Auffassung, die die Bedingungen sprachlichen Wandels verkennt und die bewußte Einwirkung eines Einzelnen auf die Umgestaltung der Sprache überschätzt, hat die Wissenschaft freilich widersprechen müssen: nicht Wille und Sinn des einen Mannes haben das Bild der neuhochdeutschen Schriftsprache gestaltet, sondern nur die Vereinigung vieler triebreicher Kräfte erklärt uns das Geheimnis ihres Ursprungs ...*

Indem seine Bibelübersetzung das Ideal der vollen Spracheinheit gleichsam erst zu ahnendem Bewußtsein brachte, weist Luther in die Zukunft. Er weist in die Vergangenheit, insofern als er sprachliche Bestrebungen des 14. und 15. Jahrhunderts fortgesetzt und die Versuche dieser Epoche, die Bibel zu verdeutschen, mit einer bewundernswerten Leistung zum Abschluß gebracht hat.

(Aus: Georg Berlit: Martin Luther, Thomas Murner und das Kirchenlied des 16. Jahrhunderts)

(D) *Luther stellte sich mit seinem reformatorischen und politischen Wirken an die Seite der Fürsten und enttäuschte damit die Erwartungen des Volkes, das von ihm den Aufruf zur Befreiung nicht nur von geistlicher, sondern auch von weltlicher Bedrückung erwartete. Als die Ideen der Reformation von Thomas Müntzer bis zu jenen Konsequenzen weitergeführt wurden, vor denen Luther zurückschreckte, verfaßte der Reformator sein an die Fürsten gerichtetes Sendschreiben „Wider die räuberischen und mörderischen Rotten der Bauern" (1525). Damit trennte er sich von den revolutionären Kräften zugunsten einer kirchlich-religiösen Reformation, die auf den Schutz der Territorialfürsten angewiesen war. ...*

(Der) ungeheure Erfolg (der Bibelübersetzung) beruhte auf mehreren Voraussetzungen. Die Bibelübersetzung spielt zunächst eine Rolle als Kampfschrift im aktuellen politisch-religiösen Geschehen.

(Aus: Kurt Böttcher u. a., Kurze Geschichte der deutschen Literatur)

Gemeinsam sind allen Textproben (A) bis (D) die geschichts- bzw. literaturwissenschaftlichen – wie auch anderen gesellschaftswissenschaftlichen – Texten mit klassenrelevanten Inhalten eigene parteiliche, z. T. parteilich-expressive Ausdruckswahl, die Verwendung ausdrucksverstärkender Stilfiguren, der für wissenschaftliche Texte generell kennzeichnende Explizitheitsgrad bei der sprachlichen Formulierung logischer Zusammenhänge, die relative Häufigkeit charakterisierender und graduierender Adjektive und Modalwörter u. a. m. (vgl. RIESEL/SCHENDELS 1975, 292 ff., FLEISCHER/MICHEL 1979, 260 ff.). Durch weitere Textproben ließen sich diese im Kernbereich, im Zentrum des hier ausgewählten Subtyps wissenschaftlicher Texte liegenden Ausdrucksbesonderheiten zusätzlich belegen. Es handelt sich dabei um Stilmerkmale, die sich – jeweils in Bindung an den historischen Entwicklungsstand – aus der Funktion der Wissenschaft in der Gesellschaft generell und der Funktion der Geschichts- bzw. Literaturwissenschaft mit ihren besonderen Gegenständen, Erkenntnisinteressen und Vermittlungsweisen speziell erklären lassen.

Neben diesem relativ Konstanten in der Entwicklung der Gegenwartssprache zeigt sich in den Textproben aus der Zeit um 1900 – aus heutiger Sicht – stilistisch Veraltetes bzw. Veraltendes, jedoch nur zum Teil, d. h. nicht in allen Textproben in gleicher Ausprägung. Als typisch für funktionalstilistisch Veraltetes können Textstellen aus (C) angeführt werden bzw. aus der Ganzschrift, dem (C) entnommen wurde: *zu ahnendem Bewußtsein brachte; dem durchbrechenden Ansehen der Muttersprache; die Muttersprache ... folgte ... bald willig seinem leisesten Winke.* Es sind Ausdrucksweisen, die um die Jahrhundertwende offenbar akzeptabel waren, denn die in der G. F. Göschen'schen Verlagshandlung erscheinenden einschlägigen Veröffentlichungen gehören in den Kreis des Gesellschaftlich-Repräsentativen: Als zeitgebunden, als überholt auch in der z. T. noch heute feststellbaren Tendenz zu expressiver, gehobener Ausdrucksweise vieler Gesellschaftswissenschaften zu bewerten sind die Art des Sprachpathos, der im Sprachlichen signalisierte geringe Theoretisierungsgrad und auch die Häufung, die Dichte metaphorischer Wendungen im wissenschaftlichen Text.

Zur Erhärtung dieser hypothetisch zu verstehenden Fixierung von Stilmerkmalen (Stilzügen) zurückliegender Wissenschaftstexte wären weitere Belege heranzuziehen. Als Hintergrund zur Kennzeichnung von Entwicklungstendenzen in der Gegenwartssprache auf dem entsprechenden Tätigkeitsgebiet mögen diese Hinweise vorerst genügen, auf anderes wird noch verwiesen werden. Zumindest lassen sich folgende Feststellungen hinsichtlich funktionalstilistischer Besonderheiten treffen:

a) Grad der Terminologisierung:

Mit zunehmender Theoriebildung, theoretischer Durchdringung einer Wissenschaftsdisziplin im Entwicklungsprozeß der Wissenschaften (philosophische Fundierung der Gesellschaftswissenschaften, Herausbildung von Grundlagendisziplinen wie Methodologie der Geschichtswissenschaft, Literaturtheorie u. ä.) verändert sich auch die Sprache der entsprechenden Gesellschaftswissenschaften. Kennzeichnend für diesen Prozeß sind Kategorienbildungen, die Herausbildung von Terminologiesystemen, die Zunahme expliziter Definitionen und wissenschaftlich begründeter Wertsetzungen, was seinen sprachlichen Ausdruck im Verwenden von (gesellschaftswissenschaftlichen) Fachwörtern, in Definitionsformulierungen, in der Verankerung von Wertbegriffen (Wertwörtern) in wissenschaftlich ausgearbeiteten Wertsystemen findet. Insofern ist die Sprache, der Sprachstil einer Textprobe nicht einfach auf punktuelle Erscheinungen, auf einzelne Wörter, Wendungen und Konstruktionen hin zu prüfen, sondern im Zusammenhang mit den dahinterstehenden semantischen und pragmatischen Explikationen zu sehen, wie sie z. B. in der mit der Wissenschaftsentwicklung zunehmenden Zahl an Fachwörterbüchern und theoriebetonten Monographien vorliegen. So ist mit den Wertwörtern in dem Satz aus Text (D) *Damit trennte er sich von den revolutionären Kräften zugunsten einer kirchlich-religiösen Reformation* das Gesamtsystem der Begriffsbestimmungen von *revolutionär* und *kirchlich-religiöser Reformation* im Bezugsrahmen der marxistischen Gesellschaftswissenschaften in Verbindung zu bringen.

b) Art der Metaphorisierung:

In einem engen, unmittelbaren Zusammenhang mit dem unter a) Gesagten steht die Tendenz, metaphorische Ausdrucksweisen durch stärker semantisch-rational orientierte Bezeichnungen zu ersetzen. Metaphorik (im weiteren Sinne) ist dem Wissenschaftstext nicht fremd, weder früher noch heute (vgl. LINGUISTISCHE UNTERSUCHUNGEN ZUR SPRACHE DER GESELLSCHAFTSWISSENSCHAFTEN 1977), selbst in natur- und technikwissenschaftlichen Texten. Metaphorische Ausdrucksweise kann die Funktion von Analogien, eidetischen Unterstützungen, kreativen Impulsen, wissenschaftspropagandistischen Wirkungen haben. Unter diesen und weiteren Gesichtspunkten sind die Aufnahme in das terminologische System und die heutige Gängigkeit solcher Ausdrücke in der modernen Literaturwissenschaft zu sehen wie *Produktion, Rezeption, Gestus, lyrisches Subjekt*, ist die Gegenstandsangemessenheit in der oft expressiven Rhetorik der heutigen Gesellschaftswissenschaften im Unterschied zur ebenfalls expressiven Rhetorik zurückliegender Etappen zu bewerten. Hinweise in dieser Richtung gibt speziell ein Vergleich der Textproben (B) und (D). In beiden Fällen handelt es sich um die Textsorte „Literaturgeschichte im Überblick", und insofern ist ein Vergleich legitim. (B) ist in hohem Grade metaphorisch: *Die Reformation war … Luther. – (Zwinglis) heitere Klarheit wußte nichts von inneren Kämpfen. – Aus solchen Kämpfen hat … Luther die Kraft gezogen, … die Nation mit sich fortzureißen.* Eine derartige Metaphorik ist für das gegenwärtige Deutsch im Rahmen der genannten Textsorte nicht mehr in gleichem Grade charakteristisch.

(c) Anteil der Nominalisierung:

Die Nominalisierung gehört zu den auffälligsten Entwicklungstendenzen der deutschen Gegenwartssprache; die einzelnen Textsorten haben daran unterschiedlichen Anteil. Um die Jahrhundertwende wird die Substantivierungstendenz von WUSTMANN vor allem im Bereich von Gesetzestexten beobachtet und kritisiert: „Namentlich in unsrer Gesetz- und Verordnungssprache spielt dieser Fehler (als Störung eines „fließenden Stils" – G.M.) eine große Rolle; Tausende von Bekanntmachungen, Verordnungen, Warnungen und Verboten, aber auch die einzelnen Punkte von Tagesordnungen und Protokollen fangen gewöhnlich gleich mit einem Verbalsubstantiv oder einem substantivierten Infinitiv an und quälen dann sich und die Leser mit allem, was darauf folgt." (WUSTMANN 1903, 322) Der rationale Kern, aber auch das Überzogene an der Kritik WUSTMANNS wie überhaupt das Problem der Substantivierungen im Deutschen ist inzwischen vielfältig in der Fachliteratur behandelt worden. Wie unsere Stichproben (A) bis (D) zeigen, läßt sich ein gewisser Unterschied zwischen den Textproben um 1900 (A) bis (C) und der Textprobe (D) wahrnehmen. Dabei ist hervorzuheben, daß (D) durchaus kein typischer Fall für eine stark nominalisierte Ausdrucksweise ist. Zu nennen sind *(er) stellte sich mit seinem ... Wirken; (er) enttäuschte ... die Erwartungen; den Aufruf zur Befreiung ... von Bedrückung; beruhte auf Voraussetzungen; die Bibelübersetzung ... im aktuellen Geschehen.* Stellenweise finden sich derartige Substantivierungen aber auch in den Textproben (A) bis (C), z. B. in (C): *die bewußte Einwirkung eines Einzelnen auf die Umgestaltung der Sprache.* Der Ausprägungsgrad der nominalen Ausdrucksweise innerhalb der generellen Nominalisierungstendenzen der deutschen Gegenwartssprache ist stark abhängig von den Kommunikationsgegenständen und Kommunikationsverfahren eines Textes/einer Textsorte. Überblicksvergleiche lassen leicht erkennen, daß – verständlicherweise – die Nominalisierung in wissenschaftstheoretischen Darstellungen viel stärker ausgeprägt ist als in empirisch beschreibenden; siehe etwa folgendes Satzbeispiel aus einer literaturtheoretischen Monographie:

> *Mit der Entscheidung für die Verwendung bestimmter Kunstmittel und ihrer Entwicklung in einem System bildhafter Zeichen entwickelt jede Methode zugleich ihr Verhältnis zu den stilbildenden Möglichkeiten literarischen Schaffens.*
> (Aus: Die literarische Methode. Struktur und Probleme. Autorenkollektiv unter Leitung von Günter Walch).

2.3.3. Ausgewählte Entwicklungserscheinungen in der Sprache des institutionellen Verkehrs

Mit dem Begriff „Sprache des institutionellen Verkehrs" soll exemplarisch ein wesentlicher Teilbereich der in der Funktionalstilistik häufig als Sprache/Stil des öffentlichen gesellschaftlichen Verkehrs bezeichneten Sphäre erfaßt werden. Berücksichtigt werden Äußerungsweisen, die folgende Merkmale aufweisen:

– ‚institutionell', d. h. von staatlichen Instanzen, gesellschaftlichen Organisationen und Einrichtungen, privaten Firmen und Gewerbetreibenden ausgehend oder an sie gerichtet;
– ‚offiziell', d. h. amtlichen, verbindlichen, rechtsgültigen Charakter tragend;
– ‚öffentlich', d. h. für einen Personenkreis gedacht, bei dem die Ausdrucksweise nicht auf betont interne Fachsprachlichkeit beschränkt bleibt.

Es handelt sich also um Texte solcher Art wie Gesetzestexte, Bekanntmachungen, Geschäftsbriefe, Anträge, Beschwerden, Einladungen, Entschuldigungen. Um einen Teilausschnitt aus dem Gesamtbereich des Funktionalstils des öffentlichen Verkehrs handelt es sich insofern, als hier nicht alltagssprachliche Erscheinungen berücksichtigt werden, wie sie etwa für manche Einkaufsgespräche, für Privatbriefe oder für andere Situationen ohne das Merkmal ‚offiziell' kennzeichnend sein können.

Die in diesem Sinne verstandene Sprache des institutionellen Verkehrs ist in der Vergangenheit wie in der Gegenwart häufig Gegenstand kritischer Überlegungen gewesen und gibt auch immer wieder Anlaß zur Auseinandersetzung. Für die Bewertung bestimmter sprachlicher Erscheinungen ist die Normfrage entscheidend, die Beachtung der Frage, was im Rahmen der komplizierten sozialhistorischen Gesamtbedingungen in zurückliegender Zeit im Prinzip üblich war und akzeptiert wurde, heute dagegen als veraltet oder gar pejorativ als schablonenhaft, schwülstig, papiern gilt. Erscheinungen eines deutlichen Normwandels sind u. a.:

– Titelgebungen

Die „Chronologische Übersicht der im Reichs-Gesetzblatt vom Jahre 1883 enthaltenen Gesetze, Verordnungen u. s. w." (Reichs-Gesetz 1883. Nr. 1 bis einschl. Nr. 28 Berlin, zu haben im Kaiserlichen Post-Zeitungsamt. S. III–VI) gibt ein repräsentatives Beispiel für die Titelformulierung von Gesetzestexten in den 80er Jahren des vorigen Jahrhunderts und eine gute Vergleichsmöglichkeit mit entsprechenden Formulierungsweisen der Gegenwart. Kennzeichnend ist zunächst – wie in heutigen Gesetzestexten – die als Eröffnungssignal fungierende textsortenspezifische Nomination: *Auslieferungsvertrag zwischen ..., Übereinkunft zwischen ..., Freundschafts-, Handels- und Schiffahrtsvertrag zwischen ..., Verordnung ..., Bekanntmachung ..., Gesetz ..., Allerhöchster Erlaß ...* Auffällig dagegen, weil heute nicht mehr üblich und normgerecht, ist die Anknüpfung mit *betreffend* in weit über 90 % bei der Explikation des jeweiligen Inhalts des Gesetzes, der Verordnung, der Bekanntmachung usw.:

> *Übereinkunft zwischen dem Deutschen Reich und Oesterreich-Ungarn, betreffend die gegenseitige Zulassung der an der Grenze wohnhaften Medizinalpersonen zur Ausübung der Praxis*
> *Bekanntmachung, betreffend die Einlösung der Banknoten der Chemnitzer Stadtbank*
> *Verordnung, betreffend die Außerkraftsetzung der §§ 2 und 3 der Verordnung vom 1. Mai 1882 über die Verwendung giftiger Farben*
> *Gesetz, betreffend die Feststellung des Reichshaushalts-Etats für das Etatsjahr 1883/84*

Charakteristisch für die Gegenwartssprache dagegen ist die kürzere präpositionale Verbindung zwischen der eröffnenden Textsortenbezeichnung und der thematischen Explikation:

> *Gesetz über die planmäßige Gestaltung der sozialistischen Landeskultur in der Deutschen Demokratischen Republik – Landeskulturgesetz – vom 14. 5. 1970*

Anordnung über die Personenbeförderung durch den Kraftverkehr, Nahverkehr und die Fahrgastschiffahrt – Personenbeförderungsordnung (PBO) – vom 18. 3. 1973
Verordnung über die Gewährung und Berechnung von Renten der Sozialversicherung – Rentenverordnung – vom 4. April 1974
Erste Durchführungsbestimmung zur Rentenverordnung vom 4. April 1974

Attributive Kettenbildung kürzerer oder längerer Art, Verwendung von Verbalabstrakta auch in gehäufter Form, eine sprachlich entfaltete Fixierung des Textthemas im Texttitel sind für die Überschriftenformulierung nach wie vor kennzeichnend, allerdings verbunden mit der Tendenz zur sprachökonomischen Entlastung: von der Partizipialkonstruktion ..., *betreffend* ... zum einfacheren Präpositionalanschluß; Einfügen einer Kurzform in die offizielle Langform der Titelbildung *(Landeskulturgesetz, Personenbeförderungsordnung, Rentenverordnung)*; Vermeidung superlativischer Attribute bei der Textsortenbenennung *(Allerhöchster Erlaß).* (Zur sprachlichen Gestaltung einschlägiger Textsorten der Gegenwart siehe KESSLER 1982 sowie GRUNDFRAGEN DER KOMMUNIKATIONSBEFÄHIGUNG 1985, S. 50 ff.; dort weitere Literaturangaben.)

– Eröffnungs- und Abschlußformeln
Historisch zu erklären aus dem Klassencharakter der Gesellschaftsordnung, damit verbundenen sozialen Traditionen und Ansprüchen ist die Spezifik von Eröffnungsformeln, Präambeltexten und Einführungen in Textsorten des institutionellen Verkehrs. Zu den typischen Entwicklungserscheinungen gehört der Wegfall monarchistisch bedingter Floskeln, z. B.:

> *Wir, Wilhelm, von Gottes Gnaden Deutscher Kaiser, König von Preußen ...*
> *verordnen im Namen des Reichs, nach erfolgter Zustimmung des Bundesraths und des Reichstags, was folgt: ...*
> (Reichs-Gesetzblatt 1883. Nr. 1 bis einschl Nr. 28. Passim)

bzw. der Abbau hochgradiger Akzentuierungen in Ausdrucksweisen der Achtungs- und Höflichkeitsbekundungen, z. B. im diplomatischen Dokument der „Übereinkunft zwischen Deutschland und Frankreich, betreffend den Schutz an Werken der Literatur und Kunst. Vom April 1883.":

> *Seine Majestät der Deutsche Kaiser, König von Preußen, im Namen des Deutschen Reichs, und der Präsident der Französischen Republik, gleichmäßig von dem Wunsche beseelt, in wirksamer Weise in beiden Ländern den Schutz an Werken der Literatur und Kunst zu gewährleisten, haben den Abschluß einer besonderen Übereinkunft zu diesem Zwecke beschlossen und zu Ihren Bevollmächtigten ernannt, nämlich: ...*
> *welchem nach gegenseitiger Mittheilung ihrer in guter und gehöriger Form befundenen Vollmachten, folgende Artikel vereinbart haben: ...*
> (Reichs-Gesetzblatt 1883. Nr. 20)

Entsprechendes gilt für Anreden und Einleitungen in offiziellen Briefen der bürgerlichen Gesellschaftsordnung:

> *Ew. Exzellenz,*
> *Hochzuverehrender Herr Reichspräsident,*
> *Gleich Eurer Exzellenz durchdrungen von heisser Liebe zum deutschen Volk und Vaterland, haben die Unterzeichneten die grundsätzliche Wandlung, die Eure Exzellenz in der Führung der Staatsgeschäfte angebahnt haben, mit Hoffnung begrüsst. Mit Euer Exzellenz bejahen wir die Notwendigkeit einer vom parlamentarischen Parteiwesen unabhängigeren Regierung, wie sie in dem von Eurer Exzellenz formulierten Gedanken eines Präsidialkabinetts zum Ausdruck kommt ...*
> (Eingabe von Spitzenvertretern der deutschen Wirtschaft und des Großgrundbesitzes an den Reichspräsidenten Paul von Hindenburg vom November 1932)

Die gleiche stilistische Höhenlage ist für Textabschlüsse charakteristisch, z. B.:

> *Eure Majestät beehre ich mich hiernach alleruntertänigst zu bitten, die angeschlossene Ausfertigung des Gesetzes gegen die gemeingefährlichen Bestrebungen der Sozialdemokratie Allergnädigst vollziehen zu wollen.*
> *(Unterschrift)*
> (Immediatbericht des Reichskanzlers Otto von Bismarck über die Vorlage des „Sozialistengesetzes" vom 21. Oktober 1878)

> *In kollegialer Hochachtung und mit besten Empfehlungen*
> *Ihr sehr ergebener*
> *(Unterschrift)*
> (Brief des Reichsaußenministers Gustav Stresemann an den Vorsitzenden der Sozialdemokratischen Partei, Hermann Müller, vom 30. Juli 1927)

Neben diesen stilistisch schmuckreichen Formen stehen – in anderer gesellschaftlicher Konstellation – stilistisch-sachliche Ausdrucksweisen, z. B.

> *An die Reichskanzlei, Genossen Ebert.*
> *Werter Genosse!*
> *Wir haben Dich ersucht, die bereits bekannte Proklamation vom 11. November auch seitens der Reichsregierung gegenzuzeichnen ...*
> *Wir bitten dringend um Beschleunigung.*
> *Der Vollzugsrat*
> *des Arbeiter- und Soldatenrats*
> *(Unterschriften)*
> (Schreiben des Vollzugsrates der Arbeiter- und Soldatenräte an den Vorsitzenden des Rates der Volksbeauftragten, Friedrich Ebert, vom 14. November 1918)

Auf dem Hintergrund dieser Stilmerkmale in der Sprache des institutionellen Verkehrs um die Jahrhundertwende und vergangener Jahrzehnte ist eine Tendenz zur Versachlichung, zur Entlastung von stilistisch-ornamentalen Floskeln im gegenwärtigen Deutsch zu erkennen, ohne daß damit das Spektrum zwischen hochoffizieller, feierlicher, formbetonter Ausdrucksweise einerseits und den Alltagsformen der behördlichen Kommunikation andererseits eingeengt oder nivelliert würde. Mobilisierendes Pathos, Ehrerweisungen, betonte Höflichkeitsformen (z. B. in Anreden: *Hochverehrter Genosse Generalsekretär, Exzellenzen, Magnifizenzen, Meine Damen und Herren Professoren, Genosse Professor, Genosse Vorsitzender*) sind ebenso anzutreffen – in Abhängigkeit von der kommunikativen Situation und der Textsorte – wie schlichtere Formen (*Sehr geehrter Kollege, Werter Kollege, Lieber Kollege/Genosse/Herr …, Genosse Rektor* usw.). (Vgl. hierzu auch die „Musterbriefe" im DUDEN 1985, 262 ff. oder auch die text- und stillinguistischen Orientierungen für offizielle Schreiben und Gesprächsweisen, wie sie in der allgemeinbildenden Schule gelehrt werden.) Innerhalb dieser Pole gibt es Abstufungen:

> *Werter Herr Vorsitzender!*
> *Ich habe die Ehre, den Empfang des Schreibens Ihrer Exzellenz vom 1. August 1985 zu bestätigen*
> …
> *Nehmen Sie, Exzellenz, die Versicherung meiner ausgezeichneten Hochachtung und meine besten Wünsche für gute Gesundheit und Wohlergehen sowie für noch besseres Gedeihen Ihres Landes und Volkes unter Ihrer hervorragenden Führung entgegen.*
> (ND 1985)

> *Verehrter Herr Bürgermeister!*
> *Der 40. Jahrestag des Atombombenabwurfs auf Nagasaki ist mir Anlaß, Sie und alle Bürger Ihrer leidgeprüften Stadt der engen Verbundenheit des Volkes der Deutschen Demokratischen Republik zu versichern*
> …
> *Gestatten Sie mir, verehrter Herr Bürgermeister, Ihnen und den Bürgern Ihrer Stadt alle guten Wünsche für eine friedliche und glückliche Zukunft zu übermitteln.*
> (ND 1985)

– Satzgestaltung

Zur Satzgestaltung der Texte im institutionellen Bereich in älterer wie neuerer Zeit gibt es zahlreiche linguistische, sprachkritische und auch normativ orientierte Arbeiten, in denen gutes und schlechtes „Amtsdeutsch" charakterisiert wird. Im Mittelpunkt stehen dabei gesellschaftlich bedingte Einstellungsfragen hinsichtlich der Funktion offizieller Instanzen in der Öffentlichkeit sowie Verstehensprobleme, also Fragen der „Bürokratisierung" oder „Demokratisierung", der „Aufblähung" oder „Vereinfachung" sprachlicher Formulierungen. An konkreten Erscheinungen wird dabei häufig folgendes kritisiert: der verständniserschwerende lange Satz, insbesondere der Schachtelsatz, die Nominalisierung durch Streckformen und schwerfällige Wortbildungen, die Verwendung von Sprachklischees mit der Stilfärbung ‚papierdeutsch‘, stilistisch „verquälte Fügungen" (KOELWEL 1954, 238) u. a. m. (vgl. entsprechende Sprachurteile etwa bei BECKER 1884, WUSTMANN 1903, MEYER 1906, ENGEL 1919, RIESEL 1970, FLEISCHER/MICHEL 1979, LUDWIG 1983). Bestrebungen um bürgernahe, dem jeweiligen Adressatenkreis der Öffentlichkeit verständliche und somit prinzipiell kommunikativ wirksame Ausdrucksweise sind gleichermaßen, wenn auch mit unterschiedlicher Funktion und Wirksamkeit, im bürgerlichen und im sozialistischen Gesellschaftssystem zu verzeichnen; vor einer kurzschlüssigen Gleichsetzung von Gesellschaftsordnung und Sprachwandel ist zu warnen. So finden sich in den durchgesehenen Quellen um 1900 und der ersten Jahrzehnte nach 1900 in Gesetzestexten durchaus auch der relativ kurze Satz, die gemäßigte Nominalisierung, die sprachstilistisch eingängige Formulierung, die einfache Überschaubarkeit der Textarchitektonik, z. B.:

> *I. Einrichtungen, die über die von der Telegraphenverwaltung festgesetzte Regelausstattung der Anschlüsse hinausgehen, sind Zusatzeinrichtungen. Sie sind gewöhnlich nur auf dem Grundstück der Sprechstelle zulässig, zu der sie gehören.*
> *II. Die Gebühren für die reichseigenen Zusatzeinrichtungen auf dem Grundstück der Sprechstelle betragen jährlich:*
> *1. für einen Wechselschalter …*
> *2. für einen zweiten Fernhörer gewöhnlicher Art …*
> *3. …*
> *…*
> *Brustmikrophone und Handapparate (Ziffer 5 und 7) werden nur in Nebenstellenanlagen in Verbindung mit Wechselschaltern zugelassen.*
> *Die Kosten der Stromversorgung, die beim Betriebe von Weckern in Verbindung mit Fallscheiben (Ziffer 10) erwachsen, haben die Teilnehmer zu tragen.*
> *…*
> (Aus: Die Fernsprechordnung. Vom 25. August 1921. In: Reichs-Gesetzblatt. 1929. Ausgegeben zu Berlin, den 30. August 1921. Nr. 89)

Eine signifikante Veränderung gibt es hinsichtlich der Spannweite des prädikativen Satzrahmens; so kann folgende Satzgestaltung heute nicht mehr als typisch angesehen werden:

> *Sofern nicht das Gegenteil von dem Antragsteller ausdrücklich erklärt wird, läßt die Unterschrift des Antragstellers oder seines Beauftragten unter Urkunden jeder Art, welche die Rückgabe der Güter, Rechte und Interessen an ihn unmittelbar betreffen, gleichgültig, ob sie vor oder nach der Unterzeich-*

nung dieses Abkommens abgegeben ist, die Rechte auf Entschädigung, wel-
che dem Antragsteller nach den Bestimmungen des Friedensvertrages von
Versailles zustehen könnten, vollkommen unberührt.
(Aus: Deutsch-britisches Abkommen über die Durchführung des Ab-
schnittes IV von Teil X des Friedensvertrages. In: Reichs-Gesetzblatt.
1921. Ausgegeben zu Berlin, den 4. Juli 1921. Nr. 67)

Eine derartige Ausdehnung der Satzklammer ist durchaus nicht statistisch do-
minierend gegenüber weniger starken Rahmenfüllungen – auch der verkürzte
Satzrahmen ist zu registrieren –, aber er ist im Unterschied zum heutigen
Deutsch in älteren Texten erwartbar.

Kaum eine Veränderung scheint es in der Spannweite des nominalen Rahmens im Vorfeld des Aussagesatzes zu geben. Innerhalb der Breite des Spektrums an Erscheinungen (knapper Satz/langer Satz/parataktische Fügung/hy-
potaktische Fügung, Einwortbesetzung/Mehrwortbesetzung des Vorfeldes)
gehört die „Kopflastigkeit" des Satzes durch eine starke Ausfüllung des Vorfeldes zum Typischen in älteren und neueren Texten, so auch in unseren gegenwärtigen Gesetzestexten:

Ein Bürger, der zum eigenen Schutz oder zur dringenden Hilfeleistung für
andere Personen in angemessener Weise bewegliche Sachen, Grundstücke
oder Gebäude anderer benutzt oder auf sie einwirkt, um dadurch eine unmit-
telbar drohende Gefahr für Leben und Gesundheit oder für erhebliche Sach-
werte abzuwehren, handelt nicht rechtswidrig.
(Zivilgesetzbuch der DDR. Berlin 1975, § 355)

2.3.4. Ausgewählte Entwicklungserscheinungen
in der Sprache des Journalismus

Nachdem in den vorangegangenen Abschnitten Prinzipien und Zugänge für das
Erfassen funktionalstilistischer Entwicklungstendenzen umrissen worden sind,
soll in stark raffender Weise noch auf einige Erscheinungen im Bereich des
Journalismus hingewiesen werden.

Eine der bestimmenden Besonderheiten ist die gewaltige Ausbreitung und
Differenzierung der journalistischen Medien in den vergangenen hundert Jahren. Zur Entwicklung der Printmedien (Zeitungen, Zeitschriften, Werbekataloge
usw.) tritt die Entfaltung der neueren Medien Rundfunk und Fernsehen, verbunden mit Veränderungen herkömmlicher Genres (z. B. Nachrichten, Berichte,
Reportagen, Annoncen), der Herausbildung neuer Textsorten (z. B. Unterhal-
tungsgenres, Interviews, Sportreportagen) und einer z. T. erheblichen Textsor-
tenmischung (z. B. die Kombination von „Meldung", „Kommentar", „Anspra-
che", „Interview" u. ä. in „Nachrichten"sendungen des Fernsehens, die

spezifischen Kombinationen in Rundfunk-„Magazinen" usw.). Diese durch die Entwicklung der Produktivkräfte und der technischen Kommunikationsmöglichkeiten bedingten Prozesse sind weitgehend globaler Natur, sie werden aber auch entscheidend durch die jeweils bestehenden gesellschaftlichen Verhältnisse geprägt. Die in unterschiedlichen Gesellschaftsformationen und politischen Systemen jeweils unterschiedliche Funktion der Massenmedien wirken sich partiell bis in Sprache und Stil aus. Charakteristisch dafür ist u. a. die Herausbildung der „Boulevardpresse" – in Unterscheidung zur „seriösen" Presse – in den kapitalistischen deutschsprachigen Staaten. Als repräsentatives Beispiel solcher Art von Boulevardpresse ist auf die „Bildzeitung" des Springer-Konzerns zu verweisen, deren Kommunikationsmethoden, sprachliche Benennungsweisen und Stilprinzipien mehrfach beschrieben worden sind (vgl. MITTELBERG 1967, KLAUS 1971, LÜGER 1983, BURGER 1984). „Die Grundsätze journalistischer Ethik spielen in der Praxis dieser Blätter kaum mehr eine Rolle … Was und wie Wirklichkeit ist, mißt sich an der Perspektive des Blattes. Dieses Realitätssurrogat zerfällt kaleidoskopartig in Elemente, die nicht nach Prinzipien wie ‚Relevanz‘, ‚Sinn‘, sondern einzig nach dem Prinzip ‚Attraktivität‘ angeordnet sind. Einmal heißt die ‚fetteste‘ Schlagzeile auf der ersten Seite *Udo Jürgens: ‚Uneheliche Tochter‘ Millionenklage* (22:11.83) oder *Die Tote vom Spielplatz – eine Pfarrerstochter* (26. 11. 83), ein andermal *Raketen: Brandt verschlief Abstimmung* (24.11.83). Udo Jürgens, Brandt, Raketen, die Tote vom Spielplatz – das ist alles von gleichem Gewicht und austauschbar." (BURGER 1984, 99) Derartige – hier nur angedeutete – Stiltendenzen, für die „Manipulation als pervertierte Kommunikation" (MOTSCH 1972) sowie eine Hypertrophierung des Attraktivitätskriteriums kennzeichnend sind, sind dem Journalismus in der sozialistischen Gesellschaft wesensfremd.

Die prinzipielle Beachtung sozialökonomisch bedingter Differenzierungen immer eingeschlossen, soll im folgenden in aufzählender Weise auf einige Beobachtungen hingewiesen werden, die sich aus dem Vergleich älterer und neuerer Zeitungen ergeben. Vorausgesetzt werden dabei die Berücksichtigung genereller Entwicklungserscheinungen wie das Verhältnis von verbaler und nominaler Ausdrucksweise oder das Verhältnis von Gemeinsprachlichem und Fachsprachlichem, bei denen es sich um Erscheinungen handelt, die selbstverständlich auch die Textsorten des Journalismus betreffen.

In Nachrichtentexten zeigt sich ein auffälliger Unterschied in der Personenbezogenheit und in der Bezugnahme auf Ort und Zeit. Während für die heutige Presse die sachbetonte Verwendung der 3. Person und die Benennung lokaler und temporaler Sachverhalte durch Autosemantika charakteristisch ist, zeigt sich in älteren Nachrichtentexten die Tendenz, unter Bezug auf die Nachrichtenagentur und das Tagesdatum Bezeichnungsweisen zu gebrauchen wie *wir, unser, gestern, hiesig, dortig*:

Berliner Nachrichten
Berlin, 25. Juli

Die heutige fällige rheinische, französische und englische Post ist uns auch heute Abend ... noch nicht zugegangen ...
(National-Zeitung, Berlin 1870)

Die hiesige bulgarische Gesellschaft hat aus Sofia die Nachricht erhalten, daß ...
(Die Post, Berlin 1916)

Das dreifach geknebelte und unterdrückte Proletariat Ostpreußens muß die Forderungen unserer ostpreußischen Genossen zu den seinen machen ...
(Die Rote Fahne, 1921)

Standpunktmarkierungen, Wertungen, Parteilichkeit sind auch ein Wesensmerkmal der Nachrichten in der Gegenwart. Doch sie erfolgen meist nicht explizit ‚ich/wir'-bezogen auf der metakommunikativen Ebene der Nachrichtenagenturen, sondern über die sach- und wertungsorientierte Darlegung der Mitteilungsinhalte der jeweiligen Nachricht. Die 1. Person der (des) Nachrichtensprecher(s) tritt im allgemeinen nur in Sendungen des Rundfunks/Fernsehens auf, nicht in Pressenachrichten (etwa: *Soeben erreicht uns noch folgende Meldung: ...*; *Aus aktuellem Anlaß unterbrechen wir unsere Sendung und informieren über ...*).

Markante Entwicklungstendenzen im Funktionalstilistischen zeigen sich im Zusammenhang mit der Herausbildung neuer journalistischer Textsorten. Hierzu gehören beispielsweise Meldungen, Berichte, Reportagen zum Sachbereich des Sports, der in der Presse um die Jahrhundertwende nur eine untergeordnete Rolle spielte. „Nachrichten und Berichte über Sportwettkämpfe hatten ihren Platz in der Zeitung zunächst unter Rubriken wie ‚Vermischtes' oder ‚Lokales' und rangierten dort beispielsweise zwischen der Ankündigung eines Militärkonzertes und der ‚Witterung'" (NAIL 1983, 38). Es gab noch keine stilistisch „entfaltete" Sprache des Sportjournalismus:

Am gestrigen Sonntage nun begann Nachmittags 5 Uhr das Wettkampf-Fußballspiel ... Es fanden zwei Spiele von je 35 Minuten Dauer statt. Das erste blieb, trotzdem die Marburger mehrfach im Vortheil waren, nach Abschluß der Spielzeit unentschieden; in dem zweiten Spiele siegte Frankfurt, so daß also mit 1:0 das Endresultat zu bezeichnen ist. Beiden Vereinigungen aber muß übrigens das Zeugnis vorzüglichen Spielens vindicirt werden. Selbstverständlich hängt der Sieg oft von kleinen Zufälligkeiten ab. – Frankfurts Sieg wurde in üblicher Weise mit „Hip, hip, hurrah!' gefeiert und damit der Wettkampf beendet, der bei der hohen Temperatur des Tages nicht wenig Schweißtropfen erfordert hatte.
(Oberhessische Zeitung, 1896; zitiert nach Nail 1983, 39)

Demgegenüber steht die heute entwickelte Fachsprache bzw. der Fachtext des Sports mit einer großen und gerade auch im Journalismus hochgetriebenen Vielfalt an Termini, Jargonismen, Modewörtern und originären Bildungen. Der folgende „Stichwort"-Text soll dies in der Weise illustrieren, indem die Kette der für den zugrunde liegenden Sportbericht typisch konnotierten, stilistisch äquivalenten Ausdrücke aufgeführt werden:

> *– mit P. als Libero und mit K. als Vorstopper antreten – durch mannschaftliche Geschlossenheit bestechen – den geballten Willen spüren – mit stahlharten Schüssen aufwarten – sich um Konstruktivität bemühen – und vorn an den Ketten zerren – einen scharf getretenen Freistoß – strafstoßverdächtig sein – der nun druckvoll angreifende Gast – auch die tollsten Möglichkeiten der Leipziger zunichte machen – maßgerecht das Leder servieren –*
> (MV 1986)

Zunehmende Expressivität und stilistisch-kreativer Einfallsreichtum sind natürlich nicht auf den Sportjournalismus beschränkt, sondern gehören zu den Entwicklungstendenzen verschiedener Bereiche der Pressesprache: politische Kommentare, Kunstrezensionen, Modedarstellungen, Werbe- und Annoncentexte. Als abschließendes Beispiel hierfür sei kurz auf die Sprache der Annoncen verwiesen. Sie treten bekanntlich in sprachlich und graphostilistisch vielfältiger Gestalt auf und haben die Funktion, als private, geschäftliche oder institutionelle Mitteilung der öffentlichen Bekanntmachung oder der Werbung zu dienen. Diese Tatbestände sind auch für die Anzeigen der älteren Presse kennzeichnend, aber geändert haben sich die Art und der Grad der Ausdrucksmittel.

Zu berücksichtigen ist natürlich stets die Abhängigkeit der Annonceninhalte und -ausgestaltung vom sozialökonomischen und soziokulturellen Umfeld. Was im Anzeigenteil mitgeteilt bzw. worum und wie geworben wird, ist – analog anderen Kommunikationsbereichen – umstände- und zeitbedingt. In den Weltkriegs- und Nachkriegsjahren unseres Jahrhunderts stehen andere Gegenstände im Vordergrund als in Friedensjahren, kapitalistisch bedingtes Profitwesen motiviert „Reklame" anders, als Werbung im sozialistischen Wirtschaftsleben begründet ist. Weiterhin ist zu berücksichtigen, daß früher wie heute sowohl knapp gehaltene als auch ausführlich gestaltete Werbetexte, sowohl betont sachlich als auch expressiv geprägte Stilgebungen zu verzeichnen sind, daß es Anzeigen mit hohem wie auch mit weniger hohem „Werbeaufwand" gibt. Doch bei Beachtung aller dieser Erscheinungen in der Breite des Spektrums ist im heutigen Annoncenstil eine Zunahme an Okkasionalismen festzustellen. Typische Beispiele sind Heiratsanzeigen; mit Entwicklungen zur gesellschaftlichen Gleichberechtigung der Geschlechter und zur Überwindung hemmender Ressentiments in Fragen der Partnerwahl gehen spezifische Entwicklungen in der Kommunikation, in der Kontaktsuche und Sprachgebung einher, oft sehr originell:

> *Robinson, 31 Jahre, 1,80 m, sehr einsam, sucht liebevollen, zärtlichen, sportlichen und weiblichen Freitag ...*
> (Wopo 1985)

Aufgepaßt! Zwei Teufel: ... suchen, da Mangel an Gelegenheit, zwei süße
Engel ...
(Wopo 1985)

In Anzeigen zur Freizeitgestaltung finden sich als modern und attraktiv empfundene Ausdrücke aus dem relativ breiten Zustrom angloamerikanischer Entlehnungen:

> − *FDJ − Jugendtanz einmal anders im Jugendzentrum*
> *Musik vom Planwagen*
> *Folk- und Country-Musik life*
> *...*

am 4. April 1986

> *Power zum Abheben von 21 bis 3 Uhr*
> *...*

(MV 1986)

Derartige Beispiele ließen sich noch in großer Zahl aufführen. Die hier ausgewiesenen Belege kennzeichnen jedoch hinreichend die Entwicklungstendenz:
Entsprechend den jeweiligen gesellschaftlichen Bedürfnissen und Bedingungen
werden tradierte Textsorten„muster" übernommen, weitergeführt und variiert,
werden auch ältere Normen durchbrochen, und wenn es kommunikativ adäquat
erscheint, kommt es gerade in der Sprache der Presse zu verstärkter stilistischer
Expressivität, zu einer Fülle stilistischer Neologismen.

3 Entwicklungstendenzen in Wortschatz und Wortbildung

3.1. *Grundsätzliche Fragen der Wortschatzentwicklung*
3.1.1. Zum Begriff ‚Wortschatz‘
3.1.1.1. Einführendes

Für den Bestand der lexikalischen Einheiten einer Sprache ist traditionellerweise der Ausdruck *Wortschatz* üblich. HERDER spricht von einem „Vorrathshaus" von „zu Zeichen gewordenen Gedanken" und qualifiziert dies als „Gedankenschatz eines ganzen Volkes" (HERDER Bd.2, 13). Die Metaphorik wird heute mit der Auffassung des Wortschatzes als „eine Art Speicher ... zur langfristigen und kurzfristigen Aufbewahrung" intersubjektiv verfügbarer Zeichen fortgesetzt (PROBLEME DER SEMANTISCHEN ANALYSE 1977, 76). Diese „sprachlichen Zeichengestalten" werden von dem, was „im Bewußtsein, also ideell als Sprachbesitz repräsentiert" ist, eher reflektiert als die „Regeln, Bedingungen und Funktionen ihrer Verknüpfung" (RŮŽIČKA/MOTSCH 1983, 10). Hier wirken sich Entwicklungsprozesse der Gesellschaft am unmittelbarsten und auch für den Nichtfachmann am deutlichsten erkennbar auf die Sprache aus. Denn der Wortschatz ist ein System, „dessen innere Organisation durch die Gegenstände und Erscheinungen der Wirklichkeit, durch deren wechselseitige Zusammenhänge und Abhängigkeiten, die in den Bedeutungen widergespiegelt werden, determiniert wird" (PROBLEME DER SEMANTISCHEN ANALYSE 1977, 77).

Von „Entwicklung" (vgl. dazu grundsätzlich 1.2.2.) im Wortschatz läßt sich – grob gesagt – dann sprechen, wenn die Veränderungen dazu dienen, Konflikte zwischen dem überlieferten Zeichenpotential und neuen kommunikativen und kognitiven Bedürfnissen zu lösen. Doch mit Recht wird darauf hingewiesen, daß der strapazierte Ausdruck der „kommunikativen Bedürfnisse" (mit denen zusammen die „kognitiven Bedürfnisse" eine Einheit bilden) noch zu wenig reflektiert wird (vgl. SCHIPPAN 1984a). Sie lassen sich einerseits „aus den Erfordernissen und Bedingungen der Kommunikation" herleiten, aber „determinieren andererseits das sprachliche Handeln, das ‚Ziel‘ ihres Wirkens" (a.a.O., 13), und haben „einen gesellschaftlichen und einen individuellen Aspekt" (a. a. O., 15; vgl. auch SCHIPPAN 1983). Sie wirken sich nicht nur auf den Wortschatz aus, und die Erörterung der „Gesellschaftlichkeit" der Sprache darf sich nicht auf die lexikalischen Erscheinungen beschränken; die Sprache wird auch darüber hinaus „durch Bedingungen des sozialen Milieus geprägt" (HARTUNG 1981 c, 1304). Innerhalb der Lexik wiederum ist die Darstellung von Entwicklungsprozessen nicht mit der Erfassung von Neubildungen und Neubedeutungen erschöpft: „Man beweist ... nicht eigentlich Sprachwandel, wenn man Listen neuer Wörter aufstellt." (v. POLENZ, in: TENDENZEN 1983, 49)

Mit der Spezifik des vorstehend skizzierten Phänomens ‚Wortschatz' hängt es zusammen, daß der Ausdruck Wortschatz mehrdeutig ist. Er wird nicht nur in bezug auf die Gesamtheit einer Sprache gebraucht, sondern auch in bezug auf Gruppen und fachliche Bereiche (Sonder-, Fachwortschatz) oder Individuen (Wortschatz Goethes) – mit möglicher Kodifizierung in entsprechenden Wörterbüchern (über die Problematik eines „Grundwortschatzes" vgl. ROSENGREN 1976). Schließlich wird sogar vom Wortschatz einzelner Texte (literarisch-künstlerischer Werke, politischer Reden u. a.) gesprochen. Damit ist dann die tatsächlich in den betreffenden Texten realisierte Gesamtheit der lexikalischen Erscheinungen gemeint; der ‚Wortschatz' ist in diesen Fällen eine zahlenmäßig faßbare Größe. Es handelt sich dann nicht mehr um einen „Speicher" kommunikativ verwendbarer Zeichen, sondern um ein „Inventar" tatsächlich verwendeter Zeichen. Dieses Inventar umfaßt auch Wortstrukturen, die einmalig, individuell sind: Im Buchstaben A des Goethe-Wörterbuches stehen etwa 120 heimischen Simplizia 3 920 Wortbildungskonstruktionen gegenüber, die zu einem großen Teil nicht in den gesellschaftlich genutzten Wortschatz der deutschen Sprache zu Goethes Zeit eingegangen sind (vgl. MATTAUSCH 1982, 222). Ein Text-Wortschatz stellt im Hinblick auf das Sprachsystem als Ganzes andererseits die Realisierung nur eines Ausschnittes dar. Der Unterschied ließe sich terminologisch fixieren, indem man bezug auf ‚Wortschatz einer Sprache' von *Lexikon*, in bezug auf ‚Wortschatz eines Textes' von *Lexik* spräche (zur lexikographischen Grundlegung vgl. WIEGAND 1984).

3.1.1.2. ‚Wort', ‚Wortschatzelement' und kommunikative Tätigkeit

Wird der Wortschatz einer Sprache als „eine Art Speicher" (s. o.) gefaßt, dann können also nicht alle lexikalischen Erscheinungen, die in einem Text in der Struktur eines Wortes auftreten, Bestandteil dieses Wortschatzes sein, als „gespeichert" gelten. Wörter als Wortstrukturen können in jeder Äußerung beliebig gebildet werden und an diesen Text gebunden bleiben, ohne allgemein „gängig" zu werden: Es sind okkasionelle Bildungen, Okkasionalismen; keine realen, sondern allenfalls potentielle Wortschatzelemente der Sprache. Vgl. die Wortstrukturen *Für-Bewegung* und *Lächler* in den beiden folgenden Textausschnitten:

Doch die Friedensbewegung darf nicht nur als eine Gegen-Bewegung gesehen werden. Sie ist auch eine *Für-Bewegung*: global für wachsenden Wohlstand überall in der Welt ... (Wb 1984)

Aber sie sind keine oberflächlichen *Lächler*, die Probleme leichthin übergingen ... (ND 1984)

Aus diesem Grunde empfiehlt sich eine terminologische Unterscheidung von Wort und Lexem. Der Ausdruck Wort bezieht sich auf die besondere Wortstruktur, die morphosyntaktische Einheit des Wortes im Unterschied zur Wortgruppe. Der Ausdruck Lexem bezieht sich auf die Eigenschaft als gespeichertes Wortschatzelement einer Sprache. Zwischen beiden besteht keine Eins-zu-Eins-Beziehung: Das Wort kann Wortschatzelement sein, muß es aber nicht; das Lexem als Wortschatzelement kann die Struktur eines Wortes *(Grünschnabel)*, aber auch einer Wortgruppe haben (*grüne Welle* ‚hintereinander geschaltete Verkehrsampeln eines Straßenzuges').

Den Prozeß der „Aufnahme" von lexikalischen Einheiten in den „Wortschatz-Speicher", die Veränderung ihres Status von individuell-okkasionellen, textgebundenen Wort- oder Wortgruppenstrukturen zu sozial approbierten, übertextuellen Wortschatzeinheiten (Lexemen), die „kommunikationsgemeinschaftlich sanktioniert" sind (NEUBERT 1982, 21), bezeichnen wir als Lexikalisierung.

Im Falle komplexer lexikalischer Einheiten (Wortbildungskonstruktionen und Wortgruppen) hat dieser Prozeß zwei Seiten: Speicherung und Demotivation. Der Ausdruck Speicherung erfaßt den Sachverhalt, daß das betreffende sprachliche Zeichen als reproduzierbare lexikalische Einheit intersubjektiv verwendbar ist. Der Ausdruck Demotivation erfaßt den Sachverhalt, daß die konstruktionsinterne Beziehung der beiden unmittelbaren Konstituenten, die das Benennungsmotiv konstituiert, hinter ihrer Funktion als Etikett für eine Klasse von Gegenständen zurücktritt (vgl. z. B. die Wortbildungskonstruktion *Kindergarten*, für deren Verwendung heute die semantische Relation zu *Garten* keine besondere Rolle mehr spielt). Die Lexikalisierung stellt eine Einheit beider Teilprozesse dar; Speicherung ohne Demotivation (bestimmte Nominationsstereotype: vgl. FLEISCHER 1982, 63 ff.) bedeutet noch keine Lexikalisierung.

Die Lexikalisierung eines Ausdrucks, seine „Aufnahme in den Bestand der sozialen Norm", führt von einer „Initialphase" über eine „Verbreitungsphase" zur „Approbationsphase": „Mit dem Heraustreten aus dem Bereich der individuellen Variation und der Übernahme einer sprachlichen Kreation durch einen nächsten Sprecher wird der Weg zu einem soziolinguistischen Wandel eröffnet." (GROSSE/NEUBERT 1982, 10 f.) Der Ausdruck *buchenswert* ‚besonderer Aufmerksamkeit wert', von Th. Mann in seinem Roman ‚Lotte in Weimar' geprägt oder neu aufgegriffen („... welch buchenswertes Ereignis ..."), fehlt noch im WDG und DUDEN-GWB (wo das Verb *buchen* mit einem Semem ‚etwas Vorteilhaftes für sich, jemanden registrieren' kodifiziert ist). Er findet sich heute – in einer

„Verbreitungsphase"? – in Texten vorwiegend literaturwissenschaftlicher und ähnlicher Art, z. B.: Zwar ist Hacksens intensive Auseinandersetzung mit ihm [Schiller] noch immer *buchenswert* ... (So 1984)

Semantische und/oder strukturelle Merkmale können die Lexikalisierung hemmen oder begünstigen. Bevorzugt werden Wortstrukturen; Wortgruppenstrukturen treten demgegenüber zurück, und die Lexikalisierung von Satzstrukturen ist selten. Insofern läßt sich von einer Tendenz der U n i v e r b i e r u n g von Benennungen sprechen. So entstand die – zu Recht, aber erfolglos kritisierte – Bildung *Kinderkombination* (noch fehlend im WDG und DUDEN-GWB, aber registriert bei KINNE/STRUBE-EDELMANN 1980, 101 neben *Kinderkombinat*) durch „Verdichtung" (eben Univerbierung) aus der Wortgruppe *kombinierte Einrichtung Kinderkrippe und Kindergarten*, zunächst gekürzt zu *kombinierte Kindereinrichtung* (ND 1981). Auf dem Wege dieser Univerbierung entstandene Wortstrukturen sind – sofern keine weitgehende Demotivation eintritt – allerdings auch vielfach dekomponierbar, so daß sich von einer gegenläufigen Tendenz der D e k o m p o s i t i o n sprechen läßt. JEDLIČKA (1983, 56) stellt in diesem Sinne der Univerbierung gegenüber die M u l t i v e r b i e r u n g und faßt damit den Prozeß, daß „auf dem Hintergrund eines Benennungstyps (der Mehrwortbenennung oder der Einwortbenennung) synonymische Varianzmittel des entgegengesetzten Typs entstehen ..."; man vgl. das Nebeneinander von *alltägliches Leben – Alltagsleben, kulturelles Leben – Kulturleben, geistiges Leben – Geistesleben* u. a. Dem Kompositum *chemiewaffenfreie (Zone)* in der Überschrift steht die Wortgruppe *eine von chemischen Waffen freie (Zone)* im Text des entsprechenden Zeitungsartikels gegenüber (LVZ 1984). Neben dem geläufigen Kompositum *Arbeiter-und-Bauern-Staat* wird gehoben und stärker expressiv in entsprechenden Texten die Wortgruppe *Staat der Arbeiter und Bauern* gebraucht. Die Variation ist also nicht beliebig, sondern durch textstrukturelle und stilistische Gesichtspunkte bestimmt.

Die Tendenz der Univerbierung wird schließlich ergänzt durch eine Tendenz der P h r a s e o l o g i s i e r u n g (zu deren unbefriedigender lexikographischer Behandlung vgl. BURGER 1983), der Lexikalisierung von Wortgruppenstrukturen: *Messe der Meister von morgen* (abgekürzt *MMM*) ‚größte Leistungsschau junger Neuerer', *Held der Arbeit, (nicht) das Gelbe vom Ei* ‚(nicht) die beste Lösung', *den Hut aufhaben für etwas* ‚verantwortlich sein für etwas', *weg vom Fenster sein* ‚von der Öffentlichkeit nicht mehr beachtet, nicht mehr gefragt sein'. Dem Wechselspiel von Univerbierung und Multiverbierung (Dekomposition) entspricht es, wenn gegenläufig zur Phraseologisierung auch eine Tendenz der D e p h r a s e o l o g i s i e r u n g wirksam ist: als Univerbierung des ganzen Phraseologismus *(Gespräch unter vier Augen → Vier-Augen-Gespräch)* oder als Autonomisierung e i n e r Komponente (vgl. dazu FLEISCHER 1982, 213): „Der *Brust-Ton*, den die Sprache anzustreben scheint, verdorrt unter der erlernten Technik der Stimmbänder." (C. Wolf, Kindheitsmuster, Berlin und Weimar 1976, 9; nach dem Phraseologismus im *Brustton der Überzeugung*).

Die Bildung komplexer Benennungen (zu den Anforderungen an sie vgl.

SCHRÖDER 1982), insbesondere in der Struktur einer Wortgruppe aus Substantiv und adjektivischem Attribut, erregt bisweilen in sprachbewußten Kreisen aus verschiedenen Gründen Anstoß. So wird manchmal die Attributierung für „unnötig" gehalten, weil scheinbar – unter Umständen auch tatsächlich – die durch das Attribut ausgedrückten Merkmale bereits im Substantiv enthalten sind (also eine sogenannte tautologische Bildung vorliegt). Eine kritische Frage dieser Art rief z. B. zu Beginn der 60er Jahre die Bildung *friedliche Koexistenz* hervor (da nach Meinung des Fragers „Koexistenz" überhaupt nur „friedlich" denkbar sei: Sprachpflege 12, 1963, 172). Etwas später wurde die Prägung *kooperative Zusammenarbeit* zum Zielpunkt ähnlicher Kritik (vgl. DÖRING 1971). Wie sich zeigt, haben die Bedenken nicht verhindert, daß sich die entsprechenden Benennungen durchsetzten. Das ist als „dominierende Rolle des Sprachgebrauchs" (DÖRING 1977, 345) insofern anzusehen, als eben auch kommunikativ-pragmatische Faktoren wirksam sind, nicht nur lexikalisch-semantische. Das Attribut unterstreicht, hebt hervor, macht augenfälliger. Schließlich ist auch auf die Terminologisierung (dazu 3.1.1.3.) sowohl des Ausdrucks *friedliche Koexistenz* als auch eines Teils der Bildungen mit *Kooperation*- hinzuweisen, z. B. *Kooperationsgemeinschaft, kooperative Abteilung Pflanzenproduktion* (vgl. DÖRING 1971; KINNE/STRUBE-EDELMANN 1980, 111ff.).

Die dialektische Wechselbeziehung zwischen Wortschatz (= Lexikon) und kommunikativer Tätigkeit zeigt sich zum einen also darin, daß neue potentielle Wortschatzelemente in der Kommunikation geschaffen werden. Sie besteht zum anderen darin, daß die lexikalischen Einheiten bzw. ihre Bedeutungen, die Sememe, nicht als statische, fixe Größen im gesellschaftlichen Bewußtsein gespeichert sind, sondern als konzeptionelle Umrisse; sie stellen jeweils ein „komplexes, kommunikativ-pragmatisches Potential" dar (NEUBERT 1981, 15), sind „nicht einfache Wirklichkeitsabbilder, sondern kommunikative Instrumente" (a. a. O., 13), mit denen in konkreten Äußerungen unter dem Einfluß konkreter Kommunikationsbedingungen Bedeutungskomplexe aufgebaut werden, so daß die Verwendungsweise von Benennungen in bezug auf ihre Kombination im Text wie in bezug auf ihr Vorkommen in bestimmten Textsorten und Kommunikationsbereichen (näheres dazu bei W. HEINEMANN 1984) zu beachten ist. Darin können sich Veränderungen in der Sememstruktur und im „kommunikativen Stellenwert" (NEUBERT 1981, 14) anzeigen.

3.1.1.3. Terminus und Eigenname

Spezialfälle der Benennung sind Termini und Eigennamen (Onyme). Sie haben funktionale und formale Eigenheiten und sind vorwiegend an die Wortklasse Substantiv (substantivische Wortgruppen auch als Mehrwortbenennung) gebunden (Termini darüber hinaus in größerer Zahl auch als Verben).

Das Wesen des Terminus besteht in der – zumindest tendenziell – eindeutigen Festlegung auf eine Klasse von Objekten, einen Begriff. Daraus ergeben sich die „Fachbezogenheit" der Termini und eine spezifische Kontextunabhängigkeit. Unter „Fach(gebiet)" sind hierbei nicht nur wissenschaftliche Disziplinen, sondern auch ihre Anwendungsbereiche in Technik und Handel, in der Medizin, im Verkehrswesen und der Landesverteidigung, in der staatlichen und kommunalen Verwaltung, der Freizeitgestaltung, im kulturell-geistigen Leben, in Bildung und Erziehung zu verstehen. Was die Kontextunabhängigkeit betrifft, so ist davon auszugehen, daß der Effekt der Rationalisierung und Präzision fachsprachlicher Kommunikation an die textexterne Kenntnis der Termini gebunden ist.

Innerhalb bestimmter Anwendungsbereiche gewinnen Termini, die für die tägliche Arbeit bedeutsam sind, schnell allgemeine kommunikative Geltung. Dazu gehören in der DDR auch Termini aus der politischen Ökonomie des Sozialismus wie *Grund-, Umlauffonds, Produktivitätsverbrauch, sozialistische Betriebswirtschaft*, deren Kenntnis „über den Kreis von Leitung und Verwaltung hinaus verbreitet ist" (HERRMANN-WINTER 1974, 169f.). Termini wie *Reproduktionsprozeß* werden in bezug auf das eigene Tätigkeitsfeld erfaßt: für den technischen Leiter ‚Werterhaltung der Maschinen‘, für den Traktoristen ‚notwendige Reparaturarbeit‘ (a. a. O., 170).

Als dynamischer Zug kennzeichnet terminologische Systeme eine Tendenz der Synchronisierung von Benennungsmotivik und fortschreitendem Erkenntnisstand – freilich in unterschiedlicher Ausprägung auf den einzelnen Fachgebieten. In bestimmten Bereichen der Medizin werden beispielsweise „traditionell benannte Sachverhalte umbenannt ... bzw. auf Grund neuer wissenschaftlicher Betrachtungsweisen kognitive Umstrukturierungen ganzer Teilsysteme verbunden mit entsprechenden Neubenennungen vorgenommen" (WIESE 1984, 51).

Die Tendenz der Determinologisierung (Entterminologisierung), d. h. des nichtterminologischen und damit unscharfen, „bedeutungsweiten" Gebrauchs (vgl. auch 3.3.3.) ist besonders stark bei gesellschaftswissenschaftlichen Termini wie *Ideologie* (vgl. GEIER 1977), *Ausbeutung, Markt* u. a. Derartige Ausdrücke werden vielfach durch die Massenmedien popularisiert und können für kürzere oder längere Zeit zu Schlagworten werden (dazu 3.1.3.4.).

Eigennamen (Onyme) fungieren für einen begrenzten Teilbereich von Objektklassen und Objekten als zusätzliche Möglichkeit der Benennung, als „sekundäre" Benennung. Ihre besondere Funktion besteht darin, daß die Identifizierung eines Einzelobjekts durch einen Eigennamen nicht einer konkreten Kommunikationssituation bedarf, sondern unabhängig von ihr „vorgegeben" ist. Der Eigenname ermöglicht damit auf ökonomische Weise die Identifikation von Einzelobjekten entsprechender gesellschaftlicher Relevanz.

Die Eigennamen werden in vielen Fällen aus dem appellativischen Wortschatz gewonnen; es erfolgt eine Onymisierung *(Eisenhüttenstadt)*. Die sozialistische Gesellschaft der DDR hat auch auf diesem Gebiete z. T. neue Benennungsbedürfnisse hervorgebracht: Nach onymischer Benennung verlangen z. B.

die neuen Gemeindeverbände (vgl. HENGST 1976), die landwirtschaftlichen Produktionsgenossenschaften (vgl. NAUMANN 1963) und Produktionsgenossenschaften des Handwerks, und es entwickelt sich eine Tendenz zu speziellen Eigennamen für Verkaufsstellen des volkseigenen Handels, für Dienstleistungsbetriebe u. ä., da der Eigenname eines Besitzers gegenstandslos geworden ist.

Die Rolle des Eigennamens ist also nicht auf die Identifizierung von Einzelobjekten zu beschränken; hinzu kommt in vielen Fällen eine Wertung des benannten Gegenstandes (vgl. Eigennamen für Expreßzüge, Arbeitsbrigaden u. a.) und/oder des motivierenden Namenträgers (als vorbildhaft: *Wilhelm-Pieck-Universität Rostock*) und/oder des sozialen Verhältnisses zum Kommunikationspartner (als vertraulich z. B. beim Gebrauch von Spitz-, Scherznamen).

Schließlich bereichert die kommunikative Nutzung der Wechselbeziehung zwischen Eigennamen und Appellativa die sprachlichen Gestaltungsmöglichkeiten, und die Verflechtung von appellativischen und onymischen Benennungseinheiten kann ein wichtiger Rationalisierungsfaktor in der Benennungspraxis sein; vgl. z. B. Komposita des Typs *Helsinki-Prozeß* mit einem metonymisch gebrauchten Eigennamen, der sich auf die erstmalig in Helsinki 1975 veranstaltete Konferenz für Sicherheit und Zusammenarbeit in Europa bezieht. Damit ist bereits eine Deonymisierung (Entonymisierung) eingeleitet: die Anreicherung eines Eigennamens mit appellativischen Bedeutungselementen und der Übergang zum Appellativum, vgl. z. B. *Quisling* (norwegischer Faschistenführer, 1887–1945) ‚Kollaborateur' (fehlt im WDG, aber verzeichnet im DUDEN-GWB und BROCKHAUS-WAHRIG). Im Spannungsfeld von Onymisierung und Deonymisierung bewegen sich auch die Benennungen von Waren, von Auto- und Flugzeugtypen und dgl. Sie sind für den Alltagsverkehr charakteristisch: *der Trabant, der Wartburg, der Wolga, der Lada, der Opel, der Mercedes.*

Ein besonderes Problem onymisch/deonymischer Wechselbeziehung bilden heute die komplexen Benennungen mit dem Adjektiv *deutsch*. Die politische Entwicklung hat zu einer Differenzierung in bezug auf Staat, Politik, Wirtschaft, Nation geführt, nicht in gleicher Weise aber in bezug auf Nationalität, Sprache und dgl. Die Verhältnisse werden noch weiter dadurch kompliziert, daß *deutsch* ja verwendbar bleiben muß auch für die Situation vor 1945, ohne daß dieser historische Bezug jedesmal eigens expliziert werden kann. Nicht in jeder Kombination des Adjektivs *deutsch* wird ohne weiteres sichtbar, was W. LAMBERZ feststellt: „In dem Begriff, der unsere neue nationale Realität zum Ausdruck bringt, sozialistische deutsche Nation, hat das Adjektiv deutsch durch seine Bindung an das sozialistische eine neue Qualität gewonnen. Alles Reaktionäre, das ihm anhaftete, konnte abgestreift, alles Progressive aus der Geschichte aufgenommen werden ..." (1977; in: LAMBERZ 1979, 516f.) Mit dieser Feststellung ist das Adjektiv *deutsch* für die *Deutsche Demokratische Republik*, deren Tradition in den Klassenkämpfen der *deutschen* Geschichte wurzelt, voll in Anspruch genommen. Ideologiegebunden ist nicht das isolierte Adjektiv, sondern es sind komplexe Benennungen mit diesem Adjektiv, die verwendet werden können, um die grundsätzlichen Unterschiede zwischen den beiden *deutschen* Staaten –

deutsch in bezug auf die Geschichte und in bezug auf die Nationalität des größten Teiles der Bevölkerung – zu kaschieren: wenn z. B. mit Bezug auf die Gegenwart *deutsches Volk* statt *(Staats-)Volk der DDR* und *(Staats-)Volk der BRD* gebraucht wird.

Problematisch ist hierbei, daß zunächst keine Adjektive vorhanden sind, die wie die Substantive *Deutsche Demokratische Republik* mit der Abkürzung *DDR* einerseits und *Bundesrepublik Deutschland* mit der Abkürzung *BRD* andererseits einen klaren Benennungsunterschied repräsentieren; *deutsch* kann sich ebensowohl auf die DDR als auch auf die BRD beziehen – und schließlich auch auf den einstigen *deutschen* Staat, das *Deutsche Reich*, aus dem sie beide hervorgegangen sind. Die Adjektive *ost-/westdeutsch* (auch substantiviert: *die Ost-/Westdeutschen*, nicht selten von Ausländern gebraucht, z. B. *die Ostdeutschen* in einem Toast des kanadischen Ministerpräsidenten Trudeau in Berlin, ND 1984) beziehen sich nicht deutlich genug auf die offiziellen Staatsnamen. Mit Bezug auf die DDR findet sich gelegentlich das Kompositum *die DDR-Deutschen* (z. B. Germanistische Mitteilungen, Brüssel 19/1984, 98) neben der Wortgruppe *die Deutschen (in) der DDR*. Bisweilen wird auch auf andere adjektivische Kombinationen mit dem Initialwort *DDR* ausgewichen: „Hier wird *das DDR-eigene* interessant ..." (So 1984). Mit Bezug auf die BRD wird zunehmend *bundesdeutsch (die Bundesdeutschen)* gebraucht, auch in DDR-Quellen, sowohl in der Presse („Zusammenarbeit sowjetischer und *bundesdeutscher* Banken", ND 1984) als auch anderswo („Ein *bundesdeutscher* Politiker meint ...", C. Wolf, Kassandra, Berlin und Weimar 1983, 150). Soll die Verbindung in bezug auf Geschichte, Nationalität, geographische Lage u. ä. hervorgehoben werden, wird von *deutschem Boden* gesprochen: *Von deutschem Boden soll nie wieder ein Krieg ausgehen!* Den Bezug auf die gemeinsame Sprache stellt das Adjektiv *deutschsprachig* her: „... Geographie, Geschichte und Lebensweise in vier *deutschsprachigen* Ländern." (Wb 1983)

3.1.2. Zur Differenzierung im ,Wortschatz der deutschen Gegenwartssprache'
3.1.2.1. Einführendes

Wenn wir von dem Wortschatz einer Sprache sprechen, so „wird eine Idealisierung vorgenommen" (MOTSCH 1983, 104). Es ist ein Bezug auf das gesellschaftliche Bewußtsein gegeben; die Individuen – oder auch Gruppen –, die sich einer bestimmten Sprache bedienen, haben in unterschiedlicher Weise und in unterschiedlichem Ausmaß Anteil an diesem „Sprachbesitz"; kein Individuum „beherrscht" den ganzen Wortschatz einer Sprache. Durch Klassenzugehörigkeit und politische Einstellung, Beruf und soziale Position, Alter und Ausbildung, Freizeitbeschäftigung und andere Faktoren bedingte Differenzierungen quantitativer und qualitativer Art im Verhältnis von Individuen und Gruppen zum Wortschatz innerhalb ein und derselben Sprache sind also eine ganz normale Erscheinung. Die Differenziertheit des Wortschatzes wie der Sprache überhaupt ist untrennbar mit ihrer Gesellschaftlichkeit verbunden, ist ein „Moment des Wesens sprachlicher Kommunikation" (HARTUNG 1981a, 13).

Dazu tritt weiterhin die Differenzierung der staatlichen Kommunikationsgemeinschaften nach *Kommunikationsbereichen* (z. B. der industriellen und landwirtschaftlichen Produktion, des Handels und der Dienstleistung, des Verkehrs-, Rechts- und Bildungswesens, der Wissenschaft und Forschung, der internationalen Beziehungen, der Landesverteidigung). Spezifische Tätigkeitsmerkmale, Ziele und Interessen beeinflussen Intensität, Art und Richtung der Kommunikation innerhalb derartiger Bereiche. Es dominieren jeweils unterschiedliche Textsorten, Benennungen für typische Gegenstände und Prozesse, für die Identifizierung bestimmter Gruppen innerhalb der Bereiche (zum Einfluß „moderner Textsorten wie Flugblätter, Wandzeitungen, Thesenpapiere, Handouts, Werbeprospekte, Leserbriefe" auf lexikalische Entwicklungen mit Bezug auf die BRD vgl. auch v. POLENZ, in: TENDENZEN 1983, 52). Kommunikative Spezifika der genannten Art wirken sich aus auf die Verwendung lexikalischer Einheiten, ihre Bevorzugung oder Meidung, ihre Distribution und semantische Ausprägung. In der Regel ist jeder Bürger täglich in mehreren der genannten Bereiche kommunikativ tätig und schaltet dabei mühelos auf die entsprechende Ausdrucksweise um.

Eine Darstellung der Entwicklungstendenzen im Wortschatz kann diese Differenzierungen nicht unberücksichtigt lassen (ausführlicher zur sozialen Differenzierung des Wortschatzes in der DDR vgl. 3.2.3.2.; zu den Wechselbeziehungen zwischen Fach- und Allgemeinwortschatz speziell vgl. 3.3.; zu den existenzformenbedingten Differenzierungen vgl. 2.1., zu Differenzierungen im Bereich der Funktionalstile vgl. 2.3.).

3.1.2.2. Lexikalische Differenzierung zwischen den staatlichen Kommunikationsgemeinschaften

Das Problem wird hier mit einigen grundsätzlichen Bemerkungen behandelt (ausführlicher unter soziolinguistischem Blickwinkel dazu 3.2.2.).

In bezug auf die deutsche Sprache entsprechen ‚Sprachgemeinschaft' und ‚staatliche Kommunikationsgemeinschaft' einander nicht. In der Schweiz, Luxemburg und Liechtenstein wird die deutsche Sprache neben anderen Sprachen regional und/oder funktional beschränkt verwendet; Österreich und die BRD sowie Westberlin sind demgegenüber durch eine ähnliche Dominanz des Deutschen gekennzeichnet wie die DDR. Für das Deutsche in Österreich und der Schweiz wird nicht selten von je einer „nationalen Variante" der deutschen

Sprache gesprochen – auf der Grundlage einer Konzeption, die in der sowjetischen Linguistik mit Bezug vor allem auf das Englische und Spanische in Übersee entwickelt worden ist. Die Anwendung auf das Deutsche hat in der Sowjetunion allerdings auch Widerspruch gefunden (ausführlicher zum Problem insgesamt vgl. FLEISCHER 1984b).

Die zweifellos vorhandenen lexikalischen Spezifika des Deutschen in Österreich („Austriazismen") und der Schweiz („Helvetismen") (näheres unter 3.2.2.) werden in jüngster Zeit von kompetenten Germanisten dieser Länder in ihrer Bedeutung für eine generellere Differenzierung eher relativiert (vgl. REIFFENSTEIN und RUPP in: TENDENZEN 1983). Danach modifizieren „Austriazismen" und „Helvetismen" nicht grundsätzlich das System der geschriebenen deutschen Sprache (Standard-, Literatursprache). In der mündlichen Kommunikation kommen in Österreich stärker mundartliche bzw. mundartlich-umgangssprachliche Spezifika zur Geltung, und in der Schweiz ist „gesprochene Sprache grundsätzlich die jeweilige Mundart" (RUPP, in: TENDENZEN 1983, 31). Eine Differenzierung der sprachlichen Normen mündlicher und schriftlicher Kommunikation, die auch Konsequenzen lexikalischer Art hat, kennzeichnet die Sprachsituation übrigens auch in der DDR und der BRD, wenn auch nicht in der gleichen Weise.

Zwischen der sprachlichen Kommunikation in der DDR einerseits und den übrigen deutschsprachigen Ländern andererseits gibt es natürlich grundsätzliche, durch die Formationsspezifik der staatlichen Kommunikationsgemeinschaften bedingte Unterschiede. Die Bedürfnisse und Bedingungen der sozialistischen Gesellschaft führen zur Umgestaltung von Kommunikationsstrukturen und Textsorten, beeinflussen die Normen kommunikativen Verhaltens, lassen spezifische Erscheinungen des Benennungssystems entstehen (Neubildung, Neubedeutung, Phraseologisierung, Entlehnung, Veralten). Differenzierungen dieser Art kennzeichnen zwar die Kommunikation in der antagonistischen Klassengesellschaft auch innerhalb einer staatlichen Kommunikationsgemeinschaft bei Verwendung der gleichen Sprache; sie gewinnen aber mit der Konsolidierung der sozialistischen staatlichen Kommunikationsgemeinschaft in der DDR eine neue Dimension.

Auf ihre Weise prägt beispielsweise die sozialistische Gesellschaft sprachlich-kommunikative Prozesse der folgenden Art:

– Wechselwirkung von gesellschaftlichem und individuellem Bewußtsein; Förderung wissenschaftlicher Erkenntnis und ihrer Verbreitung, Erziehung, Bildung, Agitation; vgl. Benennungen wie *Betriebsakademie*, dazu *Bezirks-, Dorf-, Eltern-, Frauenakademie; Abzeichen für gutes Wissen, Schule der sozialistischen Arbeit, schreibender Arbeiter, Volkskorrespondent, Progagandist* u. v. a.;
– ehrenamtliche gesellschaftliche Tätigkeit der Werktätigen über die Produktionssphäre hinaus in den *Arbeiter-und-Bauern-Inspektionen, Elternvertretungen, Elternaktivs, Wohnbezirksausschüssen* und anderen mit sprachlich-kommunikativen Handlungen eigener Art verbundenen Gremien;

– Mitwirkung der Werktätigen an der Planung und Leitung der Produktion, wozu Benennungen von Typen kommunikativer Handlungen wie *Produktionsberatung, Plandiskussion, Wettbewerbsaufruf* u. a. (vgl. GROSSE 1982).

So führen die kommunikativen Bedürfnisse der sozialistischen Gesellschaft zur Ausbildung DDR-typischer Benennungsfelder, z. B. um den Begriffskomplex ‚Neues Schaffender‘ mit Benennungen wie *Neuerer, Bahnbrecher, Schrittmacher, Pionier, Rationalisator* u. a. (vgl. STARS 1974). In diese Reihe läßt sich auch die semantische Entwicklung von *Schöpfer, schöpferisch* mit der Neubildung *Schöpfertum* stellen (vgl. auch DAMASCHKE 1973, 229; NAUMANN 1982). Der Bericht über einen „schöpferischen Erfahrungsaustausch von Neuerern" steht beispielsweise unter der Überschrift „Die Woche der Berliner Millionäre" (ND 1983): *Millionäre* bezieht sich darauf, daß diese Werktätigen im Jahre 1982 einen Nutzen von 352 Millionen Mark erarbeiteten, und in diesem Zusammenhang stehen weitere Benennungen wie *Woche der Neuerer, Neuerervereinbarung, Nachnutzungsbörse, Ideenkonferenz.* Die *Neuererbewegung* wird als eine *Form der Machtausübung der Arbeiterklasse,* als ein Wesenszug der *sozialistischen Demokratie* verstanden.

Weitere DDR-typische Benennungsfelder sind entstanden um die Begriffskomplexe ‚Wohnungspolitik‘, ‚Leben im *Wohngebiet*‘ u. a. Untypisch ist dagegen für die DDR etwa ein Benennungsfeld um den Begriffskomplex ‚Arbeitslosigkeit‘, wie es sich in den übrigen deutschsprachigen Ländern, insbesondere in der BRD entwickelt hat.

Ein charakteristisches Beispiel dafür, daß sich lexikalische Differenzierungen im kommunikativen Stellenwert ein und desselben Formativs mit unterschiedlichen Bedeutungen ausbilden können, liefert Voigt mit einem Vergleich des Gebrauchs von *Gesellschaft* im ND und in der BRD-Zeitung ‚Die Welt‘ in der Zeit von 1945–1976. Hier wie da lassen sich die gleichen 7 Sememe des Wortes *Gesellschaft* nachweisen, aber mit unterschiedlicher Dominanz und Wortbildungsaktivität. Im ND dominiert das Semem, das dem marxistisch-leninistischen Terminus entspricht: ‚Zusammenleben von Menschen unter den gleichen sozialökonomischen Bedingungen allgemein bzw. innerhalb eines Staates‘. Demgegenüber treten zurück die Sememe ‚ökonomischen Zwecken dienende Vereinigung‘ und ‚Oberschicht‘, beide unter kapitalistischen Bedingungen von weit größerer kommunikativer Relevanz (zu ‚Oberschicht‘ vgl. auch SPRACHLICHE KOMMUNIKATION UND GESELLSCHAFT 1976, 585 f.). Diese Verschiedenheiten wirken sich weiter aus in der Wortbildungsaktivität. Da der Gebrauch von *Gesellschaft* im ND durch den marxistisch-leninistischen Gesellschaftsbegriff bestimmt wird, ist das Bedürfnis weiterer Determination mit variablen Bestimmungswörtern gering *(Ausbeuter-, Klassengesellschaft*; etwas anders *Literaturgesellschaft).* Dafür wird das Wort in dieser Bedeutung aber selbst als determinierendes Element in Komposita höchst aktiv: *Gesellschaftsordnung, -struktur, -system, -theorie, -wissenschaften* u. a. Die Zahl entsprechender Belege im Material von Voigt ist etwa dreimal so groß wie die Zahl der Belege mit der

Struktur X + -*gesellschaft*. Umgekehrt in der Zeitung ‚Die Welt'. Für eine große Zahl von Komposita der letztgenannten Struktur sorgen hier insbesondere kaschierende Bildungen zur variablen Benennung der kapitalistischen Gesellschaft der BRD: *Freizeit-, Konsum-, Kultur-, Industrie-, Leistungs-, Überfluß-, Wegwerf-, Wohlstandsgesellschaft* u. a. Dazu treten Wortgruppen wie *offene, pluralistische, verwaltete Gesellschaft* (vgl. VOIGT 1984, 145 ff.).

Zusammenfassend nennen wir in knapper Form folgende Gesichtspunkte, die bei der Beurteilung der Prozesse lexikalischer Differenzierung in der deutschen Sprache (wie sie einerseits in der DDR, andererseits in der BRD gebraucht wird) zu beachten sind (ausführlicher dazu WORTSCHATZ 1987):

1. Es ist zu unterscheiden zwischen Benennung und benanntem Gegenstand. Für nicht wenige landestypische Realien der DDR wird in der BRD die gleiche Benennung verwendet (z. B. *landwirtschaftliche Produktionsgenossenschaft*) und umgekehrt für landestypische Realien der BRD in der DDR die gleiche Benennung (*Arbeitsamt, Bundestag*). Alle diese Benennungen gehören also zum Wortschatz in beiden staatlichen Kommunikationsgemeinschaften.

2. Ideologiegebundene Benennungen wie *Klassenkampf, sozialistisches Weltsystem, Arbeiter-und-Bauern-Macht* sind nicht auf den Gebrauch in der DDR beschränkt, sondern werden auch in den kapitalistischen deutschsprachigen Staaten, in denen der antagonistische Klassengegensatz weiterbesteht, gebraucht – nicht von den herrschenden Kreisen, aber von progressiven Kräften. Auch sie gehören also zum Wortschatz in mehreren staatlichen Kommunikationsgemeinschaften.

3. Zwischen den verschiedenen deutschsprachigen Staaten findet ein sprachlicher Austausch statt, insbesondere zwischen der DDR und der BRD. Einerseits tauchen in DDR-Texten Ausdrücke auf, die aus dem Sprachgebrauch der BRD übernommen worden sind (*Werkstatt* ‚Arbeitsgruppe, -kreis, Kolloquium', *vor Ort* ‚unmittelbar, direkt am Ort des Geschehens', *festschreiben* ‚(vorläufig) festsetzen, -legen'). Andererseits bestätigen BRD-Autoren, daß Neubildungen aus der DDR „durch den zweifellos vorhandenen sprachlichen Ost-West-Austausch in den Sprachgebrauch der BRD eindringen" (G. D. SCHMIDT 1975, 315; vgl. auch ANDERSSON 1983, 1984, sowie oben unter 1.). Darüber hinaus haben heute die weltweiten Bemühungen um die Sicherung des Friedens zur Prägung und internationalen Verbreitung von Benennungen geführt, die auch zwischen den deutschsprachigen Staaten ausgetauscht werden: *friedliche Koexistenz, Koalition der Vernunft, Überlebenspartnerschaft*.

4. Schließlich ist die DDR als Staat mit entwickelten internationalen Beziehungen auch in die internationale Kommunikation über die deutschsprachigen Länder hinaus verflochten. Sie hat es im Handel auch mit dem kapitalistischen Weltmarkt zu tun, woraus sich sprachlich-kommunikative Konsequenzen ergeben: vgl. den Ausdruck *harte Konkurrenz(situation)* in bezug auf den

Weltmarkt. Wir brauchen also im DDR-Wortschatz diese Benennung, obwohl es für Beziehungen innerhalb der DDR dafür keine sachliche Grundlage mehr gibt.

3.1.3. Aspekte der Dynamik

Auf der Grundlage der vorstehenden Darlegungen zur Charakterisierung von ‚Wortschatz' und ‚Wortschatzelement' sowie der Wechselbeziehungen zwischen Wortschatz und kommunikativer Tätigkeit sollen im folgenden die wichtigsten Aspekte der lexikalischen Dynamik überblicksweise zusammengefaßt werden. Einige davon werden in den Abschnitten 3.2.–3.5. ausführlicher behandelt.

3.1.3.1. Erweiterung

Die Dynamik des Wortschatzes (= des Lexikons) äußert sich zunächst in Veränderungen des Bestandes (des Inventars) der Wortschatzelemente und erscheint als Erweiterung (Neuaufnahme) oder Verringerung (Reduktion, Schwund), vgl. näher dazu 3.1.3.6. Die Erweiterung („Bereicherung") des Wortschatzes entspringt letzten Endes dem Bedürfnis nach Schließung einer Benennungslücke oder dem – unterschiedlich motivierten – Bedürfnis nach Modifikation bzw. Ersatz einer vorhandenen Benennung; bisweilen sind beide Bedürfnisse so miteinander verflochten, daß sie sich kaum trennen lassen.

Schließung einer Benennungslücke liegt vor, wenn eine Neubenennung geschaffen wird, um einen neuen Gegenstand (dies im weitesten Sinn verstanden, also auch Abstrakta einbegriffen) zu benennen, der gesellschaftlich relevant geworden ist, neu erkannt worden ist (*„Mach mit!"-Initiative* mit zahlreichen Weiterbildungen, vgl. 3.1.3.4.), bzw. einen Gegenstand, der in seinen Eigenschaften wesentlich verändert worden ist (*geordnete Deponie* statt *Müllberg, (Müll)-kippe*, LVZ 1982); schließlich auch, wenn eine neue Einsicht zu fixieren ist: „... hat sich das Risiko, durch *Passivrauchen* an Lungenkrebs zu erkranken ... erhöht" (LVZ 1984); dazu auch *Passivraucher*.

Modifikation oder Ersatz vorhandener Benennungen sind vor allem motiviert durch das Streben nach:

– Verdeutlichung und Spezialisierung (*Kran: Dreh-, Wippdreh-, Portalwippdrehkran; Künstler: Laien-/Berufskünstler*; dazu auch verdeutlichende sekundäre Gegenbildungen: *Rasur – Trockenrasur – Naßrasur*);
– Verallgemeinerung (*-straße* in: *Walz-, Takt-, Automatenstraße* ohne das Bedeutungselement ‚Verkehrsweg'; *Wachstums-, Entsorgungs-, Gesundungsprozeß, Schütt-, Walz-, Wortgut*);

- differenzierter Wertung bzw. Wertungsänderung *(Weltspitzenleistung – Fehlleistung*; statt *Abfall, Altstoff: Altrohstoff, Sekundärrohstoff, aufbereitete Sekundärprodukte,* dazu *Sekundärrohstoffaktivs)* (W. BRAUN 1976, 22);
- Expressivitätssteigerung *(nicht das Gelbe vom Ei* ‚nicht die glücklichste Lösung‘);
- Rationalisierung, Ökonomisierung (vgl. z. B. die Kurzwortbildung).

Anschauliches Beispielmaterial für diese außersprachlichen Triebkräfte bieten insbesondere die Entwicklungstendenzen in der Wortbildung (vgl. 3.5.).

Die Hauptwege zur Schaffung von Neubenennungen sind im Deutschen:

- Wortbildung (führt zu „Neuprägungen", vgl. 3.5.);
- Entlehnung (führt zu „Neuwörtern" bei Übernahme des fremdsprachigen Formativs, zu „Neubedeutungen" bei Übernahme der Bedeutung eines fremden Wortes für ein heimisches Wort; vgl. 3.4.);
- Phraseologisierung (vgl. 3.1.1.2.);
- Bedeutungswandel (Benennungsübertragung; führt zu „Neubedeutung" vorhandener Zeichen; vgl. 3.1.4.).

In seltenen Fällen wird der Bedarf an einer Neubenennung auch dadurch gedeckt, daß ein außer Gebrauch gekommenes Lexem wieder in das Lexikon aufgenommen, „wiederbelebt" wird; vgl. das Element *-wart,* als selbständiges Wort nicht mehr gebräuchlich, in relativ neuen Bildungen wie *Tankwart* und neuerdings auch *Energiewart* (ND 1983).

Bei den dynamischen Prozessen im Lexikon wirken – wie oben gezeigt – die gegenläufigen Tendenzen der Motivation und Demotivation, der Univerbierung und Multiverbierung (Dekomponierung; vgl. 3.1.1.2.), der Terminologisierung und Determinologisierung sowie der Onymisierung und Deonymisierung (3.1.1.3.). „Gleiche Ursachen" führen in diesem Sinn zu „widerspruchsvollen Entwicklungstendenzen" (vgl. SCHIPPAN 1983, 298). Über Unterschiede in der Verteilung auf die einzelnen Arten der Benennungsbildung vgl. BARZ 1982.

Die durch die obengenannten Triebkräfte auf den verschiedenen Hauptwegen sich vollziehenden Prozesse führen – bei aller Stabilität eines „historischen Kerns" des Wortschatzes (FILIPEC 1982, 186) – nicht nur zur Veränderung einzelner Wortschatzelemente, sondern auch zur Umgestaltung der „makrosemantischen", „paradigmatischen" Relationen (Synonymie, Antonymie, semantische Komplementarität). Selbst „im Zentrum des Wortschatzes" haben sich „neue Oppositionen und Beziehungen" zwischen den Benennungen herausgebildet, „von denen manche einen dialektischen Widerspruch widerspiegeln: *Kollektiv – Individuum, Revolution – Evolution, Proletariat – Bourgeoisie, Sozialismus – Kapitalismus, Wettbewerb – Konkurrenz, Osten – Westen, Theorie – Praxis* usw. Die fundamentale Beziehung, die sich u. a. in den genannten Beispielen ausdrückt, läßt im Wortschatz neue begriffliche Hierarchien, Abhängigkeitsketten von Ableitungen und Zusammensetzungen sowie Synonyme entstehen" (a. a. O., 186).

Die durch die gesellschaftliche Entwicklung im weitesten Sinn bestimmte Bildung neuer Benennungen läßt sich nach charakteristischen Sachgebieten ordnen, innerhalb deren sich die entsprechenden Bedürfnisse in besonderer Weise ausgeprägt haben. So findet Moser in der Zeit seit den 80er Jahren des 19. Jahrhunderts bis zur Gegenwart den „Löwenanteil an Neubildungen" in der Technik allgemein (mit hochwortbildungsaktiven Basiswörtern wie *Energie* (dazu Joseph 1981), *Strom, Schall, Öl, Atom* u. a.); weiter u. a. in speziellen Bereichen wie dem Verkehrswesen (mit *Bahn, Verkehr, Straße, Auto, fahren, Flug(zeug), Luft*) und den Massenmedien *(Funk, Fernsehen, Television)*. Auch Gesundheitspflege, Wohnung und Kleidung werden – neben anderen Bereichen – noch genannt (DEUTSCHE WORTGESCHICHTE 1974, 435ff.; vgl. auch 3.3.3.).

Dem entspricht es teilweise, wenn Sparmann als die am häufigsten in „Neuprägungen" des WDG enthaltenen ersten Konstituenten von Komposita verzeichnet: *Atom* (47), *Fernsehen* (35) (dazu auch HERBERG 1968), *Betrieb* (33) (vgl. SPARMANN 1979, 103ff.). An vierter Stelle steht *Raum* (27) mit *Raumanzug, -fahrt(technik), -forschung, -kapsel, -schiff, -sonde, -station* u. a. Damit ist auf die in den letzten Jahrzehnten seit dem Start des ersten Sputniks (4. 10. 1957) noch stürmischer sich entwickelnde Raumfahrt mit ihren lexikalischen Konsequenzen gewiesen (weiteres dazu bei HERBERG 1970, SORGENFREI 1978, FRAAS/ KUNZE 1986). Neuerdings tritt die Mikroelektronik besonders hervor: *Halbleiter, Schaltkreis, hochgenau* u. a. (vgl. SCHREIBER 1982).

MOSERS (s. o.) Zusammenstellung mit rund drei Seiten, die speziell der DDR gewidmet sind und keinen repräsentativen Charakter haben, ist unter dem Blickpunkt des sich seit nahezu 4 Jahrzehnten entwickelnden sozialistischen deutschen Staates wesentlich zu ergänzen (vgl. dazu 3.1.2.2. sowie die zahlreichen Literaturangaben bei FLEISCHER 1985 und WORTSCHATZ 1987). Wir verweisen hier lediglich exemplarisch auf den Wortschatz der Wirtschaftspolitik (SCHERZBERG 1971), der Kulturpolitik (SEIDEL 1970, dazu auch K.-D. LUDWIG 1970) sowie Schlüsselwörter des Erziehungswesens (RÖHRIG 1982). Die Entwicklung des Wortschatzes der Arbeiterbewegung seit dem 19. Jahrhundert, der in der DDR im herrschenden Gebrauch (wobei unter diesen veränderten Bedingungen ein Teil entsprechender Ausdrücke schwindet, z. B. *Arbeitergroschen, -bildungsverein*: SCHIPPAN 1979, 205) und in den anderen deutschsprachigen Staaten von progressiven Kräften weitergeführt wird, behandelt ADELBERG (1981) am Beispiel einiger „Kernwörter der marxistischen Terminologie": Benennungen für die Begriffe ‚Arbeiterklasse', ‚Arbeiter', ‚proletarisch', ‚Revolution', ‚Klassenkampf', ‚Ausbeutung' (vgl. dazu auch: Zum Einfluß von Marx und Engels 1978).

Die lexikographische Registrierung (Kodifizierung) kann mit der Masse von Neubildungen selbstverständlich nicht Schritt halten (zum Problem vgl. W. BRAUN 1975, H. SCHMIDT 1982; als lexikographischen Überblick vgl. ferner WELLMANN 1984, HERBERG 1985, KIRKNESS 1985; recht kritisch HAUSMANN 1983). Am ehesten gelingt dies noch den jeweiligen Neubearbeitungen des Dudens in Leipzig und Mannheim; doch kann natürlich die diesem Rechtschreibwörterbuch angemessene knappe Behandlung des Stichworts eine ausführlichere lexikographische Darstellung nicht ersetzen. Der Leipziger Duden ist 1976 als 17. Auflage (dazu Poethe 1980 mit Hinweisen auf Tilgung veralteter und Aufnahme neuer Wörter) und 1985 als 18. Auflage neu bearbeitet worden. In der 18. Neubearbeitung, die etwa 70 000 Stichwörter umfaßt, wurden im Vergleich zur vorhergehenden mehr als 5 000 Wörter neu aufgenommen; dabei wurden insbesondere auch fachsprachliche Benennungen berücksichtigt. „Einige Fachbereiche sind ganz neu gefaßt worden, so z. B. der Wortschatz der Biologie und der Mineralogie" (HERFURTH 1985, 100). Die 1973 erschienene 17. Auflage des Mannheimer Dudens „spricht von 10 000 neuen Wörtern" (P. BRAUN 1979, 97). Ein Vergleich der 16. Auflage (1968) des Mannheimer Dudens mit der vorhergehenden ermittelte bei einem Gesamtbestand von 90 907 Wörtern eine Zunahme von 6 640 (= 7 %); 80,4 % der neuen Wörter sind Substantive, nur 7,8 % sind Verben. Am stärksten vertretene Sachgebiete sind: Wirtschaft (6,5 %), Technik (4,1 %), Geographie (4,1 %), Medizin (3,8 %), Sport (2,7 %), Politik (2,5 %) (vgl. P. BRAUN 1979, 97 f.).

Im Anschluß an den vorstehenden Überblick zur lexikalischen Innovation sollen im folgenden noch einige Bemerkungen zur speziellen Erscheinung des Bedeutungswandels (der Benennungsübertragung) gemacht werden; die Neuentwicklung durch Wortbildung wird in 3.5. ausführlich behandelt.

Für die Deckung des Bedarfs an neuen Benennungen kommt der semantischen Neuentwicklung, der „Neubedeutung" eines vorhandenen Formativs, bisweilen auch als Neosemantismus bezeichnet, eine bedeutsame Rolle zu. Über die unterschiedlichen Anstöße (Triebkräfte) und Verlaufsweisen des Bedeutungswandels gibt es eine reiche Literatur; darauf kann hier im einzelnen nicht eingegangen werden (vgl. z. B. SCHIPPAN 1984 b, 262 ff.). MÖLLER (1983, 191 ff.) unterscheidet „Sememumstrukturierung bei gleichem oder ähnlichem Denotatsbezug des Lexems" (geringe Veränderung in den Bedeutungsmerkmalen eines Semems) und „Lexemumstrukturierung bei verändertem Denotatsbezug des Lexems" (Veränderung in der Zahl der Sememe: Reduktion oder Erweiterung). Um „Lexemumstrukturierung" würde es sich demnach handeln, wenn wir mit DÖRING (1977, 350; vgl. auch DEUTSCHE WORTGESCHICHTE 1974, 492) für *Klima* neben der Bedeutung ‚für ein bestimmtes Gebiet oder eine geographische Zone charakteristischer, alljährlich wiederkehrender Ablauf der Witterung' ein neues Semem annehmen: ‚Atmosphäre in den zwischenmenschlichen Beziehungen' (vgl. HANDWÖRTERBUCH 1984, 651). Damit sind neue Bedeutungselemente gegeben, die eine völlig andere Distribution des Wortes erlauben (vgl. auch 3.1.3.4.): *geistiges, schöpferisches, politisches Klima*. Besondere Anziehungskraft entwickeln dabei Übertragungen in die Bereiche Politik und öffentliches Leben (DÖRING 1977, 351). Dieser Prozeß erfaßt eine ganze Gruppe von Benennungen aus dem Sachbereich der Witterung: Adjektive wie *düster, trüb, heiter*, Substantive wie *Atmosphäre*, Verben wie *sich aufhellen, be-, umwölken*. Dadurch ist die makrosemantische Gliederung innerhalb des Lexikons beeinflußt worden (vgl. 3.1.3.1.), und das „Nachziehen immer neuer Bezeichnungen, zunächst im bildhaften Gebrauch" wird begünstigt: *Vereisung – Auftauen, Tauwetter, politische Hochs und Tiefs* u. a. (a. a. O., 351). Was die Benennung *Klima* betrifft, so zeigt sich das Vorhandensein zweier Sememe deutlich auch in der Wortbildung: *Klima* ‚Ablauf der Witterung' tritt häufig als erste Konstituente von Komposita auf (*Klimaanlage, -behandlung, -geographie, -kunde, -scheide, -zone* u. a.). Doch weder WDG noch Duden-GWB verzeichnen auch nur ein einziges derartiges Kompositum, das eindeutig zu *Klima* ‚zwischenmenschliche Beziehungen' gehören würde (*Klimawechsel, -veränderung* auf beide Sememe beziehbar). Dagegen ist *Klima*$_2$ (wie außerdem auch *Klima*$_1$ noch) als zweite Konstituente von Komposita aktiv, und das WDG verzeichnet *Arbeits-, Betriebs-, Konferenz-, Macht-, Raum-, Sprach-, Wirtschafts-, Zeitklima*. Auf die Möglichkeit fremdsprachigen Einflusses bei derartigen Entwicklungen („Lehnbedeutung", vgl. 3.4.) wird von DÖRING (a. a. O., 351) hingewiesen. Die Massenmedien sorgen für eine Internationalisierung.

Die Frage, von welchem Stadium der Entwicklung an tatsächlich ein neues Semem anzusetzen ist, ist nicht einfach zu beantworten (vgl. a. a. O., 352 f.). So wäre z. B. nach VOIGT (1984, 277) für den Gebrauch des Wortes *Kollektiv* in der DDR-Presse von zwei Sememen auszugehen, was im WDG nicht berücksichtigt wird: 1. ‚Gruppe von Menschen, die zusammen arbeiten', 2. ‚Gemeinschaft von Menschen, die durch gemeinsame berufliche und gesellschaftliche Aufgaben und Interessen fest verbunden sind und nach sozialistischen Grundsätzen zusammen arbeiten' (a. a. O., 277). Das zweite Semem, wonach mit *Kollektiv* ein besonderer Qualitätsanspruch verbunden ist *(ein Kollektiv schmieden, eine Gruppe ist [k]ein Kollektiv)*, wäre mit „Neubedeutung DDR" zu kennzeichnen. Doch auch für das erste Semem gibt es in der Presse der DDR genügend Belege, in denen *Kollektiv* ohne semantischen Unterschied referenzidentisch mit *Arbeitsgruppe, Brigade* gebraucht wird (a. a. O., 284).

„Lexemumstrukturierung" oder auch „Entfaltung der Sememstruktur eines Lexems" (so DÖRING 1979, 191) ist heute wohl die am häufigsten auftretende Art der Bedeutungsentwicklung. Von 273 gekennzeichneten „Neubedeutungen" in den ersten 4 Bänden des WDG stehen 252 „neben einem oder mehreren Sememen, die in ihrem Gebrauch von dem neu entstehenden Semem nicht eingeschränkt werden" (a. a. O.). Noch nicht im WDG gebuchte entsprechende Fälle sind z. B. *Cocktail* ‚Empfang' (die Wortbildungskonstruktionen *Cocktailkleid, -mantel, -party, -schürze* als „Neuprägung" im WDG) und *Gipfel* ‚Konferenz der Staatsoberhäupter bzw. Regierungschefs von Großmächten' (die Wortbildungskonstruktion *Gipfelkonferenz* als „Neuprägung" im WDG) (a. a. O., 192). Wie sich hierbei zeigt, haben sich die neuen Sememe über Komposita entwickelt, was für das Deutsche seit Jahrhunderten charakteristisch ist.

3.1.3.2. Verschiebungen in Gebrauchsbeschränkungen

Der literatursprachliche Wortschatz ist ständig offen für die Aufnahme lexikalischer Elemente aus anderen Existenzformen, heute insbesondere der Umgangssprache (dazu auch 3.2.1.). Außerdem ist er mehrdimensional differenziert (vgl. 3.1.2.1.; zur „Mehrdimensionalität" sprachlicher Bewegungen vgl. auch 1.1.2.); ein großer Teil von Wortschatzelementen ist im Gebrauch beschränkt nach regionalen, sozialen (Gruppenspezifik, vgl. 2.2., 3.2.; ferner die im WDG als Differenzierung nach „Stilschichten" gefaßte Erscheinung), funktionalen (Termini, vgl. 3.1.1.3.) und zeitlichen („auffallend neu" – „veraltet") Parametern. Derartige Markierungen (vielfach mit unter der Sammelbezeichnung konnotativer Merkmale zusammengefaßt) sind ebenfalls nicht starr und statisch, sondern unterliegen Veränderungen.

Die gegenwärtige Entwicklung ist u. a. dadurch gekennzeichnet, daß Wörter nichtliteratursprachlichen Charakters bzw. solche, die Gebrauchsbeschränkungen unterliegen, zunehmend auch in Kommunikationssituationen auftreten, die ihnen zunächst verschlossen gewesen sind. Ein gravierendes Beispiel dafür ist das Wort *Scheiße*, dessen zunehmender Gebrauch von F. Fühmann so reflektiert wird: „Es war dies eine Periode (die Zeit E. T. A. Hoffmanns, W. F.), in der sich die Aufklärung schon durchgesetzt hatte: die letzte Hexe war verbrannt, …; das Wort ‚Hose', bislang unaussprechlich, war so salonfähig geworden wie heute etwa das Wort ‚Scheiße' …" (F. Fühmann, Fräulein Veronika Paulmann aus der Pirnaer Vorstadt oder Etwas über das Schauerliche bei E. T. A. Hoffmann, Rostock 1979, 43). Im WDG wird das Substantiv *Scheiße* noch als „vulgär" markiert; als Wortbildungselement *(Scheißwetter, scheißegal)* wird es dagegen weniger kraß empfunden und als „salopp derb abwertend" gekennzeichnet, mit der Bedeutungsangabe ‚drückt eine Verstärkung aus'. Ähnlich verfahren andere Wörterbücher der Gegenwartssprache.

Der darin zum Ausdruck kommende Prozeß, der nicht nur lexikalische Erscheinungen betrifft und vielfältige Ursachen hat, ist in unterschiedlichster Weise terminologisch zu fassen gesucht worden: „Auflockerungserscheinungen" (RIESEL 1970, 30), „umgangssprachliche Auflockerung der Öffentlichkeitssprache" (v. POLENZ, in: TENDENZEN 1983, 52 im Anschluß an GLINZ 1980, 618), „Demokratisierung" (FROHNE 1974), „lexikalische Popularisierung" (DROSDOWSKI/HENNE 1980, 630), „Integration" (LANGNER 1980, 683f.). Als Funktionen der „umgangssprachlichen" Elemente lassen sich u. a. nennen: Erzeugung von Lokalkolorit, positive bzw. negative Wertung, Intensivierung, Rationalisierung (vgl. LANGNER 1983, 87).

Der Prozeß als solcher ist nicht an die sozialen Veränderungen gebunden, die sich mit dem Aufbau der sozialistischen Gesellschaft in der DDR vollzogen haben, und er ist auch keineswegs neu (vgl. das obenerwähnte Beispiel *Hose* für *Beinkleid*). Verschiedentlich wird allerdings – mit Recht – darauf hingewiesen, daß die Erweiterung des Anwendungsbereichs derartiger Wörter noch nicht ohne weiteres den Verlust ihrer Konnotation zur Folge hat (vgl. a. a. O., 90). Sie seien „nach wie vor in bestimmten Textsorten nicht zugelassen" (v. POLENZ, in: TENDENZEN 1983, 51); das trifft wohl auch für den Gebrauch in der DDR zu (zur Textsortenabhängigkeit des Wortgebrauches vgl. z. B. WORTSCHATZ 1987, Kap. 3). Darauf, daß sich heute – wiederum eine Art gegenläufiger Tendenz – umgekehrt auch zunehmender Einfluß der geschriebenen Sprache auf die gesprochene feststellen läßt (infolge der Einflüsse aus „publizistischen, fachsprachlichen und administrativen" Kommunikationsbereichen), verweist JEDLIČKA (1983, 55).

Die relativ starken regionalen Differenzierungen in der deutschen Literatursprache beziehen sich nicht nur auf die Aufgliederung in verschiedene staatliche Kommunikationsgemeinschaften (vgl. 3.2.2.), sondern gelten auch innerhalb dieser, wobei auch hier Verschiebungen im Gange sind. Das im Sprachgebiet der DDR nicht „bodenständige" *Samstag* tritt heute neben *Sonnabend* in der geschriebenen Sprache häufiger auf; Komposita wie *Samstagabend* statt der unschönen Doppelung *Sonnabendabend* mögen dabei begünstigend wirken. Daß *Samstag* heute in der DDR „eher als landschaftlich, mundartlich empfunden" werde (SEIBICKE 1983, 131), trifft wohl nicht zu. Gegenüber oberdeutschem *läuten* und westdeutschem *schellen* setzt sich *klingeln* immer stärker durch. Das süddeutsche *Wagner*, dem sonst *Stellmacher* (im Niederdeutschen auch *Rademacher*) entspricht, ist seit 1965 „die offizielle Berufsbezeichnung" in der BRD (a. a. O., 95, 147). Ein Wort wie *Patisserie* ‚feines süßes Backwerk, Feinbäckerei', im WDG als „schweizerisch" und als „im übrigen Sprachgebiet veraltet" gekennzeichnet, wird über die Bedeutung ‚Raum in einem Hotel, Restaurant, in dem Süßspeisen hergestellt werden' (so im DUDEN-GWB) auch in der DDR zunehmend häufiger. Neuerdings tritt sogar – (noch) vereinzelt – *Konfiserie* ‚Konditorei' (so im DUDEN-GWB mit der regionalen Markierung „schweizerisch" verzeichnet) in der DDR auf. Mit Bezug auf einen Neubau in Berlin heißt es: „In den zwei Untergeschossen erhalten fünf Geschäfte, darunter eine *Konfiserie* für Herstellung und Verkauf von Konfekt nebst Probierstübchen, ihr Domizil." (ND 1986)

3.1.3.3. Ideologiegebundene Benennungspolaritäten

Wir sprechen von Ideologiegebundenheit sprachlicher Benennungen (vgl. W. SCHMIDT 1972), wo die Prägung und/oder Verwendung von Wörtern und Wortgruppen in ihrer Einheit von Formativ und Bedeutung (denotativ und konnotativ) unter dem Blickwinkel von Klasseninteressen erfolgt. Das muß keineswegs auf die Bereiche von Politik, Wirtschaft, Philosophie oder gar nur deren Teminologie in engeren Sinne eingeschränkt sein. Man denke an Ausdrücke wie *Hungerleider* (deutlich abgesetzt von *hungerleidende Menschen*) einerseits und *Hungerlohn* andererseits. Ideologiegebundenheit kommt zum Ausdruck in der

Auswahl, Zuordnung und Differenzierung der sprachlich zu fixierenden materiellen und ideellen „Gegenstände" sowie in der Benennungsmotivik und semantischen Übertragungen (Metaphorisierungen). Zwar sind die „Gedanken der herrschenden Klasse ... in jeder Epoche die herrschenden Gedanken" (MEW 3, 46), und Prägung wie Verbreitung der sprachlichen Benennungen werden entscheidend von ihr bestimmt. Dieser Sachverhalt trägt schließlich mit dazu bei, daß der Fortbestand eines gemeinsamen Zeichenvorrats die Kommunikation auch in der antagonistischen Klassengesellschaft gewährleistet. Aber auch die unterdrückte(n) Klasse(n) artikulieren ihre geistigen Anstrengungen nicht nur in Texten unter Benutzung der allgemein verbreiteten und übernommenen Zeichen, sondern sie bereichern den Wortschatz um Benennungen, die ihre Klasseninteressen und Einsichten fixieren, an ihre Ideologie gebunden sind. So ist das Benennungssystem der deutschen Sprache seit dem 19. Jahrhundert durch ideologiegebundene Benennungen gekennzeichnet, in denen sich die geschichtliche Auseinandersetzung der an Selbstbewußtsein und Selbstbehauptungswillen gewinnenden Arbeiterklasse mit ihren feudalen und bourgeoisen Kontrahenten widerspiegelt und die selbst ein Instrument dieser Auseinandersetzung sind. Deutliche Beispiele dafür liefert die Entwicklung von Benennungen wie *Arbeiterbewegung* (1854 lediglich mit der Bedeutung ‚Aufruhr der Arbeiter, Arbeiterkrawall' vorhanden), *Arbeiterklasse* (von Marx und Engels gegen *arbeitende Klasse, Arbeiterstand* durchgesetzt), *Klassenkampf* (erste Belege Oktober 1847, Univerbierung der Wortgruppen *Kampf zwischen den Klassen, Kampf von Klasse gegen Klasse*, durchgesetzt gegen bürgerliche pejorative Abwandlungen wie *Klassenhader*), *Ausbeutung* u.v.a. (vgl. ZUM EINFLUSS VON MARX UND ENGELS 1978; ADELBERG 1981).

Die Prägung und Verwendung ideologiegebundener Benennungen und damit eine Polarisierung innerhalb des Benennungssystems der deutschen Sprache entsprechend den gegensätzlichen Ideologien, der sozialistischen und der kapitalistisch-bürgerlichen, setzen sich heute fort. Sie müssen notwendigerweise zunehmen, da es sich nicht mehr nur um Gegensätze innerhalb einer staatlichen Kommunikationsgemeinschaft handelt, sondern da mit der DDR eine neue, sozialistische staatliche Kommunikationsgemeinschaft entstanden ist (vgl. 3.1.2.2.). Der Klassengegensatz ist an einer Staatsgrenze festgeworden, nachdem sich in der DDR die Arbeiterklasse als herrschende Klasse national konsolidiert hat.

Ein Beispiel dafür, wie unterschiedlich sich von einer einheitlichen semantischen Ausgangsgröße Ideologiegebundenheit und dementsprechende Wertungen sowie schließlich weitere Bedeutungsmerkmale einer Benennung in Abhängigkeit von sozialistischen bzw. kapitalistischen Bedingungen entwickeln können, bietet das Wort *Rationalisierung*. Man kann ausgehen vom Adjektiv *rationell* ‚auf größte Wirtschaftlichkeit berechnet, effektiv' (so im WDG) oder – etwas ausführlicher – ‚unter Einsatz der kleinsten möglichen Menge an Arbeitskraft, Material und Zeit eine möglichst hohe Produktivität, Effektivität erreichend' (so im HANDWÖRTERBUCH 1984). Das entsprechende Verb *rationali-*

sieren ist im WDG (,die Arbeit, besonders den Produktionsprozeß rationeller gestalten‘) und im DUDEN-GWB (,(im Bereich der Wirtschaft und Verwaltung) Arbeitsabläufe zur Steigerung der Leistung und Senkung des Aufwands durch Technisierung, Automatisierung, Arbeitsteilung u. a. wirtschaftlicher gestalten‘) noch ohne jeden Hinweis auf Unterschiede zwischen sozialistischen und kapitalistischen Verhältnissen verzeichnet. Diese kommen erst beim Substantiv *Rationalisierung* im WDG zum Ausdruck: Dort wird unter *sozialistische Rationalisierung* als „Neubedeutung DDR“ angegeben ,Gesamtheit der von der sozialistischen Gesellschaft getroffenen Maßnahmen zur rationellen Gestaltung der gesellschaftlichen Arbeit auf allen Gebieten, die auf die Erhöhung der Effektivität der Volkswirtschaft und gleichzeitig auf die Verbesserung der Arbeitsbedingungen und die Steigerung des Lebensstandards der Werktätigen gerichtet sind‘. Für die Bedeutung „im kapitalistischen Wirtschaftsgebiet“ gilt ,Gesamtheit der auf die Erhöhung des Profits gerichteten organisatorischen und technischen Maßnahmen, durch die die Arbeitsproduktivität in einem kapitalistischen Unternehmen gesteigert und die Ausbeutung der Arbeiter verstärkt wird‘. Im HANDWÖRTERBUCH 1984 wird diese Differenzierung bereits beim Verb *rationalisieren* zum Ausdruck gebracht. Beide Bedeutungen gehören zum Wortschatz der deutschen Sprache in der DDR wie auch in der BRD und den anderen deutschsprachigen Ländern (dazu grundsätzlich 3.1.2.2.). In der DDR hat sich dann noch die Neuprägung *Rationalisator* ,Werktätiger ...‚ der einen Beitrag zur sozialistischen Rationalisierung leistet‘ entwickelt (so im WDG). Das Verb *wegrationalisieren* fehlt im WDG und im HANDWÖRTERBUCH 1984, ist aber im DUDEN-GWB verzeichnet mit der Bedeutung ,durch Rationalisieren (zwangsläufig) bewirken, daß etwas nicht mehr vorhanden ist‘ *(Arbeitsplätze, Personal wegrationalisieren)*. Es paßt nicht zum Begriff der sozialistischen Rationalisierung, wird aber auch in der DDR in der Alltagskommunikation gelegentlich gebraucht (vgl. auch W. BRAUN 1979, 145 mit einem Beleg aus dem Börsenblatt Leipzig 1978, wo das Wort in distanzierende Anführungszeichen gesetzt ist).

Der sprachliche Mechanismus der ideologischen Polarisierung funktioniert auf verschiedene Weise:

– Polarisierung durch unterschiedliche Benennungsmotive: für das kapitalistische Wirtschaftssystem in der BRD wurden zahlreiche kaschierende Benennungen entwickelt, z. B. *soziale Marktwirtschaft* (1947; vgl. DUDEN-GWB Bd. 4, 1740). Statt *Rat für Gegenseitige Wirtschaftshilfe* verwenden die herrschenden Medien in anderen deutschsprachigen Ländern gewöhnlich den Ausdruck *Comecon*, eine im Deutschen etymologisch undurchsichtige und negativ konnotierte Entlehnung aus dem Englischen.

– Polarisierung durch Gebrauchsdifferenzierung in Verbindung mit der Veränderung denotativer und konnotativer Merkmale: *Revolution* als marxistischleninistischer Terminus im Unterschied zu *Putsch, Aufstand; Kundschafter* (,im Dienste des Fortschritts in geheimer Mission Tätiger‘) gegenüber *Spion, Spionage* (dies im WDG erklärt als ,organisierte Tätigkeit, die im Auftrag oder

Interesse einer reaktionären Macht geheimgehaltene Informationen ... zu erlangen sucht'); vgl. ferner die Verwendung von *Söldner* in der Presse der DDR (nach WDG „abwertend" ‚Angehöriger des Militärs oder der Polizei im Dienste einer imperialistischen Regierung, Macht') und *Kerker.* Dies ist im WDG unzutreffend als „veraltend" markiert und mit der Bedeutungsangabe versehen ‚unterirdisches, sehr festes Gefängnis'. Es wird vielmehr in der Presse der DDR ideologisch abwertend mit der ganz „normalen" Bedeutung ‚Gefängnis, Haft' verwendet.

– Polarisierung durch Umkehrung konnotativer Merkmale oder Konnotierung bzw. Dekonnotierung ohne wesentliche Veränderung denotativer Merkmale: vgl. die ideologisch bedingten Wertungsunterschiede von Ausdrücken wie *Arbeiter, Genosse, Kommunist, Friedensbewegung, -kampf, Gewerkschaft* u. a.

– Polarisierung durch Homonymisierung, d. h. stark voneinander abweichende Bedeutungen eines Formativs: *Demokratie*$_1$ (sozialistische) – *Demokratie*$_2$ (bürgerlich-parlamentarische).

Weitere Polarisierungen können im Text erfolgen. Die im Sprachsystem angelegten „konnotativen Potenzen" werden nicht selten ideologisch konträr aktualisiert. Das betrifft z.B. Verben wie *hetzen, anzetteln, sich zusammenrotten, erpressen,* Substantive wie *Machenschaften, Machwerk, Elemente* (auf Personen bezogen). Ihre Ideologiegebundenheit ist nicht sprachspezifisch, sondern textspezifisch; sie kommt in unterschiedlichen textgebundenen Kombinationen zum Ausdruck: *reaktionäre Elemente – kommunistische Elemente.* Es handelt sich um ideologiegebundene Kollokabilität.

3.1.3.4. Frequenzveränderungen

Angesichts des wechselseitigen Zusammenhangs zwischen kommunikativer Tätigkeit, die sich in Texten äußert, einerseits und dem Lexikon andererseits muß neben quantitativen Veränderungen des lexikalischen Bestandes auch die Verschiebung in der Häufigkeit ihres Gebrauches in Texten, ihre Textfrequenz, ins Blickfeld treten. Die Aufnahme von Neubildungen in den Wortschatz der Sprache setzt – wie bereits erwähnt (3.1.3.1.) – eine Frequenzsteigerung des Gebrauchs voraus, und umgekehrt deutet sich der Schwund, das Veralten vorhandener Benennungen durch Frequenzminderung an (ohne daß sich das Problem auf diesen Zusammenhang völlig reduzieren ließe; Frequenzsteigerung und -minderung können auch unabhängig von Neologisierung und Archaisierung erfolgen).

Diese Frage kann hier nur in großen Zügen erörtert werden. Insbesondere ist es nicht möglich, den Differenzierungen im Hinblick auf unterschiedliche soziale Gruppen, Kommunikationsbereiche und Textsorten nachzugehen, die bei Feststellung von merklichen Frequenzveränderungen – ohnehin keine leichte Aufgabe – natürlich zu berücksichtigen wären. Wir beschränken uns auf die allgemein zugänglichen Bereiche der Alltagskommunikation und den Sprachgebrauch der Massenmedien.

Für hochfrequentierte Ausdrücke wird bisweilen die zusammenfassende Benennung „sprachliche Prestigeform" verwendet (FREITAG 1974). Demnach wird offensichtlich ein wesentlicher Grund für die Frequenzsteigerung darin gesehen, daß ihre individuelle Verwendung den Benutzer als „aktualitätsbewußt" ausweist („Prestigegewinn"). Kollektiver Gebrauch durch die Massenmedien zielt auf spezifische journalistische Wirkungen.

Ohne daß an dieser Stelle eine differenzierte Behandlung derartiger „Prestigeformen" anzustreben wäre, sollen doch zumindest drei Gruppen unterschieden und in die Darstellung der Entwicklungstendenzen eingeordnet werden: Losung, Schlagwort und Modewort (im einzelnen dazu z. B. FREITAG 1974).

Losungen sind sprachliche Konstruktionen mit Aussagencharakter (auch als Aufforderung, Appell: *Alles für das Wohl des Volkes!*), keine Benennungen. Sie sind − wie Sprichwörter − eigene Mikrotexte und nicht als Wortschatzelemente gespeichert. Neben relativ kurzlebigen gibt es auch langlebige, z. B. die DDR-typische Losung *Plane mit, arbeite mit, regiere mit!* Wie die Sprichwörter unterscheiden sich die Losungen also von den Phraseologismen, auch den kommunikativen Formeln (weiteres dazu FLEISCHER 1982, 80 f.). Dennoch bestehen enge Wechselbeziehungen zwischen Losungen und Wortschatzelementen. Das zeigt z. B. die Losung *Schöner unsere Städte und Gemeinden − Mach mit!*, mit der seit Ende der 60er Jahre die Bürger der DDR zur Verschönerung der Wohngebiete aufgerufen werden. Aus dieser Losung hat sich eine ganze Serie von komplexen Benennungen entwickelt: *„Mach mit!"-Bewegung, -Initiative, -Leistung, -Stützpunkt, -Wettbewerb* u. v. a. Daß hier die Anführungszeichen in der Regel gesetzt werden, hängt wohl mit der zugrunde liegenden Losung zusammen; sie sind an sich nicht erforderlich, und es müßte überdies auch der Durchkopplungsbindestrich verwendet werden, vgl. *Haltet-den-Dieb-Politik, Lauf-dich-gesund-Bewegung.* Manche der genannten Bildungen dürften gegenwärtig den Charakter eines Schlagwortes (s. u.) haben. Die Grenze zwischen Losung und Schlagwort ist auch deshalb fließend, weil zwischen Satzkonstruktion und nominaler Wortgruppe syntaktisch variiert werden kann: *Steigerung der Arbeitsproduktivität* als Wortgruppe ist ein Schlagwort; *Steigert die Arbeitsproduktivität!* ist als Losung verwendbar (vgl. FREITAG 1974, 120 f.).

Unter Schlagwort verstehen wir eine Benennung (in Wort- oder Wortgruppenstruktur; in letzterem Fall unter dem Gesichtspunkt der Phraseologieforschung auch als Nominationsstereotyp bezeichnet: FLEISCHER 1982, 63 ff.) mit hoher Textfrequenz, in deren Bedeutung aktuelle, gesellschaftlich besonders bedeutsame Sachverhalte begrifflich konzentriert gefaßt werden. Ein Schlagwort ist also keineswegs prinzipiell negativ zu werten; Schlagworte erfüllen legitime kommunikative Bedürfnisse. Die gesellschaftliche Relevanz, prägnante Fassung und kommunikative Handlichkeit führen zu einer entsprechenden Frequenzsteigerung. Die häufige Verwendung als Stereotyp kann schließlich Anstoß erregen, insbesondere in bestimmten Kommunikationssituationen und Textsorten.

Eine besondere Rolle spielen politische Schlagworte, doch läßt sich darauf der Ausdruck nicht beschränken. Die Entwicklung in Kunst, Wissenschaft und Technik hat ebenfalls charakteristische und wirkungsvolle Schlagworte hervorgebracht (z. B. *Umwelt* mit zahlreichen Weiterbildungen; *schreibender Arbeiter, Bitterfelder Weg*; in der Vergangenheit vgl. *die blaue Blume* der Romantik, *die schöne Seele* der Klassik). Auch Schlagworte unterliegen den Tendenzen der Terminologisierung und Determinologisierung (vgl. 3.1.1.3.). Schlagworte wie *friedliche Koexistenz, kalter Krieg* sind heute mehr oder weniger terminologisiert; marxistisch-leninistische Termini wie *Ideologie, Imperialismus, historische Mission der Arbeiterklasse, Ausbeutung, Klassenkampf* sind zugleich Schlagworte, und nichtterminologischer Gebrauch findet sich z. B. auch in der Presse der DDR (vgl. zu *Ideologie* z. B. GEIER 1979). Die weltweiten Bemühungen der Friedenskräfte, sich gegen die aggressivsten imperialistischen Kreise zur Wehr zu setzen, haben in jüngster Zeit Schlagworte forciert wie *Teststopp (nuklearer), Einfrieren der Kernwaffen, Verbot von Weltraumwaffen,* und an die Stelle des Schlagwortes von der *nuklearen Abschreckungsstrategie* tritt das Wort von der *Überlebenspartnerschaft.* Auch hier besteht eine enge Beziehung zu entsprechenden Losungen. Von den herrschenden Kreisen in der BRD geförderten einstigen Schlagworten wie *Vermögensbildung in Arbeiterhand* wird heute von den Arbeitern das Wort vom *Sozialabbau* gegenübergestellt (vgl. die Losung *Gegen Rüstung und Sozialabbau!* auf dem Bundeskongreß der Arbeitsgemeinschaft der Jungsozialisten in der SPD am 13. 4. 1984, ND 1984).

Vom Schlagwort ist das Modewort zu unterscheiden, wenngleich Gemeinsamkeiten bestehen („ihr besonderes Verhalten im Kommunikationsprozeß": FREITAG 1974, 129 f.). Doch das Modewort kennt nicht die begriffliche Konzentration des Schlagwortes zum Ausdruck bedeutungsvoller Erscheinungen und hat von vornherein „eine größere Anwendungsbreite" (a. a. O., 131; zur differenzierten Charakterisierung vgl. auch M. HEINEMANN 1984). Während das Schlagwort fast ausschließlich als Substantiv (oder substantivische Wortgruppe) auftritt, sind als Modewort alle Hauptwortarten vertreten: Substantiv, Verb, Adjektiv, Adverb und auch Partikeln der verschiedensten Art. Das Schlagwort ist stärker auf den Gebrauch in der öffentlichen Kommunikation orientiert; das Modewort kommt „weit öfter ... in der interpersonalen Kommunikation" vor (a. a. O., 132). Eine ausschließlich negative Bestimmung und dann notwendigerweise auch Bewertung des Modewortes („entscheidend" sei „neben der Häufigkeit die unüberlegte, unangemessene Verwendung: WB DER SPRACHSCHW. 1984, 337) ist wohl nicht angebracht. Für eine rationelle Verständigung in der Alltagskommunikation sind Modewörter vielfach gut geeignet (über sozialpsychologische Motivationen für ihren Gebrauch vgl. auch FREITAG 1974, 131 f.). Es wäre unnötig, in jedem Falle anspruchsloser Alltagskommunikation für Substantive wie *Aspekt,* Adjektive wie *nett* und *interessant* und dgl. (vgl. Beispiele WB SPRACHSCHW. 1984, 337) nach variablen Benennungen zu suchen. Freilich wird entwickeltes Sprachbewußtsein nach den unterschiedlichen Kommunikationssituationen zu differenzieren wissen, und wirkungsvolle Kommunikation muß auch mit einem Fundus variabler Benennungen operieren können. So wird man sich bei überlegter Textgestaltung nicht immer auf die Verwendung des Verbs *auslösen* beschränken können in Texten wie: „... neue Triebfedern für die Erfüllung unserer aktuellen Aufgaben *auslösen* ..." (ND 1962).

„Ausweitungen" der Distribution und damit Bedeutungserweiterungen (vgl. auch 3.1.4.) vollziehen sich beim Adjektiv noch leichter als beim Substantiv. So hat man eine Zunahme des Gebrauchs von *hoch* beobachtet in Verbindung mit Substantiven, bei denen vorher eher Adjektive wie *stark, groß, schnell, gut* üblich waren: *hohes Interesse, hoher Kundendienst, hohe Materialökonomie* (vgl. RÖSSLER 1979). Invariantes Merkmal ist das der Intensität, die Ableitungsmöglichkeiten sind variabel; das zeigt sich bei analoger Ausdehnung des Adjektivs *scharf* (vgl. SOMMERFELDT 1982 c). Über eine entsprechende Entwicklung des Adjektivs *breit* gibt es schon seit Jahrzehnten kritische Bemerkungen (*der breiten Initiative der Werktätigen breiten Raum lassen*; vgl. SPRACHPFLEGE 11, 1962, 19).

Ein Kapitel für sich bilden innerhalb der Adjektive die Farbbenennungen, die in starkem Maße dem Einfluß von Mode und Werbung unterliegen, insbesondere solche, die aus Substantiven hervorgegangen sind und nun auch in attributiver Verwendung nicht flektiert werden, z. B. *champagner, cognac, flieder, oliv, orange, reseda, rosenholz* (vgl. WB SPRACHSCHW. 1984, 162). SCHIPPAN sieht „vier Wege des Ausbaus dieses Wortschatzbereichs" (SCHIPPAN 1983, 298 ff.).

Den nicht selten raschen Verschleiß von Verstärkung ausdrückenden Modewörtern zeigt etwa der Ersatz des älteren *fabelhaft* (in Goethes ‚Faust' noch motiviert durch *Fabel*: „Der Sage *fabelhaft* Gebild ...") durch *sagenhaft* (jemand hat *ein sagenhaftes Schaltvermögen*); dies in WB SPRACHSCHW. 1984, 414 erwähnt mit dem Kommentar: „Der häufige Gebrauch dieser übertriebenen Ausdrucksweise sollte ... vermieden werden."

An der raschen Entwicklung ganzer Serien von komplexen Bildungen (vgl. auch 3.5.) mit einem Wortschatzelement, das auf diese Weise modische Attraktivität erlangt, haben die Massenmedien großen Anteil; man vgl. die vielen Bildungen mit *-muffel* (das Substantiv *Muffel* im WDG noch ohne Komposita mit der Bedeutung ‚muffliger Mensch', dazu *muff(e)lig* ‚mürrisch, unfreundlich, wortkarg', *muffeln* ‚mürrisch, wortkarg sein'): *Bewegungs-, Bildungs-, Fernseh-, Mode-, Umwelt-, Volksfestmuffel* (ausführlich HIETSCH 1981); in gewisser antonymischer Entsprechung dazu *-bewußt*: *qualitäts-, umweltbewußt* (vgl. KNOBLOCH 1976 mit Hinweis auf den Charakter als Gegenbildung zu *Muffel*). Eine ähnliche Rolle spielen *-szene* (*Kenner der Atomszene, Pop-, Rock-, Intellektuellen-, Homosexuellenszene*) und *-landschaft* (*Fernseh-, Literatur-, Medien-, Buch-, Krebslandschaft*).

3.1.3.5. Wechselbeziehung zwischen Lexik und Grammatik

Mit dem Blick auf Kapitel 4 des Buches kann hier nur kurz darauf hingewiesen werden, daß zwischen lexikalischen und grammatischen Entwicklungen enge Wechselbeziehungen bestehen (vgl. auch DÖRING 1977, 353). Lexikalisch-semantische Veränderungen der Verben können Änderungen in Rektion und Valenz zur Folge haben: *alphabetisieren*, im WDG nur ‚nach dem Alphabet ordnen‘, kann heute in der Bedeutung ‚Analphabeten lesen und schreiben lehren‘ auch eine Personenbenennung als Objekt haben (so im DUDEN-GWB). Früher nur intransitiv gebrauchte Verben wie *agitieren* und *bummeln* werden heute auch transitiv verwendet, mit entsprechenden semantischen Veränderungen (*jemanden agitieren* ‚auf jemanden agitatorisch einwirken‘: DUDEN-GWB, vgl. auch HANDWÖRTERBUCH 1984; *die Arbeit bummeln*: W. BRAUN 1978, 165; in den großen Wörterbüchern noch nicht belegt). Umgekehrt wird *orientieren*, früher nur entweder reflexiv *(sich an, nach, über etwas orientieren)* oder transitiv gebraucht *(jemanden, etwas auf etwas orientieren)*, heute zunehmend intransitiv gebraucht in der Bedeutung ‚die Aufmerksamkeit auf etwas lenken‘: *die Mediziner orientierten auf die Dringlichkeit der Krebsforschung* (vgl. WB SPRACHSCHW. 1984, 359). Kritik an solchen Verschiebungen ist unangebracht und übrigens auch wirkungslos; vgl. F. FÜHMANNS Bemerkung, er finde *orientieren auf* „gräßlich, aber irreversibel" (Zweiundzwanzig Tage oder die Hälfte des Lebens, Rostock 1973, 102). Im DUDEN 1985 wird übrigens dieser Gebrauch noch nicht entsprechend registriert.

Beim Substantiv können Bedeutungsentwicklungen zu Veränderungen in der Numerusopposition führen, Abstrakta beispielsweise einen neuen, zunächst ungewohnten Plural erhalten. Das Wort *Austausch* als Verbalsubstantiv zu *austauschen* ist im WDG ausdrücklich mit dem Vermerk „ohne Plural" versehen; auch im DUDEN-GWB wie im DUDEN 1985 fehlt eine Pluralangabe. Komposita wie *Erfahrungsaustausch, Meinungsaustausch*, die eine eigens für diesen Zweck organisierte Veranstaltung bezeichnen, treten dagegen im Plural auf: *Meinungsaustausche* (LVZ 1980), *Erfahrungsaustausche* hat auch der DUDEN 1985 mit Plural; im WDG, im Handwörterbuch 1984 und im DUDEN-GWB fehlt ein entsprechender Hinweis. Eine ähnliche Entwicklung zeichnet sich ab bei dem Wort *Lob* als Benennung für eine pädagogische Maßnahme des Lehrers: „Die Kinder müssen allmählich lernen, auch ohne die moralischen ‚Stützen‘ durch die Erwachsenen – *Lobe*, Strafen usw. – sich richtig zu verhalten" (Elternhaus und Schule 1974). Man vgl. weiterhin Pluralformen wie *Aktivitäten* (im WDG: „Plural ungebräuchlich", im HANDWÖRTERBUCH 1984 als Semem 2 „vorwiegend Plural"!!), *Verbräuche* (Sprachpflege 1981), *Stillstände* (LVZ 1981), „Anzahl der ... *Neubeginne* ... verringert". (LVZ 1980).

3.1.3.6. Archaisierung

Das „Veralten" von Benennungen und ihr eventueller Schwund aus dem „lebendigen" Lexikon sind im Unterschied zum Aufkommen von Neuentwicklungen weit schwerer zu beobachten; sie sind vielgestaltig, die Erfassung in den Wörterbüchern ist recht unterschiedlich. Für das WDG zählt HERBERG 1976 bei 8 500 Stichwörtern von *M – Platten* 171 als „veraltend" und 141 als „veraltet" gekennzeichnete; das sind 3,7 % des Gesamtwortschatzes. Von den insgesamt 312 Stichwörtern sind 232 Substantive.

Die Ermittlung von Archaismen verlangt den Überblick über zahlreiche Texte bzw. größere Wortschatzbereiche und eine zielgerichtete Suche (vgl. auch HERBERG 1976, 1). Neubildungen lassen sich bisweilen genau datieren, das trifft für Archaismen nicht zu. Wenn die Archaisierung als Beispiel für sprachliche Veränderungen unter dem Druck veränderter kommunikativer Bedürfnisse dienen kann (vgl. GROSSE/NEUBERT 1982, 12, SCHIPPAN 1984a, 15 ff.), so kann doch nicht jeder Einzelfall des „Veraltens" von Benennungen als „Entwicklung" qualifiziert werden. Der Untergang von Wörtern – etwa heimischer Simplizia und ihr „Ersatz" durch Fremdwörter oder Komposita – ist im Gegenteil immer wieder bedauert worden. J. GRIMM sah z. B. eine Aufgabe seines „Deutschen Wörterbuches" darin, verborgene „lexikalische Schätze hervorzuziehen" (Vorrede zu Bd. I, Sp. XIX). Dennoch läßt sich nicht übersehen, daß auch sogenannte „modische Tendenzen" wie etwa diejenige der Verdrängung heimischer Wörter durch Fremdwörter mit hohem Prestigewert (dazu auch 3.1.3.4.) bestimmte kommunikative Bedürfnisse befriedigen. Diese Bedürfnisse sind allerdings nicht pauschal zu fetischisieren, sondern ihrerseits zu bewerten und differenziert zu untersuchen.

Die Archaisierung von Lexemen ist ein Prozeß, der sich stufenweise vollziehen kann. Nicht selten bleibt ein im freien Gebrauch unüblich gewordenes Lexem als unikale Komponente von Phraseologismen bewahrt (vgl. FLEISCHER 1982, 42 ff.): *Fersengeld geben, Schindluder treiben, sich anheischig machen* u. v. a. *Lichtspiel* ‚Film' sowie *Lichtspielhaus, -theater* werden im DUDEN-GWB als „veraltend" markiert, im WDG nur *Lichtspiele* ‚Filmtheater'. Als Bestandteil des N a m e n s von Filmtheatern, als onymisches Element, ist *Lichtspiele* aber durchaus noch geläufig (im Leipziger Fernsprechverzeichnis von 1985: *Casino-Lichtspiele, Centrum-Lichtspiele, Coppi-Lichtspiele, Eutritzscher Lichtspiele, Kammer-Lichtspiele* u. a.). Auch als gebundene Komponente von Wortbildungskonstruktionen kann ein veraltetes Lexem erhalten bleiben (vgl. die Entstehung von Affixen aus selbständigen Wörtern), z. B. *pflichtig* mit der Bedeutung ‚verpflichtet' in Bildungen wie *gebühren-, melde-, rezeptpflichtig* (vgl. WB SPRACHSCHW. 1984, 376). Obwohl *Oberlehrer* in der DDR ein Ehrentitel ist, begegnet das Adjektiv *oberlehrerhaft* noch in der pejorativ konnotierten Bedeutung wie ‚schulmeisterhaft' auch in DDR-Texten: „... ganz abgesehen vom beckmesserischen und *oberlehrerhaften* Umgang mit diesem Instrumentarium ..." (Sinn und Form 1986). Schließlich kann sich die Bewahrung veralteter Lexeme auf bestimmte morphologische Formen erstrecken: *erkor* als Präteritum des geschwundenen Verbs *erkiesen* (WB SPRACHSCHW. 1984, 156).

Bei der Betrachtung der Archaisierungsprozesse lassen sich zwei Gesichtspunkte unterscheiden: die Sicht auf den benannten Gegenstand und die Sicht auf die sprachliche Benennung. Der benannte Gegenstand kann sich wesentlich verändern oder aus dem gesellschaftlichen Leben ganz verschwinden, damit verliert auch seine Benennung an „kommunikativer Relevanz", weil der benannte Gegenstand an „lebenspraktischer Bedeutung" verloren hat (vgl. G. D. SCHMIDT 1982, 192 f.). In diesem Fall wird gewöhnlich von Historismen gesprochen. Die Benennungen stehen weiterhin zur Verfügung, wenn in historischer Darstellung oder künstlerischer Gestaltung historischer Prozesse die „veralteten" Gegenstände zu benennen sind (*Rittergut* u. ä.). Ein Sonderfall liegt dann vor, wenn der betreffende Gegenstand nicht verschwunden ist, sondern das Bedürfnis nach einer gesonderten, ihn begrifflich fixierenden Benennung nicht mehr besteht: *vollgenossenschaftliches Dorf* (vgl. a. a. O., 141). Auch die Unterscheidung von *Alt-* und *Neulehrer* war gebunden an die Jahre des demokratischen Neubeginns nach 1945.

Gilt die Benennung nicht mehr als „verwendungswürdig" (a. a. O., 129 f.), obwohl der benannte Gegenstand seine „lebenspraktische Bedeutung" behalten hat, aber anders benannt wird, handelt es sich um Archaismen im engeren Sinn. Abgrenzung und Beurteilung im Einzelfall können schwierig sein, zumal in der gesellschaftlichen Praxis ständig Veränderungen eintreten (vgl. z. B. RÖSSLER 1971, HERRMANN-WINTER 1974, 169). STARS (1974) sieht z. B. das Wort *Schrittmacher* ‚Pionier, Wegbereiter' dessen Verwendungshöhepunkt ihrer Meinung nach in den Jahren 1967–1969 lag und das von ihr als „vorübergehender Neologismus" qualifiziert wird, schon wieder im Veralten begriffen, was m. E. fraglich ist.

Der Ersatz einer Benennung bringt nicht selten eine veränderte Bewertung des benannten Gegenstandes zum Ausdruck, ohne daß dieser sich stärker verändert haben muß (zur klassenmäßigen Differenzierung vgl. V. SCHMIDT 1978, 12 f.); vgl. z. B. die Tendenz zum Ersatz von *Laden* durch *Geschäft, Einzelhandelsgeschäft* (vgl. SCHIPPAN 1984 a, 10 f.; semantisch differenziert *Verkaufsstelle*), doch nicht dieser Tendenz entsprechend wiederum *Industrieladen* ‚von einem volkseigenen Industriebetrieb eingerichtete Spezialverkaufsstelle für seine Erzeugnisse', laut WDG „Neuprägung DDR".

Vielfach kommen nur einzelne Sememe außer Gebrauch, so daß es sich um das Gegenstück zur „Lexemumstrukturierung" durch Herausbildung neuer Sememe handelt (vgl. 3.1.3.1.). Die politische Bedeutung des Adjektivs *rot* ‚der revolutionären Arbeiterbewegung zugehörig' ist in der DDR „zunehmend von anderen, viel stärker terminologischen Lexemen übernommen worden" (NEUBERT 1981 b, 14); das wird im WDG durch den Hinweis reflektiert: ‚vornehmlich bis nach dem Ende des zweiten Weltkrieges gebräuchliche Bezeichnung ...'

Die Vorstellung von ‚unten' und ‚oben' in bezug auf die Stellung des Einzelnen in der Gesellschaft ist sozialistischen Verhältnissen nicht mehr angemessen. Dennoch werden die Wörter *unten* und *oben* in entsprechender Bedeutung noch verwendet. Das WDG gibt Belege wie *die Initiative von unten* ‚Initiative des werktätigen Volkes ...‘, *Grundsatz der Kritik von unten*. Abgesetzt wird davon – wohl nicht ganz dem tatsächlichen Gebrauch entsprechend – *er hat ganz unten angefangen* ‚in seinem Beruf in untergeordneter Stellung‘, gekennzeichnet als „DDR veraltend". Und *oben* ‚an vorgesetzter Stelle, Instanz‘ wird ebenfalls als „umgangssprachlich DDR veraltend" markiert. Vergleiche dazu auch die ironische Verwendung: „Zwar war es geräumiger hier [im Zimmer des Hauptbuchhalters], aber für *die Oberen* hieß man Buchhalter, und von *den Unteren* wurde man zu den Häuptlingen geschlagen." (H. KANT, in: Sinn und Form 37, 1985, 935) Daß metaphorische Sememe die veraltete direkte Bedeutung überleben können, zeigen Beispiele wie *Knecht* und *Lakai*, aus jüngerer Zeit *Einzelbauer* (*Einzelbauern in der Wissenschaft,* ND 1968, vgl. HERRMANN-WINTER 1974, 169).

3.2.   Soziolinguistische Aspekte der Wortschatzentwicklung
3.2.1. Bemerkungen zum Gegenstand

Da wir uns auf keine einheitlichen disziplinären Festlegungen berufen können (zur Heterogenität der Soziolinguistik vgl. z. B. in Studien zur Soziolinguistik, o. J. oder bei DITTMAR 1980, SCHIEBEN-LANGE 1978, UESSELER 1982), muß hier – wenn auch äußerst knapp – einiges zum Analyseansatz gesagt werden.

Die soziolinguistische Analyse von Entwicklungstendenzen im Wortschatz beginnt bei der Einheit sprachlich-kommunikativer Tätigkeit, dem Kommunikationsereignis (KE). Typen von KE sind bestimmt durch Typen von Kommunikationssituationen, unter deren Bedingung sich KE vollziehen. Kommunikationssituationen setzen sich zusammen aus „Tätigkeitssituation", „Umgebungssituation" und „sozialer Situation" (zur Bestimmung der Begriffe vgl. THEORETISCHE PROBLEME DER SPRACHWISSENSCHAFT 1976 und MENG 1979).

Im weiteren geht es um den Einfluß der Elemente der sozialen Situation und insbesondere der sozialen Gruppen auf die Sprache; selbstverständlich nur insoweit als sie Entwicklungstendenzen der deutschen Gegenwartssprache begründen bzw. als dies zur Erklärung von Entwicklungstendenzen notwendig ist.

Als Ausschnitt aus der Sozialstruktur der jeweiligen Gesellschaft ist die soziale Situation in ihrem Wesen durch die ökonomische Gesellschaftsformation bestimmt und im Detail durch

1. die konkreten Positionen, Rollen und Gruppenzugehörigkeiten der Kommunikationspartner,
2. die konkreten sozialen Beziehungen zwischen den Kommunikanten.

Positionen ergeben sich aus der Gruppenzugehörigkeit oder aus der Rolle im KE. Rollen gruppieren die Kommunikanten im KE. Sie werden in Abhängigkeit von der Zugehörigkeit zu sozialen Gruppen (vgl. z. B. die spezifische Rolle des Meisters in einem Gespräch zur Arbeitseinweisung) und in Abhängigkeit von der Struktur des KE (vgl. z. B. die spezifische Rolle des Vortragenden gegenüber den Zuhörern im KE „Vortrag", unabhängig davon, welcher sozialen Gruppe sie sonst angehören und welche Positionen sie unabhängig vom KE einnehmen) verteilt.

Mit der sozialen Gruppe im engen Sinne erfassen wir vor allem regionale Gruppen, Berufsgruppen bzw. Fachleute gegenüber Nicht-Fachleuten, Altersgruppen, Geschlechtsgruppen usw. und Träger von Rollen im KE (zum Gruppenbegriff vgl. GRUNDLAGEN DER MARXISTISCH-LENINISTISCHEN SOZIOLOGIE 1977, 188 ff.).

Ist die Verwendung bestimmter sprachlicher Mittel (wegen der Konzentration auf den Wortschatz sind hier immer Benennungen gemeint) typisch für bestimmte Gruppen oder wurden diese Mittel von bestimmten Gruppen geschaffen, so bilden diese Gruppen die soziale Basis jener sprachlichen Mittel. Sprachliche Mittel, die viele Gruppen als soziale Basis haben und bei vielen verschiedenen Typen sozialer Beziehungen verwendbar sind, haben soziolinguistisch gesehen einen hohen kommunikativen Wert. Soziale Basis und kommunikativer Wert sprachlicher Mittel sind nicht unwichtig für die Auslösung von Entwicklungstendenzen bzw. zeigen sich in ihrer konkreten Bestimmung auch Entwicklungstendenzen. Zum Beispiel haben Fachwörter einen niedrigeren kommunikativen Wert als allgemeinsprachliche, da sie ursprünglich nur für die Kommunikation unter Fachleuten bestimmt sind. Wenn aber für die gesellschaftliche Kommunikation wichtige Kommunikantengruppen (z. B. Verfasser von Gebrauchsanweisungen oder Journalisten) die Frequenz von Fachwörtern in Kommunikation mit Nicht-Fachleuten deutlich erhöhen, so kann sich der kommunikative Wert von Fachwörtern ebenfalls erhöhen. Der zunächst bestehende Widerspruch zwischen niedrigem kommunikativen Wert des Fachwortes und seiner häufigen Verwendung in der Kommunikation kann sich dahingehend lösen, d. h. aber nicht, daß dies die immer wünschenswerte und auch eintretende Lösung des Widerspruchs ist.

Der sozialen Basis von Benennungen kommt insofern eine dominante Rolle zu, als unter soziolinguistischem Aspekt festzustellen ist, daß bei der aktuellen Wahl einer Variante aus einem Variantenfeld zwar die sozialen Beziehungen zwischen den Partnern bestimmend sind, das jeweils zur Verfügung stehende Variantenfeld und seine Struktur jedoch durch die Gruppenzugehörigkeit des Sprechers determiniert wird.

Folgen wir der Auffassung vom bilateralen Charakter des sprachlichen Zeichens als einer arbiträr verbundenen Einheit von Formativ und Bedeutung, so sind drei Möglichkeiten der Beziehung zwischen sozialer Basis und Benennung gegeben. Entsprechend können sich auch Entwicklungstendenzen im Wortschatz, soweit sie durch Gruppen geprägt sind, auf dreierlei Weise vollziehen.

Es sind zu unterscheiden:

1. gruppenspezifische Benennungen: Sie sind als Ganzes (Formativ und Bedeutung) gruppenspezifisch und nur durch Umschreibung in andere Gruppensprachen „übersetzbar". Dazu gehören etwa Benennungen kleinerer landschaftlicher Gruppen für meist nur regional begrenzt vorhandene Sachen wie z. B. erzgebirgisch: *Schragen* (Gestell zum Trocknen des Flachses auf dem Felde) oder Benennungen, die Berufsgruppen als soziale Basis haben, z. B. *töpfen* (Kinder auf den Topf setzen) bei den Krippenerzieherinnen der DDR.

2. Benennungen mit unterschiedlicher sozialer Basis, die sich nur durch die Formative unterscheiden: Hier verweisen die Formative auf eine bestimmte soziale Basis, die Bedeutungen werden, ohne dabei wesentlich verändert zu sein, von anderen Gruppen mit anderen Formativen verbunden. Vergleiche fachsprachlich: *Schwingungsdämpfer* – allgemeinsprachlich: *Stoßdämpfer*.

3. Benennungen mit gleichem Formativ, aber gruppenspezifischer semantischer Differenzierung: Sie sind (neben den unter 1. genannten Benennungen) vor allem der sprachliche Ausdruck der tätigkeitsvermittelten Differenzierung der Subjekt-Objekt-Beziehung im Erkenntnisprozeß. Diese Benennungen sind nur partiell genauer erforscht, sie scheinen aber am vielfältigsten zu sein. Auf jeden Fall gehören hierher weite Bereiche des ideologiegebundenen Wortschatzes (vgl. 3.1.3.3.). Zu nennen wären hier auch Prozesse der Entterminologisierung von Termini (vgl. 3.1.1.3.), wenn sie in der Alltagskommunikation verwendet werden (vgl. LANGNER 1980a, LERCHNER 1974). Unterschiedliche berufliche Tätigkeit, Ausbildung, spezifische gesellschaftliche Tätigkeit usw. prägen ebenfalls deutlich solche Unterschiede aus (vgl. SCHÖNFELD DONATH 1978).

Daß Benennungen eine soziale Basis haben, führt dazu, daß sich auch gruppenspezifische Relationen zwischen Benennungen herausbilden, man also nach sozialer Basis differenzierte Wortschatzstrukturen feststellen kann. Dies äußert sich in gruppenspezifischen Verwendungsregeln, -gewohnheiten und -fertigkeiten im Hinblick auf Benennungen. Jeder Sprecher ist durch eine „sprachliche Normallage" charakterisiert, die dann die Varianzbreite im sprachlichen Verhalten überhaupt bestimmt. Zu ihr gehört auch die von Umfang und Struktur des verfügbaren Wortschatzes abhängige Benennungsverwendung. Sie ist ein Indiz für die Zugehörigkeit des Sprechers zu einer bestimmten Gruppe.

Analysen von Figurencharakteristiken durch Figurensprache in der Belletristik der DDR (vgl. z.B. BRENDTNER 1985, PORSCH 1984b) lassen z.B. annehmen, daß in der DDR die unmittelbar in der Produktion Tätigen im Vergleich zu anderen Gruppen am häufigsten, am wahrscheinlichsten und in den meisten KE umgangssprachliches und saloppes Wortgut verwenden. Diese Gruppen urteilen auch anders über die Verwendbarkeit von Benennungen, die stilschichtlich unterhalb „normal" eingeordnet sind. Sie entscheiden sich seltener für die Nicht-

Zulässigkeit solcher Benennungen als andere Gruppen (vgl. KATTERBE 1981). Ähnliches gilt für Jugendliche (vgl. SCHIPPAN 1984b, HEUCK/RAUSCH 1977). Sehr deutlich werden gruppenspezifische Benennungsverwendungen bei regionalen Gruppen.

Die Analyse von Leserzuschriften, die im Rahmen einer Leserdiskussion über das Leben in Lehrlingswohnheimen an die DDR-Jugendzeitschrift „neues leben" gesandt wurden, zeigt, daß die jugendlichen Absender eher umgangssprachlich und salopp benennen bzw. sich deutlich an mündlicher Kommunikation orientieren, während die Zusammenfassung der Leserdiskussion durch einen Sekretär des FDJ-Zentralrates (beides nl 1986) gehobener, „feierlicher" wirkt. Der „lockeren" Darstellung von Problemen und ihrer Lösung durch die Briefeschreiber steht die geformtere, das Bedeutungsvolle der besprochenen Sache betonende Textgestaltung des Zentralratssekretärs gegenüber.

Leserbrief: *Man kann nicht von vornherein sagen: Das Internatsleben ist belastend. Es liegt doch vor allem an einem selbst, wie man es sich gestaltet.*

Sekretär: *Wie überall in unserer Gesellschaft hängt von der persönlichen Haltung und der eigenen Tat auch viel für die Gestaltung des sozialistischen Gemeinschaftslebens, für gute Ausbildungsergebnisse und eine interessante Freizeitgestaltung ab.*

Leserbrief: *C. sollte sich mit ihren Zimmergenossen über ihre Probleme unterhalten und mit ihnen gemeinsam eine Lösung suchen ... sollte sich mit ihren „Raumteilern" aussprechen und nicht verkriechen. So könnte C. den anderen zeigen, was sie zu bieten hat ... Dazu ist es jedoch notwendig, daß sie nicht mehr so überheblich auftritt und über andre lästert.*

Sekretär: *Mit Recht wurden in Zuschriften gegenseitige Achtung, Hilfsbereitschaft, Ehrlichkeit und bewußte Disziplin als wichtige Grundlage für die kollektiven Beziehungen im Wohnheim bezeichnet. Dabei hilft nicht, nur mit dem Finger auf andere zu zeigen, sondern ... mit eigenem Vorbild voranzugehen und sich offen und ehrlich die Meinung zu sagen.*

Untersuchungen von HEUCK und RAUSCH (1977) lassen bei vierzehnjährigen Jugendlichen geschlechtsspezifische Unterschiede bei der Bevorzugung bestimmter Benennungen annehmen. So nannten männliche Jugendliche als Möglichkeiten für die Benennung der verschiedenen Geschlechter in der eigenen Altersgruppe wesentlich häufiger derb-vulgäre Varianten als die gleichaltrigen Mädchen (vgl. KL. ENZYKL. 1983). Auswirkungen auf die geschlechtsspezifische Verteilung des verfügbaren Wortschatzes können auch unterschiedliche Lese- und Fernsehgewohnheiten männlicher (Bevorzugung technischer Information) und weiblicher Jugendlicher (Bevorzugung von Information zu Jugendfreundschaften, Liebe und Ehe) haben (vgl. Jugend konkret 1984).

Wir haben bereits darauf hingewiesen, daß die Beachtung der sozialen Beziehungen und ein entsprechend differenzierter Sprachgebrauch gruppenspezifisch sind. Dies zeigt sich vor allem bei Grußformeln, Anreden und Aufforderungen.

Die gruppenspezifische Benennungsverwendung hat ihr Äquivalent in der Gruppenspezifik der Wirkung von Benennungen in der Kommunikation. Halten

z. B. erwachsene österreichische Frauen, zumindest wenn sie sich in der Gast-
oder Kundenrolle befinden, die Anrede mit *gnädige Frau* für völlig normal, so
würde diese Anrede bei Frauen aus der DDR Verwunderung, möglicherweise sogar Verunsicherung hervorrufen.

Durch die generelle Abhängigkeit der verwendeten Benennungen von der
Normallage des Senders, durch den empfänger- und situationsbezogenen Gebrauch von Benennungen und durch die Abhängigkeit der Wirkung von Benennungen von der Gruppenzugehörigkeit des Empfängers kann ein Spannungsge-
füge entstehen, aus dem Entwicklungstendenzen resultieren.

3.2.2. Die staatliche Kommunikationsgemeinschaft – Landesspezifik in Wortschatz und Wortschatzentwicklung

Bekanntlich ist die deutsche Sprache in mehreren Staaten Staatssprache (vgl.
3.1.2.2.): in der DDR, der BRD, in Österreich und Liechtenstein praktisch ausschließlich, wenn man von anerkannten sprachlichen Minderheiten einmal ab-
sieht (Sorbisch in der DDR, Slowenisch in Österreich, Dänisch und Friesisch in
der BRD), in der Schweiz wird Deutsch von etwa zwei Drittel der Einwohner gesprochen, in Luxemburg ist zwar Französisch Verwaltungssprache, seit 1830 ist
jedoch Deutsch als zweite Amtssprache anerkannt, die Volkssprache ist ein
deutscher, moselfränkischer Dialekt, das Letzeburgische. Zu deutschsprachigen Minderheiten in einer Reihe europäischer und außereuropäischer Länder
wird hier nichts gesagt, da von ihnen kaum Impulse für Entwicklungstendenzen
der deutschen Gesamtsprache ausgehen. Das heißt aber nicht, daß gerade Probleme sprachlicher Minderheiten ein unbedeutender Gegenstand soziolinguisti-
scher Forschung sein müssen. Üblicherweise behandelt die Soziolinguistik sogar eher solche Probleme, als daß sie staatliche Kommunikationsgemeinschaften als Ganzes untersucht. Es entstand aber gerade in letzter Zeit im Hinblick
auf solche Sprachen, die in verschiedenen staatlichen Kommunikationsgemeinschaften gesprochen werden (und da vor allem wieder solche, die in Staaten unterschiedlicher Gesellschaftsordnung gesprochen werden), ein gewisses Interesse, Eigentümlichkeiten, die aus diesem Fakt resultieren, zu untersuchen.
Entsprechende Bemühungen sind durchaus in eine nicht zu eng verstandenen
Soziolinguistik integrierbar, da staatliche Kommunikationsgemeinschaften als
soziale Basis von Varianten einer Sprache erscheinen, die ja eigene Entwicklungstendenzen herausbilden und in unterschiedlicher Art und Weise Gesamt-
tendenzen der Entwicklung der deutschen Gegenwartssprache bestimmen. Es ist
z. B. auch für den Wortschatz eine einfache Erfahrungstatsache, daß sich Österreicher, Schweizer, Bürger der BRD und Bürger der DDR auch auf literatur-

sprachlicher (standardsprachlicher) Ebene voneinander unterscheiden und relativ leicht und schnell identifizieren lassen. Die Gründe dafür sind vielfältig.

Es gibt verschiedene Möglichkeiten, staatliche Kommunikationsgemeinschaften als Ganzes unter soziolinguistischem Blickwinkel zu untersuchen und voneinander zu unterscheiden:

1. Vordergründig erscheinen sie innerhalb der Sprachgemeinschaft als regional differenziert. Auf Grund ihrer Randlage im deutschen Sprachraum sind Österreich und die Schweiz (Liechtenstein und Luxemburg werden im weiteren vernachlässigt) in gewisser Weise einseitig regional geprägt, wodurch die sprachlichen Voraussetzungen, unter denen sich (meist außersprachlich bedingte) Entwicklungstendenzen durchsetzen, spezifisch bestimmt sind. Die deutliche Prägung auch der Literatursprache durch das Bairische in Österreich bzw. das Alemannische in der Schweiz schafft einen eigenen Boden für die Einflußmöglichkeiten des Mittel- und Niederdeutschen und für das Eindringen von Entwicklungstendenzen, die von dort ihren Ausgang nehmen. Dies sei exemplarisch kurz für Österreich dargestellt.

Unter areallinguistischem Aspekt gliedert sich der österreichische Standardwortschatz nach WIESINGER (vgl. 1983 a) folgendermaßen:

a) Süddeutscher Wortschatz (gilt etwa in Österreich, Bayern, Baden-Württemberg, Pfalz, Schweiz, Elsaß): *Bub, Ferse, heuer*;

b) Bairisch-österreichischer Wortschatz: *Maut, Scherzel, Kren*;

c) Gesamtösterreichischer Wortschatz (hat sich z. T. erst in den letzten Jahrzehnten von Wien aus in ganz Österreich durchgesetzt und steht zumindest im Gegensatz zu in Bayern üblichen Benennungen: *Tischler, Schultasche, Jause, Marille, Paradeiser*;

d) Ostösterreichischer Wortschatz (Neuerungen aus Wien, die sich hauptsächlich in Ostösterreich durchsetzen, aber auch tendenziell nach Westösterreich vordringen): *Fleischhauer, Gelse, Bartwisch*.

Man muß zumindest ergänzen, daß sich auch Lexeme finden, die außerhalb Österreichs bekannt sind und verwendet werden, die aber neben einem allgemeindeutschen noch ein österreichisches Semem haben, vgl. *Bäckerei* 1. Geschäft/Handwerksbetrieb, 2. Kleingebäck *(bei Tee und Bäckerei sitzen)*; *gehören* 1. besitzen, 2. gebühren *(Dir gehören Prügel)*.

Stärkste Entwicklungstendenz ist wohl die Verdrängung von Austriazismen durch Benennungen, die in der BRD und der DDR geläufig sind: *Tomate* für *Paradeiser, Johannisbeere* (auch westösterr.) für *Ribisel, das Gehalt* für *der Gehalt*. Es gibt eine ganze Reihe weitverbreiteter Konkurrenzformen für Austriazismen: *Fernsprecher* für *Telephon, Müll* für *Mist, Gardine* für *Vorhang, Schrank* für *Kasten, besohlen* für *doppeln* usw. (vgl. EBNER 1980, WIESINGER 1983 a). Wesentlich schwächer ist die Tendenz der Ausdehnung von Austriazismen über Österreich hinaus (vor allem in die BRD). EBNER (1980) nennt hier als Beispiel *Hendl, Slivovitz, jemanden kündigen*. In der DDR und in der BRD normalsprachlich eingestufte Benennungen werden von Österreichern oft als gehoben bewertet: *Stuhl* für *Sessel* (*Stuhl* und *Sessel* haben für Österreicher das gleiche Denotat, die z. B. in der DDR übliche Denotatsdifferenzierung von *Stuhl* und *Sessel* wird in Österreich durch *Stuhl/Sessel – Polstersessel/ Fauteuil* vorgenommen), *Schrank* für *Kasten*. Manche solcher Benennungen werden als „unsympathisch" („piefkinesisch") abgelehnt, einige werden nur abwertend verwendet *(Brühe, Quark)*.

2. Unter außersprachlich-sozialem Aspekt sind die verschiedenen deutschsprachigen staatlichen Kommunikationsgemeinschaften vor allem nach ihrer Zuordnung zu verschiedenen ökonomischen Gesellschaftsformationen und den entsprechenden sozial-politischen und ökonomischen Systemen zu unterscheiden. Hier findet sich auf der einen Seite die sozialistische DDR, auf der anderen Seite stehen die kapitalistischen Staaten Österreich, Schweiz und BRD. Dies begründet verschiedene Entwicklungstendenzen und schafft auch spezifische Bedingungen für die Durchsetzung bzw. Blockierung bestimmter Entwicklungstendenzen. Es geht davon der stärkste Impuls zur sprachlichen Differenzierung zwischen den Kommunikationsgemeinschaften DDR einerseits und Österreich, Schweiz und BRD andererseits aus, ohne daß deshalb schon Anzeichen einer Sprachspaltung zu bemerken wären (vgl. auch 3.1.2.2., zur unterschiedlichen Behandlung dieses Problems in der Forschung vgl. POENICKE/QUASCHNY 1986). Oft sind einzelne Benennungen deutlich den verschiedenen gesellschaftlichen Systemen zuzuordnen, entweder weil sei eindeutig ideologiegebunden sind *(Ausbeuter – Unternehmer)* oder jeweils systemtypische Realitäten benennen *(sozialistischer Wettbewerb – Marketing)* oder politische Positionen zum Ausdruck bringen (vgl. die Usualisierung der Verwendung der polnischen Ortsnamen für Orte in polnischen Gebieten, die bis 1945 zu Deutschland gehörten, in der DDR gegenüber der nach wie vor weitgehend usualisierten Verwendung der deutschen Ortsnamen von vor 1945 in der BRD, wobei letzteres Ausdruck revanchistischer Bestrebungen ist). Keinesfalls übersehen darf man allerdings in diesem Zusammenhang, daß viele in der staatlichen Kommunikationsgemeinschaft DDR usualisierte Benennungen in den kapitalistischen deutschsprachigen Staaten von fortschrittlichen Gruppen ebenfalls verwendet werden (näheres 3.1.2.2.).

Anders als in der DDR geht in den kapitalistischen deutschsprachigen Staaten von der Werbung ein starker Druck zur Bildung neuer Wörter aus (vgl. *Knabberkinder, Nässespeicher, Cremigkeit*). Diese Bildungen benennen oft nichts wirklich Neues. Sie tauchen massenhaft auf, bleiben aber meist kurzlebig.

3. Das Zusammenwirken von regionalen Besonderheiten, formationsspezifischen Eigenheiten und Eigentümlichkeiten, die sich aus der jeweils eigenen Geschichte der verschiedenen deutschsprachigen Länder (d. h. nicht, historische Gemeinsamkeiten zu leugnen) ergeben, begründet national-kulturelle Eigenheiten, die ihren Niederschlag in der Sprache finden.

Hier sollen beispielhaft dafür nur die unterschiedlichen Sprachkontakte, denen die deutschsprachigen Völker im Verlauf ihrer Geschichte ausgesetzt waren und die heute bestehen, genannt sein. Diese ergeben sich nicht nur aus der regionalen Situierung, sondern vor allem aus den Kontakten zu anderen Völkern, die sich aus der unterschiedlichen Einbindung in regionale und globale historische Prozesse und aus der heutigen unterschiedlichen gesellschaftspolitischen Orientierung ableiteten und ableiten. So ist z. B. die Spezifik der deutschen Sprache in Österreich und der Schweiz nicht nur der Randlage und der relativ homogenen Prägung durch das Bairische bzw. Alemannische geschuldet, sondern vor allem den Besonderheiten in der historischen Entwicklung. Die sprachlichen Besonderheiten werden dann Mittel der Identifikation mit der nationalen Eigenständigkeit.

Die Bildung des österreichischen Kaisertums in Personalunion mit dem ungarischen Königreich als Vielvölkerstaat hatte z. B. heute noch beobachtbare sprachliche Konsequenzen, die die Österreicher bewußt zur nationalen Identifikation nutzen. Insbesondere die sogenannte „Küchenterminologie" (Namen für Nahrungsmittel und Speisen) zeigt die Einflüsse vieler in der k. u. k. Monarchie zusammengefaßter Völker (vgl. z. B. ungarisch: *Palatschinken*, tschechisch: *Powidl* = Pflaumenmus, *Golatsche* = Kuchentasche, italienisch: *Bischkote/Biskotte* = löffelförmige Biskuitart). Es gibt aber auch noch eine große Zahl von Beispielen aus anderen Sachbereichen (z. B. *Pawlatschen* = Bretterbühne von tschechisch: *pavlač* = Balkon). Einen besonderen Einfluß übte nach der Französischen Revolution und nach dem Wiener Kongreß zumindest auf das Österreichische das Französische aus (vgl. *Trottoir* für *Fußweg*, *Karnische* für *Gardinenleiste*, *Lavoir/Lawor* für *Waschschüssel*).

In allen deutschsprachigen Ländern gibt es nationalspezifische Benennungen in der Verwaltung und für die staatlichen Organe (vgl. DDR: *Volkskammer*, BRD: *Bundestag*, Österreich: *Nationalrat*, Schweiz: *Bundesversammlung*, vgl. außerdem z. B. österr. *Matura* = Abitur, *Erlagschein* = Einzahlungsschein oder den Titel *Hofrat*, schweizerisch *verurkunden* = beurkunden, *Schlußnahme* = Beschlußfassung usw.; zu österreichischen und schweizerischen Besonderheiten im Wortschatz vgl. im Überblick FENSKE 1973, außerdem VALTA 1974, REIFFENSTEIN 1973, 1977, HUTH 1979).

3.2.3. Tendenzen der Wortschatzentwicklung und innere soziale Differenzierung in den deutschsprachigen Ländern
3.2.3.1. Allgemeines

Zu den Bemerkungen im vorigen Abschnitt, die jeweils staatliche Kommunikationsgemeinschaften als Ganzes betrafen, sollen hier einige Hinweise zu Entwicklungstendenzen treten, die der inneren sozialen Differenzierung der einzelnen staatlichen Kommunikationsgemeinschaften geschuldet sind. Natürlich gibt es dabei deutliche Besonderheiten in jeder einzelnen staatlichen Kommunikationsgemeinschaft, die ihrer jeweiligen sprachlichen und historisch entstandenen gesellschaftlichen Besonderheit entspringt, und selbstverständlich gibt es auch innerhalb jeder staatlichen Kommunikationsgemeinschaft noch territorial unterschiedliche Bedingungen für die Entstehung und Wirkung von Entwicklungstendenzen (z. B. den Unterschied von Großstadt und Land, aber auch die unterschiedliche Bewertung der mundartlichen Grundschicht: z. B. fast durchgängig positive Bewertung in Österreich, der Schweiz, im Süden der BRD, im niederdeutschen Sprachgebiet, negative Bewertung im obersächsischen Raum usw.). Darauf kann hier kaum eingegangen werden. Dieser Beitrag konzentriert sich auf die Darstellung der Dinge für die DDR und bringt fallweise Anmerkungen zu den Verhältnissen und Tendenzen in den kapitalistischen deutschsprachigen Ländern. Von den revolutionären Veränderungen im Sozialismus und ihren Konsequenzen für die Sozialstruktur gehen besondere Anstöße für sprachliche Entwicklungstendenzen aus, wenn man auch hier die sprachlichen Ebenen differenziert betrachten muß.

Für die kapitalistischen deutschsprachigen Staaten gibt es eine umfangreiche soziolinguistische Literatur, die sich meist auch mit sprachlichen Entwicklungstendenzen beschäftigt. Vor allem richtet man das Augenmerk auf Tendenzen der Verschiebung im Gefüge der Existenzformen. Es werden Veränderungen der sozialen Basis und Veränderungen des kommunikativen Werts von Existenzformen registriert. Für die deutschsprachigen Länder (mit Ausnahme der Schweiz, vgl. 3.1.2.2.) wird festgestellt, daß seit langer Zeit in den Städten ein Prozeß des Zurückdrängens der Dialekte begonnen hat, der auf die dörfliche Umgebung ausstrahlt (vgl. BESCH u. a. 1981, HUFSCHMIDT u. a. 1983, MATTHEIER 1982, SCHÖNFELD 1974, GERNENTZ 1980, LANGNER 1975). Das hat natürlich auch Auswirkungen auf die bevorzugte Lexik. Sozialistische Demokratie, sozialistische Produktionsweise, sozialistische Kultur und insbesondere das sozialistische Bildungswesen sind dafür verantwortlich, daß in der DDR alle Bevölkerungsgruppen diesen Prozeß tragen, in den kapitalistischen Ländern jedoch nur einige. Die Träger dieses Prozesses müssen „dominant in offenen sozialen Netzwerken leben" (MATTHEIER 1982, 102). Das sind in der bürgerlichen Gesellschaft im Dorf die Intelligenz, Verwaltungsangestellte, Pendler u. a. Dies erklärt auch einen Hinweis von RUOFF (1973), wonach Frauen in der BRD sich signifikant häufiger ausschließlich des Dialekts bedienen können als Männer. Es hängt dies sicher mit dem in der BRD deutlich geringeren Prozentsatz Berufstätiger unter den Frauen als unter Männern zusammen, was Frauen öfter in „geschlossene kommunikative Netzwerke" verweist („Kinder, Küche, Kirche").

Die Zurückdrängung der Mundarten führt jedoch nicht zu deren völligem Verschwinden. Gerade in Österreich und der Schweiz, aber auch im niederdeutschen Sprachraum haben z. B. fortschrittliche Liedermacher politisch-agitatorische und ästhetische Potenzen der regionalen Sprachformen entdeckt, die zu deren Aufwertung im Bewußtsein der Sprecher führte (vgl. FLUCK/MAIER 1979,

HOFFMANN/BERLINGER 1978, LESSER 1985). Es bleiben also die Mundarten und auch die mundartliche Lexik Elemente eines Variantenfeldes, allerdings mit neuer Funktion und neuer sozialer Basis. Im Gegensatz zur früheren sind die Träger der neuen Mundartdichtung meist Angehörige der Intelligenz. Mundart bleibt aber auch zum Teil noch „Volks-" und „Haussprache" (vgl. GROSSE 1972). LÖSCH (1979) zeigt für einen Ort in der DDR, daß die Verwendung von Mundart und regionaler Standardsprache tendenziell wechselt in Abhängigkeit vom Partner (Erwachsener, Kind, Bekannter, Einheimischer, Dialektsprecher), der Partnerbeziehung in der Situation und dem Grad der Öffentlichkeit und Offizialität der Situation. Regionaler Standard wird von Erwachsenen eher in der Kommunikation mit Kindern, Unbekannten und Nicht-Dialektsprechern sowie in öffentlichen und offiziellen Situationen verwendet.

Seltener als Untersuchungen zu Verschiebungen im Gefüge der Existenzformen gibt es Untersuchungen, die die Elemente der sozialen Situation auf andere sprachliche Variantenfelder (wie z. B. Stilschicht und Stilfärbung, Jargon, Slang usw.) beziehen. Exemplarisch für wenige sei hier SORNIG (1981) für Österreich genannt. Er läßt Sprecher Wörter, die sich in Stilschicht und Stilfärbung unterscheiden, im Hinblick auf verschiedene Kriterien, die für deren Verwendbarkeit in der Kommunikation von Bedeutung sind, beurteilen. Dabei stellt sich heraus, daß die Zuordnung der einzelnen Wörter zu Stilschicht und Stilfärbung am stärksten gruppenspezifisch ist, es kristallisiert sich allerdings auch ein Stamm von Wörtern mit gleichen Zuordnungen bei allen Gruppen heraus. Am kulantesten urteilen – und das deckt sich mit ähnlichen Untersuchungen für die DDR (vgl. KATTERBE 1981) – im Hinblick auf die Verwendbarkeit von Wörtern die unmittelbar in der Produktion Tätigen. Frauen urteilen in allen Gruppen strenger als Männer. Am strengsten wird der kommunikative Wert der Wörter in allen Gruppen in Abhängigkeit vom Öffentlichkeitsgrad der Kommunikation und von der Textsorte differenziert. Daraus lassen sich gewisse Voraussagen über die Wahrscheinlichkeit des Auftretens bestimmter Stilschichten und Stilfärbungen bei bestimmten Typen von KE und den mit ihnen verbundenen Textsorten, differenziert nach sozialen Gruppen machen.

Daß eine Verbindung stilistischer und anderer Differenzierung des Wortschatzes mit verschiedenen sozialen Basen der Varianten besteht und dadurch auch Differenzierungen im kommunikativen Wert von Wörtern entstehen und daß man dies in der Lexikographie nicht ohne weiteres übergehen kann, davon zeugen sehr deutlich die Reaktionen auf die 35. Auflage des ÖSTERREICHISCHEN WÖRTERBUCHS (1979). Dieser Ausgabe wird vorgeworfen, im Bestreben, die österreichischen Eigentümlichkeiten im Wortschatz besonders betonen zu wollen, unmarkiert Umgangssprachliches und Mundartliches aufgenommen zu haben. Die Diskussion wurde, was für ein Wörterbuch sicher unüblich ist, auch in den Massenmedien sehr leidenschaftlich geführt. WEIGEL (1980) forderte eine „Enthausmeisterung" des Wörterbuches und TRAMONTANA (1980) spricht gar von „fahrlässiger Volksverblödung". Man erwartet also offensichtlich von einem Wörterbuch, daß es beschränkte soziale Basis und eingeschränkten kommunikativen Wert von Benennungen als ein wesentliches Element der Sprachwirklichkeit aufzeigt, und zumindest bildungstragende Gruppen zeigen sich empfindlich, wenn durch fehlende entsprechende Angaben die Gefahr entsteht, die sprachlichen Verhältnisse nicht bloß zu verschleiern, sondern eventuell zu verändern.

3.2.3.2. Die soziale Differenzierung des Wortschatzes in der DDR
3.2.3.2.1. Der Einfluß der Arbeiterklasse auf Entwicklungstendenzen im Wortschatz

Bei bestehender und als Triebkraft der gesellschaftlichen Entwicklung wirkender differenzierter Sozialstruktur in der DDR gibt es die Grundtendenz der historischen Entwicklung der Sozialstruktur zur Vereinheitlichung (vgl. WEIDIG 1981). Dies wird eine Tendenz zur Vereinheitlichung des sozial differenzierten Wortschatzes bedingen. Es darf dabei aber nicht vorschnell ein Parallelismus zwischen sprachlicher und gesellschaftlicher Entwicklung konstruiert werden. Die Grundtendenz der gesellschaftlichen Entwicklung zur Vereinheitlichung der Sozialstruktur führt zum Wesen künftiger Gesellschaft, das in einer Aufhebung der Klassen und der damit verbundenen, davon abhängigen sozialen Unterschiede besteht. Das heißt aber nicht, daß die zukünftige Gesellschaft überhaupt nicht differenziert wäre und jegliche soziale Unterschiede zwischen den Menschen nivelliert wären. Da (wir haben bereits darauf hingewiesen) sprachliche Differenzierung in vielfacher Weise von gesellschaftlichen „Oberflächenerscheinungen" abhängig ist, kann es keine ausschließliche Tendenz zum Ausgleich aller sprachlichen Differenzierung geben. Die Tendenz zur Vereinheitlichung des sozial differenzierten Wortschatzes ist also in komplexeren Zusammenhängen zu betrachten, sie vollzieht sich im dialektischen Widerspruch zur Differenzierung. Eine entscheidende Rolle für die Durchsetzung der Vereinheitlichungstendenz kommt der Arbeiterklasse zu. Sie ist das historisch handelnde Subjekt, das diese Vereinheitlichung betreibt und die entscheidende soziale Basis für die Einheit, sowohl im gesellschaftlichen als auch im sprachlichen Bereich. Unter den genannten Voraussetzungen zeigen sich folgende Entwickungstendenzen:

1. Benennung der unter dem Einfluß der Macht der Arbeiterklasse neu entstandenen Erscheinungen:
   a) durch Neubildung: *Neulehrer, Patenschaftsvertrag, Nationale Front,*
   b) durch Schaffung neuer Sememe vorhandener Lexeme: *Materialismus, Ausbeutung, Solidarität,*
2. Veralten von Benennungen (bzw. Sememen von Lexemen) mit dem Verschwinden entsprechender Erscheinungen: *Oberschicht, Obdachlose;* eine ana-

loge Erscheinung findet sich im Blockieren des Eindringens neuer Benennungen aus den kapitalistischen deutschsprachigen Staaten, deren Denotat in der DDR nicht existiert (solche Benennungen sind für die DDR von Anfang an Bezeichnungsexotismen): *Fixer, Schuß* (aus dem Bereich der Rauschgiftsucht), dies gilt auch für Fremdwörter, vgl. *jobsharing, full-time-job*, während Fremdwörter mit anderen Denotaten durchaus übernommen werden, vgl. z. B. aus dem Bereich der Rock- und Pop-Musik *key-boarder*,

3. Neubenennungen, die ein neues Verhältnis zu bestimmten Gegenständen und Erscheinungen ausdrücken: *Sonderschule, Feierabendheim, Nervenklinik.* (Vgl. V. Schmidt 1975, 1978, Sprachliche Kommunikation und Gesellschaft 1976, Lerchner 1974, Scharnhorst 1978, Fleischer 1984c.)

Zu diesen Vereinheitlichungstendenzen unter dem Einfluß der Macht der Arbeiterklasse steht die Tendenz zu sprachlicher Differenzierung in dialektischem Gegensatz, schon deshalb, weil sie nicht von allen gesellschaftlichen Gruppen in der DDR – auch nicht von allen Teilen der Arbeiterklasse – gleichzeitig und in gleicher Art und Weise vollzogen werden und auch nicht für alle Typen von KE bzw. Textsorten gleichermaßen verbindlich wirken. Außerdem reicht, unbeschadet der Tatsache, daß die Arbeiterklasse die auslösende soziale Kraft ist, die soziale Basis dieser Tendenz über die Arbeiterklasse hinaus. Das WDG (Bd. 1, 04) spricht deshalb von einer bildungstragenden Schicht als sozialer Basis des Allgemeinwortschatzes, in dem diese Tendenzen aufgehoben sind. Im Vorwort zum 4. Band wird darauf hingewiesen, daß auf „Grund der in zwei Jahrzehnten sozialistischen Aufbaus gefestigten moralisch-politischen Einheit der werktätigen Klassen und Schichten ... der aus der Lehre von Marx und Engels hervorgegangenen und sich mit den neuen objektiven Verhältnissen weiter entwickelnde gesellschaftlich-politische Wortschatz mehr und mehr zum festen Besitz des Staatsvolkes der DDR" (WDG, Bd. 4, 1977, I) wird. Es ist also der gesellschaftlich-politische Wortschatz, für den die Vereinheitlichungstendenz unter dem Einfluß der Macht der Arbeiterklasse am deutlichsten gilt.

Nach wie vor (vgl. auch 3.2.1.) sind die unmittelbar in der materiellen Produktion Tätigen und Jugendliche die soziale Basis umgangssprachlicher, salopper und stark expressiver Lexik in der Alltagskommunikation. Dies bestätigte sich im wesentlichen auch bei Untersuchungen von Siebert (1976a) zu Personenbezeichnungen. Schüler und Jugendliche verwenden und schaffen viele expressive Personenbezeichnungen zur negativen Bewertung und vergleichsweise nur sehr wenige zum Ausdruck einer Wertschätzung. Bei den Berufstätigen im Bereich der Industriebetriebe finden sich Jargonismen mit ironischer oder negativer Färbung *(Normenschnippler, Strippenzieher)*, deren Verwendung allerdings zurückgeht. Dennoch finden sich nur wenige Belege für positiv bewertende Personenbezeichnungen *(Knobler)*, oft werden – und das mit steigender Frequenz – Wertschätzungswörter aus anderen Bereichen, insbesondere dem Sport, übernommen *(As, Klassemann)*. Die Tendenz erklärt Siebert damit, daß unter sozialistischen Bedingungen kein Raum für die Verspottung und Verunglimpfung von

Arbeitskollegen gegeben ist, andererseits die Anerkennung von Leistung im Beruf und in der gesellschaftlichen Tätigkeit zu den Grundsätzen der sozialistischen Gesellschaft gehört (vgl. SIEBERT 1976a, 58f.).

Offensichtlich bedingt durch die rasche wissenschaftlich-technische Entwicklung sowie das wachsende Niveau der beruflich-fachlichen Qualifizierung läßt sich derzeit ein widersprüchlicher Prozeß des Eindringens von Fachwörtern in die nicht-fachliche Kommunikation (vgl. 3.5.) feststellen. Unter soziolinguistischem Blickwinkel erscheint dieser Prozeß deshalb widersprüchlich, weil er einerseits eine generelle Tendenz darstellt, die nicht von vornherein nur negativ zu bewerten ist, er andererseits aber auf deutliche Schranken, hervorgerufen vor allem durch die Differenzierung der beruflich-fachlichen Qualifikation, stößt, was ja differenzierten gruppenspezifischen Zugang zu Fachsprachen bedeutet. Es gibt zwar eine ganze Reihe von Möglichkeiten der Verstehenssicherung bei der Verwendung von Fachwörtern in der Kommunikation mit Nicht-Fachleuten (vgl. z. B. *„Straßeneinläufe, die der Nichtfachmann einfach Gullys nennt ...",* LVZ 1985), dennoch findet sich noch häufig kommunikationsstörender Einsatz von Fachwörtern in Gebrauchsanweisungen und Anleitungen zu technischen Arbeiten. Unterschiedlich betroffen sind davon die verschiedenen Altersgruppen. Der polytechnische Unterricht hat bereits dazu geführt, daß die Jüngeren weniger Schwierigkeiten mit Fachwörtern in der Kommunikation haben.

3.2.3.2.2. Soziolinguistische Aspekte der Trennung von geistiger und körperlicher Arbeit

WEIDIG (1981) verweist darauf, daß soziale Unterschiede im Sozialismus nicht durch die Zugehörigkeit zu verschiedenen Klassen bestimmt werden, sondern durch die konkreten Arbeits- und Lebensbedingungen. Ausgeprägte Unterschiede finden sich hier z. B. zwischen Stadt und Land (vgl. GRUNDMANN 1981) oder zwischen vorwiegend körperlich und vorwiegend geistig Tätigen. Körperliche und geistige Arbeit unterscheiden sich vor allem durch das geistige Anforderungsniveau der Arbeitsinhalte (vgl. KÖRPERLICHE UND GEISTIGE ARBEIT IM SOZIALISMUS 1980). Es ist mit ihnen außerdem ein qualitativer Unterschied in den kommunikativen Anforderungen verbunden. Bei vielen Arten körperlicher Tätigkeit ist nur solche Kommunikation gefordert, die der unmittelbaren Koordination von praktischen Handlungen dient (i. e. „empraktische Kommunikation", ihr wäre die „apraktische Kommunikation" entgegenzustellen, i. e. sprachliche Kommunikation, die sich losgelöst von der unmittelbaren Handlungssteuerung vollzieht; vgl. zu den Begriffen SPRACHLICHE KOMMUNIKATION UND GESELLSCHAFT 1976). Empraktische Kommunikation operiert vorwiegend mit „kontext- oder situationsabhängigen Bedeutungen" (BERNSTEIN 1983), d. h., daß Formative erst in der konkreten Kommunikationshandlung und in Abhängigkeit von der zugleich vollzogenen nichtsprachlichen praktischen Handlung mit Bedeutung verbunden werden. Ein Zuruf oder ein Wink z.B. können viele Bedeutungen haben, sie werden durch den konkreten Situationsbezug aber eindeutig (vgl. LORENZ/WOTJAK 1977). Arbeitspsychologische Untersuchungen zeigten eine oft gering entwickelte Fähigkeit manuell Tätiger, das mit dem Arbeitsfortgang verbundene Denken losgelöst von der Tätigkeit zu verbalisieren. Wenn die Bedeutung eines sprachlichen Zeichens im Falle apraktischer Kommunikation abstraktes ideelles Abbild ist, so ist sie dies bei empraktischer Kommunikation offensichtlich nur sehr bedingt. Das kann negative Konsequenzen für das Niveau der geistigen Durchdringung der eigenen Tätigkeit und für die Herausbildung differenzierter Kommunikationsweisen haben. Vorwiegend körperlich Tätige wären dann eine soziale Gruppe, die über weniger differenzierte Formen apraktischer Kommunikation verfügte. Sie wären die soziale Basis des vorwiegenden Operierens mit kontextabhängigen Zeichenbedeutungen. Untersuchungen zur Kommunikation im Industriebetrieb (vor allem REIHER, 1980, vgl. auch SCHÖNFELD 1975, SCHÖNFELD/DONATH 1978) lassen diese Annahme auch für die sozialistische Gesellschaft plausibel erscheinen. Dennoch zeigt sich auch eine sozialismusspezifische Entwicklungstendenz.

Für die bürgerliche Gesellschaft sind die angesprochenen Probleme in der „Theorie der sprachlichen Kodes" beschrieben (vgl. BERNSTEIN 1970, 1972, OEVERMANN 1972, zur Einschätzung DITTMAR 1980, NIEPOLD 1970, PORSCH 1981 b). Dort werden einem „restringierten Kode", der im wesentlichen durch Merkmale empraktischer Kommunikation bestimmt wird, eine „Unterschicht", die aus vorwiegend körperlich Tätigen besteht, als soziale Basis zugeordnet und einem „elaborierten Kode", der im wesentlichen durch Merkmale apraktischer Kommunikation bestimmt wird, eine „Mittelschicht", die aus eher bzw. vorwiegend geistig Tätigen besteht. Die Trennung ist so massiv, daß man von „Sprachbarrieren" spricht, die einen Wechsel der Individuen vor allem von der „Unterschicht" zur „Mittelschicht" kaum zulassen. Soziale Ungleichheit bewirkt sprachlichkommunikative Ungleichheit und diese verfestigt die soziale Ungleichheit. Dieser Effekt wird noch verstärkt durch die Verbindung restringierter sprachlicher Kommunikation mit Dialekt (vgl. AMMON 1972, 1973).

Das sozialistische Bildungssystem, die Mitwirkung der werktätigen Massen an der Leitung und Planung des Staates und der Produktion, das sozialistische Neuererwesen und andere Vorzüge der sozialistischen Gesellschaft haben dazu geführt, daß im Sozialismus auch für vorwiegend körperlich Tätige tendenziell und vielfach konkret die Beschränkung auf empraktische Kommunikation aufgehoben ist. Es gibt keine „Sprachbarrierenproblematik" in der für kapitalistische Gesellschaften festgestellten Art. Dennoch sei hier auch darauf hingewiesen, daß sich der Prozeß der Überwindung gruppenspezifischer Verteilung des Anteils an empraktischer und apraktischer Kommunikation nicht im Selbstlauf vollzieht. Auch unter sozialistischen Bedingungen korrelieren noch Qualifikation und ausgeübte Tätigkeit mit dem Grad der Befähigung und dem Willen zur

Teilnahme z. B. an der Neuererbewegung und an gesellschaftlicher Tätigkeit (vgl. KRETZSCHMAR 1985, MEHLHORN, G./MEHLHORN. H.-G. 1982). CLAUSS (1984) bemerkt einen Zusammenhang zwischen Kommunikationsweisen und kognitiven Stilen. Daraus leitet sich u. a. ab, daß die Befähigung aller Werktätigen zu differenzierter apraktischer Kommunikation – eine unbedingte Notwendigkeit für sozialistische Demokratie und Produktion unter den Bedingungen eines stürmischen wissenschaftlich-technischen Fortschritts – ein fortlaufender planmäßig gestalteter Prozeß sein muß. Er beginnt für alle in den Einrichtungen der Volksbildung, durchläuft eine besonders wichtige Phase in der sozialistischen Schule, muß aber auch danach ständig weitergeführt werden.

3.2.3.2.3. Der Einfluß sozialistischer sozialer Beziehungen auf Entwicklungstendenzen im Wortschatz

Die sozialistische Gesellschaft ist nicht so sehr durch allgemeine Nivellierung sozialer Unterschiede charakterisiert, als vielmehr durch die Herausbildung einer spezifischen Sozialstruktur, in der es z. B. keine Ausbeuter und Ausgebeutete mehr gibt und in der Ungleichheit mit realer Gleichberechtigung verbunden ist (vgl. HAHN/WINKLER 1984). Dies bleibt nicht ohne Auswirkungen auf die Sprache. Es vollziehen sich jedoch auch in diesem Zusammenhang sprachliche Prozesse und soziale Prozesse nicht parallel. Die Sprache reagiert sehr verschieden und sehr uneinheitlich auf Veränderungen im sozialen Beziehungsgefüge. Während in manchen Bereichen deutliche sprachliche Reaktionen auf die Entwicklung zur Gleichberechtigung aller Bürger zu verzeichnen sind, zeigt sich in anderen ein uneinheitliches Bild der Bewegung bzw. gibt es auch relativ starres Beharren auf Überliefertem. Es reagieren auch nicht alle sozialen Gruppen gleich.

Aus diesem Grund ergibt sich z. B. ein relativ uneinheitliches Bild bei den Anredeformen: Zumindest bei Jüngeren, aber in der Tendenz generell ist ein Zurücktreten bestimmter, als übertrieben empfundener Höflichkeitsfloskeln zu verzeichnen: *p. t. Publikum* (p. t. = pleno titulo – mit vollem Titel), *gnädige Frau, mit vorzüglicher Hochachtung.* Demgegenüber steigt die Frequenz von Anreden mit *Kollege/-in* oder Anreden, die die sachliche Begründung sozialer Beziehungen betonen, indem man auf Tätigkeiten oder die Mitgliedschaft in Organisationen Bezug nimmt *(Campingfreund, Sportfreund, Jugendfreund, Urlauber).* In der Schule wurde die Anrede mit Titeln oder Funktionsbezeichnungen radikal eingeschränkt. Die normale Anrede im Singular für Lehrer durch Nicht-Lehrer ist *Herr/Frau + Nachname* (vgl. PORSCH 1984 b). Im Universitäts- und Hochschulbereich und im medizinischen Bereich gibt es dagegen kaum Veränderungen *(Herr/Frau Professor, Herr/Frau Doktor, Herr/Frau Oberarzt),* wobei man im medizinischen Bereich am stärksten auf traditionellen Anredeweisen beharrt (vgl.

z. B. G. Schmidt 1985; zur Gesamtproblematik vgl. u. a. Sommerfeldt 1978b, 1980a, Tomiczek 1983, Siebert 1976b).

Benennungen, die soziale Ungleichheit betonen und soziale Gruppen deshalb negativ bewerten, veralten *(Oberschicht, Untergebener, Prolet)*, demgegenüber werden Benennungen bevorzugt, die auf funktionale und in der Arbeitsteilung begründete Unterschiede zwischen Gruppen und Personen und auf deren Besonderheiten verweisen *(Leiter, Brigadier, Klasse der Genossenschaftsbauern)*. Diskreditierende Benennungen für Heranwachsende sind veraltet *(Halbwüchsiger, Halbstarker*, vgl. dazu Fleischer 1984a), dafür gibt es Benennungen, die Altersgruppen nach ihrem unterschiedlichen rechtlichen Status unterscheiden: *Kinder* (bis 14 Jahre), *Jugendliche* (bis 18 bzw. 25 Jahre), *Jungerwachsene* (ab 18 Jahre). Die Besonderheit junger Bürger insbesondere in ihrem Verhältnis zu deutlich älteren zeigt sich in der verbreiteten Anrede für Jugendliche durch Ältere mit *Sie + Vorname*.

Außer Gebrauch kommen Benennungen für soziale Beziehungen, die für die gesellschaftliche Stellung der Partner irrelevant sind *(unehelich, ledige Mutter)*, andererseits gibt es z. T. noch keine für die Alltagskommunikation voll usualisierten Benennungen für soziale Beziehungen, deren Häufigkeit des Auftretens zumindest neu ist (z. B. bestehen Benennungsunsicherheiten für das ständige eheähnliche Zusammenleben unverheirateter Partner und für die Partner dieser Beziehung: *Lebensgemeinschaft* und *Lebensgefährte/-in* finden sich wohl dafür belegt, aber auch noch für Ehe und Ehepartner.

Uneinheitlich zeigt sich derzeit noch der Prozeß der sprachlichen Bewältigung der Gleichberechtigung von Mann und Frau. Dies zeigt sich nicht nur in Diskussionen um die Differenzierung der Anrede weiblicher erwachsener Personen nach *Frau* und *Fräulein*, für die es ja kein Äquivalent bei den Anreden für Männer gibt (vgl. Liebsch 1975, 1976a, b; Langner 1976). Noch gibt es auch bei den Betroffenen keine einheitliche Meinung dazu, die Tendenz geht aber wohl zur Vermeidung der Anrede mit *Fräulein*. Wir sind der Meinung, daß die Leistungen der Frauen in allen Bereichen des gesellschaftlichen Lebens durchaus ihren sprachlichen Reflex haben sollen, indem mehr als bisher und konsequenter Benennungen verwendet werden, die das natürliche Geschlecht ausdrücken. Andererseits ist es gerade die weit vorangeschrittene Verwirklichung der Gleichberechtigung von Mann und Frau in der DDR, die eine konsequente Unterscheidung des natürlichen Geschlechts bei der Benennung von Personen aus politischen und agitatorischen Gründen weniger dringlich macht als in den deutschsprachigen kapitalistischen Staaten. Aus diesem Grund erscheint die sprachliche Unterscheidung des natürlichen Geschlechts dort oft konsequenter gehandhabt als in der DDR (z. B. werden in Stellenangeboten in der BRD-Zeitschrift „Die Zeit" immer die movierte und unmovierte Form nebeneinandergestellt, wenn die Stelle sowohl von einem Mann als auch von einer Frau besetzt werden kann: *Stelle für Professor/-in … frei)*. Zum Teil gibt es Überspitzungen wie z. B. die Aufspaltung des Pronomens *man* in *man/frau* (vgl. z. B. in „stimme der frau", Zeitschrift des Bundes demokratischer Frauen Österreichs).

Normunsicherheiten gibt es in der DDR vor allem bei der Verwendung von Movierungssuffixen. Die Bildung und Verwendung movierter Benennungen vollzieht sich auf drei Stufen:

a) weitestgehende Lexikalisierung *(Sekretärin, Kollegin, Freundin, Lehrerin)*,
b) deutlich ausgeprägte Usualisierung *(Fahrerin des Wagens, Dozentin, Leiterin)*,
c) ungeregeltes Nebeneinander von movierten und unmovierten Benennungen.

Dies führt oft zur Verwendung movierter und unmovierter Benennungen für das gleiche Denotat (*für besondere Leistungen in ihrer Tätigkeit als Lehrausbilder konnte die Kollegin ... UZ*). Bei Benennungen, die aus innersprachlichen Gründen nicht movierbar sind *(Lehrling, Gast)* wird das natürliche Geschlecht bei Bedarf durch Attribute benannt, manchmal wird das auch auf Benennungen ausgedehnt, die movierbar sind (*weibliche Studenten; Die Soldatinnen sind seit Jahresbeginn 1986 im Dienstgrad ihren männlichen Kameraden gleichgestellt.* ho).

Generell zeigt sich die Tendenz, daß die unmovierten maskulinen Benennungen eher als Oberbegriff für Denotate, die sowohl natürlichen weiblichen als auch männlichen Geschlechts sein können, Verwendung finden. Dies ist vor allem bei den Pluralformen festzustellen. Etwa 80 % der grammatisch maskulinen Personenbezeichnungen im Plural bezeichnen unspezifiziert Personen beiderlei Geschlechts. Es tritt bei den maskulinen Pluralformen die Bezeichnung des Sexus gegenüber der Bezeichnung der Vielheit völlig zurück. Die grammatisch femininen Pluralformen betonen hingegen weiterhin stark das natürliche weibliche Geschlecht (vgl. *Mit einer Auswahl der schönsten Opernarien stellten sich Preisträger ... dem Publikum vor. Viel Beifall erhielten unter anderem Jeanette Lewandowski und Albert Zetsche ...*, LVZ, versus: *Kontinuierlich finden Gespräche mit Neuerinnen, Schichtarbeiterinnen, Müttern mit mehreren Kindern, oder Hoch- und Fachschulabsolventinnen statt.* Für Dich). Wesentlich seltener werden feminine Formen als gegenüber dem natürlichen Geschlecht neutraler Oberbegriff verwendet (vgl. *-kraft, -hilfe, -person* als 2. unmittelbare Konstituenten in Determinativkomposita).

Die Verwendung sowohl der maskulinen wie auch der femininen Form findet sich hauptsächlich in der höflichen Anrede (vgl. *Dazu hätten wir Sie, liebe Leserinnen und Leser ...*, Für Dich).

Die Sensibilität für den Widerspruch zwischen natürlichem (normalerweise weiblichem) Geschlecht des Denotats und dem grammatischen Geschlecht (normalerweise maskulin) der Benennung ist wahrscheinlich unterschiedlich ausgeprägt (vgl. *An der Vogelsdorfer Bäderstraße steht sie jederzeit ihren Mann.* ND, gegenüber: *Unsere Frauen stehen ihren „Mann".* LVZ. Die Anführungsstriche verweisen vielleicht auf mehr Gefühl des Autors der LVZ für das Benennungsparadoxon). Die Zeitschrift „Für Dich" verwendet deutlich häufiger movierte Formen als andere Presseorgane.

Am deutlichsten folgt die Trennung von grammatisch maskulinen und femininen Formen dem natürlichen Geschlecht des Denotats im Sachbereich des Sports (vgl. KOWEZOWSKA 1986). In Texten dieses Sachbereichs finden sich nur etwa 18 % maskuliner Formen für die Bezeichnung von Frauen. Meist handelt es sich dann um Pluralformen, die sowohl Männer als auch Frauen bezeichnen. Dies hängt wohl mit der genauen Trennung von männlichen und weiblichen Mannschaften und differenzierten Leistungsnormen für Männer und Frauen zusammen. In der Konsequenz der Trennung von maskulinen und femininen Formen nach dem natürlichen Geschlecht gibt es Abstufungen je nach zusätzlichen Merkmalen der benannten Person:

1. Eine generelle Übereinstimmung von Genus und Sexus findet sich sowohl im Singular als auch im Plural bei der Bezeichnung von Personen, die eine bestimmte Sportdisziplin betreiben: *Seit ihrem ersten Sieg im Jahre 1978 hat die erfolgreichste DDR-Turnerin insgesamt 18 Erfolge bei den Meisterturnieren errungen.* (ND)
2. Nicht mehr so einheitlich benannt werden Personen, die im Sport eine besondere Leistung vollbracht haben: *Die UdSSR-Mädchen um die erfahrene Raissa Smetanina hatten einen großen Tag, blieben immer auf Tuchfühlung mit dem Titelverteidiger und Olympiasieger.* (LVZ)
3. Deutlich uneinheitlich sind die Benennungen für Personen, die innerhalb einer Mannschaft eine bestimmte Funktion ausüben: *... der Wiedereinsatz von Torhüterin Andrea Strelletz ...* (LVZ) gegenüber: *Nach dem Abschied von Petra Uhlig sind Sie in die Rolle des Spielmachers geschlüpft.* (LVZ)

3.3. Fachwortschatz und Allgemeinwortschatz
3.3.1. Zum Begriff Allgemeinwortschatz

Die sich aus der Veränderung der kommunikativen Bedürfnisse ergebenden sprachlich-kommunikativen Veränderungen sind für den jeweiligen Entwicklungsstand der Produktivkräfte spezifisch. Für die gegenwärtige Entwicklung ist die stärker werdende Rolle der Wissenschaft als Produktivkraft charakteristisch. Der wissenschaftlich-technische Fortschritt, der hohe Stellenwert der Bildungsprozesse und die wachsende Rolle der Ideologie führen dazu, daß der sich seit der industriellen Revolution des 19. Jahrhunderts vollziehende Ausbau der naturwissenschaftlich-technischen und gesellschaftswissenschaftlichen Fachwortschätze und der Prozeß des Eindringens fachlexikalischer Elemente in den Allgemeinwortschatz sich in unserer Gegenwart in verstärktem Maße fortsetzen (vgl. SCHILDT 1981, 23). Dieser Prozeß wird als Tendenz der Verwissenschaftlichung und Technisierung (P. BRAUN 1979, 105; LEXIKON 1982, 628) oder auch als Intellektualisierung der Gemeinsprache (SCHERZBERG 1967, 129) bezeichnet.

Untersucht man die Auswirkungen der Existenz von Fachwortschätzen und ihres weiteren Ausbaus auf den Allgemeinwortschatz, so ist danach zu fragen, welche Faktoren die Verbreitung von Fachwortschätzen im allgemeinen Sprachgebrauch bestimmen und welche lexikalisch-semantischen Prozesse sich beim Übergang von Fachlexemen in den Allgemeinwortschatz vollziehen. Um diese Problematik darzustellen, ist es notwendig festzulegen, in welchem Sinn der Begriff Allgemeinwortschatz verwendet wird.

Die Termini Allgemeinsprache (Gemeinsprache) und Allgemeinwortschatz (Gemeinwortschatz) werden in der wissenschaftlichen Literatur in unterschiedlicher Bedeutung gebraucht. HOFFMANN (1984, 50f.) verweist im Zusammenhang mit der Ausgrenzung von Fachsprache auf zwei Verwendungsweisen des Terminus Gemeinsprache. Gemeinsprache kann einerseits als Oberbegriff im Sinne von Gesamtsprache, andererseits im Sinne von Subsprache gebraucht werden. In dem von HOFFMANN vorgelegten Subsprachenmodell wird der Terminus Nationalsprache (Gesamtsprache) als Oberbegriff verwendet und die Gemeinsprache als eine Subsprache eingeordnet. Weitere Subsprachen sind die Subsprache der Physik, die Subsprache der Philosophie usw. Hoffmann geht noch einen Schritt weiter und schlägt vor, den Terminus Gemeinsprache – weil er schwer zu fassen sei – ganz aufzugeben und dafür eine Einteilung nach Kommunikationssphären vorzunehmen (vgl. a. a. O., 52).

PETERMANN (1982, 203) vertritt den Standpunkt, daß der Begriff Allgemeinsprache für theoretische Überlegungen notwendig sei, auch wenn dieser Begriff auf Grund des individuell unterschiedlichen Sprachbesitzes eine „nicht sicher bestimmbare und eingrenzbare Größe" sei. Man müsse sich vorläufig damit begnügen, „Allgemeinsprache recht ungenau als die Gesamtheit jener sprachlichen Mittel zu erklären, die dem größten Teil einer Sprachgemeinschaft zur Verfügung stehen". Davon abgeleitet ist der Allgemeinwortschatz der Teil des Gesamtwortschatzes einer Sprache, „der der Mehrheit der Sprachträger bekannt und verständlich ist". Neben dieser Auffassung des Allgemeinwortschatzes als allgemein verständliche Lexik wird Allgemeinwortschatz auch im Sinne der „nichtfachbezogenen, universell verwendbaren Lexik" gebraucht (DÜCKERT 1981, 104). Dafür wird auch der Terminus Universalwortschatz verwendet.

Der vorliegenden Darstellung liegt die Auffassung des Allgemeinwortschatzes als allgemein verständliche Lexik zugrunde. Damit werden mit der Fragestellung der Rückwirkung des Fachwortschatzes auf den Allgemeinwortschatz zwei Prozesse erfaßt. Zum einen wird die Verbreitung von Fachlexik im allgemeinen Sprachgebrauch, z. B. *Computer, Taschenrechner*, zum anderen wird die Entstehung neuer, nichtfachgebundener Sememe und Gebrauchsweisen durch Metaphorisierung von Fachlexemen, z. B. *abschalten* (‚bewußt aufhören, sich auf etw. Bestimmtes zu konzentrieren'), *grünes Licht haben*, erfaßt.

Die lexikographische Praxis geht von der Auffassung des Allgemeinwortschatzes als allgemein verständliche Lexik aus. Die in den letzten Jahren erschienenen Wörterbücher der deutschen Gegenwartssprache berücksichtigen bei ihrer Stichwortauswahl die zunehmende Bedeutung von Fachwortschätzen für die

Allgemeinheit. Als Beispiel sei das HANDWÖRTERBUCH (1984, XXIV) zitiert: „Ausschließlich auf fachsprachliche Verwendung beschränkte Lexik ist nicht aufgenommen worden, ... wohl aber sind lexikalische Einheiten mit einer zwar fachspezifischen, jedoch auch außerhalb des Fachgebiets bekannten und verstandenen Bedeutung berücksichtigt. Lexeme dieser Art werden durch die Angabe des Fachgebiets bzw. bei Verwendung in mehreren Fachgebieten durch fachsprachlich ... gekennzeichnet."

KLAPPENBACH, die Mitherausgeberin des WDG beschreibt aus ihrer Erfahrung bei der Erarbeitung dieses Wörterbuches, wie schwierig es für den Lexikographen war, eine Entscheidung darüber zu fällen, ob das aufgenommene Fachwort eine Fachgebietszuweisung erhalten soll oder nicht: „War es richtig, dem *Kosmonauten* auf Grund seiner Allgemeingebräuchlichkeit keinen Hinweis „Technik" zu geben? Hierher gehört auch das Wort *Krebs* und *Karzinom*. *Krebs*, als allgemeinsprachliches Wort angesehen, erhielt keine Fachzuweisung, *Karzinom* wurde dem medizinischen Fachbereich zugeteilt. Solche und ähnliche Beispiele gibt es hundertfach, und wir wissen ..., daß wir hier oft willkürlich, inkonsequent vorgegangen sind, ganz einfach gehen mußten, weil es nicht besser zu machen war" (KLAPPENBACH 1980, 43).

Die Ursache für die Schwierigkeiten der fachlexikalischen Lexikalisierung liegt in der großen Dynamik dieses Wortschatzes begründet. Innerhalb des Gesamtwortschatzes einer Sprache ist der Fachwortschatz gegenwärtig am stärksten in Bewegung (vgl. MÜLLER 1975, 169).

3.3.2. Wege der Ausbreitung von Fachlexik

Das Eindringen von Fachlexik in den allgemeinen Sprachgebrauch ist von der gesellschaftlichen Relevanz der bezeichneten Sachverhalte abhängig. Benennungen für politisch-ökonomische und wissenschaftlich-technische Sachverhalte, die auf Grund ihrer allgemeingesellschaftlichen Bedeutung Gegenstand des öffentlichen Interesses geworden sind, gelangen mit dem allgemeinen Bewußtwerden der Sachverhalte in das allgemeine Sprachbewußtsein und können Bestandteil des Allgemeinwortschatzes werden. Aus der Gesamtheit der Fachwortschätze dringt somit nur ein kleiner Teil in den Allgemeinwortschatz ein. Die einzelnen Fachgebiete und auch die einzelnen Teilgebiete eines Faches sind in unterschiedlichem Maße vertreten. Nach PETERMANN (1982, 208) lassen sich vier Gruppen von Fächern unterscheiden, von denen vorrangig eine Bereicherung des Allgemeinwortschatzes zu erwarten ist:

– Fachgebiete, aus denen Grundkenntnisse über das Bildungswesen, die gesellschaftliche Tätigkeit und die Massenmedien vermittelt werden, z. B. Politik, Philosophie, Ökonomie, Geschichte, Mathematik, Physik, Chemie, Biologie,

Geographie, Landwirtschaft, technisch-technologische Disziplinen, Informatik
- Fachgebiete, mit denen der einzelne im Alltag konfrontiert wird, z. B. Kraftfahrzeugtechnik, Elektrotechnik, Verkehrswesen, Handel, handwerkliche Gebiete, Medizin
- Fachgebiete, die für die Freizeitgestaltung und Persönlichkeitsentfaltung des einzelnen eine Rolle spielen, wie Sport, Literatur, Kunst und Musik
- Termini, die sensationelle bzw. neue Ergebnisse von Wissenschaft und Technik bezeichnen und über die Massenmedien popularisiert werden, z. B. Termini der Raumfahrt.

Einen sehr nachhaltigen Einfluß auf den Prozeß des Eindringens von Fachwortschatz in den Allgemeinwortschatz übt zweifellos das Bildungswesen aus. Entsprechend der gesellschaftlichen Bildungspolitik werden spezifische fachliche Inhalte als Allgemeinbildung vermittelt. Auf Grund des Wechselverhältnisses von Erkenntnis der objektiven Realität und sprachlicher Fixierung dieser Erkenntnis besteht ein enges Verhältnis zwischen Sachwissen (enzyklopädischem Wissen) und Sprachwissen. Da die Fachlexeme Träger der gesellschaftlichen Verallgemeinerungen sind, geht der Erwerb der sprachlichen Inhalte mit dem Erwerb der entsprechenden sprachlichen Benennungseinheiten einher. Aus diesem engen Verhältnis der Vermittlung von fachlichem und sprachlichem Wissen im Bildungsprozeß ergibt sich auch, daß der Zuwachs an Fachwortschatz im Allgemeinwortschatz von der Bildungsstrategie, speziell der Allgemeinbildungskonzeption, beeinflußt ist. Im sozialistischen Bildungssystem wird unter Allgemeinbildung jene Bildung verstanden, die von allen Mitgliedern der Gesellschaft durch die Vermittlung von Bildungsinhalten aus allen wichtigen Bereichen erworben werden kann. Sozialistische Allgemeinbildung ist wissenschaftlich orientiert, d. h., es wird eine hohe wissenschaftliche Allgemeinbildung für alle angestrebt. Inhaltlich umschließt die sozialistische Allgemeinbildung die Vermittlung von Grundkenntnissen in Mathematik, in den Naturwissenschaften, in den Gesellschaftswissenschaften, in Technik und Technologie, in Literatur und Kunst. Allgemeinbildung zielt weiterhin darauf ab, vorhandene und erworbene Informationen in umfassende wissenschaftliche, gesellschaftswissenschaftliche und weltanschauliche Zusammenhänge einzuordnen und ein grundlegendes Verständnis für die wissenschaftlich-technischen Entwicklungen und weltanschaulichen sowie moralischen Konsequenzen aus Wissenschaft und Technik zu erzeugen (vgl. NEUNER 1985, 673).

GRUHN, der der Frage nachging, wie die Massenmedien in der DDR und in der BRD zur Verbreitung neuer wissenschaftlicher Entwicklungen eingesetzt werden, kommt zu folgender Feststellung: „Der wichtige Vorsprung der DDR bei der Verbreitung wissenschaftlichen Denkens und der Vermittlung wissenschaftlicher Inhalte an breite Bevölkerungsschichten liegt im Bildungswesen, in dem hohen Stellenwert, den die Naturwissenschaften im Schulunterricht einnehmen. Es gibt in der DDR-Bevölkerung mehr Verständnisfähigkeit und daraus abgeleitet möglicherweise auch mehr Verständnisbereitschaft zur Aufnahme wissenschaftlicher Informationen" (GRUHN 1982, 185).

Man kann wohl von der Annahme ausgehen, daß die 20 000 Seiten Schulbuchtext (STRIETZEL 1969, 135), die dem Schüler der zehnklassigen allgemeinbildenden polytechnischen Oberschule in die Hand gegeben werden und die zum größten Teil zwar didaktisch vereinfachte und propädeutisch aufbereitete wissenschaftliche Grundkenntnisse vermitteln, langfristig auch zu einer Vergrößerung seines Fachwortschatzes beitragen. Allerdings ist sicherlich davon auszugehen, daß vor allem die Fachlexeme im Sprachbewußtsein verankert werden, die auch in anderen Lebensbereichen begegnen bzw. durch den häufigen Gebrauch in den Massenmedien reaktiviert und gefestigt werden. Das gesellschaftliche Interesse an einer massenwirksamen Vermittlung wissenschaftlich-technischer Erkenntnisse ist gestiegen. Dabei kommen dem Journalismus spezifische bildungspolitische Aufgaben zu. In den Massenmedien der DDR nimmt die politökonomische Berichterstattung einen großen Raum ein, auch die Wissenschaftsberichterstattung enthält jeweils Hinweise auf die mögliche Anwendung in der Produktion (GRUHN 1982, 181). Daraus ergeben sich Unterschiede in der Verbreitung und Gebräuchlichkeit politökonomischen Wortschatzes in der DDR und der BRD. PETERMANN (1978, 252) untersuchte die Aufnahme von Fachwörtern der Wirtschaft im WDG (1961) und in WAHRIGS DEUTSCHEM WÖRTERBUCH (1971) und stellte fest, daß u. a. folgende Stichwörter des WDG nicht in WAHRIGS DEUTSCHEM WÖRTERBUCH verzeichnet sind: *abstrakte Arbeit, Arbeitsgegenstand, Arbeitsmittel, Ausbeutung, Fonds, Grundmittel, Mehrprodukt, Reproduktion, Produktionsverhältnisse, Produktionsweise, Zirkulation.*

Die Unterschiede im Sprachgebrauch zwischen der DDR und der BRD sind in hohem Maße im fachbezogenen Teil des Allgemeinwortschatzes angesiedelt. Sie betreffen Lexeme, die gesellschaftstheoretische, weltanschaulich-philosophische, politische, ökonomische und historische Sachverhalte bezeichnen.

Neueste wissenschaftlich-technische Errungenschaften werden primär über die Massenmedien verbreitet, z. B. Kenntnisse über solche Gebiete wie Raumfahrt, Informatik, Mikroelektronik, Biotechnologie. Hier unterstützt die mögliche Annahme dieser Erkenntnisse in den Inhalt der Allgemeinbildung nachträglich das Eindringen dieses Fachwortschatzes in den Allgemeinwortschatz. Gegenwärtig ist eine „tendenzielle Beschleunigung der Domestikation neuer wissenschaftlicher Erkenntnisse in die Allgemeinbildung" (NEUNER 1985, 663) festzustellen. Während die Aufnahme der Darwinschen Lehre in das schulbiologische Bildungsgut nach rund 30 Jahren erfolgte, fanden die in den 50er Jahren erarbeiteten Forschungsergebnisse zu den molekularbiologischen Grundlagen der Genetik nach etwa 10 Jahren Eingang in die schulische Allgemeinbildung. Damit waren gute Bedingungen für das Eindringen von Fachlexemen wie *Gen, Genetik, Chromosom* in den fachbezogenen Teil des Allgemeinwortschatzes vorhanden. Die ersten Taschenrechner wurden um 1970 in den USA gebaut, 1985 wurde der Taschenrechner als offizielles Unterrichtsmittel in der POS eingeführt. Die Verbreitung des Lexems *Taschenrechner* war bereits vorher erfolgt. Da der Gebrauch des Rechenschiebers durch den Taschenrechner zurückgedrängt wird, ist eine zunehmende Archaisierung von *Rechenschieber (Rechenstab)* zu erwarten.

Wenn wissenschaftlich-technische Neuerungen im Alltag für jeden einzelnen bedeutsam werden, finden die entsprechenden Fachwörter rasch Eingang in den allgemeinen Sprachgebrauch. So wird medizinischer Wortschatz vor allem über die Inanspruchnahme der Leistungen des Gesundheitswesens allgemein bekannt. Fachlexeme für neue diagnostische Verfahren, Methoden, Therapieformen wie *Computertomographie, Sonographie, Inlay, Herzschrittmacher, Kontaktlinsen, Transplantation* finden zunehmend Verbreitung. Mit neuen Produkten, die den Alltag und das Freizeitverhalten des einzelnen wesentlich bestimmen, werden auch die Wörter verbreitet, z.B. *Quarzuhr, Stereoanlage, Videorecorder, Synthesizer, Kabelfernsehen, Satellitenfernsehen.*

3.3.3. Zuwachs an Fachlexemen und fachspezifischen Sememen

Mit der Verbreitung von Fachlexemen in der Alltagskommunikation erfährt der Allgemeinwortschatz eine quantitative Erweiterung. Das von MACKENSEN herausgegebene Wörterbuch „Das Fachwort im täglichen Gebrauch" (1981) umfaßt über 25 000 Begriffe. HEBERTH hat unter dem Titel „Neue Wörter. Neologismen der deutschen Sprache seit 1945" (1977 und 1982) Wörter zusammengestellt, die „in den allgemeinen Sprachgebrauch des täglichen Lebens" (1977, I) eingegangen sind. Er erfaßt Neuwörter seit 1945 und Wörter, die erst nach 1945 allgemeine Verbreitung fanden bzw. mit neuer, veränderter Bedeutung in den Alltag eindrangen. Um den außerordentlich hohen Zuwachs an Neologismen zu verdeutlichen, sollen hier einige Beispiele HEBERTHS – geordnet nach ihrer fachlichen Herkunft und ergänzt durch neuere Beispiele – angeführt werden:

> Kraftfahrzeugtechnik und Kraftfahrzeugwesen: *Abblendlicht, Autoradio, Runderneuerung, Radialreifen, Scheibenbremse, Scheibenwaschanlage*; Verkehrswesen: *Fußgängerzone, Parklücke, Parkhaus, Radarfalle, Autoschlange, Autostunde* (‚Strecke, die ein Auto in einer Stunde zurücklegen kann'), *sich einfädeln*; Wohnungswesen: *Fernwärme, Müllschlucker, Anbaumöbel*; Elektronik und Datenverarbeitung: *Mikroelektronik, Mikroprozessor, Rechentechnik, Personalcomputer, Diskette, Software, Hardware, ablochen, einspeisen, eingeben*; Ökonomie: *Innovation, Nullwachstum, Energiekrise, Marktforschung, Marktlücke, Kombinat, Gütezeichen*; Politik: *Entwicklungsländer, Dritte Welt, Entspannungspolitik.*

In den Allgemeinwortschatz werden nicht nur neue Wörter, d.h. Wörter, die in bezug auf den deutschen Gesamtwortschatz neu sind, übernommen. Auch Termini, die in fachlichen Disziplinen seit längerem verwendet werden, können in den aktuellen allgemeinen Sprachgebrauch eindringen. Dies soll an den Termini *Mengenlehre, Ökologie, Umwelt* und *Frustration* verdeutlicht werden. Die Mengenlehre wurde ab 1872 begründet. Sie stieß anfangs bei vielen Mathematikern auf Ablehnung und Widerstand. Ihre Begriffsbildungen sind jedoch heute Grundlage der gesamten Mathematik (LEXIKON DER MATHEMATIK 1981). Mit ihrer Einführung in die Schullehrbücher fand der mathematische Terminus *Mengenlehre* allgemeine Verbreitung. Im WDG erhielt das Stichwort noch die fachliche Kennzeichnung *Math.*, im HANDWÖRTERBUCH (1984) ist es bereits ohne fachliche Kennzeichnung registriert. DER GROSSE BROCKHAUS (1928) verzeichnet die Stichwörter *Ökologie* und *Umwelt* (auch *Umweltforschung*). Ihre hohe Frequenz im allgemeinen Sprachgebrauch haben sie wohl erst in den letzten Jahrzehnten erhalten. In diesem Zusammenhang sind weitere Lexeme wie *Ökosystem, ökologisches Gleichgewicht; Umweltschutz, Umweltbelastung, Umweltschäden, umweltbewußt, umweltfreundlich* wichtig geworden. *Frustration* ist kein neues Wort. Im allgemeinen Sprachgebrauch hat es erst in den letzten Jahrzehnten zunehmend Verbreitung gefunden. Die Verkürzung auf *Frust* deutet auf die hohe Allgemeingebräuchlichkeit hin (vgl. TREMPELMANN 1985, 145 ff).

Der Allgemeinwortschatz wird nicht nur durch die Übernahme von Lexemen fremder Herkunft *(Playback, Know-how)* oder die Übernahme neugebildeter Benennungen heimischer Herkunft *(Taschenrechner, rechnergestützt, grüne Welle)* bereichert, sondern auch durch die Aufnahme neuer Sememe. Das heißt, einem im Allgemeinwortschatz verankerten Formativ wird ein neues Semem mit fachspezifischer Bedeutung zugeordnet. Durch diese Integrierung neuer Sememe in die Bedeutungsstruktur des Allgemeinwortschatzes erhöht sich der Anteil polysemer Lexeme bzw. findet ein Ausbau der vorhandenen polysemen Lexemstrukturen statt. Dieser Prozeß ist eine Rückwirkung der Terminologisierung bzw. eine Rückwirkung von Umterminologisierungen.

Im Prozeß der Terminologisierung wird einem nichtfachsprachlichen Wort eine fachspezifische Bedeutung zugeordnet. So erhielt das allgemeinsprachliche Lexem *Speicher* (‚Gebäude, Raum zum Aufbewahren von Vorräten‘) in der Datenverarbeitung die fachsprachliche Neubedeutung ‚Bestandteil einer Datenverarbeitungsanlage zum Aufbewahren von Informationen‘. Dieses fachspezifische Semem von *Speicher* wird ebenso wie das neue fachspezifische Semem von *speichern* (‚Daten in einen Speicher geben‘) mit der breiten volkswirtschaftlichen Nutzung der Datenverarbeitung allgemein gebräuchlich. In der Fachsprache der Datenverarbeitung sind mit *Speicher* eine Vielzahl von Wortbildungskonstruktionen, die Spezialbegriffe benennen, gebildet worden, z. B. *Speicheradresse, Speicherauszug, Speicherbereich, Speicherdichte, Speicherelement, Speicherhierarchie, Speicherklassenattribut, Speichermedium, Speichermodul, Speicherplatz, Speicherplatzverwaltung, Speicherprinzip, Externspeicher* u. a. Von diesen spezialisierten Benennungen ist bisher wohl keine dem allgemeinen Sprachgebrauch zuzuordnen. Das HANDWÖRTERBUCH (1984) verzeichnet keinen dieser Termini.

Analoge Beispiele sind *Daten* und *Programm*, die ebenfalls fachspezifische Sememe innerhalb der Fachsprache der Datenverarbeitung ausgebildet haben. Aus diesem Bereich sind allerdings mehrere Lexeme im HANDWÖRTERBUCH registriert: *Datenbank, Datenmaterial, Datenschutz, Datenspeicher, Datenverarbeitung, Datenverarbeitungsanlage; programmgesteuert, programmieren, Programmierer, Programmsprache, Programmsteuerung.*

Bisher nicht im HANDWÖRTERBUCH aufgenommen, aber sicherlich allmählich in den allgemeinen Sprachgebrauch vordringend, ist der Gebrauch von *Generation* und *Familie* in der Datenverarbeitung: *Schaltkreisfamilie, Rechnerfamilie* (z. B.: *Die verbreitetste Rechnerfamilie in den sozialistischen Ländern ist das ESER.*), *Rechnergeneration (zweite Rechnergeneration, Computer der vierten Generation), Generationsprinzip (Vater-Sohn-Dateien, Großvater-Urgroßvater-Dateien* usw.) (s. LEXIKON DER WIRTSCHAFT – RECHENTECHNIK/DATENVERARBEITUNG 1983). Bei einem Vordringen dieser fachspezifischen Verwendungsweisen in den allgemeinen Sprachgebrauch müßte in die Bedeutungsstrukturbeschreibungen der Verwandtschaftsbezeichnungen ‚verwandt hinsichtlich technischer Parameter‘ aufgenommen werden. Zu untersuchen wäre, welche Auswirkungen sich in bezug auf die paradigmatischen und syntagmatischen Relationen innerhalb des Allgemeinwortschatzes ergeben.

Dialog ist in den letzten Jahren in zwei verschiedene fachliche Kommunikationssphären vorgedrungen und wirkt von hier in die Alltagskommunikation zurück. Die usprüngliche Bedeutung ‚Gespräch zwischen mindestens zwei Personen‘ (s. WDG), ist im politischen Kommunikationsbereich auf die zwischenstaatlichen Kommunikationsbeziehungen *(Ost-West-Dialog, politische Dialogbereitschaft)* und im Bereich der Informatik auf den *Mensch-Maschine-Dialog* ausgedehnt worden.

Das Eindringen von Fachlexik in den Allgemeinwortschatz erweitert auch das Synonymiepotential der Allgemeinsprache. Eine Quelle für die Existenz von Synonymen ist das Nebeneinander von entlehntem Wortgut und aus heimischem Sprachmaterial gebildeten Benennungen. Ein Beispiel dafür sind die Benennungen *Computer, Rechner, Datenverarbeitungsanlage (Rechenzentrum/Datenverarbeitungszentrum; rechnergestützt/computergestützt).*

Die Distribution von *Fernseh-, Video-, Tele-* und *Bildschirm-* in Wortbildungskonstruktionen ist vielfältiger Art. Eine *Fernaufzeichnung* auf Magnetband erfolgt mit Hilfe eines *Videorecorders. Telespiel* ist kein Synonym zu *Fernsehspiel. Videotext, Teletext* und *Bildschirmtext* sind Bezeichnungen für Systeme, die auf dem Fernsehbildschirm abrufbare Informationen übermitteln. Das LEXIKON DER TECHNIK (1982) gebraucht neben *Videotelefonie* auch *Fernsehtelefonie*, das HANDWÖRTERBUCH (1984) verzeichnet nur *Videotelefon.* Falls sich im fachsprachlichen Bereich *Fernsehtelefonie* durchsetzen sollte, wäre auch im allgemeinsprachlichen Bereich mit *Fernsehtelefon* zu rechnen. Wenn im fachsprachlichen Kommunikationsbereich die entlehnten Termini durch heimische Bildungen ersetzt werden, ist damit die Möglichkeit gegeben, Benennungen fremder Herkunft zurückzudrängen. Beispielsweise hat sich offensichtlich *Schrittmacher (Herzschrittmacher)* gegenüber *Pacemaker* im allgemeinen Sprachgebrauch weitgehend durchgesetzt.

Eine Benennung wie *Blinker* zu dem fachsprachlichen *Fahrtrichtungsanzeiger* ist sprachökonomisch bedingt. Ebenfalls aus sprachökonomischen Gründen werden Kurzformen wie *Ampel* zu *Verkehrsampel* gebildet.

Die synonyme Vielfalt im fachbezogenen Teil des Allgemeinwortschatzes birgt potentielle Verständigungsprobleme in sich. Wenn nicht allen Kommunikationsteilnehmern die synonymen Beziehungen geläufig sind, kann stilistische Variation zu Kommunikationskonflikten führen.

Bei der Übernahme von fachsprachlicher Lexik in die allgemeinsprachliche Kommunikation vollziehen sich semantische Veränderungen. Dieser Prozeß wird als Entterminologisierung (Determinologisierung, auch Popularisierung bzw. Banalisierung) bezeichnet (vgl. B.MÜLLER 1975, 171). PETERMANN verweist darauf, daß bei einem Fachwort dann, wenn es einem großen Kreis fachlich nicht vorgebildeter Mitglieder der Sprachgemeinschaft bekannt wird, an die Stelle der begrifflich-wissenschaftlichen Bedeutung eine Allgemeinbildungsbedeutung tritt. Der Denotatsbezug des Fachwortes bleibe zwar erhalten, es verliere aber an „begrifflicher Schärfe und Genauigkeit" (PETERMANN 1982, 212; vgl. auch THEORETISCHE PROBLEME 1976, 408). In welchem Umfange die dem wissenschaftlichen Begriff anhaftenden Merkmale im allgemeinen Sprachgebrauch realisiert werden, kann von Sprecher zu Sprecher graduell unterschiedlich sein. Das Sprachvermögen hängt von den sozialen und funktionalen Merkmalen des Sprechers ab (vgl. SCHÖNFELD/DONATH 1978, 201).

Die Unterschiede zwischen Allgemeinbildungsbedeutung und begrifflich-wissenschaftlicher Bedeutung lassen sich dadurch demonstrieren, daß Wörterbucheintragungen allgemeinsprachlicher Bedeutungswörterbücher mit enzyklopädischen Beschreibungen verglichen werden (vgl. PETERMANN 1982, 214f., P.BRAUN 1979, 111f.). Durch einen solchen Vergleich werden die unterschiedlichen Merkmalsstrukturen der Beschreibungen verdeutlicht. Folgende Beispiele sollen der Illustration dienen:

Taschenrechner
HANDWÖRTERBUCH (1984): „kleiner, extrem flach gebauter elektronischer Rechner, den man in der Tasche mit sich führen kann".

LEXIKON DER TECHNIK (1982): „meist batteriebetriebenes kleines Rechengerät auf der Basis der Mikroelektronik. Der Taschenrechner kann mindestens die 4 Grundrechenarten ausführen, verfügt meist aber über (bis zu 50) Funktionen und Operationen (mathematische, statistische u.a.), ist in vielen Versionen programmierbar und kann Datenspeicher und Programmspeicher enthalten. Die Primäreingabe erfolgt über Tasten (teils über Magnetkartenleser oder einsteckbare Funktionsmoduln), die Ausgabe über eine Leuchtdiodenanzeige bzw. Flüssigkristallanzeige (oder über einen kleinen Drucker)".

Atom
HANDWÖRTERBUCH (1984): „kleinstes Teilchen eines chemischen Elements, das noch dessen charakteristische Eigenschaften besitzt und chemisch nicht weiter teilbar ist".

BROCKHAUS-ABC NATURWISSENSCHAFT UND TECHNIK (1980): „das kleinste elektrisch neutrale Teilchen eines chemischen Elements, das mit chemischen Mitteln nicht weiter teilbar ist und dessen Eigenschaften das chemische und physikalische Verhalten des Elements bestimmen. Mit physikalischen Mitteln kann das Atom zerlegt werden. Es besteht aus dem positiv geladenen *Atomkern* und den negativ geladenen *Elektronen*, die sich ... auf *Bohrschen Bahnen (Elektronenschalen, Orbitalbahnen)* um den Kern bewegen. Die Gesamtheit der Elektronen des Atoms bildet die *Atomhülle* ...“

Vergleicht man die beiden Einträge zu *Atom*, so zeigt sich, daß im Handwörterbuch nicht der gesamte Begriffsinhalt von *Atom*, der durch die Termini *Atomkern*, *Bohrsche Bahnen*, *Elektronen* und *Atomhülle* systematisiert wird, reflektiert wird. Zwar sind als Stichwörter auch *Atomkern* und *Elektron* aufgenommen, (*Atomhülle* und *Bohrsche Bahnen* sind nicht verzeichnet), aber der systematische Zusammenhang zwischen den Stichwörtern ist schwer nachzuvollziehen. Damit wird deutlich, daß das Wesen der Determinologisierung vor allem im Verlust des fachlichen Systemzusammenhangs liegt. B. MÜLLER (1975, 171) charakterisiert den Prozeß als semantische Entgrenzung und verweist darauf, daß das Fachwort mit der Übernahme in den Allgemeinwortschatz seinen Charakter als Fachterminus verliert, „weil es aus dem ganzen bisherigen Sachsystem, dem System der Sachbegriffe, und dem System der fachsprachlichen Zeichen, die es zusammen determiniert haben, herausgelöst gewertet und verstanden wird“. Das heißt, der Fachmann verfügt gegenüber dem Nichtfachmann über den größeren Systemzusammenhang, auch wenn er nicht jeden Terminus seiner Fachsprache ad hoc definieren kann.

Wenn aus einem fachlichen Teilsystem weitere Lexeme in den Allgemeinwortschatz eindringen, kann auf Grund des Systemzusammenhangs die Allgemeinbildungsbedeutung eines bereits allgemein gebräuchlichen Fachwortes dieses Teilsystems angereichert werden. Man könnte dann von dem Prozeß der „Reterminologisierung“ sprechen. Zur Illustration soll das mathematische Teilsystem „Zahlensysteme“ gewählt werden. *Dezimalsystem* (auch *Zehnersystem* oder *dekadisches System* genannt) ist seit längerem im allgemeinen Sprachgebrauch verankert. Das Dualsystem, das mit den Zahlen 0 und 1 operiert, ist für die technische Darstellung von Zahlen besonders geeignet und hat für die Rechentechnik außerordentlich praktische Bedeutung erlangt. Mit der Popularisierung der Grundlagen der Datenverarbeitung wird auch der mathematische Terminus *Dualsystem* verbreitet. Mit dem Neuzuwachs *Dualsystem* im Allgemeinwortschatz wird die Allgemeinbildungsbedeutung von *Dezimalsystem* und *Zahlensystem* angereichert.

Durch die populärwissenschaftliche Darstellung wissenschaftlich-technischer Erkenntnisse und Entwicklungen findet immanent eine semantische Anreicherung des fachbezogenen Wortschatzes statt. Bestehende starke Differenzierungen zwischen fachsprachlicher und allgemeinsprachlicher Bedeutung können so abgebaut werden.

3.3.4. Rückwirkungen fachsprachlicher Präzisierungsprozesse

Der fachbezogene Teil des Allgemeinwortschatzes ist in seinen Veränderungen von der Entwicklung fachlexikalischer Benennungssysteme beeinflußt. Der starke Zuwachs an wissenschaftlicher Erkenntnis, die sich in der wissenschaftlich-technischen Entwicklung vollziehenden Spezialisierungs-, Differenzierungs- und Verallgemeinerungsprozesse führen neben der quantitativen Erweiterung der Fachwortschätze auch zu qualitativen Umstrukturierungen der kognitiven Systeme. Die qualitativen Umstrukturierungen können einerseits zu einem Bedeutungswandel führen, d. h. zur Veränderung des Begriffsinhaltes ohne Änderung des Formativs, und andererseits zu einer Änderung der Benennungsstrukturen.

Der Bedeutungswandel im fachlichen Bereich hat häufig eine Nichtadäquatheit der Benennungsstruktur zur Folge. Beispiele dafür sind die physikalischen Termini *Atom* und *Elementarteilchen*. Unter den Physikern besteht seit Ende des 19. Jahrhunderts allgemein Klarheit, daß Atome (griech. atomos ‚unteilbar‘) weiter zerlegbar sind. Mit dem Begriff Elementarteilchen ist in der Physik seit Ende der 50er Jahre nicht mehr die Vorstellung kleinster Bausteine der Materie verbunden. Elementarteilchen sind instabil und wandeln sich um. Mit der Popularisierung dieser physikalischen Erkenntnisse dringen sicherlich auch die neuen Begriffsinhalte in den allgemeinen Sprachgebrauch ein.

Für den Linguisten leichter zu erfassen sind jene Auswirkungen fachlexikalischer Änderungen, bei denen die Begriffsumstrukturierungen mit einer Änderung der Benennungsstrukturen einhergehen. Die fachlichen Kommunikationsgemeinschaften sind bestrebt, über wissensadäquate sprachliche Ausdrucksmittel zu verfügen. Ein Erkenntniszuwachs führt daher häufig auch zu einer Ablösung tradierter Termini durch neue Benennungen. Daraus ergibt sich die Frage, ob und zu welchem Zeitpunkt die neuen wissensadäquaten Benennungen in den allgemeinen Sprachgebrauch vordringen und welche Wirkungen auf die im Allgemeinwortschatz verankerten tradierten Benennungen zu verzeichnen sind.

So werden gegenwärtig im Physikunterricht auf dem Gebiet der Wärmelehre noch tradierte Termini verwendet, deren Benennungsstruktur im Widerspruch zu den neueren theoretischen Konzeptionen der Thermodynamik steht. Daher sind Erklärungen, die auf diesen Widerspruch aufmerksam machen, notwendig. Beispielsweise wird zum Terminus *Wärmeaustausch* angemerkt: Der Ausdruck „Austausch" stammt noch aus der Zeit, in der man zwischen „Wärme" und „Kälte" unterschied. (Es wurden „Wärme" und „Kälte" ausgetauscht.) – In Wirklichkeit erfolgt nur ein Energieübergang in einer Richtung (vgl. PHYSIK-LEHRBUCH FÜR KLASSE 8, 1984, 14). Daraus ergibt sich auch, daß folgende Aussage falsch ist: „Der Tauchsieder *gibt* an das Wasser eine bestimmte *Wärmemenge ab."* *Wärmemenge* und *Wärmeenergie* sind gleichwertige Begriffe (vgl. a. a. O., 10). Anstelle der wissensinadäquaten Benennung *Energieerzeugung* –

Energie kann weder erzeugt noch vernichtet werden – wird in der fachlichen Kommunikation der Terminus *Energieumwandlung* vorgeschlagen. Es stellt sich die Frage, ob sich mit der Integrierung der neueren begrifflichen Vorstellungen von Wärme – einen Körper erwärmen heißt, die Energie der Wimmelbewegung seiner Moleküle steigern (s. BROCKHAUS-ABC NATURWISSENSCHAFT UND TECHNIK 1980) – auch Konsequenzen für die eingebürgerten allgemeinsprachlichen Realisierungen ergeben.

Beispiele aus dem technischen Bereich: *Elektrizitätswerk* als Oberbegriff ist allmählich durch *Kraftwerk* abgelöst worden. Nach der Art der im Kraftwerk eingesetzten Umwandlungsenergie wird dann klassifiziert in *Wärmekraftwerk, Kernkraftwerk* usw. Das LEXIKON DER TECHNIK (1982) kennzeichnet *Feinwerktechnik* als neue Bezeichnung für *Feinmechanik*, das HANDWÖRTERBUCH (1984) hat *Feinwerktechnik* nicht registriert.

Solche sprachlichen Veränderungen vollziehen sich in allen Kommunikationssphären. Sie sind nur jeweils für die Allgemeinheit in unterschiedlichem Maße relevant. Veränderungen des medizinischen Sprachgebrauchs dringen vor allem dann in den allgemeinen Sprachgebrauch vor, wenn die entsprechenden medizinischen Sachverhalte für den Gesundheitsschutz relevant werden. In der medizinischen Fachsprache werden der tradierte Terminus *Grippe* und die verdeutlichende Neubenennung *Virusgrippe* nebeneinander verwendet. Mit der Möglichkeit der Grippeschutzimpfung und ihrer Propagierung ist auch der Terminus *Virusgrippe* verstärkt im allgemeinen Sprachgebrauch üblich geworden. *Virusgrippe* wird offensichtlich bewußt gebraucht, um den Begriff *Grippe* deutlicher vom Begriff des *grippalen Infektes* abzuheben. Die Grippeschutzimpfung (auch *Virusgrippeschutzimpfung* genannt) schützt nur vor der Virusgrippe, nicht vor einem grippalen Infekt. In den Wörterbucheinträgen ist die Übernahme des medizinischen Sprachgebrauchs verfolgbar. Das WDG beschreibt *Grippe* als ‚akute Infektionskrankheit, die mit (hohem) Fieber und Muskel- und Gelenkschmerzen verbunden ist'. Beim Stichwort *Virusgrippe* lautet der Eintrag: ‚die durch Viren hervorgerufene Grippe'. Das HANDWÖRTERBUCH setzt für *Grippe* zwei Sememe an: 1. ‚akute, epidemisch auftretende Viruskrankheit des Menschen ... Virusgrippe'; 2. umg. ‚Erkältungskrankheit'. Das Stichwort *grippal (grippaler Infekt)* wird entsprechend dem medizinischen Sprachgebrauch eindeutig dem Semem 2 von *Grippe* zugeordnet. Das Stichwort *Virusgrippe* wird dem Semem 1 zugeordnet. Abzuwarten ist, ob sich auch das im medizinischen Sprachgebrauch für *Grippe* verstärkt übliche Synonym *Influenza (Influenzaschutzimpfung)* auch im allgemeinen Sprachgebrauch aktivieren läßt. Das WDG und der DUDEN (1985) markieren *Influenza* als „veraltend", im HANDWÖRTERBUCH ist es nicht registriert.

Die sich im medizinischen Sprachgebrauch vollziehende Ablösung von *Alkoholismus* und *Alkoholiker* durch *Alkoholkrankheit* und *Alkoholkranker* ist im HANDWÖRTERBUCH noch nicht verzeichnet. Da es sich um einen Ersatz abwertender Benennungen handelt, ist eine weitere Verbreitung der neuen Benennungen wünschenswert (vgl. WORTSCHATZ 1987, 214).

Der allgemeine Sprachgebrauch kommt gut mit wissensinadäquaten Benennungen zurecht. So ließ sich die falsch motivierte Benennung *Blinddarmentzündung* nicht durch die in populärmedizinischen Beiträgen propagierte wissensadäquate Bildung *Wurmfortsatzentzündung* verdrängen.

Im fachbezogenen Teil des Allgemeinwortschatzes sind auch Sprachveränderungen zu beobachten, die nicht durch einen Erkenntniszuwachs und damit einhergehende Änderungen von Benennungsstrukturen bedingt sind. So werden Lexeme fremder Herkunft neben den Benennungen aus heimischem Sprachmaterial zunehmend im allgemeinen Sprachgebrauch verwendet, z. B. *Karies, Karzinom, Prophylaxe, Pädiatrie* und *Tetanus* neben den heimischen Lexemen *Zahnfäule, Krebs, Vorbeugung, Kinderheilkunde* und *Wundstarrkrampf*. Die Ursachen für diese Wortgebrauchsänderungen sind im einzelnen schwer anzugeben. Wahrscheinlich sind es Rückwirkungen des Sprachgebrauchs in den Massenmedien, insbesondere im Bereich des Wissenstransfers.

Zu diesem Typ von Sprachgebrauchsänderungen gehören auch die Änderungen, die auf den Einfluß der technischen Benennungsnormung zurückzuführen sind (vgl. FLEISCHER 1984b, 20). Auf Kritik stößt die technische Sprachnormung, wenn im Sprachgebrauch eingebürgerte Fachwörter umbenannt werden. So wurden im technischen Sprachgebrauch folgende Benennungen ersetzt: *Schieblehre (Schublehre)* durch *Meßschieber, Drehstahl* durch *Drehmeißel, Schraubenzieher* durch *Schraubendreher, Zollstock* durch *Gliedermaßstab* (s. FRACKOWIAK 1984, 10f.). Ziel dieser Normung ist, wissensadäquate Benennungen zu schaffen. So wird argumentiert, daß der *Meßschieber* ein Meßgerät und keine Lehre sei. Bei einer Lehre (z. B. Rachenlehre) werde nur das Werkstück-Ist-Maß mit dem fest eingestellten Maß der Lehre verglichen. Mit dem *Zollstock* könnten keine Zoll, sondern nur Zentimeter und Millimeter gemessen werden (vgl. a. a. O., 11).

Zu fragen ist, ob sich eine unhandliche Benennung wie *Gliedermaßstab* durchsetzen kann, zumal auch falsch motivierte Benennungen ihre Zeichenfunktion erfüllen. Andererseits kann sich durch den Gebrauch der fachlichen Benennungen im polytechnischen Unterricht der Schule durchaus die Einbürgerung in den allgemeinen Sprachgebrauch, z. B. bei *Schraubendreher*, vollziehen.

3.3.5. Metaphorisierung von Fachlexemen

Im allgemeinen Sprachgebrauch können Fachlexeme nicht nur in ihrer fachlichen Bedeutung, sondern auch im übertragenen Sinne zur Bezeichnung nichtfachlicher Sachverhalte verwendet werden. PETERMANN (1978, 50) weist darauf hin, daß etwa seit der zweiten Hälfte des 19. Jahrhunderts große Mengen lexikalischer Elemente aus verschiedenen Fachbereichen als Übertragungen in den allgemeinen Sprachgebrauch eingingen, so z. B. *ankurbeln, durchdrehen, abschal-*

ten, explodieren, Kontakt suchen, spuren, entgleisen, den Anschluß verpassen, eine lange Leitung haben. PETERMANN stellt fest, daß ihre Übernahme im Zusammenhang mit der Herausbildung der Umgangssprache stehe, weshalb die meisten dieser Lexeme im Wortschatz dieser Existenzform zu finden seien (a. a. O.).

Durch den metaphorischen Gebrauch von fachlexikalischen Einheiten können neue, im Wörterbuch kodifizierte Sememe entstehen. Vielfach liegen nur okkasionelle Gebrauchsweisen vor. Sie dienen der Erhöhung der Anschaulichkeit und Bildhaftigkeit in der Textgestaltung, z. B. „der Weltraumrüstung die *Rote Karte* zeigen" (ND). Okkasionelle Gebrauchsweisen können der Ausgangspunkt für neue usuelle Übertragungen sein.

Aus welchen Gebieten Übertragungen stattfinden, hängt offensichtlich mit der Bedeutsamkeit der Bereiche für den menschlichen Alltag zusammen. So entstammen viele Übertragungen gegen Ende des 19. Jahrhunderts dem Eisenbahnwesen und der Elektrotechnik (vgl. DÜCKERT 1981, 173). Einen außerordentlich großen Einfluß auf den Allgemeinwortschatz hatte und hat der Sportwortschatz: *kontern, Sprungbrett, schwache Kür, Handikap, das Handtuch werfen, Spielregeln einhalten, gegen Spielregeln verstoßen, am Ball sein, eine Hürde nehmen, einen Kinnhaken bekommen, über die Runden kommen, überrunden, schwimmen lassen* u. a. (vgl. WORTSCHATZ 1987, 236 ff.). Aber auch mathematische und physikalische Termini können in übertragenem Sinn gebraucht werden, z. B. *etwas auf einen Nenner bringen* (,Unterschiedliches in Einklang bringen'), *eine Kettenreaktion auslösen.* Viele Übertragungen kommen aus dem Bereich der Technik, z. B. *die gleiche Wellenlänge haben, eine große Bandbreite haben.* Aus der Datenverarbeitung stammt *falsch programmiert sein* (,falsch auf etwas festgelegt sein').

3.4. Zur Rolle der Entlehnungen in der Wortschatzentwicklung
3.4.1. Einführendes

Entwicklungstendenzen auf dem Gebiet der Entlehnungen lassen sich ebenso wie auf anderen Teilgebieten der Lexik und darüber hinaus der Sprache, nur ermitteln, wenn die Entwicklung der Sprache und besonders die der jeweiligen Einzelsprache im Zusammenhang mit der Geschichte der Sprachträger und deren Kommunikationsbedürfnissen berücksichtigt wird (vgl. COSERIU 1974, GROSSE/NEUBERT 1982 usw.). So fand und findet mit dem Austausch, der sich zwischen Völkern auf mannigfaltige Weise und auf den unterschiedlichsten Gebieten vollzieht, auch ein Austausch von Benennungen statt (vgl. HELLER 1966, 1975, 1981, P. BRAUN 1979, HUTH 1979, v. POLENZ 1979, KL. ENZYKL. 1983, SCHIPPAN 1984c, FLEISCHER 1985 usw.).

Sprachen, die nachhaltig andere, besonders die europäischen, also auch die deutsche und damit die deutsche Sprache in der DDR beeinflussen, sind Altgriechisch, Latein, Englisch, Französisch und Russisch.

Entlehnungen (Fremdwörter und andere Formen) gehören zu der für Veränderungen aufgeschlossensten Ebene des Sprachsystems, der Lexik, also sind die sie betreffenden Tendenzen in den Texten und durch die Benutzung von Wörterbüchern leichter zu registrieren als für andere Sprachebenen. Sichtbar wird für sie wie für die nach ihrer Etymologie deutschen Benennungseinheiten:

– die abgestufte Häufigkeit in den Wortklassen; den Substantiven als den häufigst vertretenen folgen Adjektive und Verben, minimal sind Form- und Funktionswörter vertreten (vgl. P. BRAUN 1979, 78 ff.);
– die seit langem wirkende und sich verstärkende Tendenz zur Synthese in der Wortbildung: Kompositionen, explizite Ableitungen, Präfigierungen (es dominieren Hybridbildungen, vgl. 3.5.).

Die Gründe dafür sind der steigende Benennungsbedarf, das Streben nach Verdeutlichung, Differenzierung, Integration, damit Präzisierung, Sprachökonomie, das besonders im fachsprachlichen Bereich ständig stärker wirksam wird und auch auf den Stil und die Stilnormen besonders der Fachtexte Einfluß nimmt (umständliche Wortgruppen werden für weniger prägnant gehalten) (vgl. P. BRAUN 1979, 86 ff.). Für die Fremdwörter kommt dazu noch die Vergrößerung ihrer Anzahl durch die zunehmende Internationalisierung in Wissenschaft, Wirtschaft, Handel und Politik.

3.4.2. Haupttendenz Internationalisierung (im Zusammenhang mit Integration, Differenzierung und Präzisierung)

LANGNER sieht als eine wesentliche Tendenz in der Gegenwartssprache die der Integration an und betrachtet die Tendenz der Internationalisierung als eine besondere Ausprägung der Integrationstendenz. Daneben stellt er die Tendenz der Differenzierung (LANGNER 1978, 484 ff.).

Unter dem Aspekt der Entlehnungen ließe sich aber auch sagen, daß Differenzierung und Integration Teiltendenzen der Internationalisierung sein können. Internationalisierung bringt Integration mit sich, jede Einzelsprache integriert fremdes Wortmaterial mit der Übernahme einer bislang fremden Erscheinung. Internationalisierung bedeutet aber auch in vielen Fällen Differenzierung, dies besonders in den Fachsprachen, vornehmlich in jenen, deren Nomenklaturen sich jedes Jahr um Tausende von Benennungen vergrößern (etwa in der Chemie). Durch die Zugehörigkeit von Staaten zu verschiedenen politischen Systemen, Wirtschaftsorganisationen (RGW, EG), militärischen Bündnissen (Warschauer Vertrag, NATO) entstanden voneinander abweichende internationale Benennungssysteme. Diese Vorgänge werden in der Fachliteratur zunehmend als sozialistische (z. B. *sozialistische Integration, friedliche Koexistenz*) und kapitalistische Internationalisierung *(Boom, Establishment)* bezeichnet. Sie könnten demnach als Subgruppierungen der Internationalisierung betrachtet werden (vgl. u. a. LANGNER 1980b, 69ff.), die gleichzeitig Differenzierung mit sich bringen (vgl. u. a. HUTH 1979, FLEISCHER 1985 u. 3.1.2.).

3.4.2.1. Arten und Formen der Entlehnungen

Bei der Erwähnung von Entlehnungen wird zuerst an das Fremdwort gedacht. Fremdwörter sind direkte Entlehnungen, „die die fremde phonetische und graphische, ja selbst die morphologische Gestalt weitgehend bewahren" (HELLER 1981, 26). Zu diesen direkten Entlehnungen gehören die Internationalismen und die Bezeichnungsexotismen. Internationalismen sind „Lexeme, die in mehreren Sprachen in jeweils mehr oder weniger abgewandelter lautlicher, grammatischer und orthographischer Gestalt vorhanden sind. Sie können entweder einer Nationalsprache entlehnt sein, wie *Bourgeoisie, Etage, Passage*, oder auf dem Wege der Wortbildung aus griechischen oder lateinischen Morphemen entstanden sein, wie *Mikroelektronik, Geriatrie*" (KL. ENZYKL. 1983, 304). Zu den Internationalismen können auch die Bezeichnungsexotismen gerechnet werden, sie werden zur Benennung fremder Gegenstände, Einrichtungen und Erscheinungen genutzt (vgl. a. a. O.), die für jeweils mehrere Länder fremd bleiben (etwa Bezeichnungen für fremde Währungseinheiten: *Rubel, Dollar, Lew*; Raumflugkörper: *Sputnik, Lunik, Woshod, Sojus, Salut, Mir – Space Shuttle, Challenger*, wobei letztere ebenso Eigennamen sind wie *Prawda, Kreml, Notre Dame, Tower Bridge* usw. Mit fortschreitender Assimilation, der alle fremden Benennungen unterliegen – zuerst vor allem in der Aussprache (vgl. STÖTZER 1980, GWA 1982), die häufig eine allmähliche Veränderung in der Schreibung der Formative mit sich bringt, aber auch im grammatischen Bereich, der Flexion – verändert sich ein Teil der Fremdwörter zu Lehnwörtern. In der Vergangenheit, während der ersten sogenannten Lehnwortwellen, also zur Zeit der römischen Eroberungen in Germanien, aber auch noch im Mittelalter vollzogen sich diese Veränderungen sehr häufig, da die meisten Wörter mündlich überliefert wurden (zumindest betraf dies den des Lesens und Schreibens unkundigen Teil der Bevölkerung). Heute dauert dieser Vorgang im allgemeinen wesentlich länger, da Neuübernahmen ziemlich schnell durch Wörterbücher kodifiziert werden, denn zumindest der Anteil der Internationalismen und der Bezeichnungsexotismen muß so erhalten bleiben, daß er ständig ohne oder ohne wesentlichen Informationsverlust in der Kommunikation einsetzbar ist. Veränderungen der Definitionen wie der Formative müssen auf ein Mindestmaß zurückgedrängt werden, zumindest für die Zeiträume des jeweils gleichen internationalen Gebrauchs. Dieser Prozeß wird sich in der Zukunft verstärkt fortsetzen, da sich die Kommu-

nikation zwischen hochentwickelten – auch unterschiedlichen Gesellschafts-
ordnungen angehörenden – Industriestaaten der Gegenwart und Zukunft besonders auf wissenschaftlichem Gebiet, auf bestimmten Gebieten der Wirtschaft,
der Außenpolitik, aber auch auf den Gebieten der Freizeitgestaltung (Mode,
Sport, Musik, Tourismus u. a.) ständig stärker internationalisieren wird
(vgl. 3.4.2.). Zu den modernen Internationalismen gehören u. a. *Computer, Container*; die Kurzwörter *Laser, Radar, CAD/CAM, AIDS, SDI* (die nicht selten zuerst als Kurzwort entlehnt wurden); *Sozialismus, Kommunismus, Motel, Synthesizer; Finale* (engl. *final*, frz. *finale*, russ. *final*, span. *final*). Jedes dieser Wörter ist
meist Mittelpunkt eines Wortbildungsnestes bzw. einer Wortfamilie *(Computer:
Computersprache, -terminal, -spiele, -zeitalter; Büro-, Bord-, Kassen-, Personal-,
Tisch- und Satzcomputer)*.

Die einzelnen Elemente dieser Nester oder Familien sind vielfach hybride
Wortbildungskonstruktionen (also solche aus fremden und heimischen Elementen – Morphemen oder Wörtern) (vgl. FLEISCHER 1983b; zur Wortbildung
vgl. 3.5.). „Besonders zahlreich sind Nester, die entlehnte Wörter enthalten, vgl.
z. B. *souffl-* in *Souffleur, Souffleuse, soufflieren; elektr-* in *Elektrik, Elektrode, elektrisch* u. ä. Im Gegensatz zu den unikalen Restelementen müssen diese Elemente als gebundene Bildstämme ... angesehen werden" (STEPANOWA/FLEI-
SCHER 1985, 90).

Eine bestimmte Rolle, besonders bei Übernahme aus dem Russischen, spielen Teilentlehnungen. Es werden im wesentlichen zwei Möglichkeiten gesehen:

Entweder übernimmt ein deutsches Wort, das mit einer lexikalisch-semanti-
schen Variante des fremden Wortes übereinstimmt, zusätzlich eine oder meh-
rere weitere Bedeutungen (vgl. SCHIPPAN 1984b, 281 u. a.), es entsteht also eine
Bedeutungsentlehnung: *Pionier, Kader; Estrade:* ‚1. veraltend: erhöhter Teil des
Fußbodens (am Fenster, im Erker), Podium; 2. Neubedeutung: volkstümliche
Veranstaltung mit gemischtem Programm von Musik, Tanz und Artistik'
(WDG).

Oder das fremde Wort wird übersetzt oder nachgebildet. Es handelt sich dann
um Lehnübersetzungen, z. B. aus dem Russischen in die deutsche Sprache
der DDR: *Kulturfonds* культьфонд, *Politunterricht* политучёба. Die meisten sind
aber in ihrer Struktur vom russischen Vorbild mehr oder weniger verschieden:
Kasse der gegenseitigen Hilfe касса взаймопомощи (andere vgl. 3.4.2.3.), tendie-
ren also zu oder sind Lehnübertragungen, freiere Bildungen nach fremdem
Vorbild.

3.4.2.2. Wandel im Fremdwortbestand und in der Bedeutung

Wie alle lexikalischen Einheiten unterliegen auch Entlehnungen der Dialektik
von Stabilität und Variabilität (vgl. GROSSE 1964, 1 ff.; 1978a, 523 ff.) und sind

vom Werden und Vergehen im Wortbestand von Formveränderungen und, wie wir gesehen haben, vom Bedeutungswandel betroffen. Vergleicht man z. B. zwei Fremdwörterbücher aus Vergangenheit und Gegenwart, Petris Fremdwörterbuch von 1911 und das Große Fremdwörterbuch (GFB) von 1985, so fällt auf, wie groß die Anzahl der inzwischen aufgegebenen Fremdwörter ist, an deren Stelle neue traten, oder welche Veränderungen sie erfahren haben. 1985 sucht man vergeblich nach *Aba, Abba* ‚arabisches Baumwollzeug und daraus gefertigtes Kleid der Orientalen' – jüngere Leute dächten allenfalls an die ehemalige schwedische Popgruppe –, *Abaktion* ‚Wegtreibung, besonders Viehdiebstahl', *Abaskanton* ‚Amulett gegen das Beschreien'. Im Wörterbuch von 1911 dagegen findet man noch nicht *Adapter* ‚Zusatzgerät, Zwischenstück zur Verbindung zweier Bauteile (z. B. an elektronischen Kameras, elektronischen Bauelementen) – Raumfahrt: Anpassungsteil für lösbare Verbindungen zwischen einer Raketenendstufe und einem Raumflugkörper oder zwischen Raumflugkörpern' (GFB), wenn auch *Adaptation* ‚Anwendung, Anpassung', *Adaptabilität* ‚Paßlichkeit, Anwendbarkeit' enthalten sind. Es ist also für *Adaptation* ein in das gleiche Nest gehöriges Formativ mit dem englischen Suffix *-er* gebildet worden, zu dessen ursprünglichen Sememen mehrere neue gekommen sind. *Adaption* und *Adaptation* stehen 1982 (GFB) nebeneinander in den Bedeutungen ‚Anpassung an wechselnde Umwelteinflüsse', ‚Fähigkeit selbstregulierender Systeme, das innere Milieu unter den Bedingungen der Umwelteinwirkungen aufrechtzuerhalten (Kybernetik)' u. a., aber nur in der Form *Adaption* bedeutet es ‚Übertragung von Literatur- bzw. Theaterwerken in eine für besondere Zwecke (z. B. Verfilmung) geeignete künstlerische Form' (GFB). Inzwischen findet man das Wort auch für den gleichen Vorgang auf anderen Gebieten (z. B. in der Musik).

1911 gibt es den *Aerobaten* ‚Luftspringer, Seiltänzer', den *Aeronauten* ‚Luftschiffer', nicht aber das *Aerodrom* ‚Flugplatz' (GFB), denn die Luftfahrt beginnt sich gerade zu entwickeln. An Neuwörter, wie *Kosmodrom, Kosmonaut, Kosmonautik*, ist noch nicht zu denken, obwohl die Morpheme schon im Altgriechischen bekannt waren. Wir sehen, daß viele Wörter gleiche, meist alte, fremde Wurzeln haben, daß sie aber Archaisierungsvorgängen unterliegen können oder daß sie Neuwörter oder Wörter mit Neubedeutungen werden, je nachdem, ob die mit ihnen bezeichneten Erscheinungen vergehen oder entstehen bzw. übernommen werden. Das Bild ist jedoch nie vollständig, da die Wörterbücher auf manches Stichwort verzichten, weil ein anderes für die Kommunikation wichtiger geworden ist.

Für die DDR nicht wiederbelebt, endgültig zum Historismus geworden sind Wörter wie *Mensur, Konkneipant, Paukant*, Bezeichnungen für Erscheinungen aus den sogenannten „Schlagenden Verbindungen", Studentenbünden mit reaktionären Zielstellungen. Man muß sie allerdings kennen, wenn man ältere Texte und solche verstehen will, die frühere oder jetzige Erscheinungen dieser Art (heute noch in der BRD) darstellen.

Im Vergleich mit älteren Darstellungen fällt auf, daß im Zusammenhang mit der Archaisierung auch Fremdwörter gegen Fremdwörter getauscht werden: *De-*

pesche, heute *Telegramm*. Häufiger ist und war aber wohl der Ersatz durch deutsche Wörter: *Disapprobation*, heute *Tadel*; *Domestik*, später *Dienstbote* (in der DDR Historismus).

Bedeutungserweiterungen und später -verengungen erfuhren Benennungen, wie *Assiette* (frz.), ursprünglich ‚Gedeck, Teller, Schüsselchen'; dann auch ‚Lage, Stellung, Fassung, Festigkeit im Reiten'; ‚Gleichmut (in seiner *Assiette* bleiben oder aus derselben kommen)' (PETRI 1911), heute: ‚flacher Behälter aus Aluminiumfolie z. B. für tischfertige Gerichte' (DUDEN 1985). *Kockpit* (engl.) bedeutete ‚Schiffsvorratsraum; auf Segelbooten der Steuerplatz'; *Cockpit* (engl.) war 1911 ‚Bühne für die Hahnenkämpfe' (PETRI 1911). DUDEN 1985 gibt die Schreibweise *Kockpit* nicht mehr an; unter *Cockpit* wird verstanden: 1. ‚Sitzraum im Heck von Motor- und Segelbooten'; 2. Flugwesen: ‚Pilotenraum' (DUDEN 1985). Ähnliche Veränderungen gibt es u. a. bei *Domäne, Emanzipation, Regie*.

Metonymische Beziehungen entstanden bei *Patisserie* (frz.), ursprünglich ‚Backwerk, Pasteten, Gebäck', heute Benennung für kleine Cafés, in denen diese Produkte selbst hergestellt und angeboten werden; bei *Cocktail*, ursprünglich ‚alkoholisches Mischgetränk', heute ‚eine Form des diplomatischen Empfangs', Kurzwort für *Cocktailparty* (DUDEN, 1985).

Die deutsche Sprache in der BRD, in Österreich und in der Schweiz wird hauptsächlich vom Englischen, besonders von der angloamerikanischen Variante beeinflußt. Die Einwirkungen auf die deutsche Sprache in der DDR kommen zum einen aus dem amerikanischen Englisch (vorwiegend über Medien) und zum anderen aus dem Russischen (zu Gründen vgl. 3.4.1., 3.4.2.).

Neben den außersprachlichen Ursachen für den wachsenden Einfluß des Englischen auf das Deutsche begünstigen innersprachliche diesen Prozeß: „die weitgehende übereinstimmung des aufbaus der beiden sprachsysteme und gemeinsame entwicklungstendenzen" (KRISTENSSON 1977, 237).

Der Beginn dieser Entlehnungsprozesse ist nicht erst nach dem zweiten Weltkrieg zu suchen. Er liegt schon 100 Jahre früher *(strike – Streik)*, nahm mit der Entwicklung des Kapitalismus am Ende des 19. Jahrhunderts und dem Übergang zum Imperialismus und dann erneut in den 20er Jahren des 20. Jh. (Sport, Gaststättenwesen, Mode, Musik, technische Erzeugnisse usw.) stark zu. Nach 1945 setzte er verstärkt zunächst in den westlichen Besatzungszonen, dann in der 1949 gegründeten BRD ein, betraf aber auch die anderen deutschsprachigen und – in unterschiedlicher Intensität – auch die nichtdeutschsprachigen Staaten Westeuropas (in letzter Zeit verstärkt Frankreich). Die DDR wurde erst, wie die BRD und andere Staaten, in den Kommunikationsbereichen Tanzmusik, Mode, später Werbung erfaßt, schließlich kamen noch die Benennungen für industrielle Erzeugnisse usw. hinzu, ein Prozeß, der noch andauert.

Die Entlehnungen waren und sind Einzelwörter, oft ganze Wortfamilien. So läßt sich die Entwicklung der Tanzmusik an der Übernahme des entsprechenden Wortschatzes gut verfolgen: *Rock* war vor 20 bis 30 Jahren bereits eine moderne „Tanzsportart", die aus den USA stammte. Den Tanz nannte man *Rock and Roll* oder *Rock 'n' Roll*. Es handelte sich um eine *Boogie*-Variante im punktierten Achtelrhythmus, die als *Hardrock* seit der Mitte der 60er Jahre bekannt war, seit Beginn der 70er Jahre weltweit Verbreitung fand, 1972 bis 1976 an Bedeutung verlor, ab 1977 wieder aufgenommen wurde und ab 1978 in die dritte Generation ging. Eine der zahlreichen Spezifizierungen wurde der *Heavy Metal Rock* (eig. Schwermetall-Rock), nach dem Material der Instrumente. Zu *Rock* entstanden und entstehen zahlreiche Zusammensetzungen, darunter viele Hybridbildungen: *Rockband, Rockgruppe, Rocklady, Rocksängerin. Beat,* einmal in der Bedeutung ‚im Jazz, in der Unterhaltungsmusik von der Rhythmusgruppe erzeugtes rhythmisch-metrisches Fundament der Musik‘, zum anderen ‚Sammelbezeichnung für Modetänze im 4/4-Takt mit variablen Schritten‘ erschien und erscheint ebenfalls in vielen Weiterbildungen: *Beatgruppe, -band, -formation* usw. Diese Gruppen haben *Leader, Bandleader,* einige haben *Background-vocals.* Die Benennungen verwendeter Instrumente in der modernen Tanzmusik sind u. a. *Synthesizer, Keyboard(s).*

Ein Sporttanz ist *Breakdance,* die Ausübenden werden *Breakdancer* genannt. Die anfängliche Begeisterung hierfür wich dem Zuschauen, als sich herausstellte, welche hohen körperlichen Anforderungen mit dieser Tanzsportart der afroamerikanischen Bevölkerung New Yorks verbunden sind. Die Verbreitung der Benennungen hielt sich deshalb in Grenzen.

Eine ähnlich große Verbreitung ist für die Wortfamilien *Disco,* bzw. *Disko* und *Jeans* (ursprünglich Benennung für die Hose italienischer Schauerleute: Genueser → Jeans) seit Jahren zu beobachten. Dem amerikanischen *Aerobic* entspricht der Bedeutung nach etwa *Popgymnastik.*

Die immer größer werdende Verbreitung von Wörtern vor allem aus dem amerikanischen Englisch, besonders solcher, die nicht zum Schließen von Benennungslücken dienen, stößt mit Recht zusehends auf den Protest sprachpflegerisch interessierter Menschen, die u. a. von der Werbung mehr Einfallsreichtum in der Benutzung der deutschen Sprache fordern. Auch Ausländer machen sich darüber Gedanken, so der Schwede Kristensson: In der DDR gibt es keine Konkurrenz, daher ist die Werbung auf „niveauvolle wareninformation ausgerichtet, deren werbliche komponente in erster linie aus angaben über qualität und gebrauchswert besteht". Hierfür sind dann Anglizismen oder Amerikanismen nicht vorrangig vonnöten (KRISTENSSON 1977, 185).

Zu den auch in der DDR verbreiteten Benennungen werden allerdings auch in Zukunft eine Reihe der kapitalistischen Internationalismen anglo-amerikanischer Herkunft gehören müssen, sofern sie zur Darstellung der Verhältnisse im westlichen Ausland, speziell im NATO- und EWG-Bereich dienen.

Die Übernahmen aus der russischen Sprache, einschließlich der sozialistischen Internationalismen, sind zum wesentlichen Teil Lehnübersetzungen. Die ersten der Entlehnungen nach 1945 dienten unter anderem der Durchsetzung der antifaschistisch-demokratischen Ordnung in dem Teil des deutschen Sprachraums, der 1949 die DDR wurde. Bezeichnungen, die Marx und Engels verwendet hatten, wurden zunächst in der Zusammenarbeit mit der Sowjetunion bekannt, also in einem gewissen Sinne „rückgeführt" (WORTSCHATZ 1987,

Kap. 7). Ein großer Teil dieser Benennungen waren Fremdwörter. Zu ihnen kamen Benennungen für Einrichtungen, die sich in der UdSSR beim Aufbau der sozialistischen Produktionsverhältnisse bewährt hatten und nun mit ihren Benennungen übernommen wurden. Sie wurden, um Sprachbarrieren zu vermeiden, lehnübersetzt: *Maschinenausleihstation (MAS)* bis etwa 1952, *Maschinen-Traktoren-Station (MTS)* bis etwa 1958, *Reparaturtechnische Station (RTS)*. Es sind Benennungen für Einrichtungen, die vor allem in der Zeit des Übergangs zur Bildung von Genossenschaften wichtig waren.

LEHMANN (1972, 116 ff.) stellte für folgende Zeiträume die Übernahme u. a. der folgenden Entlehnungen mit großer Frequenz fest: 1945–1950 *Agronom, Aktivist, Brigade, Brigadier, Held der Arbeit, Verdienter Aktivist* u. a.; 1951–1958 *Industrieladen, Meisterbauer, Produktionsaufgebot* u. a. Später folgten *Arbeiter-und-Bauern-Inspektion, materielle Interessiertheit* usw.

Die meisten Entlehnungen aus dem Russischen lassen sich für die ersten Jahre nachweisen, so lange, wie auf sowjetische Erfahrungen stärker zurückgegriffen werden mußte.

Bereiche, in denen sich, außer in der Politik und Wirtschaft (RGW), Entlehnungen finden, sind Benennungen für Auszeichnungen (s. o.), Straßenbenennungen *(Straße der Befreiung, Platz der Einheit)*, Raumfahrt, Bildungswesen, spezielle Bereiche der Technik (vgl. HENGST 1967).

3.4.2.3. Besondere Arten bzw. Vorgänge der Internationalisierung

Die Suche nach ständiger Vereinfachung und zugleich auch Intensivierung der internationalen Kommunikation hat zunächst langsam, dann immer schneller, den steigenden Anforderungen der Kommunikation entsprechend, zu interessanten, mehr oder minder praktizierten Versuchen geführt. Wie aufgezeigt wurde, bewährte sich die Entlehnung von Einzellexemen und auch Wortschätzen oder Teilwortschätzen zu allen Zeiten wahrscheinlich am besten. Daneben wurden und werden aber auch internationale Benennungssysteme (für alle interessierten Staaten verwendbar), Plansprachen und in jüngerer Zeit Computersprachen entwickelt.

3.4.2.3.1. Internationale Benennungssysteme

Das sind standardisierte Benennungssysteme, die für einige Wissenschaftsgebiete erarbeitet und ständig erweitert und präzisiert wurden. Sie wurden notwendig, um eine eindeutige, präzise und schnelle Verständigung jederzeit gewährleisten zu können. Zu ihnen gehört das SI(-System) = Système international d'unités = Internationales System der Maßeinheiten mit SI-Basiseinheiten, wie *Meter (m), Sekunde (s), Ampere (A), Kelvin (K)* und abgeleiteten SI-Einheiten mit selbständigem Namen, wie *Hertz (Hz), Newton (N), Pascal (Pa), Joule (J)*. Der Anschluß der DDR an dieses System bedeutet, daß SI-fremde Einheiten, wie *Kalorie*, durch die dem System entsprechenden, im konkreten Fall *Joule*, zu ersetzen sind. Geregelt ist auch das Problem der sogenannten Vorsätze zur Bildung von dezimalen Vielfachen und Teilen von Einheiten: *Exa* ($E = 10^{18}$), *Mega, Kilo, Mikro* (griechische Morpheme). Natürlich fassen einige dieser und andere Maßeinheiten in der Alltagssprache bisher nicht oder nur sehr schwer Fuß. Nur der kleinere Teil der Bevölkerung der DDR hat beruflich mit diesen Maßeinheiten zu tun.

Ein weiteres Benennungssystem, das weitgehend auf griechisch-lateinischen Elementen beruht, die in immer neuer Weise kombiniert werden, ist das der Chemie, das System IUPAC (International Union of Pure and Applied Chemistry). Diese Vereinigung überwacht die Vereinheitlichung der Benennungen für 7 Millionen bereits vorhandene und etwa 250 000 jährlich hinzukommende chemische Verbindungen, eine Aufgabe, an der auch Sprachwissenschaftler mitwirken. Eine reibungslose Kommunikation könnte ohne Einheitlichkeit der Schreibung z. B. auch im Hinblick auf die Speicherung in internationalen Datenbanken nicht stattfinden. So schreibt man *Oxid* statt *Oxyd, Ether* statt *Äther, Benzen* für *Benzol* und benutzt ausschließlich die C-Schreibung: *Aceton, Acetylen, Natrium-acetat* usw. (HELLER/LIEBSCHER 1979, 137 ff.). Der Duden gibt für die Alltagssprache, aber auch für den Gebrauch in Chemie und Medizin die Schreibweise *Äther, ätherisieren* ‚Äther anwenden, mit Äther behandeln' an, vermerkt aber: „In der chemischen Fachsprache werden *Äthan, Äthen, Äther, Äthin, Polyäthylen* usw. einschließlich ihrer Ableitungen meist *Ethan, Ethen, Ether, Ethin, Polyethylen* usw. geschrieben" (DUDEN 1985).

3.4.2.3.2. Plansprachen

Das sind vom Menschen nach gewissen Kriterien bewußt geschaffene Sprachen, die der internationalen Kommunikation dienen. Besonders bekannt wurden Volapük, Esperanto, Ido, Occidental-Interlingue und Interlingua. Verbreitet, wenngleich sehr uneinheitlich gebraucht, sind auch die Bezeichnungen Kunstsprache (künstliche Sprache), (Welt-) Hilfssprache oder auch Universalsprache (BLANKE 1985, 11). Die meisten basieren auf dem Latein.

Zu den bedeutendsten Plansprachen des 20. Jahrhunderts zählen die Basicsprachen, das sind „modifizierte Ethnosprachen, die eine Untermenge des Wortschatzes benutzen und mit dieser durch Paraphrasieren das lexikalische Material herstellen, wie es in der Normalsprache enthalten ist. Die Orthographie, Morphologie und Syntax der Sprache werden nicht verändert" (BLANKE 1985,

146). Die bekannteste dieser Sprachen wurde das Basic-Englisch, das auf der Grundlage gemeinsamer Vorarbeiten von Ogden und Richards entstanden war (vgl. OGDEN/RICHARDS 1925). Beide hatten das für Begriffsdefinitionen, z. B. in einem Wörterbuch, erforderliche absolute Minimum an „lexikalischem Material" (vgl. BLANKE 1985, 146) der englischen Sprache mit etwa 800 Wörtern ermittelt. Ogden baute darauf und veröffentlichte ab 1930 zahlreiche Arbeiten über Basic (*B*ritish-*A*merican-*S*cientific-*C*ommercial)-Englisch (vgl. a. a. O.). Die Lexik dieses Basic-Englisch enthält 600 Substantive (things), 150 Adjektive (qualities), 100 operators (davon 18 Verben, außerdem Präpositionen und Konjunktionen, Artikel, Adverbien und Pronomen). Die Texte freilich enthalten zudem internationale Wörter (Internationalismen), Zahlen, Maße, Wochentage u. ä. Basic-Englisch ist während des zweiten Weltkrieges in England sogar staatlicherseits gefördert worden, hat aber auch international das natürliche Englisch nie verdrängen können. Mehr Bedeutung hat Esperanto erlangt, wenngleich es nicht den Charakter einer wirklichen Welthilfssprache erreichen konnte. Jedenfalls werden weitaus mehr natürliche Sprachen für die zwischenstaatliche Kommunikation verwendet.

3.4.3. Computersprachen

Mit der Einführung der Datenverarbeitung in fast alle Industriezweige, in die Wissenschaft und die Verwaltung usw. wurde es notwendig, Programmiersprachen einzusetzen. Da die Computertechnik im wesentlichen in englischsprachigen Ländern und dem vornehmlich Englisch als internationale Verkehrssprache benutzenden Japan entwickelt wurde, kamen die Fachsprache und die größere Menge der Computersprachen von dort. Daß in den übernehmenden Ländern die auf dem Englischen basierenden Computersprachen weitgehend ebenfalls übernommen und kaum andere entwickelt wurden, ist aber wiederum durch die Einfachheit der englischen Sprache mitbestimmt.

Man unterscheidet heute maschinenorientierte Programmiersprachen mit Symbolen oder den Abkürzungen meist englischer umgangssprachlicher Wörter für jeweils bestimmte Rechner (vgl. HOPFER 1985, 115) und problemorientierte oder höhere Programmiersprachen, die keinen Bezug auf einen konkreten Rechner haben (jeder Computer übersetzt diese Sprachen dann in seine eigene). Sie erlauben also eine verständliche, maschinenlesbare Problemformulierung. Höhere Programmiersprachen sind damit von ihren Ausdrucksmitteln her auf Problemklassen zugeschnitten, z. B. ALGOL (algorithmic language), 1957–1961 geschaffen, und FORTRAN (formula translation, 1953–1957) auf wissenschaftliche, technische und ökonomische Probleme, BASIC und COBOL auf kommerzielle, PEARL, PASCAL auf die Prozeßrechnertechnik usw. (vgl. KRAUSS u. a. 1985, 252). Der Vorteil einer höheren Programmiersprache besteht darin, daß sich ein komplizierter Sachverhalt mit den Mitteln der Sprache einfach und effektiv formulieren läßt (mit Hilfe einer Reihe von leicht einprägbaren Sprachelementen, meist aus dem englischen umgangssprachlichen Wortschatz *(print, input, error)*. Von Vorteil ist dabei die leichte Erlernbarkeit dieser Sprachen, nachteilig ist der höhere Speicherplatz, der gegenüber den maschinenorientierten Sprachen gebraucht wird, also durch die Arbeitsweise des Compilers (des Übersetzungsprogramms) nötig ist (vgl. HOPFER 1985, 117f.). Eine der modernsten dieser Sprachen ist PASCAL (nach B. Pascal benannt, 1968–1973 entstanden). Aus der Reihe der einfachen für Tischrechner sei BASIC genannt (entstanden 1963/64), das nicht mit der Plansprache Basic-Englisch (vgl. 3.4.2.4.2.) identisch ist (vgl. BOON 1983). BASIC bedeutet hier: *B*eginners *A*ll Purpose *S*ymbolic *I*nstruction *C*ode. Übrigens ermöglicht der synonymische Gebrauch folgender erklärender Benennungen dieser höheren Programmiersprachen, wie der „problemorientierten Sprachen", „verfahrensorientierten Sprachen" oder „Fachsprachen" einen Blick auf die Weiterentwicklung. Die Zahl dieser Sprachen wird auf der Welt jetzt schon auf 1 000 geschätzt. BOON spricht u. a. von BASIC-Dialekten. In der DDR wird u. a. BASIC gelehrt. Das geschieht in Weiterbildungskursen, Volkshochschullehrgängen, aber auch in neuen Schulfächern, die seit 1986 schrittweise eingeführt werden, so „Grundlagen der Automatisierung" an Berufsschulen und „Informatik" an erweiterten Oberschulen. Für diese Fächer werden also Computersprachen zunehmend Bedeutung erlangen.

Das bedeutet dann auch eine rasche Weiterverbreitung jetzt schon allgemein bekannt werdender Fachwörter der Computertechnik, die zum größten Teil, wie erwähnt, englische Wörter sind (vielfach aus altsprachlichen, meist lateinischen Morphemen). Allerdings wird in der DDR an der Entwicklung von Sprachen gearbeitet, die eventuell auch heimische Elemente enthalten sollen, soweit sie für den nationalen Gebrauch bestimmt sind.

3.4.4. Zur Perspektive der Entlehnungen und der Internationalisierung

Mit der allgemeinen Entwicklung werden die kommunikativen Bedürfnisse ständig wachsen, und damit wird die Dialektik von Stabilität und Dynamik weiter wirken (neue Kommunikationsbereiche, -partner, Expansion der Kommunikationsgegenstände, Erhöhung der Kommunikationsintensität bei gleichzeitiger ständiger Überprüfung der Zuverlässigkeit der Verständigung).

Die Übernahme von Entlehnungen wird besonders durch die Internationalisierung auf nahezu allen Gebieten gefördert, ständige Präzisierungen werden notwendig.

Ein Teil der Kommunikationsbedürfnisse wird durch Bedeutungswandel (bes.

die Aufnahme zusätzlicher neuer Seme und Sememe) und nicht nur durch Neuaufnahmen von Formativen gedeckt werden.

In Übergangszeiten wird weiter das Nebeneinander von mehreren deutschen wie fremdsprachigen Benennungen möglich, aber nicht mehr so häufig sein (jedenfalls nicht im Bereich der Fachsprachen, da es dort die sofortige klare Verständigung eher erschweren dürfte). Der internationale Informationsaustausch wird das letztere begünstigen.

Die Zahl der Okkasionalismen wird im gemeinsprachlichen Bereich größer sein als im fachsprachlichen. Es werden fremdsprachige Benennungen aus Fachsprachen in die Gemeinsprache übernommen und dabei entterminologisiert werden. Die Zahl wird steigen, da auch die Zahl der Entlehnungen steigt.

Der Einfluß der Computersprachen wird sich verstärken, sowohl im fachsprachlichen als auch im gemeinsprachlichen Bereich; damit wird die Internationalisierung auch über diesen Weg zunehmen. Im einzelnen bedeutet das u. a.:

Benennungen von neuen Erscheinungen, Entwicklungen, Gegenständen, die mit der Weiterentwicklung von Ideologie, Politik, spezieller Forschung zusammenhängen, werden, aufgrund der wechselnden Zusammenarbeit der sozialistischen Staaten mit der UdSSR, auch in Zukunft weitgehend Entlehnungen aus dem Russischen oder über das Russische sein. Sie werden vermutlich weiter vorwiegend indirekt, in erster Linie als Lehnübersetzungen, auftreten. Die sozialistische Internationalisierung wird zunächst vorwiegend im RGW-Bereich fortschreiten.

Die englische Sprache, besonders ihre angloamerikanische Variante, wird neben dem Russischen als Sprache der Dokumentation, der internationalen Datenspeicherung und als Grundlage zahlreicher Computersprachen an Einfluß gewinnen.

Die Zahl der Benennungen, die der internationalen Kommunikation mit dem imperialistischen Weltsystem und mit den Ländern der dritten Welt, besonders den nichtpaktgebundenen Staaten, dienen, wird in dem Maße wachsen, wie die außenpolitischen Ziele der KPdSU – die Ausdehnung und Festigung der friedlichen Koexistenz – erreicht werden.

Es werden Benennungen aus oder mit griechischen oder lateinischen Elementen wie bisher gebildet oder solche Bildungen übernommen werden. Das wird sich besonders im Bereich der Fachsprachen mit internationalen Nomenklatursystemen vollziehen, (besonders Medizin, Chemie, technische Fachsprachen).

Es wird sich bei Entlehnungen aus dem Englischen um Entlehnungen aus dem amerikanischen Englisch, weniger um Anglizismen i. e. S. handeln, und es wird weiter zu sprachlichen Angleichungen kommen, wenngleich sie wegen der internationalen Verständigungsnotwendigkeit und wegen des Englischunterrichts geringer werden könnten.

3.4.5. Aspekte der Sprachkultur

Das Fremdwort ist seit langem Gegenstand der Diskussion im Zusammenhang mit Fragen der Sprachkultur und Sprachpflege (Sprachgesellschaften des 17. Jh., Überlegungen zum negativen und affirmativen Purismus von seiten Goethes im 18. Jh., ähnliche Fragestellungen bis in die Gegenwart).

Wie lange sich gewisse Tendenzen auch in den Ansichten über Sprachkultur aus offensichtlich objektiven Gründen halten, können Bemerkungen aus der Zeit um 1900, also vor fast 90 Jahren, zeigen, die an Aktualität durchaus nichts eingebüßt haben.

Der Autor eines der zahlreichen Rhetorikbüchlein dieser Zeit fragt, was ein Redner mit den Fremdwörtern tun solle: „Soll er ganz auf den Gebrauch der Fremdwörter verzichten? ... das ist nicht ratsam! Wie derzeit die Dinge stehen, sind sie unentbehrlich. Manches Fremdwort wird sofort von allen verstanden, während seine sprachrichtigste Verdeutschung Erklärungen notwendig macht" (WITTICH 1910, Erstausgabe 1901, 29). An anderer Stelle schreibt er dazu weiter: „Jedenfalls meide man Übersetzungen von Fremdwörtern ins Deutsche, die selbst wieder erst eine Übersetzung oder lange Erklärung notwendig machen. Ein landläufiges Fremdwort vollkommen treffend und mit Wiedergabe der feinsten Abtönungen seiner durch den Gebrauch festgelegten Bedeutung durch ein deutsches wiederzugeben, ist oft sehr schwer, manchmal sogar einfach unmöglich" (a. a. O., 30). Über die Verwendung in bestimmten Texten heißt es: „Namentlich bei verstandesmäßigen Darlegungen, ganz besonders bei wissenschaftlichen oder speziell fachlichen Auseinandersetzungen wird das Fremdwort unentbehrlich bleiben" (a. a. O., 31). Ein gewisses Unbehagen hat der Autor dagegen offensichtlich gegenüber Übertreibungen auf nichtwissenschaftlichen Gebieten: „Dagegen sind Fremdwörter unangemessen, wenn sich der Redner mehr an das Gefühl und an die Phantasie der Hörer wendet" (a. a. O., 31). Ein gewisses Resümee stellt die folgende Äußerung dar: „Die Sprache ist aber dazu da, sich anderen verständlich zu machen; und wo das schneller und bestimmter durch ein geläufiges Fremdwort geschieht, wähle der Redner getrost dieses. Allerdings ist es nötig, daß er seine Bedeutung und richtige, oder allgemein geläufige Aussprache kennt. Ein gutes Fremdwörterbuch ist deshalb für jeden, der öfter öffentlich reden will, geradezu unentbehrlich" (a. a. O., 28). Ein Autoritätszitat, eine Bemerkung von SEILER (1913) rundet seine Meinung ab: „Die großen Kulturvölker *bedürfen* eines des anderen, und die menschliche Gesittung würde ohne regen materiellen und geistigen Güteraustausch nicht gedeihen können. Natur und Geschichte sind beständig bestrebt, über die trennenden Sprachschranken hinweg kleine sprachverbindende Brücken zu schlagen. Wenn man diese allzueifrig zerstört, so arbeitet man jenen großen Gewalten entgegen, man isoliert seine Sprache und entzieht ihr den Teil ihrer Nahrung, der ihr von außen zukommt. Den kann aber eine Kultursprache ebensowenig entbehren wie die stete Neuschaffung von innen heraus ..." (a. a. O., 29). Wenngleich wir heute jeder Sprachgemeinschaft dieses Recht zubilligen, nicht nur denen der „großen Kulturvölker", so erinnert die Äußerung SEILERS an einen oft zu Unrecht vergessenen Aspekt der Sprachentwicklung. Uns hat zu interessieren:

– Welches Niveau eines angemessenen, normgerechten und schöpferischen Sprachgebrauchs in bestimmten Situationen, gegenüber bestimmten Partnern und unter Berücksichtigung des Gegenstandes der Kommunikation ist erreicht bzw. wird erreicht werden müssen?
– Wie ist der Grad der Fremdwortkenntnis und -anwendungsbereitschaft bei Schülern verschiedener Altersgruppen und Werktätigen verschiedener Berufsgruppen; welcher Grad ist für die Zukunft nötig?
– Wie kann der zu starke Einfluß des britischen und des amerikanischen Englischs auf die deutsche Gegenwartssprache in der DDR zurückgedrängt werden, auf welchen Gebieten ist dies notwendig und möglich?
– Wie wird und wie kann überhaupt von der Gesellschaft (Autoren, Autorenkollektiven, Verlagsmitarbeitern, Moderatoren, Lehrkräften) auf die Sprachentwicklung im allgemeinen und auf die Sprachbeherrschung des einzelnen Einfluß genommen werden?

3.4.5.1. Zur Quantität von fremder Lexik in Texten

Vor allem in den letzten 20 Jahren gab es im deutschsprachigen Bereich Bemühungen, sich u. a. mit Hilfe von Zählungen über die Anzahl der in bestimmten Texten enthaltenen Fremdwörter zu informieren und Urteile über die Notwendigkeit oder Nichtnotwendigkeit ihrer Verwendung zu versuchen. Als Untersuchungstexte wurden vorwiegend Zeitungs- und Zeitschriftentexte (letztere aus dem populärwissenschaftlichen Bereich) herangezogen. Es werden hier solche erwähnt, denen annähernd vergleichbare Texte zugrunde lagen und die auch nach der gleichen Untersuchungsmethode, der von HELLER (1966, 24 ff.), vorgenommen worden sind. So wurden Aussagen über frühere und heutige Ergebnisse in der DDR und in der BRD und Vermutungen für Entwicklungstendenzen u. a. der quantitativen Seite des Fremdwortgebrauchs möglich.

HELLER stellte für Neues Deutschland (ND) 1966 einen Anteil von 8–9 % fest, KADEN (1970, 193 ff.) sah für 1970 8–12 % als normal an. Studenten fanden von 1982 bis 1986 11–12 % (vgl. u. a. KUNZE 1983), für die BRD wurden ähnliche Werte ermittelt (EGGERLING 1974, 177 ff.). In diesem relativ kurzen Zeitraum gab es also, entgegen anderen, aber nicht auf Zählungen beruhenden Behauptungen, kaum Veränderungen, so daß u. E. auch in nächster Zeit kein spektakulärer Anstieg im genannten Textbereich zu erwarten sein wird, zumal gerade hier die Allgemeinverständlichkeit gewahrt bleiben muß.

Auffallend waren aber die beträchtlichen Unterschiede zwischen den einzelnen Fachgebieten und einzelnen Texten innerhalb dieser Fachgebiete. So wiesen Artikel zur Zoologie im Durchschnitt 8 %, solche zur Technik 15 % auf. Zwischen den einzelnen Artikeln besteht, wenn man die größten und kleinsten Werte betrachtet, ein Unterschied bis zu 10 %, er liegt in Extremfällen sogar darüber (Medizin, Technik, Chemie). Vor allem die Mikroelektronik und die Medizin sind an den Höchstanteilen beteiligt. Das ist zum größten Teil aus dem hohen Anteil der Fremdwörter an ihren Fachwortschätzen zu erklären, mitbeteiligt sind aber auch Autoren- und Verlagsentscheidungen über die Wortwahl und andere Faktoren, die mit der Textgestaltung zusammenhängen (vgl. HUTH 1984, 475 ff.).

3.4.5.2. Zu den Fremdwortkenntnissen

Unterschiede in bezug auf das Verstehen und Unterschiede in den Kenntnissen über Formative und Bedeutungen (bis zu Sememkomplexen) der Entlehnungen werden durch verschiedene Faktoren hervorgerufen. Bei Fremdwörtern besteht ein Problem wohl darin, daß mancher Rezipient vor bestimmten von ihnen „zurückschreckt", es erscheint ihm schwierig, es muß etwas erlernt werden. Andere wiederum meinen, jedes Fremdwort richtig zu verstehen und auch selbst verwenden zu können (das betrifft vor allem häufig gebrauchte, z. B. solche aus dem Bereich der Politik) und haben doch, wie Untersuchungen zeigen, nur Teilkenntnisse über einzelne Bedeutungsmerkmale, die noch nicht einmal die wichtigsten sein müssen. Ihr Wortbedeutungsverständnis ist also verschwommen. Andererseits kann ein Text durch Häufung vor allem untypischer Fremdwörter von vornherein für einen großen Leser- oder Hörerkreis unlesbar, unrezipierbar gemacht werden, vor allem dann, wenn notwendige Worterklärungen fehlen und vielleicht noch Autoreitelkeit eine Rolle spielt (Fremdwort als Bildungsnachweis, dazu Verwendung von Floskeln, wie *eo ipso, vice versa, in nuce* u. ä.). Texte werden auch dadurch „überfrachtet", daß die fachbezogenen Fremdwörter, d. h. auf ein (z. B. *Software* usw. in der Computertechnik) oder mehrere Fachgebiete bezogene (z. B. *Frequenz* in der Physik, in der Linguistik usw.), gehäuft auftreten. Dazu kommen dann möglicherweise noch allgemeinwissenschaftliche Fremdwörter, d. h. solche, die in Texten von vielen wissenschaftlichen wie auch nichtwissenschaftlichen Fachgebieten verwendbar sind (*System, Methode, Problem, Funktion, Prozeß, speziell, effektiv* usw.) und nichtfachbezogene Fremdwörter (*interessant, originell, seriös, immens* usw.).

Eine Rolle spielen natürlich hinsichtlich der Verständlichkeit soziale Besonderheiten der Rezipienten(-gruppen), wie alters-, ausbildungs-, berufs-, interessenbedingte Kenntnisse und Erfahrungen, zu denen auch weltanschaulich bedingte Besonderheiten kommen. In der Tendenz ist ein Bildungsanstieg und damit eine Erweiterung der Fach- und Fremdwortkenntnisse zu erwarten (vgl. 3.4.3.).

3.4.5.3. Schlußfolgerungen für die Arbeit der Volksbildungseinrichtungen und der Medien

In bezug auf das oben Gesagte bestätigte sich durch die Untersuchungen und die Umfragen die Relevanz jahrelang erhobener Forderungen, die aufgrund der Tendenz zur ständigen Vergrößerung der Menge fremder Lexik stetig zu ergänzen sind. Nur so können Verstehen, Auswahlfähigkeit und richtiger, auch sparsamer Gebrauch durchgesetzt werden. Eine Grundforderung ist deshalb: systematisches, intensives, methodisch vielseitiges, differenzierendes, immanent wiederholendes, auf die Altersbesonderheiten der Schüler eingehendes Arbeiten am Fremdwort und an den Fachsprachen mit starkem Fremdwortanteil. Das ist notwendig, da z.T. erhebliche Unterschiede in der Fremdwortkenntnis in bezug auf Bedeutung, Lautung und Schreibung bestehen. Im einzelnen bedeutet dies u. a. konsequentes Durchsetzen des „Prinzips der muttersprachlichen Bildung und Erziehung in allen Unterrichtsfächern" bis ins Studium hinein. Es bedeutet auch den normgerechten Umgang mit Fremdwörtern durch Nachrichtensprecher, Moderatoren von wissenschaftlichen und populärwissenschaftlichen Sendungen, Journalisten, besonders Wissenschaftsjournalisten. Aneignung von Fremdwörtern ist in vielen Fällen Aneignung von Fachwörtern und damit Aneignung von Fachwissen. Sind die Kenntnisse von deren Bedeutung und Schreibung nicht sicher, ist das Lehrplanziel im entsprechenden Schulfach, Studienfach, das Ziel der entsprechenden Sendung der Medien Fernsehen und Rundfunk, des entsprechenden (populär)wissenschaftlichen Artikels oder Buches nicht oder nur sehr bedingt erreicht. Nicht zuletzt deshalb sollten Schüler frühzeitig zum Erlernen von Fremdwörtern motiviert werden, damit die häufig zu beobachtende Aversion dagegen gar nicht erst aufkommt. Zu beobachten ist ferner, daß nicht wenige Menschen, Erwachsene wie Kinder, dazu neigen, ihre Fremdwortkenntnisse zu überschätzen.

Wie sich zeigte, haben Menschen, die sich außerhalb des Unterrichts und ihrer eigentlichen beruflichen Tätigkeit, allerdings auch zu ihrer beruflichen Weiterbildung mit populärwissenschaftlichen Darstellungen verschiedenster Art befassen, wesentlich bessere Fremdwortkenntnisse als solche, die das nicht tun. In dieser Beziehung wird also weiter eine konsequente Bildungs- und Erziehungsarbeit zu leisten sein, deren Träger in der Hauptsache die Volksbildung und die Medien sein werden. Außerdem sollten auch alle anderen Einrichtungen, die mit Massenkommunikation auf den verschiedensten außersprachlichen Gebieten zu tun haben, die gesamte Freizeitgestaltung mit Mode, Musik, Sport und allen weiteren Arten der Unterhaltung, dem Fremdwortgebrauch größere Beachtung als bisher schenken, auch im Hinblick darauf, ob nicht, z.B. im Bereich der Anglizismen und Amerikanismen, auf dieses oder jenes Fremdwort verzichtet werden könnte. Das betrifft besonders den Handel, denn die Qualität eines Erzeugnisses steigt nicht durch den Gebrauch einer fremden Bezeichnung, auch der Absatz wird so auf die Dauer nicht gefördert (vgl. HUTH 1984, 474ff., KUNZE 1985a, 537ff., KUNZE 1985b).

Die Entwicklungstendenzen im Fremdwort- und Entlehnungsgebrauch überhaupt sind also nicht unabhängig von den Entwicklungstendenzen im Bereich von Sprachkultur und Sprachpflege zu sehen.

3.5. Entwicklungstendenzen der Wortbildung

Die Entwicklung der Wortbildung ist weniger durch die Herausbildung neuer Wortbildungsmodelle und -mittel gekennzeichnet, sondern vielmehr durch die Bevorzugung bereits vorhandener Modelle und Mittel. „Die Grundzüge des Wortbildungssystems der neuhochdeutschen Literatursprache ... prägen sich in frühneuhochdeutscher Zeit aus" (FLEISCHER 1986, 29).

So enthält eine Annonce in der „Leipziger Illustrierten" aus dem Jahre 1850 dreigliedrige substantivische Komposita, Ableitungen von Wortgruppen, ein adjektivisches Kopulativkompositum und eine Hybridbildung:

> Patent-Schwitzbett. Aerztlicherseits allen kastenförmigen Dampfbade-Apparaten und römisch-irischen Bädern vorgezogen.

Wir verstehen unter Entwicklungstendenzen in der Wortbildung solche Wortbildungserscheinungen, die auf der auffälligen Bevorzugung bestimmter Verfahren, Wortbildungsmodelle und Wortbildungsmittel beruhen. Als Entwicklungstendenzen im engeren Sinne stehen diese Wortbildungserscheinungen im unmittelbaren Zusammenhang zu Entwicklungstendenzen mit übergreifendem Charakter (vgl. dazu 1.2.3.), die durch verschiedene kommunikative Bedürfnisse der Sprachbenutzer bedingt sind. Die Entwicklungstendenzen in ihrer Gesamtheit dienen der effektiveren Verständigung zwischen den Angehörigen der Kommunikationsgemeinschaft (vgl. dazu 1.2.2.).

Zu Entwicklungstendenzen in Gesamtdarstellungen vgl. KÜHNHOLD/WELLMANN (1973), WELLMANN (1975), KÜHNHOLD u. a. (1978); im Überblick ERBEN (1983, 119ff.), STEPANOWA/FLEISCHER (1985, 168ff.); zu Einzelerscheinungen EGGERS (1973, 75ff.), P. BRAUN (1979, 87ff.), KL. ENZYKL. (1983, 632f., 661f., 679f., 692f.).

3.5.1. Bevorzugte Verfahren und Wortbildungsmodelle

Wichtige Verfahren sind die Bildung mehrgliedriger WBK sowie die Kürzung von mehrgliedrigen Benennungen. Beide Verfahren stehen in ursächlicher Beziehung und entwickeln sich parallel zueinander. Von den Wortbildungsarten überwiegen innerhalb der Neuprägungen im WDG die substantivischen Komposita stark gegenüber adjektivischen und verbalen Komposita, aber auch gegenüber substantivischen Derivaten und Präfixbildungen (vgl. BRIGZNA 1975, 36). Daß Komposition und Derivation so unterschiedlich zur Bildung von WBK genutzt werden, liegt an der Spezifik der nominativen Aufgabe beider Wortbildungsarten – die Komposition *Fernseh-gerät* ist weniger abstrakt als das Derivat *Fernseher* (vgl. BARZ 1983, 16).

3.5.1.1. Zunehmende Mehrgliedrigkeit der WBK

Wortarten und Wortbildungsarten
Ein Vergleich der Neuprägungen des WDG hinsichtlich ihrer Morphemstrukturen zeigt, daß die längeren WBK überwiegen gegenüber den kürzeren. Diese Tendenz zeigen alle drei Hauptwortarten, allerdings in unterschiedlicher Ausgeprägtheit. Es gibt mehr präfigierte *(auf-heizen)* und zusammengesetzte *(gefriertrocknen)* Verben als einfache Ableitungen *(plan-en)*. Kurze Adjektive mit Suffixen der älteren Schicht *(modell-ig)* sind weitaus seltener als Ableitungen von Wortgruppen *(sechzehngeschoss-ig)* und als Zusammensetzungen *(umwelt-geschützt)*. Die Substantive können kurze Ableitungen sein *(Final-ist, Aufkleb-er)*, zweigliedrige Zusammensetzungen *(Tobe-fläche, Ab-gas)* und auch Präfixbildungen *(Haupt-dispatcher)*. Substantive mit drei Grundmorphemen sind in begrenzter Anzahl im WDG inventarisiert *(Naherholungs-gebiet, Schnell-waschmittel, Mond-landefähre)*, einige Substantive besitzen vier Grundmorpheme *(Nichtraucher-gaststätte)*.

Aus den angeführten Beispielen geht hervor, daß weniger die Präfixbildungen als vielmehr die Derivate und Komposita in zunehmendem Maße mehrgliedrig werden. Der hohe Anteil substantivischer WBK gegenüber verbalen und adjektivischen WBK erklärt sich daraus, daß ihre Strukturen gut ausbaufähig sind und durchaus mehr als zwei Grundmorpheme aufnehmen können *(Industrie-Roboter/ Farbspritz-Gelenkroboter)*. Dadurch erweist sich das Substantiv als besonders geeignet für differenzierende Benennungen, und sein gegenüber anderen Wortarten besonders reicher Begriffsgehalt spiegelt sich in mehrteiligen Benennungsstrukturen wider. Als Wortbildungsverfahren unterliegt die substantivische Komposition relativ geringen Beschränkungsregeln. Aufgrund dieser drei Komponenten – Beweglichkeit der Struktur, Weite des Begriffs, wenig beschränkte Kombinierbarkeit – wird das substantivische Kompositum zum Hauptvertreter des „langen Wortes". Daneben entwickelt sich die „bautümliche Erweiterung eines Wortes durch eine oder zwei Vorsilben und zwei und drei Nachsilben ...", um auf diese Weise innere Verhaltensweisen ... immer feiner herauszuarbeiten und sprachlich faßbar zu machen, und zwar seit dem 18. Jahrhundert bis in die Gegenwart": *Wissenschaft, Wissenschaftlichkeit, Unwissenschaftlichkeit* (vgl. TSCHIRCH 1969, 189f.).

Mehrgliedrige substantivische Komposita

Substantivische Komposita mit mehr als zwei Grundmorphemen sind bei Luther noch selten: *angstbösewicht, Ablaß jarmarckt* (vgl. FLEISCHER 1983b, 61). Im Zeitraum 1670–1730 überwiegen Komposita, deren Bestimmungswort zusammengesetzt ist *(Meerzwiebel-Safft, Schnupf-Toback-Büchsen)*, gegenüber denen mit zusammengesetztem Grundwort *(Abend-Bet-Stunden)*; ganz selten sind Komposita mit vier Grundmorphemen *(Stammhaus-Heldensaal)* (vgl. PAVLOV 1983, 114). Im 19. Jahrhundert steigt die Zahl der dreigliedrigen Komposita sprunghaft an. Mit der technischen Revolution wächst das Bedürfnis nach differenzierenden Benennungen für Erzeugnisse, Maschinen, Anlagen: *Schiffchen-, Loewe-, Familien-Handnähmaschine, Doppelsteppstich-Greifer-Nähmaschine, Eisenbahn-Hebebrücke, Fußgänger-Hängebrücke* (alle um 1850). Nicht in Wörterbüchern des Allgemeinwortschatzes, aber in Zeitungstexten sind dreigliedrige Komposita seit 1850 häufig anzutreffen *(Civilverdienstmedaille, Nationalkriegerdenkmal)*, viergliedrige Komposita werden rationalisierend und als Rezeptionsanreiz in Überschriften genutzt *(Bürgerwehrgesetzconferenz)*, die meisten sind in Annoncen zu finden: *Bogenlampen-Aufhängevorrichtung, Damengroßvaterstuhl* – vom Autor selbst verbessernd gekürzt zu *Großmutterstuhl*.

Technische Neuerungen in der Gegenwart führen täglich zu neuen verlängerten Benennungen, die technische Besonderheiten sprachlich verdeutlichen: *Automat, Drehautomat, Mehrspindelautomat, Mehrspindeldrehautomat*. Komposita mit vier Grundmorphemen haben an Auffälligkeit verloren *(Ferienrückfahrkarte, Werkstoffprüfmaschine)*. Diese Tendenz wird dadurch begünstigt, daß auch die Zahl der zweigliedrigen Komposita ständig wächst, die wiederum als lexikalisierte Benennungseinheiten in das neue, längere Kompositum eingehen *(Naherholungs-gebiet, Klassen-elternaktiv)*.

In Anfragen zur Sprachpflege wird oft beanstandet, daß unsere Wörter immer länger werden. Wie viele Grundmorpheme kann ein Kompositum aufnehmen, werden die langen Benennungen die kurzen allmählich verdrängen? Vorläufige Untersuchungen haben ergeben, daß acht Grundmorpheme die obere Grenze sind. Anstelle einer Regel gibt Möller die Empfehlung: Ist das Wort „in gut akzentuiertem Rededeutsch vom Hörer nicht mehr oder nur sehr schwer zu erfassen, ist es zu lang" (MÖLLER 1980, 187). Die Fachlexik kann auf längere WBK nicht verzichten, und in Wirtschaftsnachrichten ist ihr Anteil entsprechend hoch. Mehrere Erscheinungen sprechen jedoch dagegen, daß die kürzeren Wörter allmählich verdrängt werden. So sagt die Statistik aus: „Je länger ein Wort, desto geringer seine Häufigkeit" (KÖNIG 1978, 115). Zweigliedrig sind die meisten substantivischen Neuprägungen im WDG, und Modewörter sind fast immer kurz. Die Belletristik geht mit längeren WBK sparsam um. In der mündlichen Kommunikation werden allzu lange Wörter gemieden, um den Hörer beim Dekodieren der WBK nicht zu überfordern. Dennoch ist das Zunehmen der Länge von WBK eine der auffälligsten und einflußreichsten Erscheinungen in der Wortbildungsentwicklung, was sich auch darin zeigt, daß diese Tendenz mit den im folgenden dargestellten Erscheinungen eng verbunden ist.

Kurze und lange Berufsbezeichnungen

Die Wechselbeziehung zwischen zunehmender Mehrgliedrigkeit und Kürzung zeigt sich deutlich an den Berufsbezeichnungen. Sie sind auch Ausdruck des Zusammenhangs unserer durch die wissenschaftlich-technische Revolution geprägten Benennungsbedürfnisse mit den sprachlichen Erscheinungen. Zeuge dieser Entwicklungstendenz sind u. a. die in regelmäßigen Abständen erscheinenden Verordnungen über die Facharbeiterberufe. Einerseits werden traditionelle Berufsbezeichnungen bewahrt – sie sind relativ kurz *(Tischler, Maurer)*, andererseits müssen neue Bezeichnungen gebildet werden, die möglichst deutlich den Berufsinhalt im Benennungsmotiv erfassen *(Dreher,* dann *Zerspanungsfacharbeiter,* neuerdings *Facharbeiter für Werkzeugmaschinen)* und sich systematisierend in Benennungsreihen einordnen lassen wie *Elektronikfacharbeiter, Elektromechaniker, Elektrosignalmechaniker.* Der ab 1986 selbständige Beruf des *Haushaltgroßgerätemonteurs* ist Ausdruck einer Spezialisierung des früheren *Kundendienstmonteurs* (JW 1985). Längere Berufsbezeichnungen aus dem 19. Jahrhundert heben vor allem Dienstgrade hervor *(Oberpostschaffner, Königlicher Eisenbahn-Lokomotivführer).*

In der mündlichen Kommunikation am Arbeitsplatz und in allgemeinverständlichen Zeitungstexten werden die langen Berufsbezeichnungen verschieden gekürzt verwendet, z. B. *Laborant* für *Chemie-* oder *Biologielaborant, Eisenbahner* oder *Transporter* für *Eisenbahntransportfacharbeiter, Rüster* für *Gerüstbauer.* „Der Verlust an beschreibenden Elementen in der Benennung wird durch Textinformationen kompensiert, oder die allgemeinere Bedeutung erfüllt in der reduzierten Form ihre Identifizierungsfunktion ausreichend. Das Maß für die Reduktion ist die Sicherung der Referenz" (BARZ 1984, 443).

3.5.1.2. Kürzung

Es ist üblich geworden, Kurzwortbildung im Rahmen der Wortbildungslehre als eine ihrer Sonderformen zu behandeln. Zwischen der Bildung von WBK und von Kurzwörtern besteht aber ein wesentlicher Unterschied: WBK entstehen, indem ein schon vorhandenes Wort *(Haus)* mit einem anderen Wort *(Bett)* oder Affix kombiniert wird *(Bettenhaus),* es entsteht eine neue lexikalische Bedeutung (‚medizinische Einrichtung, in der Patienten nach Operationen auf Station liegen'). Kurzwörter entstehen, indem WBK *(Operationssaal)* oder Wortgruppen *(Deutsches Rotes Kreuz)* in ihrem Formativ gekürzt werden *(OP* bzw. *DRK),* die Bedeutung zwischen Voll- und Kurzform bleibt gleich. Die Beziehungen zwischen beiden Bildungsweisen sind historisch, strukturell und funktionell vielfältig bedingt.

Entwicklung

Wortkürzungen verschiedener Art sind eine „wirksame Gegenbewegung gegen die zunehmende Länge" der Wörter (vgl. DÜCKERT 1981, 156). Mehrgliedrige substantivische Komposita aus der naturwissenschaftlichen und technischen Fachlexik des 19.Jh. werden gekürzt, und zwar durch das Weglassen eines Kompositionsgliedes wie in *(Kontakt)scheibe, Dynamo(maschine), Korn(mahl)mühle* oder durch den Ersatz von Kompositionsgliedern mit Suffixen wie in *Wendewalze/Wender*. Kürzungen auf Anfangsbuchstaben finden sich zuerst als Maßeinheiten in der Elektrotechnik und Chemie *(A, C, J, V)*. Silbenwörter kommen als Stoffbezeichnungen hinzu *(Aldehyd, Odol)*. Initialwörter werden unter englischem Einfluß seit Ende des 19.Jh. gebräuchlich *(PS, BGB, Hapag)*, bleiben aber in den nächsten Jahrzehnten Einzelfälle in den Tageszeitungen. Nach dem ersten Weltkrieg erscheinen *S.P.D.*, später *SPD.*, *SPD, U.S.S.R.*, später *UdSSR*. Die Leipziger Volkszeitung enthält durchschnittlich pro Exemplar 1930 1 Initialwort, 1946 2 Initialwörter, 1955 17 Initialwörter. Danach steigen Bildung und Verwendung sprunghaft an (dazu BESUCH 1985, 17).

Besonders viele Kurzwörter werden gegenwärtig für Apparate, Produkte, Realien gebildet, und zwar aus den Kommunikationsbereichen Wissenschaft *(Tbc)*, Technik *(Trafo)*, Wirtschaft *(SERO)*, Kultur *(RSO)*, Sport *(EM)*, Politik *(KSZE)*, Verkehr *(TIR)*, als Namen für Betriebe *(VEB BMK)*, Organisationen *(RGW)*, internationale Gremien *(UNO)* (dazu KOBLISCHKE in den Vorworten seiner Wörterbücher). In der Umgangssprache beliebt sind Kurzwörter auf *-i (Specki* ‚Abfallsammler', *Uni, Spezi, Sani, Kombi, Profi, Robi,* scherzhaft für *Roboter)*. Es überwiegen aber die Initialwörter mit 70% gegenüber anderen Kurzworttypen (vgl. HOFRICHTER 1983, 326). Die Aussprache nach den Graphemen *(MMM)* ist häufiger anzutreffen als die nach dem Lautwert *(BAM)*.

Benennungsfunktion

Kurzwörter dienen anstelle ihrer Vollformen nicht nur zu einer rationellen Textgestaltung mit hoher Informationsverdichtung, sie können auch Benennungslücken füllen. Nicht wenige Kurzwörter haben sich gegenüber ihren Vollformen als Benennungen weitgehend verselbständigt – ihre Vollform ist ungebräuchlich *(WC)*, kaum bekannt *(TGL, PEN)*, schwer aussprechbar *(NATO)*, in Eigennamen fixiert *(FF dabei, Frösi, VEB Leuchtenbau)*. Diese Verselbständigung ist eine Ursache von Doppelungen wie *S* und *R* in *Schulrechner SR 1, K* in *BKL Kombinat, O* in *HO-Organisation*. Kurzwörter können Benennungsreihen signalisieren: *HDG/ WDG, POS/EOS/KJS, CAD/CAM/CIM*. Gleiche Laute wecken Aufmerksamkeit wie der Stabreim ihrer Vollform: *BBB/Berliner Bierbrauerei, MMM/Messe der Meister von morgen*. Bei geläufigen, als Benennungen weitgehend verselbständigten Kurzwörtern wie *Laser* verzichtet der Sprachbenutzer ohne weiteres auf die Kenntnis der Vollform – ähnlich wie auf die Ableitung der Bedeutung bei nicht motivierten, aber ihm vertrauten WBK wie *Stockwerk, Schaffner*. (Zur Bildung von WBK mit Kurzwörtern s. 3.5.2.1., zur Bewertung der Kurzwörter s. 3.5.4.)

3.5.1.3. Ableitungen von Wortgruppen

Zusammensetzungen und Ableitungen haben als Bestimmungswort bzw. Basis nicht nur Simplizia *(Welt-raum, welt-lich)* oder WBK *(Umwelt-schutz, Leistungs-sport-ler)*, sondern auch Wortgruppen wie in *Dächer-dicht-Aktion, Lauf-dich-ge-sund-Bewegung, sechzehngeschossig* und *Fliesenleger*. Sonderfälle hierzu sind Zusammensetzungen und Ableitungen mit Kurzwörtern, denen Wortgruppen als Vollformen zugrunde liegen *(DDR-offen, MMM-Halle, FDJler)*.

In der historischen Wortbildungslehre werden Ableitungen von Wortgruppen als „Zusammenbildungen" aufgeführt (vgl. WILMANNS 1922, 462; HENZEN 1957, 237). Einzelbeispiele belegen das Alter dieser Bildungsweisen (ahd. *sibenjärig,* mhd. *grôʒspræchec)*. Im 15. Jahrhundert nimmt die Möglichkeit zu, WBK aus syntaktischen Verbindungen von Substantiv und Verb zu bilden, und im 18. Jahrhundert entstehen entsprechende Ableitungen mit dem Suffix *-ung* bereits reihenweise (vgl. STARKE 1984a, 35). Goethe prägt Nomina agentis auf *-er* wie *Taldurchkreuzer, Allerhalter, Allumfasser* (vgl. HERWIG 1982, 115). In der Gegenwartssprache sind die Suffixe *-er, -e* (beonders *-nahme), -ung, -ig* besonders aktiv (vgl. STARKE 1968, 151; FLEISCHER 1980a, 49; unter besonderer Berücksichtigung des Verhältnisses zwischen Aktivität der Suffixe und Produktivität der Modelle vgl. BARZ 1985b, 172).

Von 3 910 WBK auf *-ig* im „Rückläufigen Wörterbuch" (MATER 1967) sind 920 Ableitungen von Wortgruppen, also 23 %. Adjektivische Derivate aus Adjektiv und Substantiv benennen häufig kennzeichnende Eigenschaften von Menschen, Tieren, Körperteilen, Gegenständen *(dunkelhäutig, hochbeinig, rotbackig, breitwandig)*, auch Charaktereigenschaften *(hochnäsig, kaltschnäuzig)*. Unersetzbar ist dieses Wortbildungsverfahren für Ableitungen aus Wortgruppen mit Zahlwörtern *(vierhändig, dreipolig)*. Bei den genannten WBK überwiegt die ‚haben'-Relation (‚dunkle Haut habend'), aber auch zeitliche und räumliche Wortbildungsbedeutungen sind möglich *(dreiwöchig, außermittig)*.

Ableitungen auf *-er* und *-ung* benennen gesellschaftlich bedeutsame Vorgänge und deren Resultate, Personen und Geräte (vgl. STARKE 1984a, 35). *Grundlegung, Instandsetzung, Farbgestaltung* und *Farbgebung, Aufgabenstellung* und *-findung; Frühaufsteher, Außenseiter, Liedermacher, Bildwerfer*.

Die adjektivischen Ableitungen befriedigen das kommunikative Bedürfnis nach präzisierenden Eigenschaftsbezeichnungen, die substantivischen Ableitungen füllen Benennungslücken, die durch die benannten Erscheinungen der gesellschaftlichen Praxis entstanden sind. Die Ableitungen sind als Univerbierungen einfacher zu handhaben als die Wortgruppen *(außermittige Bebauung – Bebauung außerhalb der Mitte)*. Die auffällige, durch Analogien stark begünstigte Reihenbildung führt zur Entwicklung suffixoider Morphemkombinationen wie *-gebung, -nahme, -bauer, -werker; -haltig, -förmig, -artig* (vgl. unter 3.5.2.2.), deren Suffixcharakter mitunter in der Schreibweise widergespiegelt wird *(Leuna-Werker)*.

3.5.1.4. Kombinatorische Derivation

Ableitungen können eine Wortgruppe als mehrteilige Basis haben *(viereckig)*, sie können aber auch eine diskontinuierliche Konstituente als zweiteilige Präfix-Suffix-Kombination besitzen wie *ver-* und *-en* in *ver-untreu-en*. Präfix und Suffix befinden sich in dieser kombinatorischen Derivation nicht in Kontaktstellung. Sie sind durch die Basis voneinander getrennt, bilden aber eine funktionelle Einheit bei der Benennungsbildung, in der das Suffix die Transposition bewirkt, das Präfix die Wortbedeutung mitbestimmt.

Adjektive dieser Ableitungsart sind verhältnismäßig selten: Präfix *un-* ist mit *-bar (un-nah-bar, un-verzicht-bar)* oder mit *-lich (un-widersteh-lich)* kombiniert. Für deverbale Substantive als Vorgangsbenennungen ist die Kombination *Ge...e* produktiv *(Ge-red-e)*, nicht ohne Bildungsbeschränkungen (*⁺Ge-isolier-e*, *⁺Ge-brauch-e)*, oft umgangssprachlich markiert. Da *ge-* in allen Hauptwortarten wortbildend auftritt *(geläufig, Gelaufe, gefrieren)*, besitzt es „seit jeher eine starke Affinität zur Kombination mit einem weiteren präzisierenden und prägenden ... Suffix" (FLEISCHER 1980, 54).

Am produktivsten ist die kombinatorische Derivation im verbalen Bereich (vgl. KÜHNHOLD/WELLMANN 1973, 59ff.). Uns sehr modern anmutende Verben wie *bedachen, benamen* sind schon im Mhd. belegt, auch *bevestigen, beschedigen, betouwen*; *vermüren, vernageln, verungnaedigen* (vgl. WILMANNS 1922, 137ff.). Im 19. und 20.Jh. sind neben *be-* auch *ver-* und *ent-* aktiv, besonders in oppositionellen Bildungen *(ent-/verminen)* aber auch *de(s)-* kombiniert mit *-(is)ieren (deklassieren, desodorieren)* (vgl. DEUTSCHE WORTGESCHICHTE 1959, 481). Im WDG sind verbale Neuprägungen mit Präfixen der älteren Schicht *(verabsolutieren, vereinseitigen, beschichten, beauflagen)* und auch der jüngeren Schicht inventarisiert *(aufgleisen, aufschlüsseln, auslasten)*.

Die Bildung der ornativen *be-*Verben zeigt deutlich die historische Kontinuität von Wortbildungsvorgängen. Einige Verben sind zwar veraltet *(beachselzukken, befreiheiten, bemaulkorben)*, weitaus mehr gehören aber seit langem zum festen Bestand. So finden sich 150 Verben sowohl im DWB von 1854ff. als auch im WDG von 1969ff. *(beabsichtigen, beängstigen, beanspruchen)* (vgl. P. BRAUN 1982, 219). Daß diese Bildungsweise über längere Zeiträume so produktiv ist, mag damit zusammenhängen, daß sie mehreren kommunikativen Bedürfnissen entgegenkommt – dem Bedürfnis nach Raffung *(einen Antrag stellen/beantragen)*, nach Vereinfachung durch Transitivierung *(einen Antrag stellen auf/etw. beantragen)*, nach Verdeutlichung *(punkten/bepunkten* ‚versehen mit‘). Trotz dieser strukturellen, syntaktischen und semantischen Vorzüge werden *be-*Verben vom Sprachbenutzer oft beanstandet, und auch der Linguist begegnet ihnen mit Vorsicht (JAESCHKE 1980, 53). Die Kritik richtet sich vor allem gegen Ableitungen von mehrmorphematischen Stämmen wie *beaugenscheinigen, beaufschriften, beauflagen*. Dabei ist aber zu bedenken, daß auch ganz geläufige Verben diese Struktur aufweisen *(bevormunden, bevollmächtigen, beauftragen)*. Oft ist auch nur der Begriff unüblich, und die Kritik meint eher diesen Begriff als die WBK-Struktur *(bevorschussen, bezuschussen, befürsorgen)*. Gegen jüngere Bildungen wie *bestuhlen, beschottern, beziffern, benoten, bepunkten* gibt es keine fachgemäßen Einwände; manche wegen ihrer scheinbaren Neuheit beanstandeten Verben sind schon im vorigen Jahrhundert nachweisbar *(be-, vergittern)*; andere neue wie *bekindern* haben vergleichbare gebräuchliche Bildungen *(bevölkern)* neben sich.

3.5.1.5. Partizipiale Konstruktionen

Unter partizipialen Konstruktionen verstehen wir solche WBK, die partizipiale Strukturen mit den entsprechenden Morphemen besitzen, denen aber unterschiedliche Wortbildungsmodelle zugrunde liegen, z.B. kombinatorische Derivation in *be-herz-t* oder Ableitung von der Wortgruppe in *hilfe-leist-end*.

Für den Zeitraum 1670–1730 sind Bildungen mit Part.Präs. *(seligmachend, unvermögend)* in Brief, Roman und Bildungsschriften seltener als in der Fachprosa (dazu KRAMER 1976, 498). Im 18.Jh. steigt die Zahl der Bildungen mit Part.Prät. *(abgeschieden, fluchbelastet, frohbegeistert)* leicht an (dazu DEUTSCHE WORTGESCHICHTE 1959, 59ff.). Wilmanns sieht im Wegfall des Artikels die Bedingung für Verbindungen wie *ehr-, friedliebend, fleischfressend, fruchttragend, raumsparend* (vgl. WILMANNS 1922, 527).

Die partizipialen Konstruktionen der Gegenwartssprache lassen sich nach ihrer Wortbildung folgendermaßen gruppieren.

1. Kombinatorische Derivation
   Die sog. Scheinpartizipien sind von substantivischer Basis abgeleitet mit der Wortbildungsbedeutung ‚Vorhandensein des Basisinhalts‘: *geblumt, gestiefelt, bebrillt,* neuerdings auch *gestreßt.* Aus alten Paradigmen stammen *gediegen, gedunsen, gewieft* (vgl. FLEISCHER 1980, 55).
2. Derivation von verbaler Zusammensetzung und verbaler Wortgruppe mit Wendungscharakter
   Partizipiale Konstruktionen in den Attributen *radfahrende Kinder, naheliegende Gründe, zufriedenstellende Maßnahmen* können als Ableitungen zu den Verben *radfahren, naheliegen, zufriedenstellen* betrachtet werden. Den Attributen *diensthabender Lehrer, hilfeleistende Person, leidtragende Angehörige* liegen Wortgruppen mit Wendungscharakter zugrunde *(Hilfe leisten* – Substantiv ohne Artikelgebrauch).
3. Zusammensetzungen des Partizips mit Substantiv
   Hierher gehören partizipiale Konstruktionen wie *hautschonend (die Haut schonend* – Substantiv mit Artikel), *rechnergesteuert (mit dem Rechner gesteuert* – Substantiv mit Präposition). Unterschiedliche Wortbildungsbedeutungen sind keine Seltenheit *(umweltgeschützt* ‚geschützt ist die U.‘, *erosionsgeschützt* ‚geschützt vor Erosion‘, *penicillingeschützt* ‚P. schützt‘). Die Tendenz in der

Orthographie zur Zusammenschreibung begünstigt das tägliche Anwachsen dieser Bildungen: *hörerbezogene Rede, prädikatsgesteuerter Satzbau, erschütterungsstabilisiertes Fernsehaufnahmegerät, mikrorechnergesteuerter Schalterdrucker, glasfaserverstärkte Kunststoffe* (neuerdings gekürzt *GFK*). Da sie morphologisch wenigen Beschränkungen unterliegen, kann der Sprachbenutzer sie bilden, ohne fehlerhafte Bildungen befürchten zu müssen. Sie erlauben ihm, „sprachökonomisch organisierte und doch klar gegliederte Sätze zu bilden, deren kommunikative Dichte unter Umständen weit über das hinausreicht, was inhaltlich äquivalente Sätze mit hypotaktischer u./o. parataktischer Satzgliederung zu leisten vermögen" (WILSS 1983, 235). Einen zusätzlichen „Produktivfaktor" sieht WILSS in der einsetzenden Reihenbildung mit *-bestimmend, -fördernd, -gefährdend* (a. a. O., 238f.).

Zu einigen dieser Zusammensetzungen sind – besonders in der Fachlexik – verbale Ableitungen entstanden, z. B. *funkentstören* zu *funkentstört*, ebenso *luftschützen, maßschneidern, folienverpacken, zweckentfremden* (vgl. ÅSDAHL-HOLMBERG 1976, 36), *notlanden* (über *notgelandet* von *Notlandung*), vergleichbar mit *urgesendet* von *Ursendung* (aber noch nicht +*ursenden*).

3.5.2. Bevorzugte Mittel der Wortbildung

Zu den bevorzugten Mitteln rechnen wir solche, die für die Gegenwartssprache verhältnismäßig neu sind (wie die Kurzwörter), die durch ihre Aktivität auffallen und Benennungsreihen bilden (wie *-stützpunkt*) und deren Verwendung kommunikativ bedeutungsvoll ist (wie die des Movierungssuffixes *-in*).

3.5.2.1. Initialwörter

Kurzwörter sind in doppelter Weise mit der Wortbildung verbunden – einerseits sind WBK häufig die zugrunde liegende Vollform *(Wohnungsbauserie/WBS)*, andererseits werden WBK zu Bestandteilen neuer WBK *(WBS-Programm)*. Die Sonderleistung der Initialwörter für die Wortbildung besteht darin, daß in dieser gekürzten Form auch lexikalisierte Wortgruppen zu Bestandteilen von WBK werden können, z. B. Eigennamen wie *DDR* in *DDR-Vertreter* (aber nicht +*Deutsche-Demokratische-Republik-Vertreter*) oder Nominationsstereotype wie *LPG* in *LPG-Vorsitzender* (vgl. FLEISCHER 1982, 193).

Erste Zeitungsbelege für Kurzwörter als Bestandteile von WBK sind *Hamb.-Amerik.Paketf.-A.-G.*, später *HAPAG* (1898), *PS-Stunde* (1900), *Kriegs-Metall-A.-G., U-Boot-Station, D-Zug* (alle 1915), *SPD-Stadtverordnetenfraktion, KPD-Zentrale* (beide 1930). Seit den 50er Jahren steigt ihre Zahl sprunghaft an.

Kurzwörter als Basis von Ableitungen sind selten *(FDJler, EDV-mäßig)*. Präfigierungen sind nicht belegt. Wenige adjektivische Zusammensetzungen sind gebräuchlich *(PVC-beschichtet, DDR-weit, TGL-gerecht)*. Die große Masse sind substantivische Zusammensetzungen. Das Kurzwort steht meistens am Anfang *(WM-Teilnahme)*, seltener am Ende *(Leichtathletik-WM)*, vereinzelt in der Mitte *(Leichtathletik-WM-Teilnehmer)*, zwei Kurzwörter in einer WBK sind noch Ausnahmefälle *(SC-DHfK-Straßenfahrer)*. Als erster Bestandteil der WBK benennt das Kurzwort häufig Staaten *(SU-Erfolg)*, Parteien und Organisationen *(SED-Bezirksleitung, FDJ-Initiative)*, staatliche Vereinigungen *(UNO-Vollversammlung)*, Nachrichtenagenturen *(ADN-Korrespondent)* (dazu SOMMERFELDT 1978a, 50f.). Am Anfang oder am Ende steht das Kurzwort in *Profi-Tennis/Tennis-Profi, Diskowunsch/Wunschdisko*. Umgangssprachlich markiert sind *Soli-Basar, Specki-Aktivist, Spezifelgen*.

3.5.2.2. Kompositionsglied – Affixoid – Affix

Der Terminus Affixoid ist Ausdruck der Dynamik im Inventar der Wortbildungsmittel. Dieser Dynamik wird der Lexikograph gerecht, wenn er in ein Wörterbuch auch aktive Wortbildungsmittel aufnimmt. Die „entsprechenden Wörterbucheinträge könnten dem Wörterbuchbenutzer Hilfe für die Interpretation von nicht lemmatisierten Neubildungen oder von nicht verzeichneten Neubedeutungen sein" (TELLENBACH 1985, 266). Deshalb sind im HDG als adjektivische Suffixe lemmatisiert: *-artig, -farben, -farbig, -förmig, -haltig, -los, -mäßig, -voll*; für eine überarbeitete Auflage werden für die Lemmatisierung in Betracht gezogen: als Suffixoide *-arm, -frei, -leer, -reich* und die Kompositionsglieder *-ähnlich, -gleich* (vgl. a. a. O., 293). Die Abstufung Kompositionsglied *(hinauf-, -plus, -intensiv)*, Affixoid *(unter-, -werk, -arm)*, Affix *(ab-, -wesen, -mäßig)* unterscheidet sich in den einzelnen Darstellungen (dazu KL. ENZYKL. 1983, 242), was durch Art und Hierarchie der Kriterien verursacht wird. Als wichtigste Kriterien gelten traditionell für den Übergang die starke Reihenbildung sowie die semantische Differenzierung des nunmehr gebundenen Morphems gegenüber dem freien. Bereits WILMANNS registriert für WBK des 19. Jh. Reihenbildungen mit *-artig, -förmig, -recht, -fähig, -fertig, -leer*; bei *-werk, -man, -frau* sei das vorausgehende Wort zum „eigentlichen Kern" geworden (vgl. WILMANNS 1922, 555). Der Wert beider Kriterien ist dadurch eingeschränkt, daß sie grundsätzlich auch für Kompositionsglieder gelten können, wodurch ihre distinktive Funktion verblaßt.

Daß bestimmte Wörter bevorzugt zur Bildung von WBK benutzt werden, erklärt sich aus ihrer gesellschaftsgebundenen Benennungsfunktion. Im 18. Jh. sind Bildungen mit *Seelen- (-freund, -liebe, -lust, -leiden, -vereinigung, -gefühl, -mädchen, -adel)* Ausdruck der Empfindsamkeit, mit *-gefühl (Alltags-, Dank-, Mutter-, Zart-, Lust-)* sind sie typisch für den Sturm und Drang. Das Humanitätsideal der Klassik findet Ausdruck in den Benennungen mit *Menschen- (-beruf,*

-gefühl, -denkart, -form, -größe, -kenntnis). Die Turnbewegung zeigt sich in WBK mit *Turn- (-anstalt, -buch-, -kunst, -lehrer, -vater Jahn)* (vgl. Deutsche Wortgeschichte 1959, 81, 94, 272, 359). Charakteristisch für die gesellschaftlichen Verhältnisse in der DDR sind Reihenbildungen mit *Bruder-, Volk-, Plan-, -plus*. Für die BRD konstatiert der „Sprachdienst" Reihenbildungen mit *Geister-, Null-, Bio-, -generation, -gesellschaft, -muffel, -szene, -welle* (Sprachdienst 1981 ff.). Hier wie auch in anderen Fällen handelt es sich bei den „unterschiedlichen Benennungen in der DDR bzw. der BRD ... um gleiche Wortbildungsmuster mit unterschiedlicher lexikalischer Füllung" (Fleischer 1983 a, 16). Zusammensetzungen mit *-zweck, -material, -ebene, -verfahren, -tätigkeit, -geschehen, -vorgang, -prozeß* dienen dazu, einzelne Erscheinungen *(Holz-, Plast-, Sprelacard-)* dem systematisierenden Oberbegriff *(-material)* identifizierend (‚Holz ist ein Material') zuzuordnen, was angesichts der vielen Neuprägungen einem starken Benennungsbedürfnis entgegenkommt.

Dem Bedürfnis nach differenzierenden Benennungen entsprechen adjektivische Zusammensetzungen. Die meisten adjektivischen Neuprägungen im WDG sind mit *-frei, -fest, -fremd* gebildet. Die Kompositionsglieder benennen sehr allgemeine, aber häufig auftretende Qualitäten (dazu Möller 1980, 200). Bemerkenswert sind gruppenweise anzutreffende semantische Differenzierungen. So entwickeln sich bei deverbalen Adjektiven mit passivisch-modaler Bedeutung zusätzliche Bedeutungsnuancen: *(koch)fest, (bügel)echt, (wasch)beständig* ‚kann werden' + ‚ohne Schaden', *(lese)gerecht, (spül)freundlich* ‚kann werden' + ‚leicht', *(koch)fertig, (eß)bereit, (verkaufs)reif* ‚kann werden' + ‚sofort' (vgl. Wellmann 1984, 491). Es entstehen Wertungsskalen, die für die Werbung geeignet sind *(strapazierbar, -freudig, -fähig, -stark, -fest)*. Ihr hoher Verständlichkeitsgrad und die geringen Beschränkungen für analoge Bildungen *(störfrei, -arm)* führen immer wieder dazu, daß diese adjektivischen Kompositionsglieder gegenüber den älteren Suffixen bevorzugt werden, was in zunehmendem Maße seit 1800 zu beobachten ist (vgl. Fleischer 1980ff.; Inghult 1975; Jaeschke 1984). Beliebt sind reihenbildende Glieder, die graduieren *(riesen-, hoch-, super-, top-)*.

Das Verhältnis zwischen Kompositionsglied, Affixoid, Affix ist beispielhaft für Übergänge, und zwar vom freien zum gebundenen Morphem (vgl. Suffix *-lich* aus ahd. *lih* ‚Körper'). Eine strenge Gruppierung könnte weder erwartet noch angestrebt werden. Da sich Reihenbildung und Bedeutungsveränderung allein nicht als genügend distinktiv erwiesen haben, sollte in weiteren Untersuchungen überprüft werden, welche Rolle die Herausbildung einer kategoriellen Bedeutung (*-mäßig* ‚betreffend', *-wesen* ‚Gesamtheit') und die Beschränkung für Paraphrasierung spielen (das Auto ist *fahrtüchtig*, aber nicht: das Auto ist *tüchtig im Fahren*).

3.5.2.3. WBK mit fremdsprachigen Elementen

In der Wortbildung hat sich neben dem System der heimischen Bildungsmittel und Bildungsweisen „ein Teilsystem herausgebildet, das mit Elementen fremdsprachiger Herkunft auf der Basis der Wortbildungsstrukturen des Deutschen operiert" (FLEISCHER 1977, 110. Zu ihrer Gruppierung vgl. FLEISCHER 1983a, 114f.). Diese „Elemente fremdsprachiger Herkunft" besitzen Besonderheiten in ihrem Morphemstatus.

Ein fremdsprachiges Basismorphem ist häufig dadurch gekennzeichnet, daß es „in mehreren (mindestens zwei) WBK (mit gleicher Bedeutung verwendet) statisch verharrt und erst mit einem oder mehreren zusätzlichen Elementen ein Wort bilden kann" (FISCHER 1985, 217). So stehen *polit-, chem-, techn-, operat-* immer nur an erster Position, *-nom, -loge, -thek* immer nur an zweiter Position. Die Gebundenheit des fremdsprachigen Basismorphems ist eine weit verbreitete Erscheinung und schränkt seine Wortbildungsaktivität keinesfalls ein *(elektrisch, -isieren, -iker, -izität)*.

Nach FLEISCHER (1977, 113) erfolgt „die Morphematisierung fremdsprachiger Elemente ..., d. h. die Herauslösung von Elementen aus einem Fremdwort und ihre produktive Weiterverwendung innerhalb des Deutschen ... in der Regel in der Bindung innerhalb von Wortbildungskonstruktionen". So verselbständigen sich *Tele-, Mini-, disko-, -thek* gegenüber ihren fremdsprachigen Herkunftswörtern und bilden Benennungsreihen *(Tele-Lotto, -brücke, -spiele; Foto-, Dia-, Phono-, Lingua-, Luso-, Arthothek* – vgl. BECHER 1980, 14ff.).

Die auffällige Zunahme von WBK mit fremdsprachigen Elementen erwächst aus dem kommunikativen Bedürfnis nach Internationalisierung, und zwar vor allem auf der Basis des Lateinischen und Griechischen (dazu LANGNER 1980a, 684). Für den deutschen Sprachbenutzer sind fremdsprachige Elemente in ihrer Bedeutung oft recht vage, was ihre Kombinierbarkeit begünstigt. Hinzu kommt, daß sie nicht nur untereinander kombinierbar sind, sondern daß sie sich innerhalb aller Wortarten, wenn auch stark differenziert (dazu FLEISCHER 1977), mit deutschen Elementen verbinden können *(Heimcomputer, superschnell, herausfiltrieren)*. Hybridbildungen gibt es von alters her *(Civilverdienstmedaille* um 1850) in vielen Sprachen.

Die geringsten Bildungsbeschränkungen bestehen für substantivische Komposita, in denen das Fremdwort beliebig an erster *(Kartoffelkombine)* oder zweiter Stelle stehen kann *(Dispatcherraum)*. Hat die Gesellschaft besonderes Interesse am Denotat, kommt es zu starken Reihenbildungen wie mit *-computer-* und *-container-*. Stärkere Beschränkungen bestehen für Ableitungen. Besonders produktiv ist das Modell mit Fremdwort als Basis und deutschem Suffix *(Rationalisierung, chronologisch)*. Präfixbildungen haben überwiegend heimische Basis und fremdsprachiges Präfix *(Antikörper, Proformen)*. Bevorzugt werden Elemente, die im Übergangsfeld zwischen Kompositionsglied und Affix stehen *(Pseudowissenschaft, superfreundlich)*.

Die verbale Suffixerweiterung -*ieren* ist eine Mischbildung aus der französischen Verbalendung -*er* und deutschem Verbalsuffix -*en* (dazu Fleischer 1983a, 322f.). Nach einer leichten Zunahme der Ableitungen von heimischer Basis seit dem 14.Jh. *(buchstabieren, amtieren)* verbindet sich in der Gegenwartssprache -*ieren* ausschließlich mit fremdsprachiger Basis *(saunieren, modellieren)*. Auch -*isieren* bevorzugt fremdsprachige Basis *(robotisieren, reamateurisieren)*.

Hybridbildungen stehen nicht selten in synonymischen Relationen zu rein fremdsprachigen Bildungen *(Gegenthese/Antithese, Automatisierung/Automation, akzeptierbar/akzeptabel)*. Mischbildungen wie *Container-Behälter, Referenzbezug, aufoktroyieren* bieten die Möglichkeit zur Verdeutlichung der fremdsprachigen Elemente. Ungeachtet dessen, daß *Neurenovierung* immer noch als Fehlbildung belächelt wird, zeigt sich die Tendenz, daß verdeutlichende Doppelungen mehr und mehr „im literatursprachlichen Standard ohne Anstoß verwendet werden können" (vgl. Fleischer 1977, 112).

3.5.2.4. Movierungssuffix -*in*

Movierte Berufsbezeichnungen *(Ärztin)* und Anreden *(Genossin)* sind explizite Ableitungen mit dem Suffix -*in* von Substantiven anderen Geschlechts *(Arzt* bzw. *Genosse)*. Entwicklungsmäßig ist ihre Bildung zweifach gekennzeichnet.

1. „Die movierten Femina auf -*in(na)* nehmen seit dem Ahd. stark an Zahl zu" (Henzen 1957, 153). Die frühesten Belege sind *ēwartinna, forasagin*, im Mhd. kommen dazu *arzātinne, kempfinne, genozinne, geselline*, im Frnhd. *Schulmeisterin, Beurin, Dolmetscherin*, in der Goethezeit *Beischläferin, Fremdlingin, Landsmännin, Schriftstellerin*. Die Kennzeichnung ‚Frau, Gattin von x' in *Hofrätin, Feldmarschallin* ist veraltet. Innerhalb der letzten zwanzig Jahre haben sich *Inspektorin, Brigadierin, Ingenieurin, Professorin* eingebürgert, auch wenn diese WBK zuerst abgelehnt worden waren.
2. Obwohl die Bildung movierter Femina kaum Bildungsbeschränkungen unterliegt, sind jedoch zu keiner Zeit „alle an und für sich möglichen Wörter auf -*in* ... geschaffen oder üblich gewesen. Denn weder war es je nötig, daß die auf ein weibliches Wesen bezogenen Wörter durch eine besondere Form ausgezeichnet wurden, noch war die Sprache zur Bezeichnung des weiblichen Geschlechts auf das eine Mittel beschränkt" (Wilmanns 1922, 311). Diese vor fast einhundert Jahren getroffene Feststellung Wilmanns' trifft in ihrem Kern auch noch auf unsere Gegenwartssprache zu. Andere Bildungsmittel sind z.B. -*frau (Zeitungsfrau)*, -*eß (Stewardeß)*, -*e (Cousine)*.

Anredebezeichnungen

In Texten politischen Inhalts aus der Zeit von 1840–1910 „gehört das Aufkommen der Anredebezeichnungen für die Frau, vor allem für die werktätige Frau, zu den auffallendsten neuen Erscheinungen" (BERNER 1984, 96). Zunächst wird die arbeitende Frau vor allem als Gattin ihres Mannes bezeichnet *(Arbeiterfrau)*, dann entwickeln sich Varianten und auch die movierte Form:

Proletarierfrauen! Man hat Euch gesagt, Eure Männer und Söhne seien hinausgegangen, Euch zu schützen. *...Arbeiterfrauen, Arbeiterinnen, ... Frauen des werktätigen Volkes!* (aus einem Aufruf CLARA ZETKINS 1915, zit. bei BERNER 1984, 97).

Im öffentlichen Leben war die häufigste Anrede *Genossin, Parteigenossin,* heute veraltet ist *Arbeitsgenossin, Proletarierin, Schwester.* Im mühevollen Kampf um die Gleichberechtigung der Frau setzte sich allmählich *Kollegin* durch, die als Anrede zunächst nur in Verbindung mit *Kollege* gebraucht wird.

Bezeichnungen für weibliche Personen

Bei den Berufsbezeichnungen in der Gegenwartssprache zeigen sich deutlich die oben angeführten beiden Entwicklungserscheinungen. Noch sind nicht alle movierten Berufsbezeichnungen üblich (selten erst *Ministerin*), aber insgesamt nimmt ihre Zahl ständig zu. Letzteres befriedigt das kommunikative Bedürfnis des Sprachbenutzers nach sprachlicher Verdeutlichung und ist Ausdruck der wachsenden Gleichberechtigung von Mann und Frau in der beruflichen Tätigkeit. Daraus ist aber nicht zu schlußfolgern, daß die Verwendung unmovierter Formen durch den DDR-Bürger diese Gleichberechtigung unterschätzt oder gar negiert. Grundsätzlich stehen beide Formen – movierte und unmovierte – zur Verfügung. Die unmovierte Form ist das unmarkierte Glied dieser Opposition, das Sem ‚männlich' ist neutralisierbar (Sie ist *Ingenieur*.). Die movierte Form ist markiert durch das zusätzliche Sem ‚weiblich' und hat einen kleineren Bedeutungsumfang – *Ingenieur* kann männliche und weibliche Personen bezeichnen, aber nicht *Ingenieurin*.

Die Bildung der movierten Berufsbezeichnungen ist unkompliziert. Aufschlußreich ist ihre Verwendung, die ausschließlich kommunikativ-pragmatisch bestimmt ist (dazu BARZ 1985a, 194ff.), und zwar durch folgende Bedingungen:

1. „Steht die Berufsbezeichnung im Vordergrund", dann ist die unmovierte Form geeignet (vgl. GRUNDZÜGE 1981, 575): Anke wird *Bauingenieur.* Jetzt ist sie noch *Student.*
2. „Kommt es dagegen auf den sozialen oder biologischen Aspekt an und soll die Berufsausübung durch eine Frau hervorgehoben werden" (vgl. GRUNDZÜGE 1981, 575), wird meistens die movierte Form bevorzugt, z. B. in Zeitungsannoncen:

Aus der nichtberufstätigen Bevölkerung stellen wir ein *Schwimmeister, Hallenwarte, Kassierer(innen), Rettungsschwimmer, Betreuer(innen) für sanitäre Anlagen.*

Hochschulabsolventin sucht geeignete Tätigkeit.

3. Wenn die Unterscheidung Mann/Frau für den Textproduzenten nicht relevant oder für den Textrezipienten durch Referenz gesichert ist, kann die Wahl der Formen variiert werden:

Gerlinde Harnack – bewährt als *Ingenieurin* und *Neuerin*, verfügt heute als *Bereichsingenieurin* und *stellvertretende Leiterin* über einen großen Wissensschatz. Sie ist *Sekretär* der Neuererbrigade und *Parteigruppenorganisator*, leitet als langjähriges *Mitglied* der BGL die Wettbewerbskommission und wirkt als *Zirkelleiter* im Parteilehrjahr (LVZ 1984).

3.5.3. Historischer Textvergleich

Im folgenden vergleichen wir einen Ganztext aus der Wochenzeitschrift „Illustrierte Zeitung" des Jahres 1850 (= T 1850) mit einem Textausschnitt aus der Fachzeitschrift „Bäcker und Konditor" des Jahres 1984 (= T 1984). In beiden wird unter Bezugnahme auf eine Abbildung eine Anlage zum Brotbacken beschrieben. Ziel dieser textorientierten Analyse ist es (dazu Schröder 1985a), die oben beschriebenen Entwicklungstendenzen der Wortbildung im Textzusammenhang zu veranschaulichen und ihren Zusammenhang mit Entwicklungstendenzen des Satzbaus nachzuweisen, denn die Veränderungen einer Tendenz sind vorzugsweise auf der Textebene zu suchen (vgl. dazu 1.2.2.).

T 1850

Brotback-Maschine von Robinson und Lee

Die Herren Robinson und Lee zu Glasgow haben so eben eine Brotback-Maschine errichtet, die wir unseren Lesern vorführen.

Figur 1 gibt eine Voderansicht der Maschine, die in der Stunde ohne Zuthun menschlicher Arbeit 1¼ Tonne Brot oder 1 Tonne Schiffszwieback bäckt, wiewohl dieselbe weniger als 2 Quadratfuß Raum einnimmt. Durch einen sehr einfachen, aber geistreich erfundenen Prozeß fällt das Mehl und das Wasser in gehörigem Verhältnis zusammen auf einen Kegel, der dieselben theilweise unter einander mischt und dann in den Backtrog führt, aus dem der Teig durch eine Öffnung gepreßt und mit einem exzentrischen Messer in der gewünschten Größe abgeschnitten wird. Diese Stücke fallen auf eine Walze und werden von derselben Maschinerie durch eine Form in den Backofen Figur 2 und 3 geführt, wo der Dampf, durch den das ganze Geschäft besorgt wird, nachdem er durch rotglühende Röhren in den Kessel gegangen, in unmittelbare Berührung mit dem Gebäck gesetzt wird und eine sehr reine Kruste erzeugt. Auch die Hitze wird durch einen selbstthätigen Pyrometer angezeigt und reguliert, wodurch der Bäcker in den Stand gesetzt ist, sein Gebäck sowohl gegen das Verbrennen wie gegen zu schwaches Backen zu sichern.

(Illustrierte Zeitung 1850/1, 76)

T 1984

Neuer Etagenbackofen mit Heizgasumwälzung entwickelt

Gegenüber dem „bofaba"-Etagenbackofen, jetzt unter der Typenbezeichnung GB 405 im Angebot, wurde das Design vollständig neu gestaltet (Bild 1). Es entspricht den modernen Auffassungen der Formgestaltung hinsichtlich klarer Linienführung in Verbindung mit anwenderbezogener Zweckmäßigkeit und rationeller Fertigungstechnik. Eine Industriemuster-Anmeldung wurde vorgenommen. Mit Ausnahme des Bereichs unter dem Ofentisch ist die gesamte Vorderfront des Etagenbackofens aus Chrom-Nickel-Stahlblech hergestellt. Die übrige Verkleidung des Backofens sowie die Wandung des Gärraums sind aus Ekotal-Blech gefertigt, das serienmäßig zusätzlich farblich mit den neuen „Fortschritt-Farben" Ekrü und Sienagrün gestaltet ist.

Die Herdpartie innerhalb der Ofenvorderfront wurde vom Vorgänger GB 405 mit geringfügigen Veränderungen übernommen. In der linken vorderen Seitenverkleidung befindet sich das Bedientableau des Ofens einschließlich Temperaturregler und Temperaturanzeigeinstrument. Das im Bild 2 gezeigte Bedientableau entspricht der Exportausführung für den ölbeheizten Backofen. Für den gasbeheizten Typ ist aus wirtschaftlich-technischen Gründen die Gestaltung des Bedientableaus etappenweise vorgesehen.

(Bäcker und Konditor 1/1984, 13)

Die vergleichende Analyse führt zu folgenden Ergebnissen.

1. Bei gleicher Textlänge bestehen erhebliche Unterschiede in der Zahl der Wörter und der Sätze.
   T 1850: 204 Wörter, 5 Sätze (und Überschrift),
   T 1984: 146 Wörter, 9 Sätze (und Überschrift).
2. Die Autosemantika Substantiv, Adjektiv und Verb sind WBK und Simplizia.
   T 1850: 39 verschiedene WBK, 33 verschiedene Simplizia,
   T 1984: 54 verschiedene WBK, 9 verschiedene Simplizia.
   Die längste WBK ist in T 1850 *Schiffszwieback*, in T 1984 *Temperaturanzeigeinstrument.*
3. Die zunehmende Länge substantivischer WBK hat ihre Kürzung zur Folge.
   Die Kurzwörter *bofaba, GB, Ekrü* gehören zum fachbezogenen Wortschatz und sind dem fachkundigen Leser geläufig.
4. Die Zunahme der WBK in Anzahl und Länge und die Abnahme der Simplizia stehen in unmittelbarer Beziehung zur Zunahme der Einfachsätze und der Abnahme der langen Satzgefüge (vgl. JÜRGENS 1985, 8 f.). Die Texte enthalten
   T 1850: 21, 31, 52, 54, 37 Wörter je Satz (in der Textreihenfolge),
   T 1984: 19, 18, 5, 27, 14, 15, 13, 21 Wörter je Satz (in der Textreihenfolge).
   Der längste Satz in T 1850 *(Diese Stücke ...)* ist mit 54 Wörtern überlang und durch die Nebensätze verschiedenen Grades schwierig zu verstehen, der längste Satz in T 1984 *(Die übrige ...)* ist mit 27 Wörtern mittellang und mit 1 Nebensatz gut überschaubar. Es bestätigt sich der tendenzielle Rückgang der hypotaktischen Fügung.

5. Die längeren WBK in T 1984 bieten mehr Möglichkeiten, ein und dasselbe Grundmorphem in variierter Wortbildungsumgebung wieder aufzunehmen. T 1850 eröffnet mit *Brotback-Maschine* nur zwei Isotopiestränge zu *-back-* (*Brotback-Maschine, Schiffszwieback, backen, Backofen, Gebäck, Bäcker, Bakken*) und zu *-maschine-* (*Brotback-Maschine, Maschine, Maschinerie*). T 1984 eröffnet mehr als zwei Isotopiestränge, und zwar mit *-back-* (*Etagenbackofen, „bofaba"-Etagenbackofen, Backofen*), *-heiz-* (*Heizgasumwälzung, ölbeheizt, gasbeheizt*), *-gestalt-* (*gestalten, Formgestaltung, Gestaltung*), *-ofen-* (*Ofentisch, Ofenvorderfront, Ofen, Backofen, Etagenbackofen*). Isotopiepaare gehören zu *-blech-* (*Chrom-Nickel-Stahlblech*), *-farb-* (*farblich, „Fortschritt-Farben"*), *-temperatur-* (*Temperaturregler, Temperaturanzeigeinstrument*), *-techn-* (*Fertigungstechnik, wirtschaftlich-technisch*).

Die textkonstituierende Funktion der Benennungen ist von einer textverflechtenden Wirkung begleitet, die mit der Vielgliedrigkeit der WBK zunimmt. Die Texte werden „dichter" (vgl. SCHRÖDER 1985a, 77ff.).

6. Beide Texte enthalten verdeutlichende Bindestrichbildungen (*Brotback-Maschine, Industriemuster-Anmeldung*) und mehrere Hybridbildungen (*Quadratfuß, Etagenbackofen*). Der einen partizipialen Konstruktion *rotglühend* in T 1850 stehen drei in T 1984 gegenüber, und zwar mit *be*-Verben in *anwenderbezogen, ölbeheizt, gasbeheizt* (*be-* in *beheizen* mit typisch verdeutlichender Funktion). Auffällig ist die Vielzahl substantivischer WBK mit dem Suffix *-ung* in T 1984. Aufmerksamkeit verdient das Suffix *-mäßig* in *Zweckmäßigkeit* und *serienmäßig* sowie das adjektivische Kopulakompositum *wirtschaftlich-technisch* (alle in T 1984).

3.5.4. Zur Bewertung von WBK

Der Sprachbenutzer – wir verstehen darunter alle aktuellen Benutzer der deutschen Sprache – verwendet ständig WBK für die Herstellung eines Textes und rezipiert sie mit Selbstverständlichkeit bei der Aufnahme eines Textes. Er prägt neue WBK als Gelegenheitsbildung (*meine Dienstagsgarderobe*) oder feste Benennung (*Bürocomputer*), die vom Rezipienten in der Mehrzahl der Fälle akzeptiert werden. Das schließt aber nicht aus, daß einzelne WBK oder Wortbildungserscheinungen vom Sprachbenutzer kritisiert werden und er den Fachmann um Bewertungen bittet, die damit zum Gegenstand der Sprachpflege werden. Das Urteil des Sprachbenutzers bewegt sich in einem Spannungsfeld, das durch die Annahme der tendenziellen Wortbildungserscheinungen und ihrer Ablehnung polarisiert ist. Dieses Spannungsfeld ist in mehrfacher Weise determiniert – durch die WBK als Benennung, durch das Sprachbewußtsein des Bewertenden, durch die Textumgebung, und es ist historisch veränderlich. Mit Hilfe anwendbarer Kriterien kann die Spannung abgebaut werden.

Der Produzent einer Benennung handelt aus dem Bedürfnis heraus, eine zweckmäßige Erst- oder Zweitbenennung zu prägen. Er kennt den Gegenstand und wählt ihm wichtig erscheinende begriffliche Merkmale („Rundfunkgerät mit Batterieantrieb, wie ein Koffer transportabel' – *Kofferradio*) für das Benennungsmotiv aus. Der Rezipient erhebt den Anspruch, die (neue) WBK zu „verstehen", d.h., er möchte die (ihm noch nicht geläufige) WBK aufgrund ihres Benennungsmotivs dem zugehörigen Begriff möglichst sicher zuordnen können. Das ist aber schwierig, da er die Auswahlprinzipien für die Merkmale und ihre Beziehung untereinander nicht unbedingt kennt (*Kofferradio* könnte auch ein Radio sein, das in einen Koffer paßt, für ihn vorgesehen ist u.a.). Diese Diskrepanz zwischen Sender- und Empfängerwissen kann zu ungerechtfertigten Ablehnungen von Seiten des Empfängers führen.

Das Sprachbewußtsein des Bewertenden ist nach Techtmeier als „subjektive Komponente der Sprachkultur" graduell differenziert in Sprachgefühl (erste Annäherung an Erkenntnis von Regeln), Alltagssprachbewußtsein (bewußtgemachte, erlernte Regeln), wissenschaftliches Sprachbewußtsein (begründete Hypothesen über Regeln der Sprachfähigkeit) (vgl. TECHTMEIER u. a. 1984, 395). Der in seinem Sprachgefühl verletzte Sprachbenutzer befragt den sprachberatenden Fachkollegen: Kann *Ingenieurbau* richtig sein, obwohl doch keine *Ingenieure gebaut* werden; stimmt *reamateurisieren*, auch wenn es kein +*amateurisieren* gibt; ist kürzeres *Tischgerät* nicht besser als längeres *Auf-Tisch-Gerät*; ist *Holzmaterial* eine falsche Doppelung; gibt es schon *saunieren*. Der Linguist kann nachweisen, daß diese WBK korrekt sind, und zwar mit Hilfe solcher Kategorien wie Wortbildungsbedeutung, kombinatorischer Derivation, Differenzierung und Systematisierung, Produktivität und Bildungsregel.

Die Bewertung von Wortbildungserscheinungen als Entwicklungstendenzen ist einem historischen Wandel unterworfen. So degradiert KRAUSE noch 1940 die „sog. Akü-Sprache" zu „Donquichotterien" und „Trümmerwort-Methode" (*B.d.A.* – *Bund deutscher Architekten* – vgl. KRAUSE 1940), und noch in den 50er Jahren geistert der „Akü-Fimmel" durch die Sprachpflege. Heute sind die Kurzwörter aus unserem Wortgebrauch nicht mehr wegzudenken, viele sind Internationalismen *(CAD/CAM)* und in Abkürzungswörterbüchern kodifiziert. Die bisweilen anzutreffende Erwartung des Sprachbenutzers, das Kurzwort ohne weiteres auf die Vollform zurückführen zu können, ist aufgrund der uneinheitlichen Kürzungsprinzipien und der unübersehbaren Zahl von Repräsentationen durch ein und denselben Buchstaben nicht gerechtfertigt. Gerechtfertigt ist aber der Anspruch des Lesers auf die angemessene Verwendung von Kurzwörtern (dazu SCHRÖDER 1985 b). Anstelle leserunfreundlicher Anhäufungen wenig bekannter Kurzwörter ist eine informierende Variation von Kurzwort und Vollform zu empfehlen, die den interessierten Leser in seinem Sprach- und Sachwissen befördert.

Die „verbreitete Zurückhaltung gegenüber Neubildungen" ist nach Fleischer ein geradezu „charakteristischer Zug" für „die Tradition der Sprachpflege des 19. und 20. Jahrhunderts" (FLEISCHER 1984a, 18). Gegenwärtig hat hierzu eine Gegenbewegung eingesetzt, die durch den Tätigkeitsaspekt in der Sprachtheorie, durch das tiefere Eindringen in die Gesetzmäßigkeiten der Benennungsbildung und durch textlinguistische Einsichten gestützt wird. Neben die traditionellen Kriterien wie ‚knapp‘, ‚deutlich‘, ‚ungewohnt‘, ‚störend‘, ‚unschön‘ treten Kriterien wie ‚funktional zweckmäßig‘, ‚funktionalstilistisch angemessen‘, kommunikativ nützlich‘. Auch wenn sie bisher noch nicht genau definiert sind, zeigen sie in ihrer Gesamtheit die Tendenz zu einer größeren Toleranz in der Bewertung. Nach Ising (1976, 48) sollte man bei der Beurteilung sprachlicher Äußerungen „von der Leistung der Sprache bei unterschiedlichen Anforderungen in der Kommunikation ausgehen". In diesem Sinne ist die Sprachpflege darum bemüht, nicht gerechtfertigte Erwartungsnormen des Sprachbenutzers gegenüber der Leistung von Benennungen abzubauen, indem sie Widersprüche im Benennungssystem (kurz/eindeutig) als Triebkräfte seiner Entwicklung darstellt (vgl. dazu 1.3.3.) und den Anspruch mancher Sprachbenutzer auf eine ideale Benennung widerlegt (dazu Starke 1979, Schröder 1982).

Sprachpflegerisch tätig zu sein bedeutet, entscheiden zu können zwischen „Norm − Spielraum − Verstößen" (vgl. Erben 1960), zwischen akzeptablen Entwicklungstendenzen, bedingt akzeptablen Modeerscheinungen, nicht akzeptablen Sprachschludereien. Für die Bewertung von WBK als Benennungen empfehlen sich die folgenden Kriterien.

1. Die WBK ist modellgerecht (nicht [+]*Ereigner*, wohl aber *saunieren*).
2. Das Benennungsmotiv steht in gut nachvollziehbarer Beziehung zum Begriff und begünstigt das Verstehen (ungünstig in *Funktionalorgan, Zweckverband,* günstig in *Agrarflugzeug*).
3. Die WBK ist anschaulich *(Trommelwaschmaschine)* und wirkungsvoll *(Defekthexe).*
4. Die WBK entspricht den Entwicklungstendenzen in der Wortbildung. Dementsprechend nutzt sie produktive Verfahren (Kürzung), Modelle (kombinatorische Derivation und partizipiale Konstruktionen) und Mittel (Reihenbildung), befriedigt kommunikative Bedürfnisse wie die nach Differenzierung und Systematisierung (mehrgliedrige Komposita), Verdeutlichung (Movierung) und Internationalisierung (Hybridbildungen).

Der sprachberatende Lexikologe leistet Sprachpflege im Sinne einer „Anleitung der Sprachteilhaber, die in der Sprache angelegten, sich wandelnden Möglichkeiten situationsgerecht und gut zu nutzen. Die wissenschaftlich begründete Sprachpflege nimmt dabei die Kenntnis der Sprachentwicklung zu Hilfe, berücksichtigt also die Ergebnisse der Forschung (Beobachtung, Registrierung und Analyse vergangener und gegenwärtiger Sprachzustände sowie Ermittlung künftiger Verhältnisse) bei ihrer informierenden und pädagogischen Tätigkeit" (Kehr 1985, 230).

4 Entwicklungstendenzen in der Grammatik

4.1. Entwicklungstendenzen in der Bildung und im Gebrauch der Wortarten
4.1.1. Substantiv

Was die Bildung der Deklinationsformen des Substantivs betrifft, so kann man von zwei Tendenzen sprechen: der Weiterführung des Kasusumbaus (vgl. LANG-NER 1980a, 675) und der „Differenzierung der pluralbildenden Morpheme von den kasus- und stammbildenden Morphemen" (ADMONI 1972, 103), was zur Trennung von Deklination und Pluralbildung geführt hat (vgl. GROSSE 1964, H. 1, 3; WERNER 1969, 123f.).

Beim Umbau des Kasussystems handelt es sich einmal um den Zusammenfall der Kasus, den Kasussynkretismus, und das weitere Vordringen der präpositionalen Kasus im Verhältnis zu den reinen Kasus, sowohl was die Zahl der Präpositionen als auch deren Gebrauch betrifft.

Noch in althochdeutscher Zeit war die Deklination abhängig von der Zugehörigkeit eines Substantivs zu einem bestimmten Stamm (Maskulina: z.B. a-, ja-, wa-, i-, a-Stämme). Diese Stämme wurden durch stammbildende Suffixe gekennzeichnet, die von den Endungen zu unterscheiden waren. Bereits im Mittelhochdeutschen kommt die deutsche Sprache mit vier Endungen (und Kombinationen aus ihnen) aus. Die Umgruppierung nach dem grammatischen Geschlecht vollzog sich in folgender Weise: Bei den Maskulina und Neutra findet man bereits zu Beginn des Mittelhochdeutschen eine im wesentlichen einheitliche Deklination aller ehemaligen vokalischen Stämme. Es handelt sich um die heutige sogenannte starke Deklination. Die ehemaligen n-Stämme bilden die schwache Deklination. Der dritte Haupttyp der Deklination ist heute die Deklination der Feminina. Das heute herrschende Deklinationssystem (starke, schwache Deklination und Deklination der Feminina) hat sich am Ende der frühneuhochdeutschen Periode herausgebildet, wenn auch die Kodifizierung erst gegen Ende des 18. Jahrhunderts erfolgt.

Die Entwicklung des Kasussystems vom Indoeuropäischen bis zum heutigen System der Kasus der deutschen Sprache ist also durch Beseitigung historisch bedingter Vielfalt – aus acht indoeuropäischen Kasus werden die vier heutigen – und durch die zunehmende Verstärkung des analytischen Sprachbaus gekennzeichnet. Zunehmend analytische Erscheinungen zeigten sich sowohl bei den reinen Kasus (Kennzeichnung durch Artikel) als auch in der Zunahme des Gebrauchs präpositionaler Kasus (vgl. SCHILDT 1984, 195).

Der Synkretismus führte dazu, daß heute nicht mehr alle Kasus scharf voneinander geschieden werden. Dafür gibt es einmal historische Gründe, zum anderen ist eine scharfe Trennung nicht mehr in jedem Fall erforderlich. So gibt es keine scharfe Trennung – wenn man die drei Genera in Singular und Plural in allen Kasus vergleicht – zwischen Nominativ und Akkusativ und zwischen Genitiv und Dativ. Auf der anderen Seite sind Dativ und Akkusativ sowie Genitiv und Nominativ/Akkusativ zu unterscheiden. Dafür nennt ADMONI (1972, 73) folgende Gründe: „Nominativ und Akkusativ gehören zu grundsätzlich verschiedenen Wortgruppen. Sie stoßen nur selten miteinander zusammen. ... Dagegen treten solche Kasus wie Dativ und Akkusativ sehr oft in einer und derselben Wortgruppe zusammen: in der Gruppe des Verbs, wo sie die Rolle der Objekte spielen. ... Der Genitiv ist vor allem der Kasus des Attributs. Daher wird er von allen anderen Kasus ziemlich scharf abgegrenzt, besonders vom Nominativ und Akkusativ." Vielfach besteht für die scharfe Trennung durch Morpheme/Artikel kein Bedürfnis. Der Kasus wird zunehmend durch Kontext und Distribution gekennzeichnet (vgl. EINFÜHRUNG GRAMM. 1985, 111).

Eine weitere Tendenz besteht darin, daß zunehmend reine Kasus, vor allem der Genitiv, durch präpositionale ersetzt werden. Diese Ausweitung führt zu einer Bereicherung der deutschen Sprache. Einer sehr beschränkten Zahl von reinen Kasus steht eine bedeutend größere Zahl von Präpositionen gegenüber. Damit ist auch gesagt, daß mit Hilfe der vielen Präpositionen die Erscheinungen präziser bezeichnet werden können als mit den wenigen reinen Kasus.

Wir werden bei der Betrachtung der Bildung der Kasusformen von den drei Deklinationstypen ausgehen, wie sie sich Ende des 18. Jahrhunderts herausgebildet haben.

Entwicklungen zeigen sich bei der Kennzeichnung des Genitivs stark deklinierter Substantive. Dabei muß man zwei Erscheinungen berücksichtigen, den Wegfall des tonschwachen *e* und die Eliminierung des *s*.

„Die Gleichmäßigkeit der Flexionsendungen ist schon im Mhd. und noch mehr im Nhd. gestört durch ungleichmäßige Ausstoßung des schwachen e" (PAUL 1954, II, 7). Eine solche Gleichmäßigkeit sah PAUL darin, daß die alten *o*- und *i*-Stämme schon im Ahd. im wesentlichen gleiche Endungen besaßen (a.a.O., II, 6). PAUL beurteilt den Wegfall des schwachen *e* in seiner Zeit folgendermaßen:

– Mehrsilbige Wörter auf *-el, -er, -em, -en* haben schon im Mhd. das *e* verloren: *Nagels, Wagens.*
– Später haben sich auch die Diminutivformen angeschlossen: *Kindleins.*
– Nach *s, ß, z* etc. muß die volle Form stehen, da es sonst zu Undeutlichkeiten kommen würde: *Ausmaßes, Kulturhauses, Ausschusses.*

– Mehrsilbige Wörter bevorzugen die verkürzte Form: *Reichtums, Abends.*
– „Im Gen. sind von den einsilbigen Wörtern die vollen Formen die norma-
 len ...“ (a. a. O., II, 7).
– Ein Problem stellen Zusammensetzungen dar. Hier finden wir häufig ver-
 kürzte Formen, „indem bei ihnen die Analogie des einfachen Wortes zum
 Gebrauche der vollen Form veranlaßt, daher z. B. *Anstandes, Anschlages* neben
 Anstands, Anschlags“ (a. a. O., II, 8).

Die Untersuchung einer Nummer einer Tageszeitung (ND 1982) brachte folgendes Ergebnis:
Die Form mit *e* ist zu finden

– bei einsilbigen Wörtern: *Volkes, Staates, Landes, Krieges*
– in Zusammensetzungen mit einsilbigen Grundwörtern: *Staatsrates, Parteitages,*
 Luftraumes, Volksfestes
– in Zusammensetzungen mit mehrsilbigen Grundwörtern, die einsilbige
 Stämme enthalten: *Freundschaftsbesuches, Zentralvorstandes* (vgl. HOLM 1985,
 35 ff.)
Sicher spielt auch der Rhythmus eine Rolle.

Es mehren sich auch Fälle, in denen die gesamte Endung des Genitivs, also
auch das *s* fehlt. Diese Erscheinung ist in der Literatur oft beschrieben worden
(vgl. u. a. LJUNGERUND 1955; ADMONI 1972, 76 f.; GROSSE 1964, H. 1, 4). Abgesehen von manchen unterschiedlichen Auffassungen, sind sich die Autoren einig,
daß das *s* vor allem bei Eigennamen und bei Kurzwörtern im Schwinden begriffen ist:

> *die Fassade des Belveder*
> *die Musik des Barock*

Man kann also sagen, daß das *s* des Genitivs zu schwinden beginnt. Während es
bei der Masse der Substantive, vor allem bei Substantiven (ohne Eigennamen)
nach dekliniertem Artikelwort und bei Eigennamen ohne Artikel, weiterhin fest
ist, wird es bei Eigennamen nach einem Artikel und nach Buchstabenwörtern
ziemlich häufig weggelassen. Diese Eliminierung ist kein Verlust, da der Kasus
ja durch andere Mittel (Artikel etc., Position) verdeutlicht wird. Der Abfall der
Genitivendung wird sich nicht aufhalten lassen (vgl. WB SPRACHSCHW. 1984,
466; STARKE 1984 b).
 Der Abnahme des Genitiv-*s* stehen wenige Fälle einer Zunahme gegenüber.
Gerade „bei Substantiven der schwachen Flexionsklasse, deren Endungen in allen Kasus mit Ausnahme des Nominativs Singular -en lauteten, (wurde) im Genitiv Singular gelegentlich ein zusätzliches -s aus der starken Flexion angefügt,
so daß dieser Fall in Formen wie *des Herzens* (...), *des Namens* (...), *des Glaubens*
(...) ... doppelt markiert war“ (SCHILDT 1984, 150).
 KOZMAN (1962) hat die Entwicklung des Ersatzes des Genitivattributes durch
die Umschreibung mit *von* untersucht und ist zu folgendem Ergebnis gelangt:

Im Neuhochdeutschen stieg der Gebrauch der Umschreibungen mit *von* auf das Vierfache. Das Verhältnis des Gebrauchs des Genitivs und der Umschreibung mit *von* beträgt im Mhd. 10:1.

Wir untersuchen nicht alle substantivischen Attribute mit der Präposition *von*. Auszuscheiden sind jene lexisch-semantischen Varianten der Präposition, die lokale, temporale, modale und kausale Relationen bezeichnen (vgl. WDG 1977, 4178 ff.). Es werden also jene präpositionalen Gruppen berücksichtigt, in denen *von* eine allgemeine Beziehung ausdrückt und in vielen Fällen als Ersatz für den Genitiv angesehen werden kann.

Vergleicht man einige Tageszeitungen aus der Mitte des vorigen Jahrhunderts mit heutigen, so fällt auf, daß einmal die Zahl der Bildungen mit *von* beträchtlich zugenommen hat, zum anderen, daß die Bedeutung der Substantive mit Präposition vielfältiger geworden ist.

Es wurden 100 Substantivgruppen mit *von* aus Tageszeitungen des Jahres 1982 zusammengestellt. Die Einteilung in Gruppen folgt im wesentlichen HELBIG/BUSCHA (1984, 593 f.), die syntaktische Kriterien anwenden:

1. Attributives Substantiv im Singular	
1.1. mit Nullartikel	4
1.2. mit Artikelwort	1
2. Attributives Substantiv im Plural	
2.1. mit Nullartikel ohne weitere Attribute	33
2.2. mit Adjektiv bzw. Partizip	9
2.3. mit Zahladjektiv	7
3. Attributive Eigennamen	
3.1. ohne Genitivzeichen	8
3.2. mit Genitivzeichen	37
4. Vermeidung von zwei aufeinander folgenden Genitiven	1
	100

Diese Statistik läßt folgendes erkennen:

Es gibt zwei Hauptverwendungsweisen des präpositionalen Attributes mit *von*:

– den Anschluß attributiver Substantive im Plural mit Nullartikel,
– den Anschluß von Eigennamen, die aber durchaus über die Möglichkeit verfügen, den Genitiv durch eine Endung zu kennzeichnen.

Wir versuchen, Gruppen nach semantischen Kriterien weiter zu zergliedern.

1. Attributive Substantive im Singular, die mit *von* angeschlossen werden, haben meistens einen Nullartikel.

    Es finden sich häufig Stoffbezeichnungen:

> *den Anteil* von Mais (SVZ)
> *die Förderung* von Erdöl und Erdgas (SVZ).

Aber auch Formen mit einem Artikelwort scheinen in zunehmendem Maße mit *von* verwendet zu werden:

Eine Schlangenwanderung von einem Ausmaß, wie ... (SVZ).

2. Bei den attributiven Substantiven im Plural überwiegen jene, die über einen Nullartikel verfügen, bei denen aber kein Attribut steht. Diese attributiven Substantive bezeichnen u. a.

– das Ganze, von dem das Beziehungswort einen Teil angibt:

Tausende von Quadratkilometern (ho 1982)
eine Fülle von Anregungen (ND 1982)

– den Schöpfer/Besitzer bzw. allgemein die Zugehörigkeit:

Notizbücher von Journalisten (ho 1982)
200 Zeichnungen von Mädchen und Jungen (SVZ 1982)

– das Agens/den Geschehensträger:

Auftritt von Singegruppen (ND 1982)
mit dem Erscheinen von Sachverständigen (M 1982)

– das Patiens bzw. das Ziel eines Prozesses:

die Ausfuhr von Erdnüssen und Erdnußprodukten (ho 1982)
die Erweiterung von Badestränden (ND 1982).

3. Attributive Eigennamen mit Nullartikel werden obligatorisch mit *von* angeschlossen:

jenes Lebensabschnittes von Brugsch (SVZ 1982)
Werke von Marx (M 1982)

Wie andere gehen auch wir davon aus, daß die Grundform des D a t i v s der starken Maskulina und Neutra historisch gesehen die Form mit *e* war (vgl. SCHIEB 1980, 225). Dieses Dativ-*e* schwindet seit dem 19. Jahrhundert immer mehr. Bei der Darstellung der Entwicklung sind verschiedene Aspekte zu berücksichtigen, u. a. „Wortgestalt (z. B. Wortlänge, Wortbildung, Wortauslaut), freie Wortverwendung oder feste Fügung, Bau der Wortgruppe, Tonverhältnisse in Wort und Satz, Existenzformen der Sprache, Funktionalstile und Stilschichten" (SCHIEB 1980, 223). Das kann hier nicht in allen Einzelheiten geschehen.

In der Mitte des vorigen Jahrhunderts tritt das *e* viel häufiger auf als heute, aber andererseits sind auch schon endungslose Formen zu finden.

Eine Analyse von Nummern der „Güstrower Zeitung" (1853) läßt folgendes erkennen:

– In vielen mehrsilbigen Wörtern erscheint damals noch das *e*, heute würde man es nicht mehr setzen:

im gewöhnlichen Verkehre, *vor dem* Appellationsgerichte, *zum* Abschiede, *dem wesentlichen* Inhalte *nach, im* Senate.

– Der Anteil der einsilbigen Substantive m i t *e* ist bedeutend größer als heute:

am Orte, *im ersten* Stocke, *in einem* Thale *von Wales, bei dem vielen* Gelde, *von jenem* Hunde, *aus dem ungarischen* Kampfe.

– Es finden sich aber bereits endungslose Formen, zuweilen werden von demselben Wort die volle u n d die verkürzte gebraucht:

> *im buchstäblichen* Sinne *des Wortes, mit einem* Wort, *nach dem oberen* Theil, *mit einem* Seil, *in jedem* Arm.

Es wurde zum Vergleich je eine Nummer einer Tageszeitung (SVZ) und eine Monatszeitschrift (M 1982) untersucht. Dabei fanden sich 30 Formen ohne *e*. Es lassen sich folgende Typen erkennen:

– Das *e* findet sich in einsilbigen Substantiven als Teil von festen Wendungen:

> *im wahrsten* Sinne *des Wortes.*

– Zuweilen stehen Formen mit *e* in festen Wendungen anderen ohne *e* gegenüber (lexisch-semantische Varianten e i n e s Wortes oder Homonyms):

> *mit einem* Schlage (bekannt sein)
> *auf jedem* Schlag (ging die Ernte zügig voran).

– Das *e* erscheint bei wenigen einsilbigen Substantiven:

> *im* Hause, *zum* Wohle, *in entscheidendem/zunehmendem* Maße, *an einem* Tage, *im* Jahre 896.

– Daß das *e* zum Teil willkürlich gesetzt wird, zeigt sich darin, daß in derselben Quelle, ja in demselben Beitrag sowohl die volle als auch die verkürzte Form stehen:

M a g a z i n
S. 36   *im* Falle *John Reads*
S. 67   *in diesem* Fall

S c h w e r i n e r   V o l k s z e i t u n g
S. 6   *der Paßtunnel ist der längste im* Lande
      (gemeint: die UdSSR)
S. 4   *in unserem* Land (gemeint: DDR)

Wenn PAUL (Bd. II 1954, 8) noch schreibt, daß „die verkürzten Formen häufiger von mehrsilbigen und zusammengesetzten Wörtern als von einsilbigen" gebildet werden, so kann man heute feststellen, daß die verkürzte Form die Norm darstellt und sich das *e* lediglich bei einigen einsilbigen Wörtern findet, besonders wenn sie Teile fester Wendungen sind (vgl. WB SPRACHSCHW. 1984, 464; STARKE 1984b).

Eine besondere Kennzeichnung des Akkusativs durch Endungen gibt es heute nur in wenigen Fällen. So unterscheiden schwache Substantive Akkusativ und Nominativ:

der Knabe – *den* Knaben, *der* Junge – *den* Jungen, *der* Präsident – *den* Präsidenten.

Tendenzen des Abfalls des *en* zeigen sich bei endungsbetonten Fremdwörtern:

der Spezialist – *den* Spezialist.

Generell kann man sagen, daß es hinsichtlich des Gebrauchs der Kasus im Bereich der Objekte und im Bereich des substantivischen Attributs bei Substantiven deutliche Verschiebungen gibt. So gehen Genitiv- und Dativobjekte allgemein zurück. Man spricht von den Tendenzen der Akkusativierung und der Präpositionalisierung (vgl. P. BRAUN 1979, 44). Im Bereich des Substantivs nimmt der Gebrauch substantivischer Attribute zu. Das hängt u. a. mit der zunehmenden Nominalisierung, dem häufigeren Gebrauch (abstrakter) Substantive zusammen.

Man kann nicht global sagen, der Genitiv trete zurück bzw. werde häufiger gebraucht als früher. So nimmt er im Bereich des Verbs ab, während im Bereich des Substantivs eine Zunahme zu verzeichnen ist (vgl. HOLM 1985, 58 und 61).

Beim Genitiv als Objekt bei Verben ist ein starker Rückgang zu vermerken. Nach LINDGREN (1969, 147 ff.) hatte der Genitiv folgenden Anteil: „Ahd. Tatian (2,4 %) – Otfrid (9,4 %) – Nibelungen (9,0 %) – Luther (3,6 %) – Fischart (2,4 %) – Goethe (1,2 %) – Schiller (0,4 %) – Musil (1,0 %) – Rinser (0,0 %) – ‚Die Zeit‘ (0,2 %) – ‚Quick‘ (0,2 %).“ Der Genitiv „stand besonders bei den Verben des Zielens, des Verfehlens, des Genießens, des Teilhabens und des Wertens und bezeichnete das Objekt, auf das sich der Verbalvorgang erstreckte, als unbegrenzte, unbestimmte Masse oder als geteiltes Ganzes ...“ (W. SCHMIDT 1973, 145). Heute ist das Genitivobjekt allgemein selten. Es findet sich vor allem bei reflexiven Verben. HELBIG/BUSCHA (1984, 59) nennen folgende Verben, die den Genitiv regieren:

sich annehmen, sich bedienen, bedürfen, sich befleißigen, sich bemächtigen, sich besinnen, sich entäußern, sich enthalten.

Es gibt aber auch bei diesen Verben bereits die Tendenz, den Genitiv durch ein Substantiv mit Präposition zu ersetzen:

Ich erinnere mich des Festes/an das Fest.

In diesen Fällen wirkt der Genitiv gehoben (vgl. ADMONI 1972, 118).

Ähnlich wie bei Verben ist es auch mit dem Genitiv bei Adjektiven. HELBIG/BUSCHA (1984, 317) nennen für die Gegenwart:

ansichtig, bar, bedürftig, sich bewußt, eingedenk, gewahr, (sich) gewärtig, gewiß, kundig, ledig, mächtig, schuldig, (sich) sicher, verdächtig, würdig.

Der Rückgang deutet sich in zunehmendem Ersatz an:

Er ist froh über das Ergebnis.

Auch als adverbiale Bestimmung ist der Gebrauch des Genitivs zurückgegangen. Es finden sich einige wenige, häufig formelhafte Bezeichnungen lokaler, temporaler und modaler Umstände:

> *seiner Wege (gehen), des Morgens/Abends, erhobenen Hauptes, schnellen Schrittes.*

Beim Genitiv als Attribut kann man nicht von einem Rückgang, sondern im Gegenteil von einer Zunahme sprechen. Das hängt mit der noch ausführlich zu erörternden Tendenz zusammen, ganze Satzinhalte in Form substantivischer Gruppen auszudrücken.

Es ist hier und an anderer Stelle deutlich geworden, daß es für den Genitiv Konkurrenzformen gibt, daß er auch durch Substantive mit Präposition ersetzt werden kann. Das betrifft verschiedene syntaktische Verwendungsweisen:
Attribut: *das Haus* des Freundes – *das Haus* vom Freund
Objekt neben Verben: *Ich erinnere mich* des Vorfalls/an den Vorfall.
Adverbiale Bestimmung: Des Morgens *ist es kühl.* Am Morgen *ist es kühl.*

Die Gründe für den Ersatz des Genitivs sind unterschiedlicher Art. So spielt die allgemeine Tendenz des Übergangs von synthetischen zu analytischen Formen eine Rolle wie auch die Möglichkeit, mit Hilfe von Präpositionen Bedeutungen präziser ausdrücken zu können. Schildt ist der Meinung, daß die Funktion am reinen Genitiv nicht mehr deutlich erkennbar war, so daß Ersatzkonstruktionen gebraucht wurden (vgl. SCHILDT 1984, 114, 195).

Der Dativ wird als Objekt heute häufiger gebraucht als der Genitiv. So bringt LINDGREN (1969, 150 f.) folgende Zahlen, die das beweisen, aber auch den Rückgang des Dativobjektes verdeutlichen: „Tatian (13,8 %) – Otfrid (16,4 %) – Nibelungen (20 %) – Luther (11,4 %) – Fischart (11 %) – Goethe (15,4 %) – Schiller (12,2 %) – Musil (5,4 %) – Rinser (7,4 %) – ‚Die Zeit‘ (7,4 %) – ‚Quick‘ (5,2 %)."

Die Hauptverwendungsweise des Dativs ist die des Objektes. Verben mit einem Dativ werden zuweilen durch Verben mit einem Akkusativ ersetzt (jemandem *antworten* – einen Brief *beantworten*; jemandem Waren *liefern* – einen mit Waren *beliefern*). Wir haben es mit der Tendenz der Akkusativierung zu tun. Dafür gibt es verschiedene Ursachen, darunter auch die, daß die Verben mit einem Akkusativ „passivnäher" sind als die mit dem Dativ. Aber Feststellungen wie folgende sind abzulehnen: „… das Vorrücken von passivischen oder potentiell passivischen Fügungen (…) ist Spiegel des stetigen Verlusts des persönlichen Freiraums …" (KÖNIG 1978, 119). Sicherlich gibt es Beziehungen zwischen Sprache und gesellschaftlicher Entwicklung, die aber nicht so vordergründig zu sehen sind. Im Mittelpunkt der Betrachtung steht vielfach das Ergebnis, was – gerade im Zeitalter der wissenschaftlich-technischen Revolution – wohl nicht darauf zurückzuführen ist, daß der Mensch „zurücktritt". Die Auffassung vom „inhumanen Akkusativ" ist also abzulehnen.

Der Dativ als Objekt bezeichnet in den meisten Fällen die Person. Dabei werden Schwankungen zwischen Dativ und Akkusativ beobachtet: *„Dünken* wird zwar im Got. mit dem Dat., im Ahd. mit dem Dat. oder Akk. verbunden; im Mhd. aber herrscht der Akk., und erst im Nhd. hat sich wieder daneben der Dat. eingestellt" (PAUL, Bd. III, 1954, 383). Relativ häufig findet man Verben, die einen Dativ (der Person) und einen Akkusativ (der Sache) regieren. Dieses Modell hat das Modell „Verb mit dem doppelten Akkusativ" verdrängt.

Der Dativ steht auch als freie Angabe. Hier wird er „zum Ausdruck eines Interesses, eines Beteiligtseins irgend welcher Art" (PAUL, Bd. III, 1954, 411f.) schon durch Substantiv mit Präposition *für* ersetzt:

> *Das ist* mir *ein Bedürfnis. – Das ist* für mich *ein Bedürfnis.*

Wir haben oben schon darauf hingewiesen, daß dem differenziert zu betrachtenden Rückgang von Genitiv und Dativ eine Zunahme im Bereich des Akkusativs (Akkusativierung) gegenübersteht (vgl. SPERBER/POLENZ 1966, 111). „Der Grund ... ist das durchaus legitime Streben nach ökonomischem Einsatz der Sprachmittel. Handlungsverben (transitive Verben) ermöglichen einen klaren, einfachen und elastischen Satzbau. Deshalb werden sie heute immer mehr bevorzugt, denn unser modernes Arbeits- und Lebenstempo zwingt uns, überall Zeit und Kraft zu sparen" (W. SCHMIDT 1973, 167).

In der Präpositionalisierung sehen wir eine zweite Tendenz beim Gebrauch der Kasus. Der Vorteil präpositionaler Kasus gegenüber den reinen Kasus liegt in der größeren Konkretheit. Man vergleiche folgende Konstruktionen:

> *das Wasserwerk* Gräfenrodas
> *das Wasserwerk* in/bei Gräfenroda
> *das Wasserwerk* für Gräfenroda

Der Genitiv bezeichnet allgemein die Zugehörigkeit im weiten Sinne, die Präpositionen dagegen bezeichnen konkrete lokale, finale etc. Beziehungen. Zuweilen bestehen zwischen den reinen Kasus und den mit ihnen konkurrierenden präpositionalen Kasus begriffliche Unterschiede.

> *Er malt* ein Wandbild. *Er malt* an einem Wandbild.

Der Satz mit dem präpositionalen Kasus bezeichnet eine durative Tätigkeit, über den Abschluß wird nichts gesagt, während der Satz mit dem Akkusativobjekt auf das Ende der Tätigkeit hinweist.

Zusammenfassend läßt sich hinsichtlich der obliquen Kasus sagen: Während man bei der Bildung der Kasus von einem fortschreitenden Kasussynkretismus sprechen kann (einschließlich der Tendenz zum sogenannten Gemeinschaftskasus), erscheinen im Gebrauch der Kasus die Tendenzen der Akkusativierung und Präpositionalisierung.

Generell kann man feststellen, daß sich die Verwendungsmöglichkeiten des Nominativs beträchtlich erweitert haben, daß er in syntaktischen Rollen auftritt, in denen er früher nicht zu finden war (vgl. W. SCHMIDT 1973, 136; LANGNER 1980a, 675). Es sollen hier nur einige angeführt werden. So steht der Nominativ heute u. a.:

- hinter Präpositionen: *wegen* Geldmangel (statt Genitiv)
- bei Maß- und Mengenangaben: *ein Kilo* Fleisch (statt Genitiv)
- bei einem Monatsnamen nach einem Substantiv: *Anfang* Juni (statt Genitiv)
- bei bestimmten Appositionen, deren Beziehungswort nicht im Nominativ steht: *Wir erwarteten als Gast Helga Schulze*, Stellvertreter des Vorsitzenden der Genossenschaft.
- bei *als* und *wie*: *Das Buch handelt von der Persönlichkeit Lessings* als Mensch und Dichter ... (GRIMM 1978, 65; vgl. HOLM 1985, 50f.).
- Vielfach stehen Herkunftsbezeichnungen, in Kommas eingeschlossen, im Nominativ, ohne daß der lokale Bezug durch eine Präposition signalisiert wird: *Wir gratulieren unserer Leserin Else Schlapmann*, Güstrow, Dachsssteig 10, *zum 80. Geburtstag* ... (SVZ 1982)

Wenn man diese Erscheinungen insgesamt betrachtet, kann man erkennen, daß sich der Nominativ in der Substantivgruppe, aber auch in anderen Bereichen gegenüber anderen Kasus mit oder ohne Präposition durchsetzt.

Über diese Erscheinung der Ausbreitung der Verwendungssphäre des Nominativs ist in der Vergangenheit häufig diskutiert worden.

Manche Sprachwissenschaftler nehmen einen neuen Kasus an, neben den vier existierenden, den „Gemeinschaftskasus". Dieser Gemeinschaftskasus sei gekennzeichnet durch Fehlen der Kasusflexion und artikellosen Gebrauch (vgl. ADMONI 1972, 124 ff.). Andere sehen hier eine besondere Verwendungsweise des Nominativs.

Admoni führt für diese Erscheinung eine Reihe von Gründen an, denen wir uns anschließen. In der Substantivgruppe beruht „das syntaktische Verhältnis zwischen ihren Gliedern auf der Kongruenz, die in den meisten Fällen monoflexivisch zum Ausdruck gebracht wird" (ADMONI 1972, 126). Die meisten anderen Fälle beruhen auf der Benennungsfunktion des Nominativs. Es wirken auch hier die „syntaktischen Fügungstendenzen, die eben für den Nominativ charakteristisch sind. Von der Form des Nominativs gehen potentielle syntaktische Strahlungen aus, die sowohl auf das Prädikat vom Subjekt her (wenn der Nominativ die Funktion des Subjekts oder eine analoge übernimmt) als auch auf das Subjekt vom Prädikat her (wenn der Nominativ als Prädikativ oder in einer analogen Funktion auftritt) gerichtet sind ... So bekommt der Nominativ in den verselbständigten Attributen, besonders bei einiger Distanzierung vom regierenden Wort, scheinbar eine prädikative Beziehung zu dem im regierenden Wort enthaltenen Begriff, die dem Nominativ im Benennungssatz eigen ist: es wird auf diese Weise die unmittelbare Zugehörigkeit des von ihm bezeichneten Begriffes zu einem anderen Begriff bezeichnet, der im Kontext enthalten ist" (ADMONI 1972, 126).

Weiter werden die Tendenzen zum Übergang in die syntaktische Ruhelage – der Nominativ sei der Kasus der Ruhelage – und die Tendenz zur Monoflexion als Ursachen für den Übergang in die Nominativform angesehen (vgl. JARNATOWSKAJA 1981, 89ff.).

Im folgenden sollen die lockere Apposition und das Beziehungswort untersucht werden. Die Quellentexte der Sprache des 20. Jahrhunderts sind fast ausnahmslos Tageszeitungen.

Bei Appositionen, die nur Namen enthalten und die im Genitiv stehen müßten, hat sich der Nominativ durchgesetzt:

> ... überbrachte die ... *Grüße des Leiters des Betriebes,* Horst Müller, ...

In anderen Fällen ist der Kasus nicht festzustellen. Analog zu den Appositionen zu Genitiven möchten wir auch hier vom Nominativ sprechen:

> ... *um mit dem Vorsitzenden des 6. Bach-Wettbewerbs,* Professor Rudolf Fischer, *zu sprechen.* (ND 1982)

In Appositionen zu Namen, die den Titel, den Beruf, die Funktion etc. angeben, hat sich, unabhängig vom Kasus bzw. der Präposition des Beziehungswortes, der Nominativ durchgesetzt:

> *In einem Gespräch mit Dr. Werner Müller,* Direktor der Erweiterten Oberschule „Geschwister Scholl", *erfuhr der Reporter* ...

Beginnen die Appositionen mit einem Artikel, wird die Kongruenz im allgemeinen beachtet. Es zeigen sich aber auch hier Abweichungen:

> *Frank Wahl,* der überragende Spieler seiner Mannschaft, *gelangen bis dato acht Tore.* (Tr 1982)

In Appositionen, die sich nicht auf Substantive beziehen, die Menschen bezeichnen, ist Kongruenz zu beobachten:

> ... *wurde von Kurt Nolze ... im Kabarett „Arche" gestaltet,* dem ständigen Auftrittsort der Gäste aus allen Teilen der Republik. (ND 1982)

In dem untersuchten Material kommen vereinzelt Appositionen im Dativ vor, die nicht kongruieren. Sie beziehen sich auf unterschiedliche Kasus der Beziehungswörter:

> *Der Schweriner Richard Nowakowski – ... – erkämpfte im Federgewicht eine Bronzemedaille. Im Halbfinale verlor er gegen den späteren Weltmeister,* dem Kubaner Horta. (SVZ 1982)

Solche Bildungen sind abzulehnen (vgl. WB SPRACHSCHW. 1984, 44f; ZOMMERFELDT 1983).

Zusammenfassend läßt sich feststellen:

– In Substantivgruppen, in denen die Apposition den Namen eines Menschen bzw. eine zusätzliche Angabe zu einem Menschen angibt, wird der Nominativ immer häufiger verwendet. Er hat sich bei artikellosem Gebrauch der Apposition durchgesetzt. Es treten aber bereits Fälle auf, in denen auch Appositionen mit dem Artikel in den Nominativ treten. Der Nominativ findet sich nicht nur in Appositionen, die den Titel bzw. den Beruf angeben, und nicht nur bei Buchtiteln.

- Der Nominativ steht in Appositionen, die sich auf den ganzen Satz oder auf umfangreiche Teile des Satzes beziehen.
- In allen anderen Arten der traditionellen Appositionen herrscht weiterhin Kongruenz im Kasus.
- Es gibt Ansätze, in denen die Apposition, unabhängig vom Kasus des Beziehungswortes, im Dativ steht. Diese Fälle sind abzulehnen.

Für die Pluralbildung lassen sich zwei Tendenzen erkennen (vgl. LJUNGERUD 1955, WINGE 1978):

- Noch im Ahd. gab es kein besonderes Pluralmorphem. Jede Kasusendung bezeichnete Kasus und Numerus. Die Gegenwartssprache verfügt dagegen über spezielle Pluralmittel. „Im Laufe der Sprachentwicklung haben sich diese Morpheme von anderen Funktionen befreit, die ihnen früher eigen waren (der Ausdruck der Stammeszugehörigkeit und des Kasus)" (ADMONI 1972, 101).
- Ursprünglich gab es für die einzelnen substantivischen Stämme gesonderte Pluralkennzeichen. „Wie wir in den Sg.-Kasus-Klassen eine Tendenz zur Ordnung nach den Genera verzeichnen (fem. ohne Endung, schwach nur masc. Lebewesen, gemischt masc. mit Ausnahme von ‚Herz'), so deutet sich eine solche Konsolidierung auch bei den Pluralmorphemen an" (GROSSE 1964, 4). WORONOV (1962, 173 ff.) gibt folgende Zahlen an:

    masc.: *-e*/ca. 80 %
    fem.:   *-en*/ca. 75 %
    neutr.: *-er*/ca. 60 %

In der deutschen Sprache der Gegenwart gibt es folgende Möglichkeiten zur Bezeichnung des Plurals:

- Suffixe *-e/-en* ohne Umlaut (*Tage, Berge, Hase*n)
- Suffixe *-e/-er* mit Umlaut bei umlautfähigem Stammvokal (*Gäste, Büch*er, *Feld*er)
- Umlaut allein *(Töchter, Vögel)*

Daneben gibt es andere, auch lexikalische Möglichkeiten der Kennzeichnung der Mehrzahl, u. a.

- Verwendung von Zahladjektiven, ohne daß das Substantiv im Plural steht: *10 Glas Bier, 4 Sack Zement, mit 58,1 Prozent*
- Wortwiederholungen: *Woche für Woche, Auto nach Auto, Buch über Buch*
- Sammelbezeichnungen: *Obst, Material, Wäsche*
- Zusammensetzungen mit Grundwörtern wie *-gut, -zeug, -werk, -wesen* ..., die reihenbildend wirken und die den Charakter von Suffixen annahmen: *Ideengut, Backwerk*.

Unabhängig von der unterschiedlichen Entwicklung der Arten der Pluralbildung im engen Sinne, der Morpheme, auf die gesondert eingegangen wird, soll hier auf einige Tendenzen hingewiesen werden:

– Auf der einen Seite nehmen Zusammensetzungen mit bestimmten Grundwörtern, die den Charakter von Suffixen annehmen, zu *(Blattwerk)*.
– Vor allem zur Bezeichnung verschiedener Arten/Sorten stehen lange, unökonomische Bildungen zur Verfügung: *Weinbrandarten, Grippearten, Eiweißarten, Milchsorten.* Die Substantive, die betroffen sind *(Eiweiß, Milch, Honig),* sind eigentlich nicht pluralfähig. Nun bilden auch sie mit Hilfe alter Morpheme den Plural. So entstehen kurze Wörter, die Ausdruck der Tendenz der Ökonomie sind:

> *Weinbrände, Eiweiße, Grippen, Honige, Zemente, Rotweine.*

Diese Erscheinung „zeigt sich besonders bei Fachwörtern" (Kl. Enzykl. 1983, 691).
– Viele abstrakte Substantive, vor allem auf *-heit, -keit-, -ung,* bezeichnen auch eine Einzelhandlung bzw. einen Zustand. Diese Substantive sind in zunehmendem Maße pluralfähig:

> *Bedrängungen, Unsicherheiten, Empfindlichkeiten, Überholverbote.*

Wir wenden uns jetzt der Entwicklung dreier wichtiger Pluralmittel zu (vgl. Langner 1980, 676), die seit Jahrhunderten vordringen, weil sie den Singular deutlich vom Plural abheben: *-er, -s* und dem Umlaut.

-er
Das Suffix *-er* (ahd. *-ir*) ist eigentlich kein Pluralkennzeichen, sondern gehört zum Stamm. „Die Grundlage für diese Flexionsweise bildeten zweisilbige neutrale s-Stämme, die griechischen und lateinischen wie genos, genus entsprachen. Das s wurde im Urgerm. nach dem Vernerschen Gesetz erweicht und fiel dann im Nom.-Akk.Sg., wo es im ursprünglichen Auslaut stand, nach dem westgermanischen konsonantischen Auslautgesetz ab, während es in den übrigen Kasus zu r wurde ... Dann ... verloren die Singularformen ihr *-ir* infolge einer Angleichung an den Nom.-Akk. Die ferner stehenden Pluralformen entzogen sich im allgemeinen dieser Angleichung, und die Erhaltung des *-ir* wurde dadurch begünstigt, daß nun ein charakteristischer Unterschied zwischen Sg. und Pl. bestand ... So kam es, daß das *-ir* als Charakteristikum des Pl. gefaßt und nun auch weiter auf ursprüngliche o-Stämme übertragen wurde" (Paul 1954, Bd. II, 23 f.). In der Folgezeit setzt sich der Plural auf *-er* zunächst bei den Neutra, dann bei den Maskulina (*a-* und *ja*-Stämme) durch.

-s

Das Pluralsuffix -s hat sich seit dem 18. Jahrhundert eingebürgert und breitet sich seitdem aus (vgl. KL. ENZYKL. 1983, 690f.). Sein Wert ist in den letzten Jahrzehnten unterschiedlich beurteilt worden und wird es auch heute noch. Einige Verwendungsweisen werden abgelehnt (vgl. W. SCHMIDT 1973, 120). Unklar ist die Herkunft des -s. „Man spricht von französischer bzw. französisch-englischer Herkunft (...) bei den Fremdwörtern, von niederdeutscher bei niederdeutschen und sonstigen deutschen Wörtern, von einem Weg aus dem Französischen über das Niederdeutsche (...) bzw. über das Mittelniederländische und Niederdeutsche ins Hochdeutsche (...)" (SCHIEB 1980, 228f.).

Auf jeden Fall ist das deutsche Pluralsystem durch das -s bereichert worden. „Gerade beim Plural-/s/ handelt es sich um das Zusammenwirken sehr vieler Komponenten, so Erfordernisse des Sprachsystems (Fälle, wo die Endungen -/e/, -/en/, -/er/ nicht in Frage kommen oder die unflektierte Form nicht eindeutig ist), innerdeutsch areale Einflüsse (Niederdeutsch), Fremdeinflüsse (Französisch, Niederländisch), Interferenzen zwischen den Existenzformen der Sprache (...) wie zwischen Funktionalstilen und Stilschichten (...)" (SCHIEB 1980, 226). Folgende Verwendungsweisen werden heute allgemein akzeptiert:

– bei Substantiven aus dem Niederdeutschen, der Seemannssprache, Meteorologie: *Deck*s, *Tief*s,
– bei Fremdwörtern, besonders aus dem Französischen und Englischen: *Büro*s, *Hotel*s, *Trikot*s, *Israeli*s, *Streik*s, *Bombardement*s,
– bei Kurzwörtern: *LKW*s, *AG*s, *LPG*s, *VEG*s,
– bei Substantiven auf Vokal: *Vati*s, *Mutti*s, *Otto*s,
– bei Familiennamen: die *Schmidt*s, *Schulze*s,
– bei Satzwörtern, die kein dekliniertes Grundwort haben: *die Lebehoch*s.

Abgelehnt, vor allem in der Literatursprache, werden diese Pluralformen:

– bei Wörtern, deren Plural- wie die Singularform lautet: *die Mädel*s, *Fräulein*s,
– bei Wörtern, deren Plural bereits gekennzeichnet ist: die *Jungen*s. (Vgl. W. SCHMIDT 1973, 120.)

Umlaut

Der Umlaut ist ursprünglich eine Erscheinung der *i*-Deklination. Die Endungen der *i*-Deklination im Plural bewirkten den Umlaut. Im Laufe der Zeit übernahmen auch Substantive der *o*-Deklination „nach Analogie der i-Stämme" (PAUL, Bd. II 1954, 9) den Umlaut im Plural. „Während es ursprünglich nur ein Zufall war, daß sich die Pluralformen zum Teil von den Singularformen durch den Umlaut abhoben, hat sich derselbe allmählich zu einem charakteristischen Kennzeichen des Pl. ausgebildet" (PAUL, Bd. II 1954, 9).

Heute tritt der Umlaut in folgenden Fällen auf:

– in Substantiven, die den Plural auf -e bilden: *Bälle*,
– in Substantiven, die den Plural mit -er bilden: *Häus*er,
– als alleiniges Pluralmittel: *Vögel*. (Vgl. HELBIG/BUSCHA 1984, 239ff.)

Die Tendenz der Zunahme des Gebrauchs des Umlautes zeigt sich auch bei Fremdwörtern, bei denen er zu einem Pluralmorphem tritt:

General – Generäle
Admiral – Admiräle

(Vgl. LJUNGERUD 1955, 33.)

Auf den Gebrauch der Numeri wird nur kurz eingegangen, da hier keine wesentlichen Veränderungen zu verzeichnen sind.

Der Singular bezeichnet „einmal Vorhandenes" oder „etwas Einheitliches" (W. SCHMIDT 1973, 111), zuweilen auch eine Vielheit (*Volk* = Gemeinschaft von Menschen, *Wald* = Menge von Bäumen). Beim Plural unterscheiden wir den individuellen Plural *(Tische, Schüler, Angebote)* und den sog. Einheitsplural. Hier bezeichnet er zusammengesetzte Einheiten. „Beim Einheitsplural lassen sich nach dem Charakter der Teilvorstellungen verschiedene Arten herausarbeiten:

a) die Teile sind gleichartig: *Ängste, Vorräte*;
b) die Teile sind ungleichartig oder können es wenigstens sein: *Gezeiten, Eingeweide*;
c) die Teile kommen uns gar nicht mehr zu Bewußtsein: *Ostern, Pfingsten, Weihnachten*" (W. SCHMIDT 1973, 114).

Insgesamt geht der Einheitsplural zurück. Solche Einheitsplurale werden heute als Singulare empfunden, „wenn ihr semantischer Inhalt als Einheit aufgefaßt" wird (a.a.O., 114): *Mühlhausen, Hessen, Preußen, die Bibel* (biblia = die Bücher), „die Brille (älter: *der Brill*) und dazu der Plural *die Brille*" (a.a.O., 115).

4.1.2. Verb

Das Verb – als Prädikat gebraucht – ist die für den deutschen Satz entscheidende Wortart.

Im Indoeuropäischen konnten die verschiedenen Rollen des Verbs durch unterschiedliche Elemente am Verb selbst gekennzeichnet werden. So gab es damals neben dem Basismorphem ein Tempussuffix, ein Modussuffix und eine Personalendung. Im Laufe der Zeit kam es, bedingt auch durch die im Germanischen geänderten Akzentverhältnisse, zur Abschwächung der Endsilben und damit zur Verschmelzung der unterschiedlichen grammatischen Elemente und zum Zusammenfall von Formen. „Dabei werden ... die verschiedenen Funktionen des Verbs Schritt für Schritt vom Verb selbst auf seine Umgebung übertragen" (KERN/ZUTT 1977, 61). Das Aufkommen analytischer im Gegensatz zu den vielfach undeutlich gewordenen synthetischen Formen mag durch das Bestreben der Sprecher/Schreiber nach Verdeutlichung bedingt sein. Damit hängt eine zweite Tendenz zusammen, die „zur Zwei- oder sogar Mehrteiligkeit, wobei diese Teile zwei strukturelle Zentren im Satz bilden, die voneinander distanziert sind. Diese Erscheinung hängt mit einer der wesentlichsten Gesetzmäßigkeiten des deutschen Satzbaus zusammen – mit der Bildung des Satzrahmens" (ADMONI 1972, 158).

Traditionell unterscheidet man in der Gegenwartssprache die starken und die schwachen Verben. Daneben beschreiben manche Sprachwissenschaftler noch unregelmäßige und solche mit schwankender Konjugation (vgl. W. SCHMIDT 1973, 205). Heute sind nur die schwachen Verben produktiv. Sie bilden alle Formen mit Hilfe von grammatischen Affixen, ohne den für die starken Verben typischen Ablaut. Dieser Typ der schwachen Verben „zeichnet sich durch große Klarheit und Einfachheit aus" (W. SCHMIDT 1973, 205). Weiter kann man beobachten, daß immer mehr starke Verben in die schwache Konjugation hinüberwechseln. LANGNER (1980a, 676f.) unterscheidet drei Entwicklungsstufen:

– Starke Verben, die vollständig in die schwache Konjugation hinübergewechselt sind: *bellen – boll.*
– Starke Verben im Übergang, starke und schwache Formen stehen mit bzw. ohne semantische Differenzierung nebeneinander:

 · *melken – molk/melkte – gemolken/gemelkt*
 · *backen – buk/backte – gebacken*

– Starke Verben, deren schwache Formen bisher nur in der Mundart bzw. der Umgangssprache gebraucht werden:

 scheinen – schien/scheinte – geschienen/gescheint
 (vgl. STARKE 1984b, 143; BITTNER 1985).

Der Übergang von der starken zur schwachen Konjugation zeigt sich auch bei der Bildung des Imperativs. Noch PAUL stellt fest: „Die st. Verben nehmen ... -e im Auslaut an, abgesehen von denen, in welchen der Imp. einen anderen Wurzelvokal hat als der Inf., also hilf, brich, tritt ..." (PAUL, Bd. II 1954, 197). Heute trifft man schon Formen wie

 eß, helfe, gebe, trete (vgl. WB SPRACHSCHW. 1984, 236).

Es gibt aber weitere Fälle der Angleichung der starken an die schwache Konjugation. So wurde vom 13. Jahrhundert an in der 1. und 3. Pers. Sg. Ind. Prät. der starken Verben ein *e* angefügt, in den meisten Fällen im Nhd. aber wieder ausgestoßen. Nur *wurde* hat sich behauptet und das noch im 19. Jahrhundert vorhandene *ward* verdrängt. Hier beobachten wir auch die weitere Angleichung der Vokale des Präteritums. Noch im vorigen Jahrhundert gab es „normale" Formen mit *ward*:

 Eine Abschrift des Urteils ward *mir zugesagt und angefertigt ...* (Ja)
 Eine Abschrift ward *mir vom Inquiranten unbedenklich zugesagt ...* (Ja)

Es ist aber verfehlt, zu behaupten, die starken Verben wären im Absterben begriffen. Sicherlich, aus Gründen der Sprachökonomie werden heute nur noch schwache Verben gebildet. Die restlichen starken Verben sind aber außerordentlich wichtig, denn

– „Sie bezeichnen die allgemeinsten und besonders oft wiederkehrenden Handlungen und Bewegungsformen des Menschen (*geben, nehmen, gehen, kommen, laufen* usw.), die allgemeinsten als Vorgang dargestellten Formen des Seins (*sein, werden, bleiben, scheinen*), die zur Bildung der kopulativen Verben und der meisten Hilfsverben verwendet werden" (ADMONI 1972, 166).
– Von starken Verben wurden und werden viele Derivate gebildet:
nehmen: abnehmen, annehmen, vernehmen, zunehmen...

Im Germanischen reduzierte sich die Zahl der synthetischen Tempora im Verhältnis zum Ide. auf zwei, das Präsens und das Präteritum. Im Laufe der Zeit entwickelten sich (analytische) Tempora, unsere heutigen Perfekt, Plusquamperfekt, Futur I und II. Für den Gebrauch von *haben* und *sein* im Perfekt und Plusquamperfekt gibt es bereits in den Grammatiken des 17. und 18. Jahrhunderts feste Regeln. Komplizierter verlief die Entwicklung des Futurs. Noch im Ahd. gab es keine besondere Form Futur, die Aufgabe der Bezeichnung zukünftiger Prozesse besaß das Präsens. Aber danach mehrten sich die Versuche, ein (analytisches) Futurum zu bilden. Im Mhd. finden wir zur Bezeichnung der Zukunft modale Verben wie *sollen, wollen, müssen* und das Verb *werden*. Im 17. Jahrhundert hat sich die Form mit *werden* durchgesetzt, und diese Form wird zum Paradigma des Verbs gerechnet.

LANGNER (1980 a, 677) stellt fest, daß „seit ide. Zeit die Formen zum Ausdruck vergangener Geschehen stärker ausgeprägt waren als die zur Darstellung des Künftigen". Das entspreche den Anforderungen der kommunikativen Praxis. Diese Feststellung wird dadurch erhärtet, daß sich seit frnhd. Zeit eine 4. und eine 5. Vergangenheitsform zu entwickeln beginnen:

> *Er* hat *sein Referat wohl nicht* vorbereitet gehabt.
> *Er* hatte *sie vollkommen* vergessen gehabt.

Ausgangspunkt für die Verwendung dieser Formen sind sicherlich Mundart und Umgangssprache. Ihre Semantik muß weiter untersucht werden. Es handelt sich zweifellos um Formen zum Ausdruck der perfektiven Aktionsart, die sich auch zum Ausdruck der Vorzeitigkeit eignen, die also – in gewisser Weise – ihre Berechtigung besitzen.

Bei der Bildung des Konjunktivs kann man seit Jahrhunderten den Rückgang synthetisch gebildeter Formen beobachten (vgl. SCHILDT 1984, 117). Diese Entwicklung hängt ebenfalls mit der Abschwächung der Endsilben zusammen. Heute wird das *e* als Kennzeichen des Konjunktivs aufgefaßt, das Ergebnis der Vereinheitlichung der unbetonten vollen Vokale bereits im Mhd. (vgl. KERN/ZUTT 1977, 56 ff.). Das *e* kann aber nur in einigen Fällen den Konjunktiv vom Indikativ unterscheiden. Das ist in den folgenden Fällen möglich:

– 2./3. Pers. Sg. und 2. Pers. Plur. der st. und sw. Verben im Präsens:

> du lebest, er lebe, ihr lebet

Im Konjunktiv gibt es weder Umlaut noch e/i-Wechsel:

> du gibst – du gebest
> du läufst – du laufest

– 1.–3. Pers. Sg. und 2. Pers. Plur. der st. Verben im Präteritum:

> ich schriebe, du schriebest, er schriebe, ihr schriebet

Bei umlautfähigen Vokalen kommt ein Umlaut hinzu:

> ich sah – sähe
> ich gab – gäbe

Das bedeutet andererseits, daß in vielen Fällen, u. a. im Präteritum der sw. Verben, kein Unterschied zwischen Konjunktiv und Indikativ besteht.

Ein weiteres Problem stellen die Präteritalformen des Konjunktivs der st. Verben dar. Sie werden als gehoben bzw. archaisch empfunden (vgl. LANGNER 1980a, 677) und daher oft gemieden: bewöge, flöhe, gälte, mäße, schöbe, schmölze ... (vgl. HÄNSE 1970, 56).

Ein dritter Aspekt soll genannt werden. Im 12. Jahrhundert begann ein Prozeß, in dem der Konjunktiv Präteriti der Verben seine präteritale Zeitbedeutung verlor, der temporale Aspekt trat in den Hintergrund. Die Kennzeichnung präteritaler Vorgänge im Konjunktiv „entwickelte sich ... in Form von Umschreibungen, die wir bis heute für vorzeitige konditionale Geschehnisse kennen: ich wäre gekommen – ich hätte genommen. Spätestens vom Zeitpunkt an, da die alten Konj. Prät.-Formen ihren Vergangenheitsaspekt endgültig abgelegt haben, sollte man eher vom Konj. I und Konj. II sprechen" (KERN/ZUTT 1977, 58).

Es entwickelten sich also Umschreibungen: zum einen die Konjunktive des Perfekts und des Plusquamperfekts, zum anderen die Umschreibung mit würde. Diesen Formen mit würde begegnet man seit dem 15. Jahrhundert (vgl. KERN/ZUTT 1977, 57). Ihr Gebrauch nimmt zu, weil sie eindeutig und leicht bildbar sind. Sie treten auch in dem untersuchten Material aus dem 19. Jahrhundert auf:

> Würden sich die Stände auch zu einer einstweiligen ... Steuerbewilligung nicht verstanden haben ... während die Regierung den ... Bestimmungen nachgekommen ist, so steht letzterer das Recht zu ... (Ja)

Zunächst tritt die Umschreibung mit würde in konditionalen Satzgefügen auf. Heute ist die Form mit würde zur Norm geworden. Appelle der Art, man solle sie meiden, da sie farblos und aufgebläht wirken, sind heute sicher wirkungslos (vgl. W. SCHMIDT 1973, 235). Die Tendenz zum „Einheitskonjunktiv" wird immer deutlicher (vgl. LANGNER 1980a, 677; STARKE 1984b, 143b; MEIER 1985).

Wir haben heute wie im Mhd. als G e n e r a das Aktiv, das Vorgangspassiv, gebildet mit *werden*, und das Zustandspassiv, gebildet mit *sein* (vgl. GRUNDZÜGE 1984, 541 ff.). Man nimmt an, daß es im Uride. ein weiteres Genus gegeben hat, das Medium (vgl. W. SCHMIDT 1973, 211). Hier wird „ein am Subjekt sich vollziehendes Geschehen bzw. eine sich innerhalb der Subjektsphäre abspielende Handlung" (W. SCHMIDT 1973, 211) dargestellt. „In den modernen ide. Sprachen ist das alte Medium als Genus verbi verschwunden, seine Funktion ist zu einem guten Teil auf das Reflexivum übergegangen. Mit Rücksicht darauf, daß die reflexive Konstruktion aber auf bestimmte Arten des Verbs beschränkt bleibt – ... –, wird man sie im Deutschen nicht als eine eigene Geschehensart anzusehen haben" (a. a. O.).

In der Bildung der infiniten Formen sind vom Mhd. zum Nhd. keine wesentlichen Veränderungen eingetreten. Eine Ausnahme bildet die Bildung des Partizips II mit bzw. ohne das Präfix *ge-*. In anderen Sprachen wird zwischen perfektiven und imperfektiven Verben unterschieden. Die Funktion, die Vollendung zu kennzeichnen, hatte das Präfix bei uns auch. Das zeigt sich im Gotischen mit dem Präfix *ga-*. „Im Ahd. dagegen ist schon eine Erstarrung eingetreten. Das Präfix wird mechanisch dem Part. angefügt, auch wenn die Bedeutung imperfektiv ist" (PAUL, Bd. II 1954, 276). Aber noch im Mhd. finden sich einige Partizipien perfektiver Verben ohne *ge-*: *funden, komen, troffen, worden*. Auch diese Verben übernehmen nach dem 16. Jahrhundert, also in nhd. Zeit, das *ge-* (vgl. SCHILDT 1984, 151). Einzige Ausnahme bildet in einigen Verwendungsweisen das Partizip *worden*.

Bei den Bedeutungen der Tempora unterscheidet man absolute und relative. Zu den absoluten gehören Gegenwart, Vergangenheit und Zukunft, meistens wird auch die Atemporalität dazugerechnet.

Entwicklungstendenzen zeigen sich beim Ausdruck zukünftigen Geschehens durch Tempora. Das betrifft sowohl das Verhältnis von Präsens und Futur I als auch das zwischen Perfekt und Futur II. Präsens und Futur I können zukünftige Prozesse bezeichnen. Beim Präsens wird das künftige Geschehen „vorausschauend in den Erlebnisbereich des Sprechers und Hörers einbezogen" (W. SCHMIDT 1973, 223). Beim Futur I ist der „zeitliche Abstand des Geschehens vom Hier und Jetzt des Sprechenden ... deutlich erkennbar" (KUNZENDORF 1964, 212). Beim Futur I werde eine besondere Einstellung des Sprechenden in der Weise sichtbar, daß er etwas erwartet, fürchtet, ankündigt. Damit rücke diese Form semantisch in das Modalfeld, was seinen Ausdruck darin finde, daß sie in der Lage sei, Vermutungen (über Zukünftiges wie über Gegenwärtiges) und Befehle auszudrücken (vgl. a. a. O.). Es wird die Tendenz sichtbar, daß das Futur I stärker Modales bezeichnet, was sich darin zeigt, daß manche vom „Ausdruck der Erwartung", ja vom „Modus der Erwartung" sprechen (vgl. W. SCHMIDT 1973, 221 f.; KL. ENZYKL. 1983, 148). WEISGERBER nimmt ein Verhältnis von Präsens und Futur I zur Bezeichnung von Zukünftigem von 9:1 an (vgl. P. BRAUN 1979, 65). BRONS-ALBERT (1982, 43) hat einen Anteil des Präsens in zukunftsbezogenen Sätzen von 76,0 % festgestellt (Futur I 4,6 %).

Ähnliches findet man beim Verhältnis von Perfekt und Futur II zum Ausdruck eines Geschehens, das in der Zukunft vollendet ist. Hier haben Untersuchungen ergeben, daß das Futur II kaum noch vorkommt. Seine Aufgabe übernimmt das Perfekt:

statt: *Morgen werden sie es geschafft haben.*

heute: *Morgen haben sie es geschafft.*

(Vgl. KUNZENDORF 1964, 211; W. SCHMIDT 1973, 229f.; GRUNDZÜGE 1984, 516 u. a.)

So bleibt für uns die Feststellung, daß auf Grund der Veränderungen beim Futur I und II heute nur noch vier Tempora wirklich Temporales ausdrücken, also in das funktional-semantische Feld der Temporalität gehören. Diese Behauptung erstreckt sich auf jeden Fall auf die Umgangssprache, nicht so sehr auf die Literatursprache.

Weitere Probleme zeigen sich beim Ausdruck vergangener Geschehen. Hinsichtlich der Verwendung von Präteritum und Perfekt gibt es territoriale Unterschiede, so wird „im Süden des deutschen Sprachgebiets ... das Perfekt, im Norden das Präteritum bevorzugt" (HELBIG/BUSCHA 1984, 150). Es gibt aber auch inhaltliche Unterschiede. Das Präteritum „ist die Zeit der Erzählung", das Perfekt „ist die Zeit der Mitteilung" (THIEL 1964, 83). Wenn THIEL von diesem Unterschied ausgeht, kommt er zu einer gewissen Berechtigung der sog. 4. und 5. Vergangenheit:

	Erzählung	Mitteilung
Vergangenheit	1. *Ich tat*	2. *Ich habe getan*
Vorvergangenheit	3. *Ich hatte getan*	4. *Ich habe getan gehabt*
Vor-Vorvergangenheit	5. *Ich hatte getan gehabt*	(THIEL 1964, 85)

Wir unterscheiden die relativen Zeitbedeutungen Gleichzeitigkeit, Vorzeitigkeit und Nachzeitigkeit.

Bei der Gleichzeitigkeit stehen in der Regel beide Verben in demselben Tempus. Es gibt aber bereits Abweichungen, zumal dann, wenn die Tempora sich bereits im absoluten Gebrauch überschneiden, also z. B. – wie oben gesagt – bei Präs./Fut. I und Prät./Perf.

Für die Vorzeitigkeit galt früher die bekannte consecutio temporum. Davon haben sich nur Reste erhalten. Man kann sagen, daß in vielen Fällen das Perfekt als Tempus der Vorzeitigkeit bei einem Präsens und das Plusquamperfekt bei einem Präteritum steht (vgl. HELBIG/BUSCHA 1984, 159; EINFÜHRUNG GRAM. 1985, 72f.).

Es finden sich aber sehr viele Abweichungen von dieser Grundregel. So steht das Präteritum beim Präsens, das Futur I beim Präsens, die „Vorvergangenheit" neben einem Perfekt bzw. Plusquamperfekt. Hierfür lassen sich Gründe anführen. Einmal gibt es zwischen den betreffenden Tempora in der absoluten Bedeutung Überschneidungen. Zum anderen wird die alte Regel deswegen nicht so genau genommen, weil „die zeitlichen Beziehungen auf Grund der Bedeutung der

Konjunktionen oder des Kontextes unmißverständlich sind" (EINFÜHRUNG GRAM. 1985, 73), die consecutio temporum nicht in jedem Fall kommunikativ erforderlich ist.

Beim Konjunktiv unterscheidet man verschiedene Gebrauchssphären. Eine bedeutende Rolle spielt er in der indirekten Rede. Daher sollen zunächst Satzgefüge mit Einleitsatz und syntaktisch abhängiger indirekter Rede betrachtet werden. Für den Zeitraum von 1850 kann man sagen, daß die Modusopposition Indikativ–Konjunktiv durchaus stabil ist. In der Regel wird der Konjunktiv konsequent verwendet:

Wir haben immer gesagt, daß damit nichts anzufangen sei.

In der Sprache der Gegenwart wird der Gebrauch des Konjunktivs immer mehr zu einem fakultativen Mittel. Die jetzt (noch) geltende Regel (Indikativ, wenn Sprecher derselben Meinung ist; Konj. II, wenn Sprecher sich distanziert; Konj. I, wenn Sprecher den Sachverhalt lediglich als indirekte Rede und Meinung eines anderen kennzeichnet) wird – vor allem in der mündlichen Sprache – oft durchbrochen (vgl. WB SPRACH-SCHW. 1984, 299).

In der Umgangssprache wird bei perfektivisch eingeleiteter Rede häufig der Indikativ gebraucht (vgl. EINFÜHRUNG GRAM. 1985, 78 f.):

Er hat gesagt, daß er heute kommt.

Im abhängigen Kernsatz steht der Konjunktiv häufiger als im abhängigen (eingeleiteten) Spannsatz. Das ist damit zu erklären, daß durch das Einleitewort die indirekte Rede gewissermaßen angekündigt wird:

Er sagt, daß er heute kommt.
Er sagt, er komme *heute.*

Es gibt auch die Beobachtung, daß der Modusgebrauch mit dem Tempus des redeeinleitenden Verbs zusammenhängt. Steht dieses Verb im Präsens, ist der Gebrauch des Konjunktivs weniger fest, als wenn es z. B. im Präteritum steht:

Er sagt, er komme/kommt *heute.*
Er sagte, er komme *heute.*

Nicht immer empfindet man eine modale Differenzierung zwischen Konjunktiv I und II. Deutlich wird sie eigentlich nur in präsentisch eingeleiteten Konstruktionen:

Peter sagt, Paul komme/käme *heute bestimmt.*

In anderen Fällen wird die Opposition neutralisiert. Man kann annehmen, daß auch aus diesem Grunde die u. E. deutlicher distanzierend wirkende Umschreibung mit *würde* gebraucht wird:

Peter sagt, Paul komme/käme *heute.*
Peter sagt, Paul würde *heute kommen.*

Im konditionalen Satzgefüge unterscheiden wir die reale und die irreale Bedingung. In der realen Bedingung steht der Indikativ:

>*Wenn es morgen* regnet, bleiben *wir zu Hause.*

Bei der irrealen bzw. potentiellen Bedingung steht – abhängig von dem Grad der Möglichkeit der Realisierung – der Konj. Prät. bzw. Plusqu.:

>*Wenn es morgen* regnete, blieben *wir zu Hause.*
>*Wenn es gestern* geregnet hätte, wären *wir zu Hause* geblieben.

Vor allem zum Ersatz des Konj. Prät. findet man Umschreibungen mit *würde* jetzt im Nebensatz und im Hauptsatz:

>*Wenn es morgen* regnen würde, würden *wir zu Hause* bleiben.
>(Vgl. WB SPRACH-SCHW. 1984, 301 f.; EINFÜHRUNG GRAM. 1985, 79 f.;
>MEIER 1985.)

In irrealen Vergleichssätzen ist der Konjunktiv noch im vorigen Jahrhundert fest. In der Mehrzahl der Fälle wird dabei der Konjunktiv II verwendet. Der Konjunktiv I steht dort, wo der Vergleichssatz Bestandteil der indirekten Rede ist:

>*Der vor Gericht Stehende sagt vor dem Herzoglichen Kammergericht aus,*
>*ihm sei, als ob er die Tat in einem Rauschzustand* begangen habe.
>(GZ 1850)

In der Gegenwartssprache ist der Konjunktiv in irrealen Komparativsätzen weniger fest. Das mag damit zusammenhängen, daß die Semantik der Konjunktion *als ob* bereits hinreichend auf die Irrealität hinweist.

Diese Erkenntnis ist unter zwei Aspekten zu differenzieren:
– In der Umgangssprache ist der Konjunktiv weniger fest als in der Literatursprache.
– Steht das Verb des Einleitesatzes im Präsens, ist der Indikativ häufiger als neben dem Präteritum.

>*Mir ist zumute, als ob ich betrunken* bin.
>*Mir war zumute, als ob ich betrunken* wäre.

In Sätzen mit der Konjunktion *als* ist der Konjunktiv häufiger:

>*Mir ist, als* wär *ich betrunken.*
>*Mir war zumute, als* wär *ich betrunken.*

In einfachen Sätzen tritt uns heute der Konjunktiv in folgenden Verwendungsweisen entgegen:

– Zum Ausdruck der Aufforderung
Dieser Heischkonjunktiv war früher viel häufiger. So fand er sich um 1850 im Anzeigenteil der Zeitungen:

Der ehrliche Finder wolle *sich bitte an die Expedition der Zeitung* wenden. (GZ 1850)

Heute ist diese Verwendung des Kon. I selten und findet sich nur in besonderen Konstruktionen:

Es lebe *der 1. Mai!*

Häufiger tritt der Konj. II zur Bezeichnung des Wunsches auf:

Käme er doch jetzt!

– Zum Ausdruck der Möglichkeit:

Das könnte *stimmen.*

– Zum Ausdruck eines realen Geschehens, dessen Verwirklichung zuvor schwer vorstellbar war:

Diese Aufgabe wäre *erledigt.*

– Zum Ausdruck einer unverbindlichen Aussage:

Was hätten *Sie sonst noch gern* gesehen?

In den meisten Fällen des Vorkommens im einfachen Satz handelt es sich um den Konjunktiv in Reduktionen irrealer Satzgefüge:

Das könnte stimmen(, wenn meine Berechnung richtig war).

Im grundlegenden Gebrauch der Genera hat sich nichts Wesentliches geändert.

Passivformen werden heute besonders in der technischen oder wissenschaftlichen Literatur häufiger gebraucht, eben weil es mehr um das Ergebnis geht, während das Agens zurücktritt (vgl. ADMONI 1972, 181; GRUNDZÜGE 1984, 554).

Unter Funktionsverbgefügen (FVG) verstehen wir mit Schippan „Einheiten aus Verb und Substantiv, die in der Lage sind, Prädikatsausdruck zu sein. Innerhalb der festen Verbalverbindungen ist das Verbalsubstantiv Träger der ‚stofflich-gegenständlichen' Bedeutung, mit ihm ist der Sachbezug ausgedrückt" (SCHIPPAN 1969, 26; vgl. auch STARKE 1975, 157 ff.; FLEISCHER 1982, 139 ff.; SCHILDT 1984, 214).

Die Tendenz besteht darin, daß sich freie Wortgruppen zu FVG entwickeln. Das geschieht in unterschiedlichem Tempo und in den einzelnen Funktionalstilen nicht einheitlich. Dieser Prozeß beinhaltet die „Grammatikalisierung" des Funktionsverbs einerseits und die zunehmende „Lexikalisierung der FVG" andererseits (vgl. HELBIG 1979, 279; GUTTMACHER 1980, 180 f.; KL. ENZYKL. 1983, 691). Vollverben werden zu grammatischen Hilfsverben. Die in der Gegenwart häufigsten nennen HELBIG/BUSCHA (1984, 81 ff.).

GUTTMACHER (1980, 184) hat errechnet, daß die Funktionsverbgefüge heute einen Anteil von 1,39 % an den Prädikaten besitzen.

Der zunehmende Gebrauch der FVG ist u. a. auf folgende Ursache zurückzuführen:
1. Ihr Gebrauch entspricht der Tendenz zur Wissenschaftlichkeit und Abstraktion.
2. Auch in diesen Bildungen drückt sich der Übergang vom synthetischen zum
analytischen Sprachbau aus.
3. Bei der Zunahme spielen Analogiebildungen eine Rolle. (Vgl. V. SCHMIDT
1968.)

4.2. Entwicklungstendenzen im Satzbau
4.2.1. Umfang der Sätze

Unter einem Ganzsatz verstehen wir den selbständigen Satz, der als einfacher
Satz oder als komplexer Satz (Satzverbindung/Satzgefüge) auftreten kann (vgl.
ADMONI 1972, 249). In der künstlerischen Literatur entwickelt sich die durch-
schnittliche Wortzahl pro Satz in folgender Weise:

17. Jh.   – 36,3 Wörter
18. Jh.   – 26,2 Wörter
19. Jh./1. Hälfte   – 30,3 Wörter
    /2. Hälfte   – 23,4 Wörter
20. Jh.   – 19,3 Wörter (Vgl. ŠUBIK 1973, 86.)

Im Bereich der Wissenschaft umfaßt ein Ganzsatz nach BENEŠ:

19. Jh.: Gesellschaftswissenschaften – 34,3 Wörter
         Naturwissenschaften   – 28,5 Wörter
20. Jh.: Gesellschaftswissenschaften – 27,8 Wörter
         Naturwissenschaften   – 20,0 Wörter (Vgl. BENEŠ 1966, 28.)

Ein Vergleich didaktischer Literatur erbrachte folgendes Ergebnis:

19. Jh. – 39,67 Wörter
20. Jh. – 25,56 Wörter (Vgl. KURZWEG 1985, 49.)

Es handelt sich aber bei der Tendenz der Verkürzung der Ganzsätze, abgesehen
von den schon erwähnten Unterschieden in den Funktionalstilen, um keine
gradlinige Entwicklung. „Erstens bedeutet die Tendenz zur Abnahme der
Satzlänge keineswegs, daß die ganze Entwicklung des Ganzsatzes sich immer
nur in einer und derselben Richtung (nämlich zur Kürzung seines Umfangs)
vollzogen hat" (ADMONI 1973a, 6). „Zweitens bedeutet die Verlagerung des
Schwergewichts im deutschen Satzbau auf den kurzen Ganzsatz noch nicht, daß
der lange Ganzsatz nun bereits zum alten Eisen zählt" (a. a. O., 17). Beispiele für
die erste Feststellung sind die relativ kurzen Sätze u. a. bei Gellert und Zesen

sowie im Impressionismus und Expressionismus (vgl. ADMONI 1973b, 19), für die zweite die Werke von Thomas Mann und der Roman „Der Tod des Vergil" von Broch (vgl. ARENS 1965).

Vielfach hat man sich mit der künstlerischen Literatur beschäftigt. Was die durchschnittliche Wortzahl pro Satz betrifft, so sind die Sätze in der künstlerischen Literatur kürzer als die in der wissenschaftlichen bzw. populärwissenschaftlichen. Aber auch hier ist der Unterschied zwischen den Autoren beträchtlich. In der künstlerischen Literatur nennt ŠUBIK (1973, 87) folgende Zahlen: Strittmatter 7,9; Apitz 11,6; Noll 11,8; Seghers 12,9; Jakobs 15,0; Kant 20,5; aber auch Böll 27,1; Grass 31,2. Unsere Zählungen für die 70er und 80er Jahre ergaben: Sakowski 18,5; Wolff 14,9; de Bruyn 15,6.

Man kann also sagen, daß es zwar einen Trend zum kürzeren Satz gibt, daß dieser Übergang aber nicht gradlinig verläuft und auch nicht alle Funktionalstile/Textsorten/Autoren in gleicher Weise betrifft.

Der Elementarsatz ist ein Satz, „der alle syntaktischen Strukturen umfaßt, die zu einem von den logisch-grammatischen Satztypen gehören und nach den Richtlinien erweitert werden können, die für den selbständigen Satz gelten" (ADMONI 1972, 249). Elementarsätze können also selbständige einfache Sätze, Hauptsätze, Nebensätze, parenthetische Sätze sein.

Die Entwicklung der Elementarsätze ist komplizierter als die der Ganzsätze. Das hängt – wie noch zu zeigen sein wird – mit dem Rückgang des Gebrauchs der Nebensätze und der Zunahme des Gebrauchs der Substantivgruppen zusammen. Letztere Tendenz führt zu einer Vergrößerung des Umfangs der Elementarsätze in bestimmten Bereichen. Wir wenden uns daher einigen Funktionalstilen zu.

In den Untersuchungen zur künstlerischen Literatur sind die Angaben nicht einheitlich. ŠUBIK (1973, 89) kommt zu dem Ergebnis, daß der Satzumfang vom 18. zum 19. Jh. zugenommen, sich aber im 20. Jh. verringert habe. Im 20. Jh. ergebe sich eine durchschnittliche Wortzahl von 8,6 Wörtern. Zwischen den Autoren zeigen sich auch hier Unterschiede: Strittmatter 6,9; Fühmann 7,0; Noll 7,7; Bredel 7,8; Apitz 8,4; aber auch Grass 11,8; Th. Mann 12,6. Eigene Untersuchungen führten zu folgenden Ergebnissen: Wolff 7,9; Sakowski 7,9; de Bruyn 7,9. HACKEL (1981, 108) hat Cibulkas Tagebuchaufzeichnungen „Liebeserklärung an K" untersucht und eine durchschnittliche Wortzahl von 8,46 Wörtern pro Elementarsatz ermittelt. Insgesamt kann man wohl ADMONI (1973a, 30) zustimmen, wenn er schreibt, daß es in der künstlerischen Literatur die Tendenz gibt, sich an kurzen oder mittleren Sätzen zu orientieren. ŠUBIK (1973, 90) kommt in der wissenschaftlichen und populärwissenschaftlichen Literatur zu einer durchschnittlichen Wortzahl von 11,4. ADMONI (1973b, 25) untersucht weitere Quellen, u. a. Werke zur Literatur- und zur Sprachgeschichte, Taschenbücher, und kommt zu durchschnittlichen Wortzahlen von 11,6 bis 20,4.

Wir können auch darin ADMONI zustimmen, daß in der wissenschaftlichen Literatur (einschließlich der technischen) eine „entfaltete" Struktur des Elementarsatzes die Normalform ist und daß sich diese Tendenz in Zukunft noch verstärken wird (vgl. ADMONI 1973 b, 30). Dabei spielt der Umfang eines Textes eine Rolle: je umfangreicher ein Text, desto kürzer die Elementarsätze (vgl. SOMMERFELDT 1978 a).

4.2.2. Satzmodelle

Die vielfach erwähnten Verschiebungen im Gebrauch der Kasus wirken sich natürlich auch auf den Gebrauch bestimmter Satzmodelle aus. Rückgängen im Gebrauch des Genitivs und des Dativs stehen Zunahmen beim Akkusativ und beim Substantiv mit Präposition gegenüber. Wir sprechen von den Tendenzen der Akkusativierung und Präpositionalisierung (vgl. P. BRAUN 1979, 44). In der Gegenwart werden folgende Satzmodelle am häufigsten gebraucht:

> Subjekt – Prädikat – Akkusativobjekt
> Subjekt – Prädikat – Präpositionalobjekt bzw. Raumergänzung
> Subjekt – Prädikat (Vgl. DUDEN-GRAMMATIK 1984, 602 ff.)

Lindgren stellt hinsichtlich des Vorkommens von Satzgliedkombinationen fest: „Die Zahl der verschiedenen Satzgliedkombinationen nimmt ab, von 18 im Althochdeutschen auf 12 in der Gegenwartssprache; der Satzbau ist also einheitlicher geworden" (vgl. LINDGREN 1969, 152). Diese Erscheinung beruht im wesentlichen auf dem Rückgang des Genitiv- und des Dativobjekts, was eine Analyse von 6 400 Objekten beweist:

	1860	1960
Genitivobjekt	1,5 %	0,6 %
Dativobjekt	15,9 %	10,9 %
Akkusativobjekt	60,4 %	56,2 %
Präpositionalobjekt	22,2 %	32,3 %

(Vgl. SOMMERFELDT 1966, 36.)

Untersuchungen haben ergeben, daß es im Gebrauch der Präpositionen in Präpositionalobjekten Verschiebungen gegeben hat. Der Anteil folgender 3 Präpositionen ist gestiegen:

	1850	1980
mit	11,7 %	14,6 %
für	7,8 %	15,2 %
zu	14,2 %	20,12 %

(Vgl. OEHMKE 1983, 29.)

Bei den Satzmodellen kann man also eine Zunahme des Gebrauchs der Modelle mit Akkusativ- und Präpositionalobjekt beobachten, während Genitiv- und Dativobjekt immer seltener auftreten. So zeigen sich im Satzbau der deutschen Sprache Tendenzen der Verdichtung und der Vereinheitlichung.

4.2.3. Satzformen

Im Mittelpunkt der Untersuchung stehen die drei Satzformen einfacher Satz, Satzverbindung und Satzgefüge. Damit tritt das Verhältnis von Parataxe und Hypotaxe ins Blickfeld, damit auch die Rolle, die Nebensätze in der deutschen Sprache spielen.

Die wiederholt gezeigte Entwicklung des Umfangs der Sätze beinhaltet die Schlußfolgerung, daß die Zahl der komplexen Sätze weiter abnimmt. ŠUBIK hat für die Gegenwart folgende Werte ermittelt:

Zahl der Satzkomponenten (Teilsätze)	künstler. Texte/%	populärwiss. Texte/%
1	48,5	42,8
2	27,0	36,1
3	13,1	13,5
4	5,6	4,9
5	5,8	2,7

(Vgl. ŠUBIK 1973, 93 f.)

Der Rückgang der hypotaktischen Konstruktionen ist nicht erst seit dem 19. Jahrhundert zu beobachten. „Nicht das 18. Jahrhundert ist die Blütezeit des überladenen hypotaktischen Ganzsatzes ... Die Blütezeit war das 17. Jahrhundert" (ADMONI 1973 b, 32). In ADMONIS Material des 17. Jahrhunderts waren 60 % aller Elementarsätze Nebensätze und von diesen nur 38 % Nebensätze ersten Grades, was auf eine tiefe Staffelung schließen läßt. Im Material des 18. Jahrhunderts betrug der Anteil der Nebensätze an der Gesamtzahl der Elementarsätze nur noch weniger als 50 %, darunter schon 70 % Nebensätze ersten Grades (vgl. ADMONI 1973 b 32; WEBER 1971, 126; WINTER 1961).

EGGERS untersucht populärwissenschaftliche Literatur und kommt zu folgendem Verhältnis: Einfachsätze (ES) 41 %, Satzverbindungen (SV) 13,5 %, Satzgefüge (SG) 43 %, Setzungen (unvollständige Sätze) 2,5 % (vgl. EGGERS, 1962, 53). Eine Analyse von Zeitungen aus den Jahren 1848–1860 und 1982 ergab folgendes Bild:

	1848/60	1982
ES	40,7 %	55,3 %
SV	13,4 %	10,4 %
SG	44,3 %	28,9 %

(Vgl. PAARMANN 1983, 20; KL. ENZYKL. 1983, 691.)

Schließlich sollen einige Beispiele aus der künstlerischen Literatur angeführt werden:

	Cibulka	Sakowski	Wolff	de Bruyn
ES	46,77	36,60	41,67	41,4
SV	28,25	32,40	18,94	19,6
SG	21,02	31,00	39,39	39,6
Sonst.	3,96			

(zu Cibulka vgl. HACKEL 1981, 104)

Diese Angaben beweisen, daß man generell von einem Rückgang der hypotaktischen Fügungen sprechen kann, wenn er auch in den einzelnen Funktionalstilen und bei den einzelnen Autoren nicht in gleicher Weise zu beobachten ist (vgl. SCHILDT 1984, 196).

Der Anteil der Attributsätze ist weiterhin relativ hoch. Betrug er in Zeitungen des Jahres 1850 58 %, so macht sein Anteil in demselben Funktionalstil der Jahre 1964/65 immer noch 47 % aus (vgl. SOMMERFELDT 1966, 35).

In der Belletristik ist der Anteil der Attributsätze insgesamt nicht so hoch, schwankt aber bei den einzelnen Schriftstellern:

	Satzgliedteilsätze
Cibulka, Tagebuch	38,91 %
Wolff, Kindheitsmuster	40,88 %
de Bruyn, Hohlweg	26,68 %
Sakowski, Verflucht	20,23 %

Unter den Satzgliedsätzen ist ein Anwachsen des Anteils der Objektsätze an der Gesamtzahl der Nebensätze festzustellen, was nicht unbedingt eine absolute Zunahme zu bedeuten braucht, da ja der Anteil der Nebensätze abnimmt. In Zeitungstexten des Jahres 1860 beträgt der Anteil der Objektsätze 14 %, in denen des Jahres 1964/65 23 % (vgl. SOMMERFELDT 1966, 35). In Werken einiger Schriftsteller ist er höher (z. B. de Bruyn 33,96 %; Sakowski 38,36 %).

Diese Entwicklung hat Parallelen in der Einleitung der Nebensätze.

Bei den Pronominalsätzen betrifft das das Verhältnis von *der/die/das* und *welcher/welche/welches*. Die Schulgrammatiken des 19. Jahrhunderts „registrieren üblicherweise ein Nebeneinander der Relativa [der, die, das] und [welcher, welche, welches] ohne jede Zusatzbemerkung. Auch ausgewählte Beispielsätze lassen im allgemeinen keinerlei Distribution ablesen, es sei denn die (unbewußte) Tendenz, den Schüler mit dem ‚schriftsprachlichen‘ [welcher] mehr anzufreunden" (SCHIEB 1980, 229). Unterschiede im Gebrauch zeigen sich in bestimmten Territorien und in bestimmten Funktionalstilen: *welcher* tritt in künstlerischen Texten des 19. Jahrhunderts doppelt so häufig auf als *der* (a. a. O., 229). Insgesamt werden Relativsätze heute kaum noch mit *welcher* eingeleitet:

	der	*welcher*
1860 Zeitungen	43 %	46 %
1964/65 Zeitungen	85 %	1 %

(Vgl. SOMMERFELDT 1966, 35 f.)

In den meisten Zählungen werden die subordinierenden Konjunktionen *daß* und *wenn* als die häufigsten bezeichnet. Für den Bereich der Publizistik ergibt sich folgende Verschiebung zugunsten der Konjunktion *daß*:

	daß	*wenn*	weitere häufige K.
1880	52 %	14 %	*indem, nachdem, weil ...*
1964/65	59 %	12 %	*nachdem, damit, obgleich ...*

(Vgl. SOMMERFELDT 1966, 36.)

In künstlerischen Texten ist diese Tendenz nicht so zu spüren. Das hängt wohl damit zusammen, daß in wissenschaftlichen und populärwissenschaftlichen Texten zunehmend Verben gebraucht werden, die auf Grund ihrer Semantik ein Objekt/Subjekt benötigen, das einen ganzen Sachverhalt ausdrückt und durch einen *daß*-Satz realisiert wird.

	daß
Cibulka 1976	23,71 %
Wolff 1976	42,86 %
Sakowski 1981	37,6 %
de Bruyn 1964	34,7 %

Im Bereich der einleitenden Pronomen wie der Konjunktionen bahnt sich eine Entwicklung an, die wir z.B. bei den Präpositionen beobachten und die sich darin zeigt, daß sich einzelne Konjunktionen und Pronomen auf Kosten anderer durchsetzen, was zwar nicht zu einer Verringerung des Bestandes an Mitteln führt, aber doch zu einer stärkeren Differenzierung nach häufiger und seltener gebrauchten (vgl. EGGERS 1977, 145).

Es ist nicht zu übersehen, daß die Zahl jener Elementarsätze zunimmt, die zwar die Form (Struktur/Einleitung) von Nebensätzen besitzen, aber nicht mehr als Satzglied betrachtet werden können. Für diese Sätze gibt es verschiedene Termini, u. a. den Terminus weiterführender Nebensatz. Nun hat HELBIG gezeigt, wie differenziert diese Gruppe ist und daß man neben den weiterführenden Nebensätzen noch eine weitere Gruppe bzw. weitere Gruppen unterscheiden müsse (vgl. HELBIG 1980, 22). In Anlehnung an HELBIG wurden Untersuchungen zum Vorkommen folgender Gruppen angestellt:

1. Präzisierung des Geschehens des formal übergeordneten Satzes, durch

1.1. Weiterführung im engen Sinne *(was)*	14 %
1.2. Erläuterung *(wobei)*	17 %
1.3. Angabe der Folge *(wodurch/weshalb)*	5,3 %
2. Bezeichnung eines Gegensatzes *(während)*	25,5 %
3. Sätze redesituierender Art *(wie)*	31,2 %
Sonstige	7 %

(Vgl. SOMMERFELDT 1983 a.)

Die *wie*-Sätze erfüllen verschiedene Funktionen, sie verweisen auf Quellen, geben eine Einschätzung an und dienen durch Verweis auf Vorhergehendes bzw. Folgendes der Textverflechtung und der Hervorhebung. Sie sind zu einem wichtigen Mittel der Stellungnahme des Sprechers/Schreibers geworden. Neben den *während*-Sätzen spielen die *wobei*-Sätze eine große Rolle (vgl. HELBIG 1980, 20; SOMMERFELDT 1983 a; EGGERS 1972; EICHLER 1982).

Zusammenfassend können wir feststellen: „Der Attributsatz ist in beiden Zeiträumen der am häufigsten auftretende Satz ... Bei den Ojektsätzen finden wir eine prozentuale Zunahme. Da aber die Satzgefüge und damit auch die Gliedsätze abnehmen, bedeutet das noch keine absolute Zunahme ... Fast alle Objektsätze sind Inhaltssätze, stehen also bei Verben des Mitteilens, Denkens etc. Diese Verben werden aber heute genauso häufig gebraucht wie damals und benötigen nach wie vor zur Angabe eines Sachverhalts einen Inhaltssatz" (SOMMERFELDT 1966, 35; vgl. LANGNER 1980 a, 679).

Man muß sich die Frage stellen, wie weit die Entwicklung gehen wird, ob die Nebensätze womöglich ganz verschwinden werden.

Wir schließen uns ADMONI an, der die Auffassung vertritt, daß es in der deutschen Sprache nicht zu solchen schwerwiegenden Wandlungen kommen wird. Er führt drei Gründe an: 1. Es gibt grammatische Bedeutungen, die am einfachsten durch Satzgefüge realisiert werden. 2. Wie die Literatur zeigt, wechseln die Satzformen ungleichmäßig. Wie es schon früher Schriftsteller gab, die das Satzgefüge sparsam gebraucht haben, wird es möglicherweise auch in Zukunft solche Autoren geben, „die wieder zum Satzgefüge greifen als einem wichtigen Mittel, die komplizierten Verflechtungen der Erscheinungen im realen Leben durch eine entsprechende syntaktische Form wiederzugeben" (ADMONI 1973 b, 34). Die Satzgefüge treten in der Umgangssprache seltener auf als in der Literatursprache, haben dort aber nach wie vor ihren festen Platz (vgl. ADMONI 1973 b, 33 ff.).

4.2.4. Verdichtungserscheinungen in der deutschen Sprache der Gegenwart
4.2.4.1. Wesen und Arten der Verdichtung

Es ist bereits darauf hingewiesen worden, daß die Veränderungen des Satzes, die bisher beschrieben worden sind, mit anderen Entwicklungen eng zusammenhängen.

So kann man lesen, daß mit der Verkürzung der Sätze „die Tendenz zur N o - m i n a l i s i e r u n g im Zusammenhang (steht), wie sie vor allem durch den Gebrauch von Suffixen wie *-heit, -keit, -ung,* durch substantivierte Infinitive (...) und durch andere Nomina actionis (...) realisiert wird" (GESCHICHTE 1984, 152). P. BRAUN (1979, 52) nennt „Zusammenhänge zwischen Zunahme der Nominalgruppen und Abnahme der Satzgefüge". Auch auf Gefahren wird hingewiesen: „die Zeichenmengen werden kleiner, die Informationsmengen größer ... Man produziert zwar weniger Sprache, kürzere Sätze, muß aber dafür größere Anstrengungen (des Sprechens und Verstehens) auf sich nehmen" (a. a. O., 56). Den Ursachen näher kommt G. MÖLLER, der schon 1961 festgestellt hat, daß es sich bei dieser Entwicklung nicht um eine „‚Laune' des Sprachgebrauchs" (1961, 66) handelt, sondern daß diese Entwicklung „mit der zunehmenden begrifflichen Durchdringung aller Wissens- und Lebensgebiete Hand in Hand geht".

Wir gehen davon aus, daß ein Bedürfnis der Gesellschaft darin besteht, Sachverhalte der Realität möglichst komprimiert, kondensiert auszudrücken. Das erfordert die in letzter Zeit immer notwendiger gewordene Sprachökonomie. Man kann Sachverhalte in unterschiedlicher sprachlicher Gestalt bezeichnen. Man spricht z. B. von einer aktuellen Prädikation, in der eine Sachverhaltsbeschreibung temporal und hinsichtlich der Modalität eingeordnet ist und die die Form eines Satzes hat, und einer potentiellen Prädikation, die in Form von Wortgruppen (Substantiv-/Infinitiv-/Partizipialgruppen u. a.), ja sogar in Form von Komposita auftreten kann. Aber die Kondensation/Verdichtung von Sprache ist weiter zu sehen. Dazu gehören die Auslassungen von Satzgliedern (Ellipsen), die Einschübe (Parenthesen) genauso wie die Zusammenziehung von Sätzen/Wortgruppen. Wir beziehen also die Verdichtung sprachlicher Erscheinungen nicht nur auf die Substantivgruppen, sondern sehen sie weiter. Eine Art der Verdichtung ist die Eliminierung von Gliedern des Satzes. Das Ergebnis stellt eine Ellipse dar.

Ein weiteres Mittel der Verdichtung ist die Zusammenziehung von Sätzen. Eine solche Zusammenziehung ist bei koordinierten selbständigen Sätzen, aber auch bei koordinierten Nebensätzen möglich (vgl. SOMMERFELDT 1983 b). Hinsichtlich der Zahl der gemeinsamen Satzglieder ergab sich in dem untersuchten Material folgendes Verhältnis:

Zusammengezogene Sätze mit einem gemeinsamen Satzglied: 87,7 %
Zusammengezogene Sätze mit zwei gemeinsamen Satzgliedern: 12,3 %
In Sätzen mit einem gemeinsamen Satzglied sind gemeinsam:

Subjekt   86,3 %   Objekt: 0,5 %
Prädikat: 2,3 %   adverbiale
finit. Verb: 5,3 %   Bestimmung: 0,5 %
                         Konjunktion: 5,1 %

Unter den Sätzen mit zwei gemeinsamen Satzgliedern ergeben sich folgende Typen:

Subjekt + finites Verb: 40,5 %
Subjekt + Objekt: 7,1 %
Subjekt + adv. Bestimmung: 4,8 %
Subjekt + Konjunktion: 40,5 %
Finit. Verb + adv. Best.:   7,1 %

Zusammengezogene Sätze treten in den einzelnen Darstellungsarten in unterschiedlicher Häufigkeit auf. Sie finden sich relativ oft in Texten, die Prozesse zum Gegenstand haben (Erzählungen, Berichte). Das trifft auch noch auf Texte zu, in denen es um eine Auseinandersetzung geht. Selten sind solche Zusammenziehungen in Beschreibungen. In unserem Material betrifft das fachsprachliche Gegenstands- und Vorgangsbeschreibungen. Hier herrscht ohnehin der Einfachsatz vor.

Es soll noch auf die Rolle der Komposita bei der Verdichtung eingegangen werden. Man kann zwischen Verdichtungen von Wortgruppen und solchen von Sätzen unterscheiden. Wir bringen Beispiele für Verdichtungen von Wortgruppen durch

– ein Substantiv:

> *Vorsitzender der Sozialdemokratischen Partei Deutschlands*
> *Vorsitzender der SPD*
> *SPD-Vorsitzender*

– ein Adjektiv (Zahladjektiv):

> *zum Vertrag des Jahres 1970*
> *zum Vertrag von 1970*
> *zum 1970er Vertrag* (Vgl. SOMMERFELDT 1981.)

4.2.4.2. Zur Entwicklung der Substantivgruppe

Für den Gebrauch substantivischer Wortgruppen und für deren Zunahme werden in der Literatur seit langem zwei Ursachen angegeben. Man spricht einmal von „der sprachlichen Ökonomie, der Einsparung oder der sparsamen Verwendung sprachlicher Mittel" (Moser 1967, 22). So könne man mit Hilfe von Verbalabstrakta den Inhalt ganzer Sätze raffen. Moser spricht direkt von „Raffwörtern", zu denen er auch die Komposita zählt (vgl. Moser 1967, 23). Eine zweite Ursache liege in der Neigung „zu abstrakter Ausdrucksweise" (a. a. O., 26). Eine Erscheinung abstrakter Ausdrucksweise stellen Substantivabstrakta dar, „und ihre Zahl vermehrt sich zunehmends" (a. a. O., 27).

Riesel/Šendels gebrauchen in diesem Zusammenhang den Terminus „doppelte Valenz": „Das Substantiv als Kernwort verfügt dank seiner verbalen Abstammung über eine doppelte Valenz: die substantivische und die verbale, daher seine reichen Fügungsmöglichkeiten" (Riesel/Šendels 1975, 154).

Was die generelle Entwicklungstendenz der deutschen Substantivgruppe betrifft, so wird häufig von einer Zunahme des Gebrauchs und des Umfangs gesprochen (vgl. Grosse 1964, H. 2, 2). Das Problem muß aber differenzierter betrachtet werden. Wir stimmen zunächst Admoni zu, der hinsichtlich der Entwicklung der Satzstruktur und der Substantivgruppe zwei Etappen annimmt:

14.–16. Jahrhundert: Differenzierung von Haupt- und Nebensatz, stärkere Herausbildung von Rahmenkonstruktionen, klarere Differenzierung zwischen der Gruppe des Verbs und der des Substantivs.

17. und 18. Jahrhundert: größere Bedeutung der schriftlichen Existenzweise, Erhöhung der Rolle der künstlerischen und wissenschaftlichen Literatur, Entwicklung einer klaren Konstruktion der Gruppe des Substantivs, Zunahme ihres Umfangs und ihres Gebrauchs.

(Vgl. Admoni 1966, 29f.)

Für die Entwicklung der Substantivgruppe bis zum 18. Jahrhundert bringen wir in Anlehnung an Admoni zwei Beispiele:

Anteil der Wörter der Substantivgruppe an der Gesamtwortzahl des Satzes:

Eckart	30 %	Schottel	44 %
Tauler	30 %	Lohenstein	43 %
Herold	9 %	Gellert	42 %
Karlstadt	25 %	Lessing	41 %
		Winckelmann	51 %

(Vgl. Admoni 1966, 180 ff.)

Durchschnittliche Gliedzahl in der Substantivgruppe (einschließlich Präpositionen, Konjunktionen etc.):

Eckert	2,98	Schottel	4,23
Tauler	3,87	Lohenstein	4,09
Herold	2,95	Gellert	4,07
Karlstadt	3,79	Lessing	4,38
		Winckelmann	4,55

(Vgl. Admoni 1966, 180 ff.)

Für die weitere Entwicklung bis zur Gegenwart sollen – bei aller Kompliziertheit hinsichtlich der Vergleichbarkeit der Quellen – zwei Beispiele angegeben werden (vgl. KL. ENZYKL. 1983, 691).

In einer physikalischen Fachzeitschrift erhöhte sich der Anteil der Wörter der Substantivgruppen an der Gesamtwortzahl des Satzes von 60,61 % im Jahre 1820 auf 72,41 % im Jahre 1960 (vgl. RIESEL/ŠENDELS 1975, 155).

Wir weisen das Anwachsen der Gegliedertheit und damit Kompliziertheit substantivischer Gruppen an der Struktur der Gruppen in Urkunden des 16. und 18. Jahrhunderts sowie an Fachtexten der Gegenwart nach.

	Urkunden 16. Jh.	Urkunden 18. Jh.	Fachbücher d. Gegenwart
Gruppen mit 1 Attr. 1. Grades	81 %	77,2 %	66 %
Gruppen mit 2 Attr. 1. Grades	15 %	19,2 %	26 %
Gruppen mit 3 und mehr Attr. 1. Grades	4 %	3,6 %	8 %

(Vgl. SOMMERFELDT 1968, 417.)

Es läßt sich also hinsichtlich der generellen Entwicklung der Substantivgruppe im Deutschen feststellen:

– Der Umfang der Substantivgruppe hat vor allem bis zum 18. Jahrhundert zugenommen. Auch danach wächst der Umfang; „es klafft aber keine Lücke in bezug auf ihren Umfang zwischen dem Beginn des 19. Jahrhunderts und heute. Die betreffenden Größen sind durchaus kommensurabel" (ADMONI 1973a, 42).
– Die Entwicklung des Gebrauchs und des Umfangs der Substantivgruppe ist in den Funktionalstilen unterschiedlich. Eine Zunahme ergibt sich vor allem im Stil der Wissenschaft (vgl. RIESEL/ŠENDELS 1975, 155).
– Man kann also auch in der Gegenwart nicht von der Entwicklung der Substantivgruppe generell sprechen, sondern muß sich Einzelfragen zuwenden. Es ergeben sich Entwicklungen im Gebrauch der Attributarten, in der Kompliziertheit der Gruppen. Diese Entwicklungen werden wesentlich durch die Verwendung bestimmter semantischer Kernwörter bestimmt. Da die Abstrakta, sowohl die deverbalen als auch die deadjektivischen, zunehmen, wird unsere Aufmerksamkeit zunehmend auf das Nachfeld gerichtet, da hier die Valenzpartner der Substantive als Genitiv- bzw. präpositionale Attribute stehen (vgl. auch SCHILDT 1984, 197, 214).

Für das Zustandekommen substantivischer Blöcke sind im wesentlichen drei Arten von Attributen verantwortlich, das Genitivattribut, das präpositionale Attribut und das partizipiale Attribut (vgl. P. BRAUN 1979, 53). Die ersten beiden sind die Folgen des zunehmenden Gebrauchs deverbaler und deadjektivischer

Substantive, die als überwiegend fakultative Valenzpartner Genitive und präpositionale Gruppen bei sich haben. Partizipiale Gruppen sind zwar freie Angaben zum substantivischen Gruppenkern, eignen sich aber dazu, ganze Sachverhaltsbeschreibungen in eine Substantivgruppe einzufügen.

Auf Grund der Zunahme des Gebrauchs abstrakter Kernsubstantive, die häufig genitivische und präpositionale Attribute fordern, steigt seit dem 18. Jahrhundert der Anteil der postpositiven Attribute (vgl. EBERT 1970, 50). Aber auch hier ist der Funktionalstil zu berücksichtigen. Es folgen einige Ergebnisse der Untersuchungen von Inozemcev für die Gegenwart:

	präpos. Attr.	postpos. Attr.
wiss. und techn. Literatur	41,10 %	36,37 %
Publizistik	38,48 %	39,21 %
Belletristik	50,80 %	19,19 %
Dialoge	51,19 %	14,42 %

(Vgl. INOZEMCEV 1965, 8; ADMONI 1973 b, 46.)

Das Verhältnis von adjektivischen und substantivischen Attributen hat sich in den letzten einhundert Jahren in geringem Umfang verschoben, was folgende Zahlen beweisen:

	adjekt. Attr.	subst. Attr.
Gesetzestexte:		
19. Jh.	42 %	58 %
20. Jh.	38 %	62 %
Publizistik:		
19. Jh.	52 %	48 %
20. Jh.	43 %	57 %

(Vgl. KLUTH/JONAS 1983, 42 f.)

Der Typ der Substantivgruppe ergibt sich aus der Zahl und der Art der Attribute ersten Grades. Erweiterungen der Attribute ersten Grades, Attribute zweiten und weiteren Grades werden nicht berücksichtigt, da sie durch ihre Bestimmungswörter determiniert sind.

Es ergeben sich u. a. folgende Möglichkeiten:

1gliedrig: Kern + Adjektiv
Kern + Partizip
Kern + Pronomen
Kern + Genitiv etc.

2gliedrig: Kern + Adjektiv + Adjektiv
Kern + Pronomen + Adjektiv
Kern + Genitiv + Apposition etc.

3gliedrig: Kern + Pronomen + Adjektiv + Genitiv
             Kern + Zahladjektiv + Genitiv + präpositionales Substantiv etc.

In die Untersuchungen wurden 20 000 Substantivgruppen verschiedener Funktionalstile einbezogen.

1gliedrige Gruppen: 70,4 %
2gliedrige Gruppen: 23,4 %
3gliedrige Gruppen: 6,2 %   (Vgl. SOMMERFELDT 1968, 352.)

Unter den 1gliedrigen Gruppen waren vor allem folgende Typen an der Gesamtprozentzahl beteiligt:

Kern + Adjektiv: 20,6 %
Kern + Genitiv: 14,4 %
Kern + Pronomen: 12,2 %

Interessant ist ein Vergleich mit dem Ergebnis der Untersuchung von 2 000 Gruppen, deren Kern Verbalabstrakta darstellen, und von Gruppen der gesprochenen Sprache:

	Gesamtmaterial geschriebene Sprache	2 000 Gruppen m. Verbalabstrakta	Gesprochene Sprache
1gliedrig:	70,4 %	67,4 %	78,7 %
2gliedrig:	23,4 %	25,8 %	18,0 %
3gliedrig:	6,2 %	6,8 %	3,3 %

Wir wählen auch hier einige Typen 1gliedriger Wortgruppen aus:

	Gesamtmaterial geschriebene Sprache	2 000 Gruppen m. Verbalabstrakta	Gesprochene Sprache
Kern + Adjektiv:	20,6 %	8,1 %	14,6 %
Kern + Genitiv:	14,4 %	38,3 %	10,2 %
Kern + Pronomen:	12,2 %	3,6 %	25,2 %

(Vgl. SOMMERFELDT 1968, 352 ff.)

Auffallend ist, daß die Gruppen in der gesprochenen Sprache offensichtlich wesentlich einfacher gebaut sind. Sie enthalten weniger Abstrakta als Kernglieder, was sich in der geringen Zahl der auftretenden Genitivattribute zeigt. Dagegen sind – bedingt durch die Anwesenheit der Kommunikationspartner – Substantivgruppen mit Pronomen sehr häufig.

Umgekehrt findet man in den Gruppen mit Verbalabstrakta als Kerngliedern sehr viele Genitivattribute, die das „Subjekt" bzw. „Objekt" des Verbalgeschehens bezeichnen. Adjektive als Attribute finden sich hier seltener, da sie vorwiegend bei Konkreta stehen. So ist auch hierdurch bewiesen, daß einmal die Art des Attributs von der Semantik des Kerngliedes abhängt, daß andererseits eine Zunahme abstrakter Kernglieder auch zu einer Verschiebung des Gebrauchs der Arten der Attribute führt.

Eine Untergliederung der Substantivgruppen nach den einzelnen Gruppen von Quellen ergab folgendes Bild:

Zeitschriften:	1gliedrig	69 %
	2gliedrig	24 %
	3- und mehrgl.	7 %
Fachbücher:	1gliedrig	66 %
	2gliedrig	26 %
	3- und mehrgl.	8 %
Belletristik:	1gliedrig	75 %
	2gliedrig	20 %
	3- und mehrgl.	5 %

(Vgl. SOMMERFELDT 1968, 347.)

Man findet also in der Belletristik die klarsten, in den Fachbüchern die kompliziertesten Substantivgruppen. In den Fachbüchern wird überwiegend erörtert. Die Sätze sind mit abstrakten Substantiven angefüllt. Bei der Belletristik handelt es sich weniger um erörternde Texte, dafür häufiger um erzählende. Dabei soll nicht übersehen werden, daß das Durchschnittswerte sind, von denen einzelne Quellen und auch Quellengruppen z. T. stark abweichen.

Zusammenfassend kann man zur Entwicklung der Substantivgruppe feststellen, daß sie „im 18. Jahrhundert ... in ihren wesentlichen Zügen ... zum Abschluß" (ADMONI 1973 b, 101) gekommen ist. Einige Modelle, z. B. der Typ mit dem Einheitskasus, werden erst im 19. und 20. Jahrhundert gebräuchlicher. Zugenommen haben bis in die Gegenwart generell der Umfang und die Kompliziertheit der Gruppen. Das hängt u. a. mit der zunehmenden Verwendung abstrakter Substantive als Kernglieder zusammen. Diese ganze Entwicklung wird wesentlich verursacht durch das Streben nach Sprachökonomie und den Hang zu abstrakter Ausdrucksweise (vgl. MOSER 1967, 26).

Die Entwicklung der Substantivgruppe und damit des Nominalstiles ist im Laufe der Zeit unterschiedlich bewertet worden. Man sprach zunächst von der „Substantivitis", der „Dingwörterkrankheit", der „Hauptwortseuche" (vgl. RIESEL/ŠENDELS 1975, 143). Später „konnte das gängige Vorurteil, nominale Umschreibungen gehörten einem stilistisch schlechten, unanschaulichen und unlebendigen Verwaltungsdeutsch an, widerlegt werden" (DANIELS 1963, 219). Schon seit geraumer Zeit ist man davon überzeugt, „daß der Drang zum Substantiv ... mit der zunehmenden begrifflichen Durchdringung aller Wissens- und Lebensgebiete Hand in Hand geht" (G. MÖLLER 1961, 65).

4.2.4.3. Infinitiv-/Partizipial-/Adjektivgruppe

Für unsere Belange sind zwei Merkmale von Infinitivgruppen (erweiterten Infinitiven) von Bedeutung: Sie enthalten „eine für jeden Satz notwendige Prädikation" (HELBIG 1973, 283), und die Kerne dieser Gruppen sind erweiterbar. Da sowohl das Subjekt (aus dem Kontext zu erschließen) als auch das finite Verb fehlen, stellen diese Konstruktionen auch ein Mittel der Verdichtung dar (vgl. SOMMERFELDT 1982a, 81), worauf auch die Bezeichnung satzwertige Wortgruppe hinweist (vgl. EINFÜHRUNG GRAM. 1985, 207).

Nach der Art der Einleitung werden 4 Arten von Infinitivgruppen unterschieden, die im Untersuchungsmaterial aus dem Jahre 1981 in folgender Quantität zu finden waren:

Infinitive mit *zu*	74,2 %
Infinitive mit *um zu*	23,8 %
Infinitive mit *ohne zu*	1,8 %
Infinitive mit *anstatt zu*	0,2 %

(Vgl. SOMMERFELDT 1982a, 82.)

Auf Grund des geringen Vorkommens der Gruppen 3 und 4 werden nur die Gruppen 1 und 2 berücksichtigt. Bei dem Untersuchungsmaterial handelt es sich um Wochenzeitungen. Generell ist eine geringe Zunahme festzustellen. Betrug das Verhältnis Elementarsatz : Infinitivgruppe 1850 12 : 1, so war der Gebrauch 1982 auf 10 : 1 gestiegen (vgl. KORTÜM 1983, 31; SMIRNOV 1981).

Infinitive mit *zu*
Was das Vorkommen bestimmter Satzglieder betrifft, ergibt sich folgendes Bild:

	um 1850	1982
Subjekt	4,5 %	8,8 %
Kasusobjekt	29,6 %	25,3 %
Präpositionsobjekt	43,7 %	40,9 %
Attribut	22,2 %	25,0 %

(Vgl. KORTÜM 1983, 32.)

Es ergeben sich folgende Feststellungen:
– Bei geringer Zunahme der Verwendung der Infinitivgruppe bleibt der Ausdruck des Objekts, vor allem der des Präpositionalobjekts, die Hauptverwendungsweise (vgl. EBERT 1978, 29).
– Die Verwendung von Infinitivgruppen als Attribut nimmt zu. Damit wird die Infinitivgruppe zu einem Mittel, einer allzu großen Verdichtung in einer Substantivgruppe entgegenzuwirken. Sie dient der Auflockerung (vgl. GROSSE 1964, H. 2, 3).

Infinitive mit *um zu*

Die Feststellung, daß der Gebrauch der Infinitivgruppen in geringem Maße zunimmt, läßt sich nicht auf die Gruppen mit *um zu* übertragen.

Eine Entwicklung zeigt sich jedoch in den semantischen Beziehungen der Infinitivgruppe mit *um zu*. Im 20. Jahrhundert besteht wie im 19. die Hauptaufgabe darin, den Zweck im Rahmen einer Grund-Folge-Relation anzugeben. Der Anteil dieser Infinitivgruppen ging aber von 82 % auf 78 % zurück (vgl. KORTÜM 1983, 3a). Dafür traten zwei andere Gebrauchsweisen auf, die folgendermaßen bezeichnet werden:

– weiterführender Infinitiv (vgl. KOLB 1966, 135 ff.); kopulative Bedeutung (vgl. HELBIG 1973, 28a)
– Ausdruck der Stellungnahme (vgl. SOMMERFELDT 1982b, 162).

Es folgen für die einzelnen Bedeutungen der Infinitivgruppen mit *um zu* Beispiele:

Zweck:

> *Der Lärm der Gefangenen, die im Hintergrund eine Ziegelwand errichten mußten,* um die gefangenen Moncadakämpfer vom übrigen Teil des Gebäudeflügels zu isolieren ... (ho 1980)

Folge:

> ... *daß sein Kollektiv einfach noch zu jung sei,* um mit alten Maurern und Putzern mitzuhalten. (Wopo 1980)

Bedingung:

> *Gute fachliche Leistungen brauchst du,* um dir Autorität zu verschaffen. (JW 1980)

Zeitliche Folge: (kopulative Bedeutung/Weiterführung)

> *Der Ertappte mußte den Kaufpreis zahlen und durfte wieder heim,* um auf den natürlichen Abgang und Empfang des Geschenks zu warten. (ho 1980)

Stellungnahme zum Sachverhalt:

> *Schon einige Male wartete der Leiter mit Entscheidungen auf, die,* um es zurückhaltend zu sagen, *ihm nicht zur Ehre gereichten.*

Partizipien können wie Infinitive durch Objekte und adverbiale Bestimmungen erweitert werden und drücken zusammen mit dem übergeordneten Wort eine (potentielle) Prädikation aus. Man kann sie daher als satzwertige Wortgruppe bezeichnen (vgl. HELBIG 1973, 282). Sie sind immer valenzunabhängig und „haben in der Regel attributiven Charakter" (a.a.O., 189). Sie drücken modale, temporale, kausale, konditionale und konzessive Beziehungen aus.

ADMONI stellt fest, daß diese Gruppen bis ins 17. Jahrhundert selten anzutreffen seien. Erst in diesem Jahrhundert komme es zum Umschwung. Ihr Vordringen sei darauf zurückzuführen, daß durch den zunehmenden Gebrauch der Nebensätze unübersichtliche Satzgebilde entstanden seien. „Die Wendung zum erweiterten Partizipialattribut vollzieht sich … als eine Tendenz zur Bereicherung der deutschen Literatursprache durch neue Ausdrucksmöglichkeiten des Elementarsatzes, die im großen und ganzen denen der Hypotaxe synonymisch entsprechen und die … zu einer allmählichen Zurückdrängung des Satzgefüges führen" (ADMONI 1973 b, 52).

Wir haben für das 19. und 20. Jahrhundert spezielle Untersuchungen zur Partizipialgruppe angestellt und uns vorwiegend auf den Stil der Presse gestützt. Generell kann man sagen, daß der Anteil der Gruppe mit dem Partizip I abnimmt, der mit dem Partizip II zunimmt:

Zeitraum	Partizip I	Partizip II
18. Jh.	40,6 %	59,4 %
20. Jh.	25,0 %	75,0 %
(Vgl. BROER 1983, 60.)		
20. Jh.	25,06 %	74,94 %
(Vgl. MEIER 1983, 1.)		

Was die Satzgliedrolle erweiterter Partizipien betrifft, so hat MEIER (1983, 1 ff.) im Funktionalstil der Presse des 20. Jh. folgendes ermittelt:

	Partizip I	Partizip II
Attribut	78,09 %	89,27 %
Modalbestimmung	10,48 %	7,8 %
Konditionalbestimmung	10,48 %	2,52 %
Kausalbestimmung	0,95 %	–
Temporalbestimmung	–	0,41 %

Man kann sicher für Konstruktionen mit dem Partizip I und Partizip II sagen, daß sie generell ein Mittel sind, den Umfang des Satzes zu vergrößern, also den Inhalt eines Satzes zu komprimieren, und damit sprachökonomische Ursachen haben.

Weitere Ursachen sind wiederholt diskutiert worden. So sieht ADMONI, was die Belletristik betrifft, einen Zusammenhang mit dem Individualstil. Einem „beschaulichen Stil" entspreche das erweiterte Attribut (z. B. Fontane, Th. Mann), einem „energischen" (z. B. H. Mann) nicht (vgl. ADMONI 1973 b, 55). Andere sehen einen Zusammenhang mit Rhythmik und Wortstellung. Das in die normale Klammer eingefügte Partizipialattribut „bildete sich … in dem Zeitraum aus, in dem … das Prinzip der Umklammerung in Haupt- und Nebensatz stark an Boden gewann" (WEBER 1971, 133). Der Rückgang des vorangestellten Partizips und der zunehmende Gebrauch nachgestellter, also sich hinter dem nominalen Rahmen befindlicher Partizipialgruppen wird damit erklärt, „daß die deutsche Sprache … in manchen Fällen danach trachtet, die Spannungsbögen zu verkürzen oder gar zu beseitigen" (a. a. O., 135). Demzufolge würde eine nachgestellte Partizipialgruppe aus dem nominalen Rahmen ausgerahmt, wir hätten statt der „hypotaktischen Unterordnung" eine „Nacheinanderordnung" (vgl. a. a. O., 136).

Adjektive können erweitert werden durch Substantive (Genitiv, Dativ, Akkusativ, mit Präposition), Pronomen, Adjektive, Adverbien, Infinitive und Nebensätze. Alle Möglichkeiten waren bereits im 19. Jahrhundert vorhanden. Adjektivgruppen sind relativ selten.

Unsere Untersuchungen zum Vorkommen adjektivischer Wortgruppen in Zeitungsartikeln der Jahre 1850 und 1981/82 ergaben eine Zunahme des Gebrauchs um 44,36 %. Über die Hälfte der im 20. Jahrhundert häufiger gebrauchten Erweiterungen sind Bezeichnungen des Grades. Insgesamt nehmen in dem untersuchten Material folgende Erweiterungen zu:

– Bezeichnungen des Grades

> sehr *behaglich*, immer *höher*, etwas *länger*, nahezu *unverändert*, höchst *selten*

– Hervorhebungen eines Merkmals

> besonders *wertvoll*

– Bezeichnungen der Modalität

> anscheinend *gesund*, vermutlich *allgemein menschliche Schwächen* (Vgl. WIECZORKOWSKI 1983, 33 ff.)

Hier kommt das Bestreben zum Ausdruck, die Intensität eines Merkmals genau anzugeben, ein Merkmal hervorzuheben und die Geltung eines Merkmals subjektiv einzuschätzen, also das Streben nach Genauigkeit.

Dieser Abschnitt soll mit Angaben zur gegenwärtigen Situation abgeschlossen werden. Folgende Erweiterungen traten in Adjektivgruppen auf:

Adverbien	58 %
Adjektive	15,5 %
Substantive mit Präposition	12,0 %
Substantive mit Dativ	5,5 %
Substantive mit Akkusativ	5,5 %
Substantive mit Genitiv	3,5 %

(Vgl. SOMMERFELDT 1968, 112.)

Die Zahlen beweisen, daß in Vergangenheit wie Gegenwart vor allem jene Adjektivgruppen eine Rolle spielen, in denen Intensität/Hervorhebung/Geltung eines Merkmals unterstrichen werden, was vorwiegend durch Adverbien und Adjektive geschieht.

4.2.5. Wort- und Satzgliedstellung
4.2.5.1. Der verbal-prädikative Rahmen

Es gibt den vollen, den verkürzten und den potentiellen Rahmen (vgl. EINFÜHRUNG GRAM. 1985, 194 f.).

Bei der Betrachtung der Rahmenentwicklung werden alle Arten des Rahmens, also der verbal-prädikative und auch der Spannsatzrahmen, berücksichtigt. „Die Anfänge der Rahmenkonstruktion reichen mindestens in die germanische Zeit zurück, wo der eingeleitete Nebensatz schon End- bzw. Späterstellung aufweist und Hauptsätze mit Zweitstellung des Vf (= finiten Verbs, d. V.) häufig Endstellung der infiniten Verbteile oder Richtungsergänzungen zeigen" (EBERT 1978, 39).

In mhd. Zeit ist die verbale Klammer die Regel. Teile des zusammengesetzten Prädikats können Kontaktstellung einnehmen, es tritt sowohl die vollständige als auch die unvollständige Klammer auf. In frnhd. Zeit ist die absolute Kontaktstellung nur noch selten zu finden. Die vollständige und die unvollständige Klammer treten etwa in gleicher Anzahl auf.

Während im 14. und 15. Jahrhundert die vollständige Klammer und die freie Stellung des 2. Prädikatsteils ungefähr zu gleichen Teilen zu finden waren, ist für das ausgehende 16. Jahrhundert eine deutliche Zunahme der vollständigen Klammer zu verzeichnen. Im Zusammenhang mit der bewußten Normierung des gesamten grammatischen Baus erfolgte im 17. und 18. Jahrhundert die regelmäßige Durchführung der Klammer als literatursprachliche Sprachnorm.

Für das 19. und 20. Jahrhundert können zur Entwicklung des verbal-prädikativen Rahmens in Kernsätzen in der Publizistik die folgenden Untersuchungsergebnisse angeführt werden. Wir stellen die Ergebnisse in einer Zusammenfassung dar, da keine generelle Entwicklung feststellbar ist.

Quelle	Anteil der Sätze mit verbal-prädikativem Rahmen
Güstrower Zeitung 1857	84,2 %
Güstrower Zeitung 1865	63,7 %
Gartenlaube (19. Jh.)	64,8 %
Horizont – Forum 1981	73,9 %
ND (Textsorte Außenpolitik) 1983	67,7 %
ND (Textsorte Sport) 1981	69,1 %

Es ist schwer, die Entwicklung des verbal-prädikativen Rahmens und damit auch die Entwicklung von Ausrahmungen generell darzustellen. Offenbar ist die Häufigkeit von Ausklammerungen in verschiedenen Funktionalstilen unterschiedlich.

So treten in der Sprache der Wissenschaft seit der Mitte des 18. Jahrhunderts Ausrahmungen in großer Anzahl auf (vgl. ADMONI 1973a, 96). Für die Publizistik gelangt BEYRICH – er untersuchte je 3000 Teilsätze aus der Sprache der Presse der Jahre 1750, 1850 und 1964 – zu der Auffassung, daß ausgeklammerte Glieder im Jahre 1850 am häufigsten auftreten (vgl. BEYRICH 1966, 98).

Für die Publizistik lassen sich außerdem folgende Ergebnisse anführen:

Quelle	Anteil der Ausrahmungen bezogen auf Sätze mit Rahmen
Güstrower Zeitung 1857	33,2 %
Güstrower Zeitung 1865	28,5 %
Gartenlaube (19. Jh.)	32,7 %
Horizont – Forum 1981	22,5 %
ND (Textsorte Außenpolitik) 1983	25,7 %
ND (Textsorte Sport) 1981	17,3 %

Diese Zusammenstellung macht deutlich, daß in einer Zeitung – bei einem etwa gleichen prozentualen Anteil von Sätzen mit Rahmen – der Anteil der Ausrahmungen in Abhängigkeit von der Textsorte unterschiedlich ist.

In der Belletristik wurde folgendes Verhältnis von Sätzen mit vollem und solchen mit verkürztem Rahmen ermittelt:

	Sätze mit vollem Rahmen %	Sätze mit verkürztem Rahmen %
Briefprosa (Goethe)		
Leipzig 1767	99,4	0,6
Frankfurt 1772/74	93,4	6,6
Weimar 1775/78	93,7	6,3

(Vgl. MATTAUSCH 1965, 210.)

In der Belletristik zeigt sich weiter, daß die Anzahl der Ausrahmungen bei einzelnen Schriftstellern recht unterschiedlich ist.

Quelle	Anteil der Ausrahmungen %
Keller, Der grüne Heinrich (1. Fassung 1854f.)	9,4
Raabe, Hungerpastor (1864)	7,2
Mann, Buddenbrooks (1901)	8,9
Hesse, Peter Camenzind (1904)	7,0

Grass, Katz und Maus (1963)   5,0
(Vgl. ENGEL 1970 b, 53.)
Böll, Und sagte kein einziges Wort   7,4
(Vgl. BENEŠ 1968, 298.)

Bis zum 17. Jahrhundert konnten alle Satzglieder in unterschiedlichen sprachlichen Formen ausgeklammert werden, besonders häufig Präpositionalobjekte, präpositionale Adverbialbestimmungen und Vergleiche. Selten wurden Subjekte und Kasusobjekte nachgestellt (vgl. EBERT 1978, 41). Insgesamt blieb im 17. und 18. Jahrhundert das System der Anordnung der Satzglieder ziemlich einförmig. Von der Mitte des 18. Jahrhunderts an gewinnt die deutsche Literatursprache die Fähigkeit, ihren Mitteilungs- und Gefühlsgehalt auch mit der Satzgliedstellung auszudrücken. So sind u. a. bei Heine, Hoffmann, Keller und Raabe Ausklammerungen keine Seltenheit mehr. Sogar das Subjekt kann ausgeklammert werden (vgl. ADMONI 1973 a, 96).

Für die Publizistik lassen sich die folgenden Ergebnisse anführen: BEYRICH hat in seinen Untersuchungen zum Satzgliedwert der ausgeklammerten einfachen Satzglieder u. a. festgestellt, daß von 1750 bis 1964 die Anzahl der ausgerahmten Präpositionalobjekte zunimmt. 1964 machen sie fast 50 % aller Ausrahmungen aus (vgl. BEYRICH 1966, 95).

Auch in anderen Untersuchungen zur Publizistik ist eine häufige Verwendung von ausgerahmten Präpositionalobjekten zu bemerken. Die Tendenz der Zunahme der Ausrahmung von Präpositionalobjekten steht im Zusammenhang mit der Tendenz der Entwicklung der Kasus. Präpositionalobjekte sind anscheinend an den Klammerrand „gebunden".

Daß auch Adverbialbestimmungen häufig ausgerahmt werden, hat vermutlich etwas mit der sprachlichen Form dieser Satzglieder – sie sind meist Nebensätze – zu tun.

Mehrfach wird darauf hingewiesen, daß der Prozentsatz der Ausklammerungen steigt, je länger die Sätze werden (vgl. BEYRICH, 1966, 92 ff.; ADMONI 1962, 168; BAUMGÄRTNER 1959, 71 ff.; RATH 1965, 220). RATH gelangt zu dem Ergebnis, daß die verbale Klammer beim Gebrauch trennbarer Verben um so häufiger durchbrochen wird, je länger der Satz ist.

Wörter im Satz	4	8	16	24	32	Gesamt
Gesamtzahl der Sätze mit trennbarem Verb	20 (100 %)	101 (100 %)	155 (100 %)	166 (100 %)	110 (100 %)	552 (100 %)
Ausklammerung	0 (0 %)	4 (4 %)	40 (25,8 %)	60 (36,6 %)	43 (39 %)	147 (26 %)

(Vgl. RATH 1965, 220.)

Anscheinend ist auch der Umfang der ausgerahmten Elemente von Bedeutung.

BEYRICH gelangt sowohl in bezug auf die Ausrahmung von Gliedteilsätzen als auch in bezug auf die Ausklammerung von Vergleichen zu dem Ergebnis, daß sowohl 1750, 1850 als auch 1964 die längeren Elemente ausgerahmt werden (vgl. BEYRICH 1966, 92 ff.).

Offensichtlich gibt es aber Unterschiede zwischen der mündlichen und schriftlichen Kommunikation. In der mündlichen Sprache wird häufiger ausgerahmt. (Vgl. EGGERS 1969, 17 f.)

Zusammenfassend können wir für das 18. bis 20. Jahrhundert folgendes festhalten (vgl. WB SPRACH-SCHW. 1984, 69 ff.):

– Die Verwendung des verbal-prädikativen Rahmens und die Anzahl der Ausrahmungen sind in den einzelnen Funktionalstilen und im Funktionalstil der Belletristik bei verschiedenen Schriftstellern unterschiedlich.
– Für die Publizistik ist es allem Anschein nach schwer, von Entwicklungstendenzen in bezug auf die Häufigkeit von Ausrahmungen zu sprechen. Nachgewiesen werden konnte aber, daß Präpositionalobjekte zunehmend ausgerahmt werden, weil sie besonders eng mit dem Rahmenende verbunden sind (vgl. zum Nachtrag SOMMERFELDT 1985).
– Anzahl und Art der Ausrahmungen hängen offensichtlich mit der Länge des Satzes und dem Umfang der Ausrahmungen zusammen.

4.2.5.2. Zur Stellung der einzelnen Satzglieder

Wenn die Stellung der Satzglieder im Deutschen auch nicht so fest wie im Englischen ist, so kann man doch von einer Grundreihenfolge sprechen:

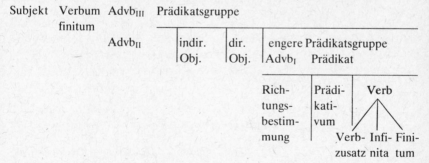

(Vgl. GRUNDZÜGE 1984, 704 f.)

Das Subjekt tritt meist im Vorfeld auf, ist aber auch an allen anderen Positionen des Satzes zu finden (vgl. GRUBAČIC 1965, 59ff.).

Vorfeld	Nachfeld unmittelbar nach der finiten Verbform	Mitte	am Ende des Satzes in rahmenlosen Sätzen / unmittelbar vor Rahmenschließung	allein im Nachfeld

Texte 19. Jh.

50,3 %	28,4 %	1,6 %	9 %	10 %

Texte 20. Jh.

51,8 %	23,3 %	0,6 %	15 %	9,3 %

Das Subjekt tritt, wenn es etwas Bekanntes zum Ausdruck bringt, an den Satzanfang oder unmittelbar hinter die finite Verbform:

> Selbige *hatten vorausgesagt, daß* ... (ND)
> *In der Hauptstadt* ... *trafen* die Regierungschefs *zusammen.*

Am Ende des Satzes (in rahmenlosen Sätzen) oder unmittelbar vor der Rahmenschließung hat das Subjekt einen hohen Mitteilungswert, es bringt etwas Neues zum·Ausdruck. Diese Stelle im Satz wird offensichtlich in der Gegenwart mehr genutzt, um die Wichtigkeit des mit dem Subjekt Ausgedrückten darzustellen.

> *Deshalb gebührt dem Anbau von Zwischenfrüchten in den gemeinsamen Wettbewerbsprogrammen der Kooperationspartner aus der Pflanzen- und Tierproduktion stets* ein hoher Stellenwert. (ND)

Bei der Analyse der Stellung der Objekte bleiben die Genitiv- und Dativobjekte unberücksichtigt, da sie in unserem Material nur selten auftreten.

Akkusativobjekte sind im ND viel häufiger als in der „Gartenlaube" im Vorfeld zu finden.

> Die Zustimmung ... zum Vorschlag über die Einrichtung einer gemeinsamen Kommission *hat am Dienstag der Verkehrsminister gewürdigt.* (ND)

In diesem Beispiel steht mit dem Akkusativobjekt etwas Wichtiges im Vorfeld. Außerdem ist dieses Objekt sehr umfangreich und enthält dadurch mehrere Informationen. Akkusativobjekte können aber auch Bekanntes zum Ausdruck bringen. Das Objekt steht dann lediglich im Vorfeld, damit das Subjekt in eine ausdrucksstärkere Position rücken kann.

> Das *erklärte der Leiter der Delegation.*

Sowohl im ND als auch in der „Gartenlaube" stehen Akkusativobjekte oft am Satzende, weil sie etwas Wichtiges ausdrücken. „Präpositional-Objekte beanspruchen einen besonderen Platz. ... Sie besetzen die letzte Stelle ... vor der Prädikatsergänzung mit dem zweiten Prädikatsteil" (SCHULZ/GRIESBACH 1976, 401). Man findet sie heute verstärkt auch im Vorfeld, wo sie – neben der Bezeichnung von Wichtigem – auch der Satzverflechtung dienen:

> Zu Behauptungen, daß diese Initiative von anderen Verhandlungen ablenke, *erklärte er* ... (ND

Wir konzentrieren uns auf die Stellung von Temporal- und Lokalbestimmungen, weil in der Publizistik temporale und lokale Angaben zum Verständnis der Aussagen unbedingt nötig sind.

Temporalbestimmungen sind in unserem Material bevorzugt im Vorfeld zu finden, damit werden Sachverhalte von Satzbeginn an zeitlich eingeordnet, sie sind als Thema geeignet.

> 1981 und in verstärktem Maße 1982 *habe sich die Sowjetunion als wachsender Markt für westliche Exportunternehmen erwiesen.* ... (ND)

Diese Adverbialbestimmungen treten aber auch sehr häufig unmittelbar nach der finiten Verbform auf.

> *Ein weiterer Verkaufsstützpunkt öffnete* in Prüzen *seine Pforten.* (SVZ)

Sowohl im 19. als auch im 20. Jahrhundert treten Temporalbestimmungen sehr selten am Ende des Satzes auf.

Bei den Lokalbestimmungen muß zwischen Orts- und Richtungsangaben unterschieden werden. Ortsangaben treten in unserem Material einerseits bevorzugt im Vorfeld und am Anfang des Nachfeldes, andererseits unmittelbar vor dem rahmenschließenden Element auf. Im ersten Falle sollen dann Sachverhalte von vornherein örtlich eingeordnet werden, im zweiten Falle wird der Ort hervorgehoben.

> Auf der koreanischen Halbinsel *werden von seiten der KDVR die Bemühungen fortgesetzt, die brennenden Probleme in dieser Region einer Lösung zuzuführen.* (ND)

Richtungsangaben stehen – sowohl in der „Gartenlaube" als auch im ND – meist am Ende des Nachfeldes vor dem rahmenschließenden Element. Sie treten nach Bewegungs-/Richtungsverben auf und sind valenzbedingt.

> *Eine solche Karte in großem Umschlag fiel schwer aufschlagend* in den blechernen Briefkasten. (Gartenlaube)

Zusammenfassend ergibt sich:

– Wenn das Subjekt etwas Bekanntes zum Ausdruck bringt, steht es im 19. und auch im 20. Jahrhundert im Vorfeld oder unmittelbar nach der finiten Verbform. Für die Gegenwart zeichnet sich ab, daß das Subjekt häufiger an das Satzende bzw. vor das rahmenschließende Element rückt, es bezeichnet etwas Wichtiges.

- Akkusativ- und Präpositionalobjekte stehen im 19. und im 20. Jahrhundert an den Stellen des Satzes, die einen hohen Mitteilungswert haben. Auffällig ist, daß sie in der Gegenwart wesentlich häufiger als im 19. Jahrhundert im Vorfeld zu finden sind.
- Temporal- und Ortsbestimmungen treten oft im Vorfeld auf, weil die Sachverhalte damit sofort zeitlich/örtlich eingeordnet werden können.

Richtungsangaben sind meist am Ende des Nachfeldes zu finden.

4.2.5.3. Zur Vorfeldbesetzung im Aussagekernsatz

Wir analysieren die Vorfeldbesetzung im 1. Satz und in den folgenden Sätzen getrennt, da zu vermuten ist, daß es Unterschiede gibt. Vom 2. Satz an muß man auf bereits Genanntem aufbauen (Textverflechtung).

Vorfeldbesetzung im 1. Satz des Textes	Subjekt %	Prädikatsteil %	Adverbial- bestimmung %	Objekt %
19. Jh.	58,7	3,1	30,1	8,1
20. Jh.	57,3	0,5	19,4	22,8

Auffällig ist, daß der Anteil der Objekte vom 19. zum 20. Jahrhundert wesentlich zugenommen hat, der Anteil der Adverbialbestimmungen dagegen hat abgenommen (vgl. MEIER 1984, 77).

Vorfeldbesetzung vom 2. Satz des Textes an	Subjekt %	Prädikatsteil %	Adverbial- bestimmung %	Objekt %
19. Jh.	49,8	3,9	36,2	10,1
20. Jh.	50,5	2,1	32,1	15,3

Sowohl in den Texten aus dem 19. als auch aus dem 20. Jahrhundert fällt auf, daß im Gegensatz zur Vorfeldbesetzung des 1. Satzes das Subjekt seltener auftritt. Ursache dafür dürfte die Textverflechtung sein.

4.2.5.4. Zur Wortstellung in der Substantivgruppe

Noch im Mhd. ist die Stellung der Attribute relativ frei. Es werden dabei weiterhin viele kongruenzlose Formen des (adjektivischen) Attributs gebraucht:

> *ein edel ritter* guot

Im Frnhd. hatten die attributiven – sie sind jetzt flektiert – Adjektive, Partizipien und Pronomen eine feste Stellung, sie wurden vorangestellt:

> *Do macht man ein* gros *feur auf dem marckt.*

Nachgestellt wurden nur noch hervorgehobene Attribute und Appositionen (vgl. ADMONI 1966, 178).

Die Fernstellung von attributiven Adjektiven und Genitiven ist im 15./16. Jahrhundert im allgemeinen nicht nachzuweisen (vgl. EBERT 1978, 46).

Bereits vor 150 bis 200 Jahren hat die Substantivgruppe die Struktur angenommen, die sie auch heute aufweist. „Die Entwicklung der Monoflexion und die Verteilung der prä- und postpositiven Attribute wurde zu Beginn des 19. Jahrhunderts so ausgebildet, daß seitdem im Grunde genommen nur noch nebensächliche, wenn auch mannigfaltige Verlagerungen in der Struktur der Substantivgruppe stattgefunden haben" (ADMONI 1973a, 40).

Mit der weiteren quantitativen Zunahme des Umfangs der Substantivgruppen im 19. und 20. Jahrhundert ist eine tiefere Staffelung der Attribute verbunden. Diese Entwicklung ist in den einzelnen Funktionalstilen unterschiedlich ausgeprägt, am augenscheinlichsten aber im Stil der Wissenschaft.

Im folgenden wollen wir uns der Stellung einzelner Attributarten im 19. und 20. Jahrhundert zuwenden.

– Adjektivische Attribute stehen in der Publizistik vor dem Kernwort (K). Semantisch ungleichwertige Adjektive stehen in folgender Reihenfolge vor dem Kernwort:

quantifizierende/einschätzende Adjektive – qualitative Adjektive – relative Adjektive – (Kernwort)

> frühere bedeutende *Zufuhren* (GZ)
> neue russische *Anleihe* (GZ)
> amtliches persisches *Blatt* (GZ)

– Genitivattribute stehen vor allem als Valenzpartner nachgestellt bei deverbalen und deadjektivischen Substantiven:

> *der Wunsch* Frankreichs (GZ)

In der Literatur findet man allerdings auch noch Hinweise auf die mögliche Voranstellung dieser Attribute – derartige Attribute bezeichnet man als „sächsischen Genitiv". Vorangestellt ist möglich,

1. wenn das Genitivattribut aus einem Personennamen oder einem geographischen Namen besteht und dieses an sich selbst keine adjektivischen und substantivischen Attribute bindet.

   Petras *Hut*
2. in festen Redewendungen

   aller Laster *Anfang*

   (Vgl. DUDEN-GRAMMATIK, 1984, 725.)

– Präpositionalattribute (pA) treten im analysierten Material in der Publizistik nur im Nachfeld auf.
Folgende Typen müssen unterschieden werden:

1. Typ $K + pA_1 + pA_2$

Dabei sind pA_1 und pA_2 nicht austauschbar.

   die Ausfuhr von Pferden über die äußere Zollgrenze (GZ)

2. Typ $K + pA_1 + pA_2$

Hier sind pA_1 und pA_2 austauschbar.

   zu der Ehrung mit dem Orden „Banner der Arbeit" am 1. Mai (SVZ)

– Treffen ein Präpositional- und ein Genitivattribut zusammen, so folgt das Präpositionalattribut in der Regel dem Genitivattribut:

   der Besuch des Büros des Zentralrates der FDJ bei der NVA (JW)

Das gilt auch für Maß-, Situativ- und Direktivangaben.

   ein Druck des Reifens von 2 Atü
   die Reise Peters von Berlin nach Schwerin

– Sowohl im 19. als auch im 20. Jahrhundert treten voran- und nachgestellte Appositionen auf.
Ungleichwertige Appositionen im Vorfeld treten in folgender Reihenfolge auf:
Anrede – Beruf/Funktion – Titel – Vorname – (Kernwort)
Anrede und Berufsbezeichnungen treten heute nicht mehr nebeneinander als Apposition auf, da das unüblich geworden ist. Beide Angaben sind gleichrangig.

   Maurer Wolfgang *Püsching* (SVZ)
   Genosse Prof. Dr. *Helmut Koziolek* (SVZ)

(aber)

> Herr Bildhauer *Petters* (GZ)

Enge nachgestellte Appositionen folgen unmittelbar nach dem Kern. Daran anschließend können lockere Appositionen stehen.

> *in der LPG* Schwaan, einem der größten Kartoffelanbauer des Bezirkes (SVZ)

Zusammenfassend ergibt sich, daß die Entwicklung der Substantivgruppe im 18. Jahrhundert im wesentlichen abgeschlossen ist. Es hat sich eine Grundreihenfolge herausgebildet, die auch heute noch gültig ist. Generell sind keine wesentlichen Veränderungen in der Wortstellung innerhalb der Substantivgruppe nachweisbar.

Verzeichnis der Abkürzungen

Abkürzungen von Zeitschriften etc.

BES   Beiträge zur Erforschung der deutschen Sprache, Leipzig
DaF   Deutsch als Fremdsprache, Leipzig
LAB   Linguistische Arbeitsberichte, Leipzig
LS/ZISW   Linguistische Studien des Zentralinstitutes für Sprachwissenschaft der Akademie der Wissenschaften der DDR, Berlin
WZ   Wissenschaftliche Zeitschrift
ZPSK   Zeitschrift für Phonetik, Sprachwissenschaft und Kommunikationsforschung, Berlin

Abkürzungen von Quellenangaben

19. Jahrhundert
Ga   Die Gartenlaube als Dokument ihrer Zeit. Zusammengestellt und mit Einführungen versehen von MAGDALENE ZIMMERMANN, München 1963
GZ   Güstrower Zeitung (1840–1860)
Ja   Deutsch-Französische Jahrbücher. Herausgegeben von ARNOLD RUGE und KARL MARX. Leipzig 1981

20. Jahrhundert
ho   horizont
JW   Junge Welt
LVZ   Leipziger Volkszeitung
M   Magazin
MV   Märkische Volksstimme
ND   Neues Deutschland
NDP   Neue Deutsche Presse
nl   neues leben
rfe   radio, fernsehen, elektronik
So   Sonntag
ST   Sächsisches Tageblatt
SVZ   Schweriner Volkszeitung
Tr   Tribüne
Wb   Weltbühne
WoPo   Wochenpost

Sonstige Abkürzungen

KE   Kommunikationsereignis
WBK   Wortbildungskonstruktion

Literaturverzeichnis

ACHMANOVA, B. S. 1966. Slovar' lingvističeskich terminov. Moskva.

ADELBERG, E. 1978. Arbeiter. In: Zum Einfluß von Marx und Engels auf die deutsche Literatursprache. Hrsg. von J. SCHILDT. Berlin.

ADELBERG, E. 1981. Die Entwicklung einiger Kernwörter der marxistischen Terminologie. In: Auswirkungen der industriellen Revolution auf die deutsche Sprachentwicklung im 19. Jh. Von einem Autorenkollektiv unter Leitung von J. SCHILDT. Berlin.

ADMONI, W. G. 1962. Die umstrittenen Gebilde der deutschen Sprache von heute. In: Muttersprache, 161 ff.

ADMONI, W. G. 1966. Razvitije struktury predloženija v period formirovanija nemeckogo jazyka. Leningrad.

ADMONI, W. 1970. Zu Problemen der Syntax. In: DaF 6, H. 1, 9 ff.

ADMONI, W. 1972. Der deutsche Sprachbau. Leningrad.

ADMONI, W. 1973 a. Die Entwicklungstendenzen des deutschen Satzbaus von heute. München.

ADMONI, W. 1973 b. Puti razvitja grammatičeskogo stroja v nemeckom jazyke. Moskva.

ADMONI, W. 1980. Zur Ausbildung der Norm der deutschen Literatursprache im Bereich des neuhochdeutschen Satzgefüges (1470–1730). Berlin.

ALLGEMEINE SPRACHWISSENSCHAFT. 1975/1976. Band I–III. Von einem Autorenkollektiv unter der Leitung von B. A. SERÉBRENNIKOW. Berlin.

AMMER, K. 1961. Sprache, Mensch und Gesellschaft. Halle (Saale).

AMMON, U. 1972. Dialektische Ungleichheit und Schule. Weinheim.

ANDERSSON, S.-G. 1983. Deutsche Standardsprache – drei oder vier Varianten? In: Muttersprache 93, 259 ff.

ANDERSSON, S.-G. 1984. Wortwanderung. Zur Beschreibung der deutsch-deutschen Sprachsituation im Bereich des Wortschatzes. In: Deutsche Sprache, H. 1, 54 ff.

APELT, W. 1982. VI. Internationaler Kongreß für Angewandte Linguistik (Konferenzbericht). In: DaF 19, H. 2, 113 ff.

ARENS, S. H. 1965. Verborgene Ordnung. Die Beziehungen zwischen Satzlänge und Wortlänge in deutscher Erzählprosa vom Barock bis heute. Düsseldorf.

ÅSDAHL-HOLMBERG, M. 1976. Studien zu den verbalen Pseudokomposita im Deutschen. In: Göteborger germanistische Forschungen 14, Lund.

DIE AUSWIRKUNGEN DER INDUSTRIELLEN REVOLUTION AUF DIE DEUTSCHE SPRACHENTWICKLUNG IM 19. JAHRHUNDERT. 1981. Von einem Autorenkollektiv unter Leitung von J. SCHILDT. Berlin.

BACH, A. 1970. Geschichte der deutschen Sprache. Heidelberg.

BARZ, I. 1982. Zum Zusammenhang zwischen Benennungsverfahren und Grundtypen onomasiologischer Kategorien am Beispiel der Benennungsparallelität. In: LAB 36, 68 ff.

BARZ, I. 1983. Zum Anteil der Wortbildungsarten an der Benennungsbildung. In: Germanistisches Jahrbuch DDR–UVR. Budapest. II. Jahrg., 7 ff.

Barz, I. 1984. Prinzipien und Tendenzen bei der Bildung und Verwendung komplexer Benennungen. In: ZPSK 37, 433 ff.

Barz, I. 1985 a. Zum Verhältnis von movierten und unmovierten Berufsbenennungen im Sprachgebrauch der DDR. In: BES 5, 191 ff.

Barz, I. 1985 b. Nomination und Wortbildung. Grundfragen einer funktionalen Wortbildungsbeschreibung am Beispiel des Adjektivs. Diss. B. Leipzig.

Baumgärtner, K. 1959. Zur Syntax der Umgangssprache in Leipzig. Berlin.

Baur, A. 1983. Was ist eigentlich Schweizerdeutsch? Winterthur.

Bausch, K. H. 1977. Sprachvariation und Sprachwandel in der Synchronie. In: Sprachwandel und Sprachgeschichtsschreibung. Düsseldorf.

Bausch, K. H. 1980. Soziolekt. In: Lexikon der Germanistischen Linguistik. Hrsg. von H. P. Althaus, H. Henne, H. E. Wiegand. Tübingen, 368 ff.

de Beaugrande, R.-A.; W. U. Dressler, 1981. Einführung in die Textlinguistik. Tübingen.

Becker, K. F. 1884. Der deutsche Stil. Neu bearbeitet von O. Lyon. Leipzig, Prag.

Beneke, J. 1982. Untersuchungen zu ausgewählten Aspekten der sprachlich-kommunikativen Tätigkeit Jugendlicher. Diss. A. Berlin.

Beneš, E. 1966. Syntaktische Besonderheiten der deutschen wissenschaftlichen Fachsprache. In: DaF 3, H. 3, 26 ff.

Beneš, E. 1968. Die Ausklammerung im Deutschen als grammatische Norm und als stilistischer Effekt. In: Muttersprache 78, 289 ff.

Beneš, E. 1981. Die formale Struktur der wissenschaftlichen Fachsprachen in syntaktischer Hinsicht. In: Wissenschaftssprache. Hrsg. von Th. Baumgarten. München.

Berésin, F. M. 1980. Geschichte der sprachwissenschaftlichen Theorien. Leipzig.

Berner, E. 1984. Die Anrede der Frau im öffentlichen Leben in der zweiten Hälfte des 19. Jahrhunderts. In: Sprachpflege 33, 96 ff.

Bernstein, B. 1970. Soziale Struktur, Sozialisation und Sprachverhalten. Aufsätze 1958–1970. Amsterdam.

Bernstein, B. 1973. Soziale Schicht, Sprache und Sozialisation. In: Sprache und kommunikative Kompetenz. Hrsg. von D. Kochan. Stuttgart.

Besch, W. u. a. 1981. Sprachverhalten in ländlichen Gemeinden. Forschungsbericht Erp.-Projekt. Bd. 1. Berlin (West).

Besch, W. 1983 a. Dialekt, Schreibdialekt, Schriftsprache, Standardsprache. In: Dialektologie. Hrsg. von W. Besch, U. Knoop, W. Putschke, H. E. Wiegand. 2. Halbbd. Berlin (West), New York, 961 ff.

Besch, W. 1983 b. Entstehung und Ausprägung der binnensprachlichen Diglossie im Deutschen. In: Dialektologie. Hrsg. von W. Besch, U. Knoop, W. Putschke, H. E. Wiegand. 2. Halbbd. Berlin (West), New York, 1399 ff.

Buesch, A. 1985. Initialwörter – ihre Entwicklung, ihr Vorkommen als Bestandteil von WBK, die Verwendung dieser WBK in den Zeitungstexten. Diplomarbeit. Leipzig.

Beyrich, V. 1966. Historische Untersuchung zur Ausklammerung. In: Wissenschaftliche Studien des Pädagogischen Instituts Leipzig. Teil II, 88 ff.

Bichel, U. 1973. Problem und Begriff der Umgangssprache in der germanistischen Forschung. Tübingen.

Bichel, U. 1980. Umgangssprache. In: Lexikon der Germanistischen Linguistik. Hrsg. von H. P. Althaus, H. Henne, H. E. Wiegand. Tübingen, 379 ff.

Bittner, A. 1985. Wie schwach sind die starken Verben? In: LS/ZISW/A. 126. Berlin, 51 ff.

Blanke, D. 1985. Internationale Plansprachen. Berlin.

Boon, K. L. 1983. Basic für Tischcomputer. München (Titel der holländischen Originalausgabe: Basic en huíscomputers. Deventer 1981).

Braun, P. 1979. Tendenzen in der deutschen Gegenwartssprache. Stuttgart, Berlin, Köln, Mainz.

Braun, P. 1982. Bestände und Veränderungen in der deutschen Wortbildung am Beispiel der be-Verben. In: Muttersprache 92, 216 ff.

BRAUN, W. 1975. Sind unsere Wörterbücher aktuell? In: Sprachpflege 24, 54 ff.
BRAUN, W. 1975–1980. Neuwörter und Neubedeutungen in der Literatursprache der Gegenwart. In: Sprachpflege 24, 143 ff.; 25, 21 ff., 246 ff.; 26, 100 ff., 230 ff.; 27, 53 ff., 164 ff.; 28, 16 ff., 143 ff.; 29, 101 ff.
BRENDTNER, B. 1985. Sprachliche Mittel zur Charakterisierung von Figuren und Figurenbeziehungen im Fernsehfilm „Paulines zweites Leben". Diplomarbeit. Leipzig.
BRIGZNA, I. 1975. Untersuchungen zu Entwicklungstendenzen im Wortschatz der deutschen Gegenwartssprache, dargestellt am Beispiel des WDG. Diss. A. Rostock.
BROCKHAUS – ABC NATURWISSENSCHAFT UND TECHNIK. 1980. Leipzig.
BROCKHAUS. DER GROSSE. 1928 ff. Leipzig.
BROCKHAUS – WAHRIG. 1980–1984. Deutsches Wörterbuch in sechs Bänden. Hrsg. von G. WAHRIG, H. KRÄMER, H. ZIMMERMANN. Wiesbaden, Stuttgart.
BROER, F. 1983. Tendenzen der Entwicklung deutscher Partizipialgruppen. Diplomarbeit. Güstrow.
BRONS-ALBERT, R. 1982. Die Bezeichnungen von Zukünftigem in der gesprochenen deutschen Standardsprache. Tübingen.
BURGER, H. 1984. Sprache der Massenmedien. Berlin, New York.
BUSSMANN, H. 1983. Lexikon der Sprachwissenschaft. Stuttgart.

CHERUBIM, D. 1977. Sprachtheoretische Positionen und das Problem des Sprachwandels. In: Sprachwandel und Sprachgeschichtsschreibung im Deutschen. Jahrbuch des Instituts für deutsche Sprache. Düsseldorf, 61 ff.
CLAUS, G. 1984. Differentielle Lernpsychologie. Eine Einführung. Berlin.
COSERIU, E. 1974. Synchronie, Diachronie und Geschichte. München.
CZICHOCKI, S. 1981. Fachsprache der Chemie – Entwicklungsprobleme im 19. Jahrhundert unter bes. Berücksichtigung der Bezeichnungen für organische Farbstoffe. Diss. A. Berlin.

VAN DAM, J. 1978. Deutsch und Niederländisch. In: Deutsche Sprache. Hrsg. von H. MOSER, H. RUPP, H. STEGER. Bern, München, 69 ff.
DAMASCHKE, M. 1973. Zur Lenkungsfunktion der Sprache, nachgewiesen am politischen Wortschatz der DDR. Diss. A. Erfurt.
DANIELS, K.-H. 1963. Substantivierungstendenzen in der deutschen Gegenwartssprache. Sprache und Gesellschaft. Band III. Düsseldorf.
DEUTSCHE WORTGESCHICHTE. 1959. Hrsg. von F. MAURER und F. STROH. Berlin (West).
DEUTSCHE WORTGESCHICHTE. 1974. Hrsg. von F. MAURER und H. RUPP. Berlin (West), New York.
DEUTSCHES WÖRTERBUCH. 1971. Hrsg. von G. WAHRIG. Gütersloh.
DIETRICH, M. 1978. Grauspießglanz, Coelestin, Goethenit – Mineralien und ihre Namen. In: Muttersprache 88, 209 ff.
DITTMAR, N. 1980. Soziolinguistik; exemplarische und kritische Darstellung ihrer Theorie, Empirie und Anwendung. Königstein/Ts.
DÖRING, B. 1971. „Kooperative Zusammenarbeit" – ein Fall für die Sprachpflege? In: Sprachpflege 20, 165 ff.
DÖRING, B. 1977. Zur Theorie des Bedeutungswandels. In: ZPSK 30, 341 ff.
DÖRING, B. 1979. Untersuchungen zum Bedeutungswandel. In: Beiträge zur Geschichte der deutschen Sprache und Literatur. Bd. 100. Leipzig, 179 ff.
DOST, W. 1975. Untersuchungen zu den sprachlichen Existenzformen Mundart und Umgangssprache im Raum Wittstock unter Einschluß seines nördlichen Vorlandes. Diss. A. Rostock.
DROSDOWSKI, G.; H. HENNE. 1980. Tendenzen der deutschen Gegenwartssprache. In: Lexikon der Germanistischen Linguistik. Hrsg. von H. P. ALTHAUS, H. HENNE, H. E. WIEGAND. Tübingen, 619 ff.

DROZD, L. 1966. Die Fachsprache als Gegenstand des Fremdsprachenunterrichts. In: DaF 3, H. 2, 23 ff.

DUDEN. 1976–1981. Das große Wörterbuch in sechs Bänden. Hrsg. und bearbeitet vom Wissenschaftlichen Rat und den Mitarbeitern der Dudenredaktion unter Leitung von G. DROSDOWSKI. Mannheim, Wien, Zürich (DUDEN-GWB).

DUDEN, DER GROSSE. 1985. Wörterbuch und Leitfaden der deutschen Rechtschreibung. Leipzig.

DUDEN. GRAMMATIK DER DEUTSCHEN GEGENWARTSSPRACHE. 1984. Hrsg. und bearbeitet von G. DROSDOWSKI. Mannheim, Wien, Zürich (DUDEN – GRAMMATIK).

DÜCKERT, J. 1981. Naturwissenschaftliche und technische Fachlexik. In: Auswirkungen der industriellen Revolution auf die deutsche Sprachentwicklung im 19. Jh. Von einem Autorenkollektiv unter Leitung von J. SCHILDT. Berlin, 98 ff.

EBERT, R. P. 1978. Historische Syntax des Deutschen. Stuttgart.

EBNER, J. 1980. Duden. Wie sagt man in Österreich? Wörterbuch der österreichischen Besonderheiten. Mannheim, Wien, Zürich.

EGGERLING, W. J. 1974. Das Fremdwort in der Sprache der Politik. In: Muttersprache 84, 177 ff.

EGGERS, H. 1961. Handlungen im deutschen Satzbau. In: Der Deutschunterricht 13, 47 ff.

EGGERS, H. 1962. Zur Syntax der deutschen Sprache der Gegenwart. In: Studium Generale 15, H. 1, 49 ff.

EGGERS, H. 1972. Die Partikel „wie" als vielseitige Satzeinleitung. In: Linguistische Studien. 1. Sprache der Gegenwart. Band IX. Düsseldorf, 159 ff.

EGGERS, H. 1973. Deutsche Sprache im 20. Jahrhundert. München.

EGGERS, H. 1977. Deutsche Sprachgeschichte IV. Das Neuhochdeutsche. Hamburg.

EGGERS, H. 1980. Deutsche Standardsprache des 19./20. Jahrhunderts. In: Lexikon der Germanistischen Linguistik. Hrsg. von H. P. ALTHAUS, H. HENNE, H. E. WIEGAND. Tübingen.

EICHHOFF, J. 1977/78. Wortatlas der deutschen Umgangssprache. 2 Bd. Bern, München.

EICHLER, F. M. 1982. Untersuchungen zu weiterführenden Nebensätzen, eingeleitet mit Pronominaladverbien. Diss. A. Potsdam.

EINFÜHRUNG IN DIE GRAMMATIK UND ORTHOGRAPHIE DER DEUTSCHEN GEGENWARTSSPRACHE. 1985. Von einem Autorenkollektiv unter Leitung von K.-E. SOMMERFELDT, G. STARKE, D. NERIUS. Leipzig (EINFÜHRUNG GRAM.).

EINFÜHRUNG IN DIE SPRACHWISSENSCHAFT. 1974. Von einem Autorenkollektiv unter Leitung von A. GRAUN. Berlin.

ENGEL, E. 1919. Deutsche Stilistik. Wien, Leipzig.

ENGEL, M. 1970a. Regeln zur Wortstellung. In: Forschungsberichte des Instituts für deutsche Sprache 5, 9 ff.

ENGEL, M. 1970b. Studie zur Geschichte des Satzrahmens und seiner Durchbrechung. In: Studien zur Syntax des heutigen Deutsch. Düsseldorf.

ERBEN, J. 1960. Gesetz und Freiheit in der deutschen Hochsprache der Gegenwart. In: Der Deutschunterricht, 5 ff.

ERBEN, J. 1961. Bemerkungen zu einigen Grundfragen wissenschaftlicher Sprachbeschreibung. In: Wirkendes Wort, 3. Sonderheft, 144 ff.

ERBEN, J. 1983. Einführung in die deutsche Wortbildungslehre. Berlin.

FENSKE, H. 1973. Schweizerische und österreichische Besonderheiten in deutschen Wörterbüchern. Mannheim.

FILIPEC, J. 1982. Sprachkultur und Lexikographie. In: Grundlagen der Sprachkultur. Teil 2. In Zusammenarbeit mit K. HORÁLEK und J. KUCHAR. Hrsg. und bearbeitet von J. SCHARNHORST und E. ISING. Berlin, 174 ff.

FISCHER, E. 1985. Das „gebundene Grundmorphem" in der deutschen Sprache der Gegenwart. In: BES 5, 210 ff.

FLEISCHER, W. 1973. Zur linguistischen Charakterisierung des Terminus in Natur- und Gesellschaftswissenschaften. In: DaF 10, H. 4, 193 ff.

FLEISCHER, W. 1977. Entlehnung und Wortbildung in der deutschen Sprache der Gegenwart. In: Sitzungsberichte der Akademie der Wissenschaften der DDR. 8 G. Berlin, 110 ff.

FLEISCHER, W. 1980. Wortbildungstypen der deutschen Gegenwartssprache in historischer Sicht. In: Zeitschrift für Germanistik 1, 48 ff.

FLEISCHER, W. 1981. Ideologie und Sprache. In: Deutsche Zeitschrift für Philosophie 29, H. 11, 1329 ff.

FLEISCHER, W. 1982. Phraseologie der deutschen Gegenwartssprache. Leipzig.

FLEISCHER, W. 1983 a. Wortbildung der deutschen Gegenwartssprache. Leipzig.

FLEISCHER, W. 1983 b. Zur Entwicklung des Systems der Wortbildung in der deutschen Literatursprache unter dem Blickpunkt von Luthers Sprachgebrauch. In: Sitzungsberichte der Akademie der Wissenschaften der DDR. 11 G. Berlin, 54 ff.

FLEISCHER, W. 1984 a. Aspekte der sprachlichen Benennung. In: Sitzungsberichte der Akademie der Wissenschaften der DDR. 7 G. Berlin.

FLEISCHER, W. 1984 b. Zum Begriff ‚nationale Variante einer Sprache' in der sowjetischen Soziolinguistik. In: LAB 43, 63 ff.

FLEISCHER, W. 1984 c. Zur lexikalischen Charakteristik der deutschen Sprache in der DDR. In: ZPSK 37, 415 ff.

FLEISCHER, W. 1985. Zum Wortschatz der deutschen Sprache in der DDR. In: Zeitschrift für Germanistik 6, 82 ff.

FLEISCHER, W. 1986. Sprachgeschichte und Wortbildung. In: BES 6, 27 ff.

FLEISCHER, W.; G. MICHEL. 1979. Stilistik der deutschen Gegenwartssprache. Leipzig.

FLUCK, H.-R.; M. MAIER. 1979. Dialekt und Dialektliteratur. Dortmund.

FRAAS, C.; H. KUNZE. 1986. Raumfahrtterminologie in Fach- und Gemeinsprache. In: Sprachpflege 35, 29 ff.

FRACKOWIAK, K.-H. 1984. Richtige Verwendung von Fachausdrücken. In: Nachrichten für Sprachmittler 17, H. 2, 10 f.

FRIEDRICH, W. 1976. Jugend und Jugendforschung. Berlin.

FREITAG, R. 1974. Zum Wesen des Schlagwortes und verwandter sprachlicher Erscheinungen. In: WZ der Karl-Marx-Universität Leipzig. Gesellschafts- und Sprachwiss. Reihe 23, 119 ff.

FROHNE, G. 1974. Die Tendenz zur Demokratisierung (im Zusammenhang mit der Tendenz der Internationalisierung und der Tendenz zur Intellektualisierung der Gemeinsprache) als Faktor der Dynamik sprachlicher Prozesse und ihr Einfluß auf die Sprachnorm. In: LS/ZISW/A. Nr. 9, 18 ff.

FUNKTIONAL-KOMMUNIKATIVE SPRACHBESCHREIBUNG. 1981. Von einem Autorenkollektiv unter Leitung von W. SCHMIDT. Leipzig (FKS).

GEDÄCHTNIS – WISSEN –WISSENSNUTZUNG. 1984. Hrsg. von F. KLIX. Berlin.

GEIER, R. 1977. Zur Semantik und Verwendung der Wörter *Ideologie* und *Ideologe* im Sprachgebrauch der DDR und der BRD. In: Linguistische Untersuchungen zur Sprache der Gesellschaftswissenschaften. Leipzig, 136 ff.

GERNENTZ, H. J. 1975 a. Die kommunikative Funktion der niederdeutschen Mundart und der hochdeutschen Umgangssprache im Norden der DDR. In: LS/ZISW/A. Nr. 28, 88 ff.

GERNENTZ, H. J. 1975 b. System und Verwendung der Existenzformen des Deutschen im Norden der Deutschen Demokratischen Republik. In: WZ der Wilhelm-Pieck-Universität Rostock. 24. Gesellschafts- und Sprachwiss. Reihe. H. 5., 385 ff.

GERNENTZ, H. J. 1980. Niederdeutsch – gestern und heute. Rostock.

GESCHICHTE DER DEUTSCHEN SPRACHE. 1984. von einem Autorenkollektiv unter Leitung von W. SCHMIDT. Berlin (Geschichte).

GEYL, E. G. 1975. Was ist Umgangssprache? In: Muttersprache 85, 25 ff.

GIRKE, W.; H. JACHNOW. 1974. Sowjetische Soziolinguistik. Probleme und Genese. Kronberg/Ts.

GLÄSER, R. 1976. Der Eigenname als konstitutiver Faktor des Fachwortschatzes. In: LS/ZISW/A. Nr. 30, 48 ff.

GLINZ, H. 1980. Deutsche Standardsprache der Gegenwart. In: Lexikon der Germanistischen Linguistik. Hrsg. von H. P. ALTHAUS, H. HENNE, H. E. WIEGAND. Tübingen.

GOOSSENS, J. 1977. Deutsche Dialektologie. Berlin (West), New York.

GRIMM, H. J. 1978. Einige Gedanken zur Übereinstimmung zwischen Apposition und Bezugswort im Kasus. In: Sprachpflege 27, 65 ff.

GRIMM, J.; W. GRIMM. 1854 ff. Deutsches Wörterbuch. Leipzig (DWB).

GRIMM, J.; 1864. Kleinere Schriften. Hrsg. von K. MÜLLENHOFF. Bd. 1. Berlin.

GROSSE, R. 1964. Entwicklungstendenzen in der deutschen Sprache der Gegenwart. In: DaF 1, H. 1, 1 ff.; H. 2, 1 ff.

GROSSE, R. 1969. Die soziologischen Grundlagen von Nationalsprache und Literatursprache, Umgangssprache und Halbmundart. In: DaF 6, H. 6, 401 ff.

GROSSE, R. 1971. Zum Verhältnis von Soziolinguistik und Textlinguistik. In: Textlinguistik 2, Dresden, 64 ff.

GROSSE, R. 1972. Sprachsoziologische Schichtung im Wortschatz. In: DaF 9, H. 6, 325 ff.

GROSSE, R. 1974. Gesellschaftsstruktur und Sprachstruktur. In: Festschrift zur Feier des 125jährigen Bestehens der Sächsischen Akademie der Wissenschaften zu Leipzig. Berlin, 103 ff.

GROSSE, R. 1978 a. Zur Dialektik von Stabilität und Variabilität in der Sprache und zum Begriff der sprachlichen Norm. In: WZ der Karl-Marx-Universität Leipzig. Gesellschafts- und Sprachwiss. Reihe, 523 ff.

GROSSE, R. 1978 b. Zur Rolle der Volksmassen in der Geschichte der Sprache. In: WZ der Wilhelm-Pieck-Universität Rostock. Gesellschafts- und Sprachwiss. Reihe, 3 ff.

GROSSE, R. 1980. Ursachen des Sprachwandels und Ursachen des Namenwandels. In: LS/ZISW/A. Nr. 73, 3 ff.

GROSSE, R. 1982. Bezeichnungen für Kommunikationsereignisse unter soziolinguistischem Aspekt. In: LAB 36, 42 ff.

GROSSE, R.; A. NEUBERT. 1982. Soziolinguistische Aspekte der Theorie des Sprachwandels. In: Sitzungsberichte der Akademie der Wissenschaften der DDR. 10 G, 5 ff.

GROSSES FREMDWÖRTERBUCH. 1982. Autorenkollektiv unter Leitung von R. KÜFNER. Leipzig (GFB).

GROSSES WÖRTERBUCH DER DEUTSCHEN AUSSPRACHE. 1982. Autorenkollektiv unter Leitung von U. STÖTZER. Leipzig (GWA).

GRUBAČIČ, E. 1965. Untersuchungen zur Frage der Wortstellung in der deutschen Prosadichtung der letzten Jahrzehnte. Zagreb.

GRUHN, W. 1982. Besonderheiten populärwissenschaftlicher Vermittlung in der DDR. In: Loccumer Protokolle 6, 179 ff.

GRUNDFRAGEN DER KOMMUNIKATIONSBEFÄHIGUNG. 1985. Von einem Autorenkollektiv unter Leitung von G. MICHEL. Leipzig.

GRUNDLAGEN DER MARXISTISCH-LENINISTISCHEN SOZIOLOGIE. 1977. Hrsg. von G. ASSMANN, R. STOLLBERG. Berlin.

GRUNDMANN, S. 1981. Das Territorium – Gegenstand soziologischer Forschungen. Berlin.

GRUNDZÜGE EINER DEUTSCHEN GRAMMATIK. 1984. Von einem Autorenkollektiv unter Leitung von K. E. HEIDOLPH, W. FLÄMIG und W. MOTSCH. Berlin (Grundzüge).

GUCHMANN, M. M. 1973. Einfluß der sozialen Faktoren auf das System der Existenzformen einer Sprache. In: LS/ZISW/A. Nr. 3, 1 ff.

GUTTMACHER, K. 1980. Die Stellung der Funktionsverbgefüge im deutschen Verbsystem. Diss. A. Jena.

HAAS, W. 1983. Dialekt als Sprache literarischer Werke. In: Dialektologie. Hrsg. von W. BESCH, U. KNOPP, W. PUTSCHKE, H. E. WIEGAND. Berlin (West), New York, 1637 ff.

HACKEL, W. 1981. Zur Syntax von Tagebuchaufzeichnungen. In: Sprachpflege 30, 103 ff.

HÄNSE, G. 1970: Entwicklungstendenzen in der deutschen Gegenwartssprache. Cairo Univ. Press. Fakulty of Arts, 53 ff.

HAHN, T.; G. WINKLER. 1984. Lebensweise von historisch neuer Qualität. In: Einheit 39, 681 ff.

HANDWÖRTERBUCH DER DEUTSCHEN GEGENWARTSSPRACHE. 1984. In zwei Bänden. Von einem Autorenkollektiv unter Leitung von G. KEMPCKE. Berlin (Handwörterbuch).

HANNAPEL, H.; H. MELENK. 1979. Alltagssprache. Semantische Grundbegriffe und Analysebeispiele. München.

HARTUNG, W. 1978. Methodologische Voraussetzungen für die Erforschung des gesellschaftlichen Wesens der Sprache. In: ZPSK 31, 524 ff.

HARTUNG, W. 1980 a. Differenziertheit der Sprache als Ausdruck ihrer Gesellschaftlichkeit. In: Kommunikation und Sprachvariation. Von einem Autorenkollektiv unter Leitung von W. HARTUNG und H. SCHÖNFELD. Berlin, 26 ff.

HARTUNG, W. 1981 b. Sprachvariation und ihre linguistische Widerspiegelung.In: Kommunikation und Sprachvariation. Von einem Autorenkollektiv unter Leitung von W. HARTUNG und H. SCHÖNFELD. Berlin, 73 ff.

HARTUNG, W. 1981 c. Über die Gesellschaftlichkeit der Sprache. In: Deutsche Zeitschrift für Philosophie 29, H. 11, 1302 ff.

HAUSMANN, F. J. 1983. Was taugen die Wörterbücher des heutigen Deutsch? In: Wortschatz und Verständigungsprobleme. Jahrbuch 1982 des Instituts für deutsche Sprache. Düsseldorf, 195 ff.

HEBERTH, A. 1977. Neue Wörter. Neologismen in der deutschen Sprache. Wien.

HEINEMANN, M. 1983. Zur Signalfunktion der Jugendsprache. In: LS/ZISW/A. Nr. 105, 122 ff.

HEINEMANN, M. 1984. Wie modern sind Modewörter? In: Sprachpflege 33, 157 ff.

HEINEMANN, W. 1984. Zur kontextualen Determiniertheit lexikalischer Einheiten. In: ZPSK 37, 454 ff.

HELBIG, G. 1973. Zur Verwendung der Infinitiv- und Partizipialkonstruktion in der deutschen Gegenwartssprache. In: DaF 10, H. 5, 281 ff.

HELBIG, G. 1979. Probleme der Beschreibung von Funktionsverbgefügen im Deutschen. In: DaF 16, H. 5, 273 ff.

HELBIG, G. 1980. Was sind „weiterführende Nebensätze"? In: DaF 17, H. 1; 13 ff.

HELBIG, G.; J. Buscha. 1984. Deutsche Grammatik. Leipzig.

HELLER, K. 1966. Das Fremdwort in der deutschen Sprache der Gegenwart. Leipzig.

HELLER, K. 1975. Vorarbeiten für eine Reform der Fremdwortschreibung. In: LS/ZISW/A. Nr. 24, 51 ff. Berlin.

HELLER, K. 1981. Untersuchungen zur Begriffsbestimmung des Fremdwortes und zu seiner Beschreibung in der deutschen Gegenwartssprache. Diss. A. Leipzig.

HELLER, K.; W. LIEBSCHER. 1979. Zum Problem der Schreibung wissenschaftlicher Fachbezeichnungen, dargestellt am Beispiel der Nomenklatur chemischer Elemente und Verbindungen. In: Sprachpflege 28, 137 ff.

HELLER, K.; W. LIEBSCHER. 1980. Wie schreibt man wissenschaftliche Fachbezeichnungen? In: Spektrum 11, H. 2, 22 ff.

HENGST, K. 1967. Entlehnungen aus dem Russischen nach der Großen Sozialistischen Oktoberrevolution im Wortschatz der deutschen Gegenwartssprache. In: WZ der Pädagogischen Hochschule „Ernst Schneller" Zwickau. Gesellschafts- und Sprachwiss. Reihe 3, H. 1.

HENGST, K. 1976. Neologismen in der Toponymie der DDR – Namen der Gemeindeverbände. In: LS/ZISW/A. Nr. 30, 102 ff.

HENZEN, W. 1954. Schriftsprache und Mundarten. Bern.

HENZEN, W. 1957. Deutsche Wortbildung. Tübingen.

HERBERG, D. 1968. ‚Fernsehen' und ‚Television' – ihr Beitrag zu unserem Wortschatz. In: Sprachpflege 17, 161 ff.

HERBERG, D. 1970. Raumfahrt und Wortschatz – Versuch einer Bestandsaufnahme. In: Sprachpflege 19, 18ff.

HERBERG, D. 1976. Veraltendes und Veraltetes in unserem Wortschatz. In: Sprachpflege 25, 1ff.

HERBERG, D. 1985. Muttersprachliche Wörterbücher. Der deutsche Gegenwartswortschatz im Spiegel der Sprachlexikographie der DDR. In: Sprachpflege 34, 32ff.

HERDER, J. G. 1877. Sämmtliche Werke. Hrsg. von B. SUPHAN. Bd. 2. Berlin.

HERFURTH, M. 1985. Der „Neue" aus Leipzig. Zur 18. Neubearbeitung des „Großen Dudens". In: Sprachpflege 34, 99ff.

HERRMANN-WINTER, R. 1974. Auswirkungen der sozialistischen Produktionsweise in der Landwirtschaft auf die sprachliche Kommunikation in den Nordbezirken der DDR. In: Aktuelle Probleme der sprachlichen Kommunikation. Berlin, 135ff.

HERRMANN-WINTER, R. 1979. Studien zur gesprochenen Sprache im Norden der DDR. Soziolinguistische Untersuchungen im Kreis Greifswald. Sprache und Gesellschaft. Bd. 14. Berlin.

HERRMANN-WINTER, R. 1985. Urteile über Niederdeutsch in den Nordbezirken der DDR. In: ZPSK 38, 297ff.

HERWIG, G. 1982. Blättler, Alleinsinger, Anempfinderin. Zu den Nomina auf -er bei Goethe. In: Muttersprache 92, 109ff.

HEUCK, R.; A. RAUSCH. 1977. Zur stilistischen Schichtung des Wortschatzes Jugendlicher. Diplomarbeit. Leipzig.

HIETSCH, O. 1981. Unmuffling the 'Muffel'. Living Usage and Laggard Lexicalisation. In: Linguistica. Ljubljana. XXI, 209ff.

HOFFMANN, L. 1984. Kommunikationsmittel Fachsprache. Berlin.

HOFFMANN, F.; J. BERLINGER 1978. Die neue deutsche Mundartdichtung. Hildesheim, New York.

HOFMANN, G. 1983. Die deutsche Terminologie der Rechentechnik – eine englische Terminologie? In: Sprachpflege 32, 81ff.

HOFRICHTER, W. 1983. Zur Definition, Klassifikation und zu semantisch-grammatischen Besonderheiten der Abkürzungen in der deutschen Gegenwartssprache. In: LS/ZISW/A. Nr. 109, 322ff.

HOLM, C. 1985. Entwicklungstendenzen im Kasussystem der Substantive in der deutschen Sprache der Gegenwart, nachgewiesen an Texten der Publizistik und Presse des 19. und 20. Jahrhunderts. Diss. A. Güstrow.

HOPFER, R. 1985. Mikrorechentechnik allgemeinverständlich. Integrierte Schaltkreise, Mikroprozessoren, Programme. Leipzig.

HUFSCHMIDT, J. u. a. 1983. Sprachverhalten in ländlichen Gemeinden. Dialekt und Standardsprache im Sprecherurteil. Forschungsbericht Erp-Projekt. Band 2. Berlin (West).

HUTH, H. 1979. Bemerkungen zu einigen vorwiegend durch die unterschiedliche historische Entwicklung bedingten Spezifika in der Lexik der drei deutschsprachigen Staaten DDR, BRD, Österreich und dem deutschsprachigen Teil der Schweiz. In: DaF 16, H. 3, 129ff.

HUTH, H. 1984. Fremdwort und Sprachkultur. In: WZ der Karl-Marx-Universität Leipzig. Gesellschafts- und Sprachwiss. Reihe. Leipzig, 474ff.

INGHULT, G. 1975. Die semantische Struktur desubstantivischer Bildungen auf -mäßig. Stockholm.

INOZEMCEV, L. N. 1965. Jemkost' gruppy suščestvitel'nogo v sovremennom nemeckom jazyke. Avtoreferat dissertacii na soiskanije učěnoj stepeni kandidata filologičeskich nauk. Leningrad.

ISING, E. 1976. Sprachkultur in der entwickelten sozialistischen Gesellschaft. In: Sprachpflege 25, 193ff.

ISING, E. 1983. Die Literatursprache. In: Kl. Enzykl., 418ff.

JÄGER, S. 1980. Standardsprache. In: Lexikon der Germanistischen Linguistik. Hrsg. von H. P. ALTHAUS, H. HENNE, H. E. WIEGAND. Tübingen.

JAESCHKE, M. 1980. Sprachökonomie kontra Klarheit und Sprachkultur. In: Sprachpflege 29, 51 ff.

JAESCHKE, M. 1984. „Bewußt" auf dem Wege zum Halbsuffix? In: Sprachpflege 33, 33 ff.

JARNATOVSKAJA, V. 1981. Das Substantiv. Moskau.

JEDLIČKA, A. 1978. Die Schriftsprache in der heutigen Kommunikation. Leipzig.

JEDLIČKA, A. 1983. Entwicklungstendenzen der Literatursprache in vergleichender Sicht. In: LS/ZISW/A. Nr. 111, 50 ff.

JOSEPH, C. 1981. Das Weltproblem Energie im Wortschatz. In: Sprachpflege 30, 36 ff.

JÜRGENS, F. 1985. Der Gebrauch von Nebensätzen in der Publizistik des 19. und 20. Jahrhunderts. In: Sprachpflege 34, 8 f.

JUNG, W. 1984. Grammatik der deutschen Sprache. Neuausgabe bearbeitet von G. STARKE. Leipzig.

KADEN, W. 1970. Fremdwortgebrauch und Fremdwortkenntnis. In: Sprachpflege 19, 193 ff.

KATTERBE, E. 1981. Untersuchungen zur sprachlichen Norm anhand von Textbeurteilungen. Diplomarbeit. Leipzig.

KEHR, K. 1985. Sprachbetrachtung und Sprachberatung. In: Wirkendes Wort, 225 ff.

KERN, Ch.; H. ZUTT. 1977. Geschichte des deutschen Flexionssystems. Tübingen.

KESSLER, Ch. 1982. Zum Wesen und zur Typologie von Kommunikationsaufgaben im Praxisbereich gesellschaftlicher Leitungstätigkeit. Diss. B. Potsdam.

KETTMANN, G. 1980. Sprachverwendung und industrielle Revolution. In: LS/ZISW/A. Nr. 66, 1 ff.

KETTMANN, G. 1981. Die Existenzformen der deutschen Sprache im 19. Jahrhundert – ihre Entwicklung und ihr Verhältnis untereinander unter den Bedingungen der industriellen Revolution. In: Auswirkungen der industriellen Revolution auf die deutsche Sprachentwicklung im 19. Jahrhundert. Von einem Autorenkollektiv unter Leitung von J. SCHILDT. Berlin, 35 ff.

KINNE, M.; B. STRUBE-EDELMANN. 1980. Kleines Wörterbuch des DDR-Wortschatzes. Düsseldorf.

KIRKNESS, A. 1985. Deutsche Wörterbücher – ihre Geschichte und Zukunft. In: Germanistik. Vorträge des Deutschen Germanistentages 1984. 1. Teil. New York, 44 ff.

KLAPPENBACH, R. 1980. Das Wörterbuch der deutschen Gegenwartssprache. In: Linguistik aktuell. Bd. 1. Hrsg. von W. ABRAHAM. Amsterdam, 3 ff.

KLAUS, G. 1971. Sprache der Politik. Berlin.

KLEINE ENZYKLOPÄDIE DEUTSCHE SPRACHE. Hrsg. von W. FLEISCHER, W. HARTUNG, J. SCHILDT, P. SUCHSLAND. Leipzig (Kl. Enzykl.).

KLUT, K.; B. JONAS. 1983. Zur Entwicklung der Substantivgruppe, unter Berücksichtigung verschiedener Funktionalstile. Diplomarbeit. Güstrow.

KNOBLOCH, J. 1976. Donnerhall und Widerhall von Schlagwort und Schlagzeile. In: Sprachwandel und Sprachgeschichtsschreibung im Deutschen. Düsseldorf, 311 ff.

KOBLISCHKE, H. 1983. Großes Abkürzungsbuch. Leipzig.

KOCH, H. 1984. Zum Einfluß der Sportlexik auf den Allgemeinwortschatz. In: WZ der Karl-Marx-Universität Leipzig. Gesellschafts- und Sprachwiss. Reihe. H. 5, 505 ff.

KOELWEL, E. 1954. Wegweiser zu einem guten deutschen Stil. Leipzig.

KÖNIG, W. 1978. dtv-Atlas zur deutschen Sprache. München.

KÖRPERLICHE UND GEISTIGE ARBEIT IM SOZIALISMUS. 1980. Eine soziologische Analyse. Berlin.

KOMMUNIKATIONSTHEORETISCHE GRUNDLAGEN DES SPRACHWANDELS. 1980. Hrsg. von H. LÜDTKE. Berlin (West), New York.

KOMMUNIKATION UND SPRACHVARIATION. 1981. Von einem Autorenkollektiv unter Leitung von W. HARTUNG und H. SCHÖNFELD. Berlin.

KORTÜM, B. 1983. Zur Entwicklung deutscher Infinitivgruppen. Diplomarbeit. Güstrow.

KOWEZOWSKA, M. 1986. Zur Beachtung des natürlichen Geschlechts bei den Personenbëzeichnungen (in der DDR). Diplomarbeit. Leipzig.

KOZMAN, S. M. 1962. Razvitije atributivnogo roditel'nogo padeža i ego sinonimov v novoverch – nemeckom jazyke. Avtoreferat kandidatskoj dissertacii. Leningrad.

KRAMER, G. 1976. Das Partizip I als Adjektiv und Adjektivkomponente – seine Entwicklung innerhalb der Klasse der Adjektive. In: Zur Ausbildung der Norm der deutschen Literatursprache auf der sytaktischen Ebene (1470–1730). Der Einfachsatz. Unter Leitung von G. KETTMANN und J. SCHILDT, 477 ff. Berlin.

KRAUSE, K. 1940. Die sprachlichen Abkürzungsverfahren. In: Sprachkunde, 4 ff.

KRAUSS, M. u. a. 1985. Handbuch Datenerfassung. Berlin.

KRETSCHMAR, A. 1985. Soziale Unterschiede – unterschiedliche Persönlichkeiten? Berlin.

KRETSCHMER, P. 1918. Wortgeographie der hochdeutschen Umgangssprache. Göttingen.

KRISTENSSON, G. 1977. Angloamerikanische Einflüsse in DDR-Zeitungstexten (unter Berücksichtigung semantischer, pragmatischer, gesellschaftlich-ideologischer, entlehnungsprozessualer und quantitativer Aspekte) = Acta universitatis Stockholmiensis (Stockholmer germanistische Forschungen) 23. Stockholm.

KÜHNHOLD, I.; H. WELLMANN 1973. Deutsche Wortbildung. Typen und Tendenzen in der Gegenwartssprache. Erster Hauptteil. Das Verb. Düsseldorf.

KÜHNHOLD, I. u. a. 1978. Deutsche Wortbildung. Dritter Hauptteil. Das Adjektiv. Düsseldorf.

KUNZE, I. 1983. Untersuchungen zum Gebrauch von Fremdwörtern in der Zeitschrift „Urania" unter dem Aspekt der Verständlichkeit. Diplomarbeit. Leipzig.

KUNZE, I. 1985 a. Überlegungen zur Arbeit an der Bedeutung von Fremdwörtern. In: Deutschunterricht, 537 ff.

KUNZE, I. 1985 b. Wie sollen Fremdwörter in populärwissenschaftlichen Texten verwendet werden? In: Sprachpflege, 175 ff.

KUNZENORF, G. 1964. Ist das Futur wirklich ein Futur? In: Sprachpflege 13, 209 ff.

KURKA, E. 1978. Ausbeutung. In: Zum Einfluß von Marx und Engels auf die deutsche Literatursprache. Von einem Autorenkollektiv unter Leitung von J. SCHILDT. Berlin, 19 ff.

KURZWEG, L. 1985. Zum Umfang des Ganz- und des Elementarsatzes in der didaktischen Literatur des 20. Jahrhunderts. Diplomarbeit. Güstrow.

LAMBERZ, W. 1979. Ideologische Arbeit – Herzstück der Parteiarbeit. Ausgewählte Reden und Aufsätze. Berlin.

LANG, E. 1977. Semantik der koordinativen Verknüpfung (studia grammatica XIV). Berlin.

LANGNER, H. 1974. Sprachschichten und soziale Schichten. In: ZPSK 27, 93 ff.

LANGNER, H. 1975. Entwicklungen im Gefüge der Existenzformen der deutschen Sprache. In: Deutschunterricht 28, 238 ff.

LANGNER, H. 1976. Fräulein? Anredeform als Ausdruck sozialer Beziehungen. In: Sprachpflege 25, 182 ff.

LANGNER, H. 1978. Zu einigen Entwicklungstendenzen im Wortschatz der deutschen Gegenwartssprache und ihrer Bedeutung für die Ausprägung des Geschichtsbewußtseins. In: Deutschunterricht 31, 483 ff.

LANGNER, H. 1979. Linguistische Untersuchungen zur Bedeutung und zu den Aufgaben der sprachgeschichtlichen Bildung und Erziehung als Bestandteil der Allgemeinbildung und als Komponente der Deutschlehrerausbildung. Diss. B. Potsdam.

LANGNER, H. 1980 a. Entwicklungstendenzen in der deutschen Sprache der Gegenwart. In: WZ der Pädagogischen Hochschule „Karl Liebknecht" Potsdam 24, H. 5, 673 ff.

LANGNER, H. 1980 b. Zum Einfluß des Angloamerikanischen auf die deutsche Sprache der Gegenwart. In: Sprachpflege 29, 69 ff.

LANGNER, H. 1981. Zur Bedeutung des Substantives „Werkstatt" in der deutschen Sprache der Gegenwart. In: Sprachpflege 30, 4 ff.

LANGNER, H. 1982a. Zu einigen Grundpositionen der Erforschung sprachlicher Veränderungen. In: BES 2, 204ff.

LANGNER, H. 1982b. Zum Begriff und zur Funktion der Umgangssprache. In: Beiträge zur Sprachwissenschaft. Kooperation Potsdam–Prag. Potsdam, 150ff.

LANGNER, H. 1983. Zu einigen übergreifenden Entwicklungstendenzen der deutschen Sprache im 19. und 20. Jahrhundert – Erscheinungen, Wesen, Probleme. In: LS/ZISW/A. Nr. 111, 2ff.

LANGNER, H. 1984. Zum Einfluß der Umgangssprache auf die Literatursprache der Gegenwart. In: ZPSK 37, 191ff.

LANGNER, H. 1985. Zur Tendenz der Differenzierung in der deutschen Sprache der Gegenwart. In: WZ der Pädagogischen Hochschule „Ernst Schneller" Zwickau 21, H. 1, 60ff.

LANGNER, H. 1986. Zu einigen Ergebnissen und Problemen des Einflusses der Umgangssprache auf die Literatursprache der Gegenwart. In: Wissenscahftliche Beiträge der Friedrich-Schiller-Universität.

LEHMANN, H. 1972. Russisch-deutsche Lehnbeziehungen im Wortschatz offizieller Wirtschaftstexte der DDR (bis 1968). Reihe Sprache der Gegenwart. Schriften des Instituts für deutsche Sprache. Düsseldorf.

LENIN, W. I. 1964. Werke. Bd. 38. Berlin.

LEONT'EV, A. A. 1971. Sprache – Sprechen – Sprechtätigkeit. Stuttgart, Berlin (West), Köln, Mainz.

LERCHNER, G. 1973. Die Anwendbarkeit der Kausalitätsrelation in der diachronischen Sprachwissenschaft. In: LS/ZISW/A. Nr. 3, 9ff.

LERCHNER, G. 1974. Zur Spezifik der Gebrauchsweise der deutschen Sprache in der DDR und ihrer gesellschaftlichen Determination. In: DaF 11, H. 5, 259ff.

LERCHNER, G. 1976. Stilzüge unter semasiologischem Aspekt. In: DaF 13, H. 5, 257ff.

LESSER, H. 1985. Funktion und Leistung regionaler Sprachformen in der Dichtung, dargestellt am Beispiel der Schweizer Mundartlyrik von Karl Marti, Ernst Eggimann und Ernst Burren. Diplomarbeit. Leipzig.

LEWANDOWSKI, Th. 1980. Linguistisches Wörterbuch. 3 Bd. Heidelberg.

LEXIKON DER GERMANISTISCHEN LINGUISTIK. 1980. Hrsg. von H. P. ALTHAUS, H. HENNE, H. E. WIEGAND. Tübingen (Lexikon).

LEXIKON DER MATHEMATIK. 1981. Hrsg. von W. GELLERT, H. KÄSTNER und S. NEUBER. Leipzig.

LEXIKON DER TECHNIK. 1982. Hrsg. von B. ROHR und H. WIEHLE. Leipzig.

LEXIKON DER WIRTSCHAFT – RECHENTECHNIK/DATENVERARBEITUNG. 1983. Berlin.

LEXIKON SPRACHWISSENSCHAFTLICHER TERMINI. 1985. Hrsg. von R. CONRAD. Leipzig (Lexikon Term.).

LIEBSCH, H. 1975. Frau oder Fräulein, das ist hier die Frage! In: Sprachpflege 24, 205ff.

LIEBSCH, H. 1976a. Diskussion zur Anrede mit Frau oder Fräulein. In: Sprachpflege 25, 77ff.

LIEBSCH, H. 1976b. Diskussion zur Anrede mit Frau oder Fräulein. In: Sprachpflege 25, 141ff.

LINDGREN, K. B. 1969. Diachronische Betrachtungen zur deutschen Satzstruktur. In: Sprache, Gegenwart und Geschichte. Hrsg. von H. MOSER. Düsseldorf.

LINGUISTISCHE UNTERSUCHUNGEN ZUR SPRACHE DER GESELLSCHAFTSWISSENSCHAFTEN. 1977. Hrsg. von W. FLEISCHER. Leipzig.

LIPPERT, H. 1979. Sprachliche Mittel in der Kommunikation im Bereich der Medizin. In: Fachsprachen und Gemeinsprache. Hrsg. von W. MENTRUP (Sprache und Gegenwart). Düsseldorf.

LIST, H.; L. LUCK; G. MIDDEL. 1985. English step by step. Leipzig.

LITTMANN, G. 1981. Fachsprachliche Syntax. Hamburg.

LJUNGERUD, J. 1955. Zur Nominalflexion in der deutschen Literatursprache nach 1900. Inauguraldissertation. Lund.

LÖSCH, W. 1979. Untersuchungen zur sprachlichen Kommunikation in einer landwirtschaftlichen Produktionsgenossenschaft des Bezirkes Suhl. Diss. A. Jena.
LORENZ, W.; G. WOTJAK. 1977. Zum Verhältnis von Abbild und Bedeutung. Berlin.
LUDWIG, H. 1983. Gepflegtes Deutsch. Leipzig.
LUDWIG, K.-D. 1970. ‚Kunst' und ‚Kultur' in der deutschen Gegenwartssprache. In: Sprachpflege 19, 97ff.
LUDWIG, K.-D. 1977. Sportsprache und Sprachkultur. In: Sprachkultur – warum, wozu? Hrsg. von E. ISING. Leipzig, 49ff.
LÜGER, H.-H. 1983. Pressesprache. Tübingen.
LUTZ, L. 1981. Zum Thema „Thema".

MACKENSEN, L. 1971. Die deutsche Sprache in unserer Zeit. Heidelberg.
MACKENSEN, L. 1981. Das Fachwort im täglichen Gebrauch. München.
MALIGE-KNAPPENBACH, H. 1980. Zum Verhältnis von Fachwortschatz und Allgemeinwortschatz. In: Studien zur modernen deutschen Lexikographie. Hrsg. von W. ABRAHAM unter Mitwirkung von J. F. BRANDT. Amsterdam, 258ff.
MARTINET, A. 1963. Grundzüge der Allgemeinen Sprachwissenschaft. Stuttgart.
MARX, K.; W. ENGELS. Bd. 1–39. Berlin (MEW).
MATER, E. 1967. Rückläufiges Wörterbuch der deutschen Gegenwartssprache. Leipzig.
MATTAUSCH, J. 1965. Untersuchungen zur Wortstellung in der Prosa des jungen Goethe. Berlin.
MATTAUSCH, J. 1982. Die Sprachwelt Goethes – Repräsentanz und Schöpfertum. In: BES 2, 218ff.
MATTHEIER, K. J. 1982. Sprachgebrauch und Urbanisierung. Sprachveränderungen in kleinen Gemeinden im Umfeld großer Städte. In: Mehrsprachigkeit in der Stadtregion. Hrsg. von K.-H. BAUSCH. Düsseldorf, 87ff.
MATTHEIER, K. J. 1984a. Allgemeine Aspekte einer Theorie des Sprachwandels. In: Sprachgeschichte. 1. Halbband. Hrsg. von W. BESCH, O. REICHMANN, St. SONDEREGGER. Berlin (West), New York, 720ff.
MATTHEIER, K. J. 1984b. Sprachwandel und Sprachvariation. In: Sprachgeschichte. 1. Halbband. Hrsg. von W. BESCH, O. REICHMANN, St. SONDEREGGER. Berlin (West), New York, 768ff.
MEHLHORN, G.; H.G. MEHLHORN. 1982. Junge Neuerer im Prisma der Forschung. Berlin.
MEIER, H. 1983. Partizipale Wortgruppen in der deutschen Sprache der Gegenwart. In: Sprachpflege 32, 1ff.
MEIER, H. 1984. Entwicklungstendenzen in der Satzgliedfolge. In: Sprachpflege 6/33, 77ff.
MEIER, H. 1985. Zur Verwendung von „würde" in der deutschen Sprache der Gegenwart. In: Sprachpflege 34, 65ff.
MEINHARD, H.-J. 1984. Invariante, variante und prototypische Merkmale der Wortbedeutung. In: Zeitschrift für Germanistik 5, 60ff.
MENG, K. 1979. Sprachliche Äußerung und Kommunikationssituation bei Vorschulkindern. In: Aufgabenbezogene Kommunikation bei älteren Vorschulkindern. Hrsg. von E. METZE. Berlin, 21ff.
MENTRUP, W.; P. KÜHN. 1980. Deutsche Sprache in Österreich und in der Schweiz. In: Lexikon der Germanistischen Linguistik. Hrsg. von H. P. ALTHAUS, H. HENNE, H. E. WIEGAND. Tübingen, 527ff.
MEYER, R. M. 1906. Deutsche Stilistik, München.
MICHEL, G. 1980. Sprachliche Existenzformen und Funktionalstile – Überlegungen zur stilistischen Differenzierung der Umgangssprache. In: ZPSK 33, 75ff.
MICHEL, G. 1985. Positionen und Entwicklungstendenzen der Sprachstilistik in der DDR. In: Sprache und Literatur in Wissenschaft und Unterricht. H. 55. München, 42ff.
MITTELBERG, E. 1967. Wortschatz und Syntax der Bild-Zeitung. Marburg.
MÖLLER, A. 1983. Zur Bedeutungsentwicklung von Personalkollektiva im Deutschen. In: BES 3, 189ff.

MÖLLER, G. 1961. Deutsch von heute. Leipzig.

MÖLLER, G. 1980. Praktische Stillehre. Bearbeitet von U. FIX. Leipzig.

MÖSLEIN, K. 1974. Einige Entwicklungstendenzen in der Syntax der wissenschaftlich-technischen Literatur seit dem Ende des 18. Jahrhunderts. In: Beiträge zur Geschichte der deutschen Sprache und Literatur 94, 156 ff.

MOSER, H. 1961. Umgangssprache. Überlegungen zu ihren Formen und zu ihrer Stellung im Sprachganzen. In: Zeitschrift für Mundartforschung 27, 215 ff.

MOSER, H. 1967. Wohin steuert das heutige Deutsch? In: Satz und Wort im heutigen Deutsch. Jahrbuch 1965/66. Düsseldorf.

MOSKALSKAJA, O. I. 1983. Grammatik der deutschen Gegenwartssprache. Moskau.

MOSKALSKAJA, O. I. 1985. Deutsche Sprachgeschichte. Moskau.

MOTSCH, W. 1972. Gedanken zu einigen Fragen der Sprachkultur. In: Sprachpflege 21, 129 ff.

MOTSCH, W. 1983. Überlegungen zu den Grundlagen der Erweiterung des Lexikons. In: Untersuchungen zur Semantik. Hrsg. von R. RŮŽIČKA, W. MOTSCH. Berlin, 101 ff.

MÜLLER, B. 1975. Das Französische der Gegenwart. Varietäten. Strukturen. Tendenzen. Heidelberg.

MUNSKE, H. H. 1983. Umgangssprache als Sprachkontakterscheinung. In: Dialektologie. Hrsg. von W. BESCH, U. KNOOP, W. PUTSCHKE, H. E. WIEGAND. 2. Halbbd. Berlin (West), New York, 1002 ff.

NAIL, N. 1983. Die Lokalzeitung als Hilfsmittel der Sprachgeschichtsforschung. In: Sprache und Literatur in Wissenschaft und Unterricht. H. 52, 30 ff. München.

NAUMANN, H. 1963. Die Namen der landwirtschaftlichen Produktionsgenossenschaften im Bezirk Leipzig. In: WZ der Universität Rostock. Math.-Nat. Reihe 12, 349 ff.

NAUMANN, H. 1982. Zur sprachlichen Herkunft und zur Bedeutung des Wortes *Schöpfertum*. In: WZ der Pädagogischen Hochschule „Ernst Schneller" Zwickau 18, H. 2, 86 ff.

NEUBERT, A. 1973. Zur Determination des Sprachsystems. In: ZPSK 26, 617 ff.

NEUBERT, A. 1974 a. Überlegungen zum Thema Sprache und Geschichte. In: LAB 10, 78 ff.

NEUBERT, A. 1974 b. Zu Gegenstand und Grundbegriffen einer marxistisch-leninistischen Soziolinguistik. In: Beiträge zur Soziolinguistik. Hrsg. von R. GROSSE und A. NEUBERT. Halle (Saale), 25 ff.

NEUBERT, A. 1978. Zum Zusammenhang von Gegenstand, Fragestellung und Methodologie (am Beispiel der Sprache-Gesellschaft-Problematik). In: ZPSK 31, 482 ff.

NEUBERT, A. 1981 a. Die Sprache als unmittelbare Wirklichkeit des Gedankens. In: Deutsche Zeitschrift für Philosophie 29, H. 11, 1294 ff.

NEUBERT, A. 1981 b. Zu einigen aktuellen Problemen der lexikalischen Semantik. In: Sitzungsberichte der Sächsischen Akademie der Wissenschaften zu Leipzig. Philos.-historische Klasse. Bd. 121, Berlin, 6, 3 ff.

NEUBERT, A. 1982. Semantische Relationen im Wortschatz. In: GROSSE, R.; A. NEUBERT, Soziologische Aspekte der Theorie des Sprachwandels. Berlin, 15 ff.

NEUBERT, G. 1985. Eigennamen als Bestandteil von Benennungen. In: DaF 17, H. 6, 331 ff.

NEUNER, G. 1985. Entwicklungsprobleme sozialistischer Allgemeinbildung. In: Pädagogik 40, 657 ff.

NIEPOLD, W. 1970. Sprache und soziale Schicht. Darstellung und Kritik der Forschungsliteratur seit Bernstein. Berlin (West).

OBJARTEL, G. 1980. Sprachstudium. In: Lexikon der Germanistischen Linguistik. Hrsg. von H. P. ALTHAUS, H. HENNE, H. E. WIEGAND. Tübingen, 557 ff.

OEHMKE, M. 1983. Zur Entwicklung im Objektbereich. Diplomarbeit. Güstrow.

OEVERMANN, U. 1972. Sprache und soziale Herkunft. Frankfurt/M.

257

ÖSTERREICHISCHES WÖRTERBUCH. 1979. Hrsg. im Auftrag des Bundesministeriums für Unterricht und Kunst., Wien.

OGDEN, Ch. K.; J. A. RICHARDS. 1925. The Meaning of Meaning. New York.

OKSAAR, E. 1977. Zum Prozeß des Sprachwandels: Dimensionen sozialer und linguistischer Varianten. In: Sprachwandel und Sprachgeschichtsschreibung. Jahrbuch 1976 des Instituts für deutsche Sprache. Düsseldorf, 98 ff.

PAARMANN, U. 1983. Entwicklungstendenzen im Satzbau. Diplomarbeit. Güstrow.

PANIZZOLO, P. 1982. Die schweizerische Variante des Hochdeutschen. Marburg.

PAUL, H. 1954. Deutsche Grammatik. Bd. II. Teil III. Flexionslehre. Halle (Saale).

PAVLOV, V. M. 1983. Zur Ausbildung der Norm der deutschen Literatursprache im Bereich der Wortbildung (1430–1730). Berlin.

PETERMANN, H. 1978. Zum Verhältnis von Fachwortschatz und Allgemeinwortschatz. Diss. A. Berlin.

PETERMANN, H. 1982. Probleme der Auswahl und Darstellung von Fachlexik im allgemeinsprachlichen Wörterbuch. In: Wortschatzforschung heute. Hrsg. von E. AGRICOLA, J. SCHILDT, D. VIEHWEGER. Leipzig, 203 ff.

PETRI, F. E. 1911. Handbuch der Fremdwörter in der deutschen Schrift- und Umgangssprache. Leipzig.

PFEIFFER, W. 1978. Einleitung. In: Zum Einfluß von Marx und Engels auf die deutsche Literatursprache. Von einem Autorenkollektiv unter Leitung von J. SCHILDT. Berlin, 9 ff.

PHILOSOPHISCHES WÖRTERBUCH. 1976. Hrsg. von G. KLAUS und M. BUHR. Leipzig.

PHYSIK-LEHRBUCH FÜR KLASSE 8. 1984. Berlin.

PÖCKL, W. 1980. Plädoyer für eine diachrone Stilistik. In: Sprachkunst. Jg. XI. 2. Halbband. Stilistik und Sprachkunstforschung. Wien, 192 ff.

POENICKE, C.; U. QUASCHNY. 1986. Zum aktuellen Sprachgebrauch in der DDR und in der BRD. Ergebnisse, Methoden und Probleme seiner Erforschung im Zeitraum 1946–1985 (Forschungsgeschichtlicher Abriß). Diplomarbeit. Leipzig.

POETHE, H. 1980. Neues in der 17. Auflage des „Grossen Dudens". In: Sprachpflege 29, 35 ff.

POETHE, H. 1984. Sprachlich-kommunikative Verfahren der Verstehenssicherung bei der Umsetzung naturwissenschaftlicher Inhalte in allgemeinsprachlichen Texten. In: WZ der Karl-Marx-Universität Leipzig. Gesellschafts- und Sprachwiss. Reihe 33, 500 ff.

v. POLENZ, P. 1979. Fremdwort und Lehnwort sprachwissenschaftlich betrachtet. In: Fremdwort-Diskussion. Hrsg. von P. v. POLENZ. München, 9 ff.

v. POLENZ, P. 1980. Wortbildung. In: Lexikon der Germanistischen Linguistik. Hrsg. von H. P. ALTHAUS, H. HENNE, H. E. WIEGAND. Tübingen, 169 ff.

PORSCH, A. 1986. Theoretisch-methodologische Grundlagen und empirische Untersuchungen zur Analyse von Texten unter kommunikativ-stilistischem Aspekt. Diss. B. Leipzig.

PORSCH, P. 1972. Soziolinguistische Semantik und extraverbale Kommunikation. Diss. A. Berlin (West).

PORSCH, P. 1981a. Textbeurteilung als Methode zur Erhebung sprachlich-kommunikativer Normen. Diss. B. Leipzig.

PORSCH, P. 1981b. Zur Theorie der sprachlichen Kodes und ihr Verhältnis zur Differenziertheit der Sprache. In: Kommunikation und Sprachvariation. Berlin, 259 ff.

PORSCH, P. 1983. Arbitrarität des sprachlichen Zeichens und dialektischer Widerspruch in der Sprache. In: LS/ZISW/A. Nr. 113/II, 40 ff.

PORSCH, P. 1984a. Arbitrarität und Naturnützlichkeitsprinzip aus dialektischer Sicht. In: Zeitschrift für Germanistik 5, 70 ff.

PORSCH, P. 1984b. Lexikalische Mittel zur sozialen Charakterisierung von Figuren und Figurenbeziehungen in einem Hörspiel. In: LAB 43, 25 ff.

PORZIG, W. 1957. Das Wunder der Sprache. Bern.

Porzig, W. 1971. Das Wunder der Sprache. 5. Auflage von A. Jecklin und H. Rupp. München.
Probleme der semantischen Analyse. 1977. Von einem Autorenkollektiv unter Leitung von D. Viehweger (studia grammatica XV). Berlin.
Psychologische Beiträge zur Analyse kognitiver Prozesse. 1976. Hrsg. von F. Klix. Berlin.

Radtke, I. 1973. Die Umgangssprache. In: Muttersprache 83, 161 ff.
Rath, R. 1965. Trennbare Verben und Ausklammerung. In: Wirkendes Wort 15, 217 ff.
Reiffenstein, I. 1973. Österreichisches Deutsch. In: Deutsch heute. Hrsg. von A. Haslinger. München, 19 ff.
Reiffenstein, I. 1977. Sprachebenen und Sprachwandel im österreichischen Deutsch der Gegenwart. In: Sprachliche Interferenz. Festschrift für W. Betz. Tübingen, 175 ff.
Reiher, R. 1980. Zur sprachlichen Kommunikation im sozialistischen Industriebetrieb. In: LS/ZISW/A. Nr. 71.
Reinhardt, W. 1978. Deutsche Fachsprache der Technik. Leipzig.
Riesel, E. 1970. Der Stil der deutschen Alltagsrede. Leipzig.
Riesel, E.; E. Schendels. 1975. Deutsche Stilistik. Moskau.
Röhrig, A. 1982. Die Wörter „Bildung" und „Erziehung" – linguistische Untersuchung zu Bedeutung und Gebrauch. Diss. A. Leipzig.
Rössler, R. 1971. Neologismen, Archaismen und Wortmeteore als Zeugen unserer sozialistischen Entwicklung. In: Sprachpflege 20, 76 ff.
Rössler, R. 1979. „Mit hohem Schrittmaß weiter auf gutem Kurs". Zum Gebrauch von „hoch" in der deutschen Sprache der DDR. In: Sprachpflege 28, 12 ff.
Rosengren, I. 1976. Der Grundwortschatz als theoretisches und praktisches Problem. In: Probleme der Lexikologie und Lexikographie. Jahrbuch 1975 des Instituts für deutsche Sprache. Düsseldorf, 313 ff.
Rosenkranz, H. 1974. Veränderungen der sprachlichen Kommunikation im Bereich der industriellen Produktion und ihre Folgen für die Sprachentwicklung in der Deutschen Demokratischen Republik. In: Aktuelle Probleme der sprachlichen Kommunikation (Sprache und Gesellschaft 2). Berlin, 75 ff.
Rozental', D. E.; M. A. Telenkova. 1972. Spravočnik lingvističeskich terminov. Moskva.
Rubinstein, S. L. 1969. Prinzipien und Wege der Entwicklung der Psychologie. Berlin.
Ruoff, A. 1973. Grundlagen und Methoden der Untersuchung gesprochener Sprache. Tübingen.
Rupp, H. 1983. Tendenzen, Formen und Strukturen der deutschen Standardsprache in der Schweiz. In: LS/ZISW/A. Nr. 111, 214 ff.
Růžička, R.; W. Motsch. 1983. Einleitung. In: Untersuchungen zur Semantik. Hrsg. vrsg. on R. Růžička und W. Motsch. Berlin, 7 ff.

Sanders, W. 1982. Sachsensprache – Hansesprache – Plattdeutsch. Sprachgeschichtliche Grundzüge des Niederdeutschen. Göttingen.
de Saussure, F. 1967. Grundfragen der Allgemeinen Sprachwissenschaft. Hrsg. von P. v. Polenz. Berlin (West).
Scharnhorst, J. 1978. Zur Sprachsituation in der Deutschen Demokratischen Republik. In: Sprachpflege 27, 1 ff.
Scharnhorst, J. 1980a. Zu einigen Grundbegriffen bei der Analyse von Sprachsituationen. In: ZPSK 33, 655 ff.
Scharnhorst, J. 1980b. Zum Status des Begriffs Sprachsituation. In: ZPSK 33, 109 ff.
Scherzberg, J. 1967. Intellektualisierung der deutschen Sprache der Gegenwart als Folge und Voraussetzung der wissenschaftlich-technischen Entwicklung, dargelegt an ausge-

wählten Beispielen aus dem Bereich der Lexik. In: WZ der Pädagogischen Hochschule „Karl Liebknecht" Potsdam. Gesellschafts- und Sprachwiss. Reihe 11, H. 2, 129 ff.

SCHERZBERG, J. 1971. Untersuchungen zum Wortschatz der Wirtschaftspolitik in der DDR in der Phase des neuen ökonomischen Systems der Planung und Leitung und bei der Herausbildung des ökonomischen Systems des Sozialismus in der DDR in den Jahren 1963–1969. Diss. B. Potsdam.

SCHIEB, G. 1980. Zu Stand und Wirkungsbereich der kodifizierten grammatischen Norm des 19. Jahrhunderts. In: LS/ZISW/A. Nr. 66/I, 177 f.

SCHILDT, J. 1979. Zu einigen grundsätzlichen Problemen bei der Erforschung sprachlicher Existenzformen. In: LS/ZISW/A. Nr. 62/II, 127 ff.

SCHILDT, J. 1982. Zum Verhältnis von Gesellschafts- und Sprachentwicklung – Grundprobleme. In: Deutsche Zeitschrift für Philosophie 30, H. 8, 1047 ff.

SCHILDT, J. 1983 a. Entwicklungstendenzen in der Funktionsweise der deutschen Sprache der Gegenwart und ihre Ursachen. In: LS/ZISW/A. Nr. 111, 61 ff.

SCHILDT, J. 1983 b. Herausbildung und Entstehung der deutschen Sprache. In: Kl. Enzykl. 1983, 522 ff.

SCHILDT, J. 1984. Abriß der Geschichte der deutschen Sprache. Berlin.

SCHIPPAN, Th. 1969. Antworten und Antwort geben? In: Deutschunterricht 22, 25 ff.

SCHIPPAN, Th. 1979. Zur Wortschatzentwicklung in der DDR. In: DaF 16, H. 4, 203 ff.

SCHIPPAN, Th. 1983. Entwicklungstendenzen im deutschen Wortschatz der Gegenwart. In: LS/ZISW/A. Nr. 11, 292 ff.

SCHIPPAN, Th. 1984 a. Kommunikative Bedürfnisse und Sprachwandel. In: LAB 43, 9 ff.

SCHIPPAN, Th. 1984 b. Lexikologie der deutschen Gegenwartssprache. Leipzig.

SCHIPPAN, Th. 1984 c. Veränderungen im Wortschatz der DDR. In: Deutschunterricht 37, 283 ff.

SCHLIEBEN-LANGE, B. 1978. Soziolinguistik. Eine Einführung. Stuttgart, Berlin (West), Köln, Mainz.

SCHMIDT, G. D. 1975. DDR – Lexeme in bundesdeutschen Rechtschreibwörterbüchern. In: Deutsche Sprache 3, H. 4, 314 ff.

SCHMIDT, G. D. 1982. DDR-spezifische Paläologismen. In: Muttersprache 92, 129 ff.

SCHMIDT, H. 1982. Stichwortkapazität und lexikalisches Netz einiger allgemeinsprachlicher Wörterbücher – ein historischer Vergleich. In: Wortschatzforschung heute, 185 ff.

SCHMIDT, V. 1968. Die Streckform des deutschen Verbums. Linguistische Studie. Halle (Saale).

SCHMIDT, V. 1975. Der Einfluß der Arbeiterklasse auf den deutschen Wortschatz. Diss. B. Berlin.

SCHMIDT, V. 1978. Klassenbedingte Differenzierung des Wortschatzes. In: ZPSK 31, 3 ff.

SCHMIDT, W. 1967. Lexikalische und aktuelle Bedeutung. Berlin.

SCHMIDT, W. 1969. Zur Ideologiegebundenheit der politischen Lexik. In: ZPSK 22, 255 ff.

SCHMIDT, W. 1972. Das Verhältnis von Sprache und Politik als Gegenstand der marxistisch-leninistischen Sprachwirkungsforschung. In: Sprache und Ideologie. Hrsg. von W. SCHMIDT. Halle, 9 ff.

SCHMIDT, W. 1973. Grundfragen der deutschen Grammatik. Berlin.

SCHMIDT, W. 1985. Deutsche Sprachkunde. Berlin.

SCHÖNFELD, H. 1974. Gesprochenes Deutsch in der Altmark. Berlin.

SCHÖNFELD, H. 1975. Sprachbeherrschung und Sprachverhalten bei unterschiedlichen sozialen und funktionalen Gruppen im Industriebetrieb. In: LS/ZISW/A. Nr. 28, 49 ff.

SCHÖNFELD, H. 1977. Zur Rolle der sprachlichen Existenzformen in der sprachlichen Kommunikation. In: Normen der sprachlichen Kommunikation (Sprache und Gesellschaft 11). Berlin, 163 ff.

SCHÖNFELD, H. 1981. Gruppenspezifische Unterschiede bei der Verwendung und Bewertung des Niederdeutschen in der DDR. In: LS/ZISW/A. Nr. 75/II, 112 ff.

SCHÖNFELD, H. 1983. Zur Soziolingusitik in der DDR. Entwicklung, Ergebnisse, Aufgaben. In: Zeitschrift für Germanistik 4, 213 ff.

SCHÖNFELD, H. 1985. Varianten, Varietäten und Sprachvariation. In: ZPSK 38, 206 ff.

SCHÖNFELD, H. 1986. Prozesse bei der Herausbildung regionaler Umgangssprachen im 19. und 20. Jahrhundert (am Beispiel der berlinisch-brandenburgischen Umgangssprache). In: Wissenschaftliche Beiträge der Friedrich-Schiller-Universität Jena, 162 ff.

SCHÖNFELD, H.; J. DONATH. 1978. Sprache im sozialistischen Industriebetrieb. Berlin.

SCHREIBER, H. 1982. Mikroelektronik und Sprache. In: Sprachpflege 31, 102 ff.

SCHRÖDER, M. 1982. Was sollen und können Benennungen leisten? In: Sprachpflege 31, 182 ff.

SCHRÖDER, M. 1985 a. Überlegungen zur textorientierten Wortbildungsforschung. In: LS/ZISW/A. Nr. 113, 69 ff.

SCHRÖDER, M. 1985 b. Zur Verwendung von Kurzformen. In: BES 5, 199 ff.

SCHÜTZE, R. 1969. „Außenrund-Schnelleinstechschleifen" – Bemerkungen zu einem Wortbildungstyp in der Fachsprache der Technik. In: DaF 6, H. 6, 421 ff.

SCHULZ, D.; H. GRIESBACH. 1976. Grammatik der deutschen Sprache. München.

SEIBICKE, W. 1983. Duden. Wie sagt man anderswo? Landschaftliche Unterschiede im deutschen Sprachgebrauch. Mannheim, Wien, Zürich.

SEIDEL, U. 1970. Zum Fachwortschatz der Kulturpoltik. Diss. A. Potsdam.

SEILER, F. 1913 ff. Die Entwicklung der deutschen Kultur im Spiegel des deutschen Lehnwortes. Halle.

SERÉBRENNIKOW, B. A. 1973. Der Zusammenhang zwischen der allgemeinen Methodologie der linguistischen Wissenschaft und den besonderen Methoden der linguistischen Forschung. In: LS/ZISW/A. Nr. 3.

SHUMANIJASOW, A. 1979. Umgangssprachliche Wörter und Wendungen in der Presse der DDR. Diss. A. Leipzig.

SIEBERT, H. J. 1976 a. Bedeutung, Bedeutungsbeziehungen und Bedeutungsveränderung von Personenbezeichnungen im Deutschen. Diss. B. Erfurt.

SIEBERT, H. J. 1976 b. Der Gebrauch der Anredeformen, Gruß- und Verabschiedungsformeln in der deutschen Sprache der Gegenwart in der DDR. In: DaF 13, H. 5, 297 ff.

SMIRONOW, N. K. 1981. Osobennosti upotreblenija infinitivnych konstrukcij v funkcii dopolnenija v naučno-techničeskoj literature. In: Voprosy sociolingvističeskoj variantnosti jazykovoj normy. Jaroslawl, 111 ff.

SOMMERFELDT, K.-E. 1966. Zu einigen Entwicklungstendenzen im Satzbau der deutschen Sprache. In: DaF 3, H. 1, 34 ff.

SOMMERFELDT, K.-E. 1978 a. Einige Bemerkungen zur Struktur des deutschen Satzes in Zeitungstexten. In: Sprachpflege 27, 196 ff.

SOMMERFELDT, K.-E. 1978 b. Herr – Genosse – Kollege. In: Sprachpflege 27, 180 ff.

SOMMERFELDT, K.-E. 1980 a. Sehr geehrter Herr! – Werter Genosse! – Lieber Kollege! In: Sprachpflege 29, 129 ff.

SOMMERFELDT, K.-E. 1980 b. Zur Semantik adjektivischer Wortgruppen. In: Zeitschrift für Germanistik 1, 447 ff.

SOMMERFELDT, K.-E. 1982 a. Die erweiterten Infinitive in der deutschen Sprache der Gegenwart. In: Sprachpflege 31, 81 ff.

SOMMERFELDT, K.-E. 1982 b. Erweiterte Infinitive mit *um zu, ohne zu* und *anstatt zu* als Mittel der Verdichtung. In: Sprachpflege 31, 161 ff.

SOMMERFELDT, K.-E. 1982 c. „Scharf" – ein Modewort? In: Sprachpflege 31, 6 ff.

SOMMERFELDT, K.-E. 1983 a. Zu den Nebensätzen ohne Satzgliedwert in der deutschen Sprache der Gegenwart. In: ZPSK 36, 413 ff.

SOMMERFELDT, K.-E. 1983 b. Zur Struktur des zusammengezogenen Satzes in der deutschen Sprache der Gegenwart. In: Sprachpflege 32, 145 ff.

SONDEREGGER, St. 1979. Grundzüge deutscher Sprachgeschichte. Bd. 1. Berlin (West), New York.

SORGENFREI, G. 1978. All – Kosmos – Orbit – Raum. In: Sprachpflege 27, 247.

SORNIG, K. 1981. Soziosemantik auf der Wortebene. Tübingen.

SPANGENBERG, K. 1969. Statistik und Sprachwandel am Beispiel des Verfalls thüringischer Mundarten. In: WZ der Universität Rostock. Gesellschafts- und Sprachwiss. Reihe 18, H. 6/7, 671 ff.

SPANGENBERG, K. 1970. Sprachwandel im thüringischen Eichsfeld. In: Sprache und Gesellschaft. Hrsg. von H. SPITZBARDT. Jena, 202 ff.

SPANGENBERG, K. 1978. Eigenständige Merkmale der Umgangssprache und hyperkorrekte Interferenzen im Spannungsfeld zwischen Mundart und Literatursprache. In: WZ der Wilhelm-Pieck-Universität Rostock. Gesellschafts- und Sprachwiss. Reihe XXVII. H. 1/2, 15 ff.

SPARMANN, H. 1964–1979. Neues im deutschen Wortschatz unserer Gegenwart. In: Sprachpflege 13–28.

SPERBER, H.; P. V. POLENZ. 1966. Geschichte der deutschen Sprache. Berlin.

DER SPRACHDIENST. 1981 ff. Wiesbaden.

SPRACHE – BILDUNG UND ERZIEHUNG. 1983. Von einem Autorenkollektiv unter Leitung von W. SCHMIDT. Leipzig.

SPRACHLICHE KOMMUNIKATION UND GESELLSCHAFT. 1976. Von einem Autorenkollektiv unter Leitung von W. HARTUNG. Berlin.

SPRACHVARIATION UND SPRACHWANDEL. 1980. Probleme der Inter- und Intralinguistik. Akten des 3. Symposiums über Sprachkontakt in Europa, Mannheim 1979. Hrsg. von P. STURE URELAND. Tübingen.

SPRACHWISSENSCHAFTLICHE GERMANISTIK. 1985. Ihre Herausbildung und Begründung. Hrsg. von W. BAHNER und W. NEUMANN. Berlin.

STARKE, G. 1968. Zum Problem der Zusammenbildung in der deutschen Gegenwartssprache. In: DaF 5, H. 3, 148 ff.

STARKE, G. 1969 ff. Konkurrierende syntaktische Konstruktionen in der deutschen Sprache der Gegenwart. In: ZPSK 22, 25 ff., 154 ff.; 23, 53 ff., 232 ff., 573 ff.

STARKE, G. 1975. Zum Einfluß von Funktionsverbgefügen auf den Satzbau des Deutschen. In: DaF 12, H. 3, 157 ff.

STARKE, G. 1979. Sprachliche Kommunikation, Sprachentwicklung, Sprachkultur. In: Sprachpflege 28, 245 ff.

STARKE, G. 1984 a. „Aufgabenfindung", „Farbgebung", „Namengebung" – eine neue Mode? In: Sprachpflege 33, 35 ff.

STARKE, G. 1984 b. Sprachentwicklung und Normentscheidungen. In: Sprachpflege 33, 141 ff.

STARS, M. 1974. Untersuchung von Bezeichnungen für vorbildliche Werktätige und in der Produktion tätige Gruppen. Diss. A. Potsdam.

STEGER, H. 1980. Soziolinguistik. In: Lexikon der Germanistischen Linguistik. Hrsg. von H. P. ALTHAUS, H. HENNE, H. E. WIEGAND. Tübingen, 347 ff.

STELLMACHER, D. 1980. Mehrsprachigkeit des Niederdeutschen – ein theoretisches oder praktisches Problem? In: Sprachkontakt und Sprachkonflikt. Hrsg. von P. H. NELDE. Wiesbaden, 383 ff.

STEPANOVA, M.D.; W.FLEISCHER. 1985. Grundzüge der deutschen Wortbildung. Leipzig.

STÖTZER, 1980. Bemerkungen zu Schreibung und Aussprache oft falsch geschriebener oder falsch gesprochener Fremdwörter. In: Sprachpflege 29, 54 ff.

STRIEZEL, H. 1969. Zur sprachlichen Gestaltung von Schulbuchtexten. In: Sprachpflege 18, 135 ff.

STUDIEN ZUR SOZIOLINGUISTIK o. J. Klagenfurter Beiträge zur Sprachwissenschaft. Sonderheft 1.

ŠUBIK, C.A. 1973. O razmerach predloženija v sovremennom nemeckom jazyke. In: Statistika reči i avtomatičeskij analiz teksta 1972. Leningrad.

TECHTMEIER, B. 1982. Aktuelle Tendenzen in der Soziolinguistik der DDR. In: Jahrbuch für Soziologie und Sozialpolitik. Berlin, 252 ff.

TECHTMEIER, B. u. a. 1984. Thesen zur Sprachkultur. In: Zeitschrift für Germanistik 5, 389 ff..

TELLENBACH, E. 1985. Wortbildungsmittel im Wörterbuch. In: LS/ZISW/A. Nr. 122, 266 ff.

TENDENZEN, FORMEN UND STRUKTUREN DER DEUTSCHEN STANDARDSPRACHE NACH 1945. 1983. Vier Beiträge zum Deutsch in Österreich, der Schweiz, der Bundesrepublik und der Deutschen Demokratischen Republik. Von I. REIFFENSTEIN, H. RUPP, P. v. POLENZ, G. KORLÉN. Marburg (Tendenzen).

THEORETISCHE PROBLEME DER SPRACHWISSENSCHAFT. 1976. Von einem Autorenkollektiv unter Leitung von W. NEUMANN, 2 Bände. Berlin (Theoretische Probleme).

THESEN ZUR SPRACHKULTUR. 1984. Von B. TECHTMEIER u. a. In: Zeitschrift für Germanistik 5, 389 ff.

THIEL, R. 1964. Die Zeiten der Vergangenheit. In: Sprachpflege 13, 83 ff.

TOMICZEK, E. 1983. System adresatywny wsotozesnego jezyka polskiego i niemieckiego. Sociolingwistyczne studium konfrontatywne. Wrocław.

TRAMONTANA, R. 1980. Wörtlich betäubt. In: Profil 11. H. 21, 62 ff.

TREMPELMANN, G. 1985. Von „Frustration" zu „Frust". In: Sprachpflege 34, 145 ff.

TRIER, J. 1960. Alltagssprache. In: Die deutsche Sprache im 20. Jahrhundert. Göttingen, 110 ff.

TSCHIRCH, F. 1969. Geschichte der deutschen Sprache. II. Entwicklung und Wandlungen der deutschen Sprachgestalt vom Hochmittelalter bis zur Gegenwart. Berlin.

UESSELER, M. 1982. Soziolinguistik. Berlin.

UMGANGSSPRACHE IN DER IBEROROMANIA. 1984. Hrsg. von G. HOLTUS und E. RADKE. Tübingen.

VALTA, Z. 1974. Die österreichischen Prägungen der deutschen Gegenwartssprache. Diss. A. Prag.

VEITH, W. H. 1968. Zum Problem der umgangssprachlichen Unsystematik. In: Muttersprche 78, 370 ff.

VOIGT, S. 1984. Die Wörter Gesellschaft, Gemeinschaft und Kollektiv im öffentlichen Sprachgebrauch der DDR und in der BRD. Diss. A. Leipzig.

WARUM IM DIALEKT? 1976. Hrsg. von G. BAUR und H. W. FLUCK. Bern, München.

WEBER, H. 1971. Das erweiterte Adjektiv- und Partizipialattribut im Deutschen. Linguistische Reihe. Band 4. München.

WEBER, H. 1980. Zu einigen Merkmalen der Lexik der Existenzformen. In: DaF 17, H. 6, 321 ff.

WEIDIG, R. 1981. Sozialstruktur und Lebensweise bei der Gestaltung der entwickelten sozialistischen Gesellschaft in der DDR. In: Lebensweise und Sozialstruktur. Berlin, 10 ff.

WEIGEL, H. 1980. Die Leiden des jungen Wörterbuches. In: Profil 11, H. 9.

WEISGERBER, L. 1958. Verschiebungen in der sprachlichen Einschätzung von Menschen und Sachen. Köln, Opladen.

WELLMANN, H. 1975. Deutsche Wortbildung. Zweiter Hauptteil. Das Substantiv. Düsseldorf.

WELLMANN, H. 1984. Stand und Aufgaben der wissenschaftlichen Lexikographie des heutigen Deutsch – einsprachige Wörterbücher. In: Theoretische und praktische Probleme der Lexikographie. Hrsg. von D. GOETZ und Th. HERBST. München, 350 ff.

WERNER, O. 1969. Das deutsche Pluralsystem. Strukturelle Diachronie. In: Sprache. Gegenwart und Geschichte. Jahrbuch 1968. Düsseldorf.

WIECZORKOWSKI, K. 1983. Zur Entwicklung deutscher Adjektivgruppen. Diplomarbeit. Güstrow.

WIEGAND, H. E. 1984. Prinzipien und Methoden historischer Lexikographie. In: Sprachgeschichte. Hrsg. von W. BESCH, O. REICHMANN, S. SONDEREGGER. 1. Halbband. Berlin (West), New York, 557 ff.

WIESE, I. 1981. Probleme der Darstellung sprachgeschichtlicher Entwicklungstendenzen in niederdeutschen Wörterbüchern, dargestellt am Beispiel des Brandenburg-Berlinischen Wörterbuchs. In: LS/ZISW/A. Nr. 75/II, 128 ff.

WIESE, I. 1984. Fachsprache der Medizin. Leipzig.

WIESINGER, P. 1983 a. Sprachschichten und Sprachgebrauch in Österreich. In: Zeitschrift für Germanistik 4, 184 ff.

WIESINGER, P. 1983 b. Überlegungen zu einer Typologie des Dialekts. In: Aspekte der Dialekttheorie. Hrsg. von K. MATTHEIER. Tübingen, 69 ff.

WIESINGER, P. 1985 a. Die Entwicklung des Verhältnisses von Mundart und Standardsprache in Österreich. In: Sprachgeschichte. Hrsg. von W. BESCH, O. REICHMANN, St. SONDEREGGER, 2. Halbbd. Berlin (West), New York, 1939 ff.

WIESINGER, P. 1985 b. Die Diagliederung des Deutschen seit dem 17. Jahrhundert. In: Sprachgeschichte. Hrsg. von W. BESCH, O. REICHMANN, St. SONDEREGGER. 2. Halbbd. Berlin (West), New York, 1633 ff.

WILMANNS, W. 1922. Deutsche Grammatik, Gotisch, Alt-, Mittel- und Neuhochdeutsch. II. Abt. Wortbildung. Berlin, Leipzig.

WILSS, W. 1983. Wortbildungstendenzen in der deutschen Gegenwartssprache, dargestellt an Syntagmen des Typs Substantiv + Partizip (kostendeckend). In: Muttersprache 93, 230 ff.

WINGE, V. 1978. Einige Betrachtungen zur sog. Pluralumwälzung im Deutschen. In: Kopenhagener Beiträge zur germanistischen Linguistik 10, 33 ff.

WINTER, W. 1961. Relative Häufigkeit syntaktischer Erscheinungen als Mittel der Abgrenzung von Stilarten. In: Phonetica, 193 ff.

WITTICH, M. 1910. Die Kunst der Rede. Leipzig.

WÖRTERBUCH DER DEUTSCHEN GEGENWARTSSPRACHE. 1964 ff. Hrsg. von R. KLAPPENBACH und W. STEINITZ. Berlin (WDG).

WÖRTERBUCH DER GESCHICHTE. 1983. Hrsg. von H. BARTEL u. a. Berlin.

WÖRTERBUCH DER SPRACHSCHWIERIGKEITEN. 1984. Hrsg. von J. DÜCKERT und G. KLEMPCKE. Leipzig (WB Sprachschw.).

WORONOV, A. 1962. Die Pluralbildung der Substantive in der deutschen Sprache des XIV.–XVI. Jahrhunderts. In: Beiträge zur Geschichte der deutschen Sprache und Literatur 84, 173 ff.

WORTSCHATZ DER DEUTSCHEN SPRACHE IN DER DDR – FRAGEN SEINES AUFBAUS UND SEINER VERWENDUNGSWEISE. 1987. Von einem Autorenkollektiv unter Leitung von W. FLEISCHER. Leipzig (Wortschatz).

WÜSTER, E. 1979. Einführung in die allgemeine Terminologie und terminologische Lexikologie. Hrsg. von L. BAUER. 2 Bände. Wien, New York.

WURZEL, W. U. 1975. Gedanken zum Sprachwandel. In: Kwartalnik Neofilologiczny 22, H. 3, 325 ff.

WURZEL, W. U. 1984 a. Noch einmal: Widerspruch, Motiviertheit und Sprachveränderung. Eine notwendige Antwort. In: Zeitschrift für Germanistik 5, 312 ff.

WURZEL, W. U. 1984 b. Zur Dialektik im Sprachsystem. Widerspruch – Motiviertheit – Sprachveränderung. In: DaF 21, H. 4, 202 ff.

WÜSTER, E. 1979. Einführung in die allgemeine Terminologie und terminologische Lexikologie. Hrsg. von L. BAUER. 2 Bände. Wien, New York.

WUSTMANN, G. 1903. Allerhand Sprachdummheiten. Leipzig.

ZOMMERFEL'DT, K.-E. 1983. K voprosu o soglasovanii svobodnogo priloženija s opredeljaemym slovom v sovremennom nemeckom jazyke. In: Inostrannye jazyki v škole. Moskva, 11 ff.

ZUM EINFLUSS VON MARX UND ENGELS AUF DIE DEUTSCHE LITERATURSPRACHE. 1978. Studien zum Wortschatz der Arbeiterklasse im 19. Jahrhundert. Von einem Autorenkollektiv unter Leitung von J. SCHILDT. Berlin.

Stichwortverzeichnis